DIE GRUNDLEHREN DER

MATHEMATISCHEN WISSENSCHAFTEN

IN EINZELDARSTELLUNGEN MIT BESONDERER BERÜCKSICHTIGUNG DER ANWENDUNGSGEBIETE

HERAUSGEGEBEN VON

R. GRAMMEL · E. HOPF · H. HOPF · F. K. SCHMIDT

B. L. VAN DER WAERDEN

BAND LXXXVII

MATHEMATISCHE STATISTIK

VON

B. L. VAN DER WAERDEN

SPRINGER-VERLAG

BERLIN · GÖTTINGEN · HEIDELBERG

1957

MATHEMATISCHE STATISTIK

VON

DR. B. L. VAN DER WAERDEN
PROFESSOR DER MATHEMATIK AN DER UNIVERSITÄT ZÜRICH

MIT 39 TEXTFIGUREN UND 13 ZAHLENTAFELN

SPRINGER-VERLAG
BERLIN · GÖTTINGEN · HEIDELBERG
1957

PRINTED IN GERMANY

DRUCK DER UNIVERSITÄTSDRUCKEREI H. STÜRTZ AG., WÜRZBURG

Vorwort

Das vorliegende Buch ist aus einer langjährigen Beschäftigung mit den praktischen Anwendungen hervorgegangen. Seit meiner Studentenzeit sind immer wieder Volkswirtschaftler, Mediziner, Physiologen, Biologen und Ingenieure mit statistischen Fragen zu mir gekommen. Durch Nachdenken und Literaturstudium habe ich immer bessere Methoden kennengelernt. Diese Methoden sollen hier begründet und auf möglichst lehrreiche Beispiele aus den Natur- und Sozialwissenschaften angewandt werden. So hoffe ich, dem Leser manche Irrwege, die ich anfangs gegangen bin, zu ersparen. Die Beispiele sind nicht aus der Theorie heraus konstruiert, sondern der Praxis entnommen; daher waren bei manchen Beispielen ausführliche Erläuterungen notwendig.

Die mathematischen Grundbegriffe habe ich so kurz wie möglich, aber doch, wie ich hoffe, verständlich dargestellt. Manchmal waren längere theoretische Ausführungen notwendig, aber wo immer möglich wurde für schwierigere Beweise auf gute existierende Lehrbücher verwiesen. Es hat keinen Sinn, mathematische Theorien, die bei Kolmogoroff, Carathéodory oder Cramér ausführlich und deutlich dargestellt sind, noch einmal zu entwickeln.

Die Elemente der Funktionentheorie und der Lebesgueschen Integrationstheorie wurden als bekannt vorausgesetzt. Das bedeutet natürlich nicht, daß ein Leser ohne diese Vorbereitungen das Buch nicht verstehen kann: er muß eben gewisse Sätze ohne Beweis annehmen oder sich auf die mehr elementaren Teile beschränken, in denen nur Differential- und Integralrechnung und Analytische Geometrie vorausgesetzt wird (Kap. 1 bis 4, 10 und 12).

Das Buch will nur eine Einführung sein; Vollständigkeit wurde nicht erstrebt. Manche wichtige Theorien wie die der Sequenzteste, der Entscheidungsfunktionen und der stochastischen Prozesse, mußten ganz weggelassen werden. Über diese Theorien gibt es aber Spezialwerke von hervorragenden Kennern, wie:

A. Wald, Sequential Analysis (Wiley) New York 1947;
A. Wald, Statistical decision functions (Wiley) New York 1950;
J. L. Doob, Stochastic processes (Wiley) New York 1953.

An manchen Stellen wurde auf weitere Literatur hingewiesen. Die Hinweise stehen dort, wo man sie bequem zur Hand hat, nämlich im

Text oder am Fuß der Seite. Die neue Mode, Fußnoten am Schlusse des Buches oder gar am Schlusse des Kapitels zu bringen, macht ein schreckliches Hin- und Herblättern notwendig. Auch halte ich es für zweckmäßig, S. 5 oder p. 5 zu schreiben und nicht einfach 5. Einheitlichkeit in den Zitaten wurde nicht angestrebt. Zu starke Abkürzungen wurden vermieden.

Die erste Fassung dieses Buches ist 1945 entstanden. Sie diente als Unterlage zu einem Kurs über Fehlerrechnung und Statistik am Shell-Laboratorium in Amsterdam. Eine spätere Fassung hat Herr Dr. E. Batschelet (Basel) kritisch gelesen. Ihm sowie Herrn Prof. E. L. Lehmann (Berkeley) danke ich sehr für ihre äußerst wertvollen Bemerkungen. Auch danke ich Herrn H. R. Fischer und Herrn E. Nievergelt (Zürich) für das Zeichnen der Figuren und das Mitlesen der Korrekturen.

Im September 1956 B. L. van der Waerden

Inhaltsverzeichnis

Siebtes Kapitel: Die Methode der kleinsten Quadrate

Achtes Kapitel: Schätzung unbekannter Konstanten

Neuntes Kapitel: Auswertung von beobachteten Häufigkeiten

Zehntes Kapitel: Bio-Auswertung

Elftes Kapitel: Prüfung von Hypothesen durch Tests

Zwölftes Kapitel: Anordnungstests

Dreizehntes Kapitel: Korrelation

Vierzehntes Kapitel: Tafeln

Leitfaden

Übersicht über die Kapitel und ihre logische Abhängigkeit

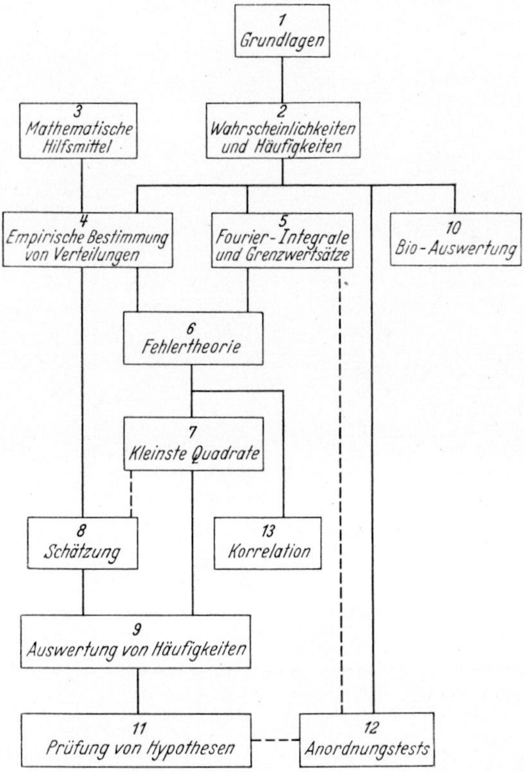

Gestrichelte Verbindungslinien bedeuten, daß das Studium des früheren Kapitels für das Verständnis des späteren förderlich, aber nicht unbedingt notwendig ist.

Einleitung

In den älteren Werken über Kollektivmaßlehre werden die Begriffe Häufigkeit, Mittelwert, Streuung, usw. an einer bestimmten endlichen statistischen Gesamtheit entwickelt, über die man auch in Gedanken nicht hinausgeht. Die englischen und amerikanischen Statistiker dagegen fassen grundsätzlich jede statistische Gesamtheit als zufällige Stichprobe (random sample) aus einer unbegrenzten Gesamtheit von Möglichkeiten auf. Die Häufigkeit eines Ereignisses ist nach dieser Auffassung nur eine Schätzung für die *Wahrscheinlichkeit* des Ereignisses, und das empirische Mittel (the sample mean) ist nur eine Schätzung für den idealen *Mittelwert* oder *Erwartungswert*. Die Kernfrage der mathematischen Statistik ist nach dieser Auffassung: *Wie weit können sich die aus der Stichprobe berechneten Größen von den entsprechenden idealen Werten entfernen?*

So ist man heute dazu gekommen, die mathematische Statistik auf der Wahrscheinlichkeitsrechnung aufzubauen.

Die Wahrscheinlichkeitsrechnung ist als exakte mathematische Theorie in dem hier erforderlichen Umfang zuerst von KOLMOGOROFF entwickelt worden. Auf diesen axiomatischen Aufbau stützen wir uns hier, ohne uns über die Herkunft des Wahrscheinlichkeitsbegriffs weiter Sorgen zu machen. Die rein mathematisch aufgebaute Theorie bewährt sich in der Anwendung so gut wie die Euklidische Geometrie oder die NEWTONsche Mechanik; das möge genügen. Die philosophische Erörterung des Wahrscheinlichkeitsbegriffs ist ohne Zweifel interessant und wichtig, gehört aber nicht in ein Lehrbuch wie dieses hinein.

Die logische Struktur dieses Buches ist im vorstehenden Leitfaden schematisch dargestellt.

Die Kap. 1 bis 6 bringen die axiomatische Wahrscheinlichkeitsrechnung nach KOLMOGOROFF und vielerlei statistische Anwendungen, darunter die Theorie der Vertrauensgrenzen für eine unbekannte Wahrscheinlichkeit und des Vertrauensgürtels für eine unbekannte Verteilungsfunktion, verschiedene einfache Fälle des χ^2-Testes, die GAUSSsche Fehlertheorie und STUDENTs Test. Die mathematischen Hilfsmittel werden in den Kap. 1, 3 und 5 entwickelt, darauf folgt jeweils die statistische Anwendung in den Kap. 2, 4 und 6.

Den zentralen Teil des Buches bilden zwei größere zusammenhängende Partien: die Theorie der Schätzung (Kap. 7 bis 9) und die der Prüfung von Hypothesen (Kap. 11 bis 12).

Die Theorie der Schätzung (estimation) nimmt ihren Ausgangspunkt von der Methode der Kleinsten Quadrate, die GAUSS entwickelt hat. GAUSS hat zwei Begründungen für diese Methode gegeben. Die erste argumentiert so: Die plausibelsten Werte der unbekannten Parameter sind diejenigen, die dem beobachteten Ereignis die größte Wahrscheinlichkeit verleihen. Die zweite, von GAUSS selbst bevorzugte Begründung geht von der Forderung aus, daß die Schätzwerte einen möglichst kleinen mittleren Fehler haben sollen.

R. A. FISHER hat beide Begründungen auf viel allgemeinere Schätzungsprobleme übertragen. Die Forderung der größten Wahrscheinlichkeit der beobachteten Werte führt zur Maximum Likelihood Schätzung. Die Forderung des kleinsten mittleren Fehlers führt zum Begriff der effizienten Schätzung (efficient estimate). In einer großen Klasse von Fällen führt das Maximum Likelihood Prinzip in der Tat zu einer effizienten Schätzung. Die Präzisierung dieser Begriffe und die exakten Beweise nach FRÉCHET, RAO, LEHMANN und SCHEFFÉ sollen in Kap. 8 gegeben werden, die Anwendung auf beobachtete Häufigkeiten in Kap. 9.

Die moderne Theorie der Hypothesenprüfung (testing) nimmt ihren Ausgang von PEARSONs χ^2-Test und STUDENTs t-Test. R. A. FISHER hat den Anwendungsbereich dieser Methoden sehr erweitert, den Begriff „Freiheitsgrade“ eingeführt und den Zusammenhang mit der Schätzungstheorie hergestellt, indem er darauf hingewiesen hat, daß man beim χ^2-Test nur effiziente Schätzungen benutzen darf. Die exakten Beweise seiner Behauptungen haben J. NEYMAN und E. S. PEARSON geliefert. Sie haben auch die allgemeinen Prinzipien formuliert, die der modernen Testtheorie zugrunde liegen. Das alles soll in Kap. 11 dargestellt und an Beispielen erläutert werden.

Auch in der Theorie der Anordnungsteste (Kap. 12) kommen diese Prinzipien zur Geltung. Die mathematischen Hilfsmittel, die man zum Verstehen dieses Kapitels braucht, sind aber viel bescheidener: in der Hauptsache kommt man mit Kap. 1 und 2 aus, nur ein- oder zweimal wird ein Grenzwertsatz aus Kap. 5 benutzt.

Die Bio-Auswertung (bio-assay) wird in Kap. 10 behandelt. Obwohl es sich um ein Schätzungsproblem im Sinne von Kap. 8 handelt, kommt man hier ebenfalls mit Kap. 1 und 2 als Vorbereitung aus.

Das Schlußkapitel 13 behandelt den Korrelationskoeffizienten und die Rangkorrelation. Es setzt, wie man aus dem Leitfaden sieht, nur die Kap. 1 bis 6 voraus.

Erstes Kapitel

Allgemeine Grundlagen

Das Studium dieses Kapitels ist unentbehrlich.

§1. Grundbegriffe der Wahrscheinlichkeitsrechnung

A. Vorläufige Erklärung und Beispiele

In der Wahrscheinlichkeitsrechnung werden *Ereignisse* betrachtet, deren Eintreffen vom Zufall abhängt und deren *Wahrscheinlichkeiten* durch Zahlen ausdrückbar sind.

Der Wahrscheinlichkeitsbegriff ist ein *statistischer*. Wahrscheinlichkeiten können statistisch erfaßt werden, indem man die Bedingungen, unter denen ein bestimmtes Ereignis eintreffen kann, immer wieder realisiert und feststellt, mit welcher *Häufigkeit* das Ereignis eintrifft. Ist die Wahrscheinlichkeit p, so bedeutet das, daß in einer Reihe von n solchen Wiederholungen das Ereignis durchschnittlich pn mal eintrifft. Allerdings wird die Trefferzahl Schwankungen um den Mittelwert pn aufweisen, die wir später genauer abschätzen werden.

Ereignisse werden mit großen Typen $A, B, \ldots$ bezeichnet. Wir verwenden die folgenden Bezeichnungen:

AB (lies: A und B) ist das Ereignis, das eintrifft, wenn A und B beide eintreffen.

$\bar{A}$ (lies: nicht A) ist das Ereignis, das genau dann eintrifft, wenn A nicht eintrifft.

E ist das Ereignis, das immer eintrifft.

$A \dotplus B$ (lies: A oder B) ist das Ereignis, das eintrifft, wenn A oder B oder beide eintreffen.

Schließen A und B sich gegenseitig aus, so daß niemals beide gleichzeitig eintreffen können, so schreibt man $A + B$ (lies wieder: A oder B) statt $A \dotplus B$. Analog bei mehreren, auch unendlich vielen sich ausschließenden Ereignissen:

$$\sum_1^n A_i = A_1 + \cdots + A_n$$

$$\sum_1^\infty A_i = A_1 + A_2 + \cdots.$$

Die Wahrscheinlichkeit eines Ereignisses A wird mit $\mathcal{P}(A)$ bezeichnet. Folgende Beispiele mögen den Gebrauch der Worte erläutern:

Beispiel 1. Man wirft dreimal mit einem Würfel. Ereignisse sind alle möglichen Würfe wie (6, 1, 1) und alle Kombinationen von solchen, durch das Wort „oder" verbunden; z.B. ist „(6, 1, 1) oder (4, 5, 6)" ein Ereignis, nämlich die Summe der Ereignisse (6, 1, 1) und (4, 5, 6). Die Wahrscheinlichkeit, beim ersten Wurf 6 Augen zu werfen, braucht nicht $\frac{1}{6}$ zu sein: der Würfel kann ja gefälscht sein oder zufällige Unregelmäßigkeiten aufweisen. Ist er annähernd symmetrisch und homogen, so ist es vernünftig, anzunehmen, daß die Wahrscheinlichkeit annähernd $\frac{1}{6}$ beträgt. Andernfalls kann man sie nur durch eine lange Reihe von Würfen annähernd bestimmen, indem man feststellt, wie häufig man dabei 6 Augen wirft.

Beispiel 2. Man schießt auf eine Scheibe. Das Geschehen wird idealisiert, indem man die Treffstelle durch einen Punkt ersetzt und annimmt, daß man die Scheibe immer trifft. Ein Ereignis ist, irgendeinen abgegrenzten Bereich der Scheibe zu treffen. Zu jedem Teilbereich der Scheibe gehört also ein Ereignis, insbesondere zur ganzen Scheibe das Ereignis E. Die Wahrscheinlichkeit eines solchen Ereignisses ist um so größer, je größer der Flächeninhalt des Bereiches ist, aber auch, je mehr in der Mitte er liegt; denn auf die Mitte der Scheibe zielt man ja. Einen einzelnen Punkt zu treffen, ist auch ein Ereignis, aber die Wahrscheinlichkeit dieses Ereignisses ist Null, da ein Punkt keine Fläche hat. Gehören zwei Ereignisse A und B zu bestimmten Bereichen auf der Scheibe, so gehört die Summe $A \dotplus B$ zur Vereinigungsmenge der beiden Bereiche, das Produkt AB zum Durchschnittsbereich.

B. Ereignisse

Will man den formalen Gebrauch der Operationen AB, $\bar{A}$, $A \dotplus B$ und $A + B$ mathematisch präzisieren, so stehen dazu zwei Wege offen. Man kann das Feld der „Ereignisse" als eine BOOLE*sche Algebra* oder als einen *Mengenkörper* auffassen. Bei der ersten Auffassung sind die „Ereignisse" undefinierte Objekte („Somen") und die Operationen brauchen nur gewisse Axiome zu erfüllen (siehe C. CARATHÉODORY, Maß und Integral, Basel 1956). Nach der zweiten Auffassung sind die „Ereignisse" Teilmengen einer Menge E und ist AB der Durchschnitt, $\bar{A}$ das Komplement, $A \dotplus B$ die Vereinigung.

Die beiden Auffassungen sind äquivalent, denn nach einem bekannten Satz von STONE[1] ist jede BOOLEsche Algebra isomorph einem Mengenkörper. Die erste Auffassung ist vielleicht natürlicher (s. D. A. KAPPOS, Zur mathematischen Begründung der Wahrscheinlichkeitstheorie, Sitzungsber. Bayer. Akad. München 1948), aber die zweite ist mathematisch einfacher. Wir folgen daher KOLMOGOROFF[2] und fassen alle „Ereignisse" als Mengen von „Elementarereignissen" auf.

Bei dieser Auffassung ist E die Menge aller Elementarereignisse, die in einer bestimmten Situation als möglich in Betracht gezogen werden.

---

[1] Siehe M. H. STONE, Trans. Amer. math. Soc. 40 (1936) p. 37 oder H. HERMES, Einführung in die Verbandstheorie, Springer-Verlag 1955, § 20.

[2] A. KOLMOGOROFF, Grundbegriffe der Wahrscheinlichkeitsrechnung, Ergebn. d. Math. II 3, Berlin 1933. Siehe auch das Buch von H. REICHENBACH, Wahrscheinlichkeitslehre.

C. Wahrscheinlichkeiten

Nach KOLMOGOROFF kann man die Wahrscheinlichkeitsrechnung auf folgenden Axiomen aufbauen:

1. Sind A und B Ereignisse, so sind auch $\bar{A}$, AB und $A \dotplus B$ Ereignisse.
2. Jedem Ereignis A ist eine reelle Zahl $\mathcal{P}(A) \geqq 0$ zugeordnet.
3. E ist ein Ereignis mit $\mathcal{P}(E) = 1$.
4. Wenn A und B sich ausschließen, so ist $\mathcal{P}(A+B) = \mathcal{P}(A) + \mathcal{P}(B)$.
5. Sind $A_1, A_2, \ldots$ Ereignisse, die niemals alle gleichzeitig eintreffen können, so ist

$$\lim_{n \to \infty} \mathcal{P}(A_1 A_2 \ldots A_n) = 0.$$

Aus den Axiomen 3 und 4 folgt

$$\mathcal{P}(\bar{A}) = 1 - \mathcal{P}(A) \tag{1}$$

und daraus weiter, daß $\mathcal{P}(A)$ höchstens 1 beträgt:

$$0 \leq \mathcal{P}(A) \leq 1. \tag{2}$$

Weiter folgt, wenn $A_1, \ldots, A_n$ sich gegenseitig ausschließen, der *Summensatz:*

$$\mathcal{P}(A_1 + \cdots + A_n) = \mathcal{P}(A_1) + \cdots + \mathcal{P}(A_n). \tag{3}$$

Aus dem Stetigkeitsaxiom 5. folgt, daß der Summensatz auch für unendlich viele Ereignisse gilt, falls $A = A_1 + A_2 + \cdots$ wieder ein Ereignis ist:

$$\mathcal{P}(A) = \mathcal{P}(A_1) + \mathcal{P}(A_2) + \cdots. \tag{4}$$

Für die sehr einfachen Beweise möge auf das zitierte Ergebnisse-Heft von KOLMOGOROFF, Grundbegriffe der Wahrscheinlichkeitsrechnung verwiesen werden.

D. Bedingte Wahrscheinlichkeiten

Es sei $\mathcal{P}(A) \neq 0$. Die *bedingte Wahrscheinlichkeit* von B unter der Voraussetzung, daß A eingetroffen ist, wird durch

$$\mathcal{P}_A(B) = \frac{\mathcal{P}(AB)}{\mathcal{P}(A)} \tag{5}$$

definiert. Es folgt

$$\mathcal{P}(AB) = \mathcal{P}(A)\,\mathcal{P}_A(B). \tag{6}$$

Diese Formel gilt auch für $\mathcal{P}(A) = 0$, gleichgültig, welchen Wert man dem Faktor $\mathcal{P}_A(B)$ in diesem Falle beilegt.

Bei den Anwendungen wird, wie H. RICHTER[1] ganz richtig bemerkt hat, die bedingte Wahrscheinlichkeit $\mathcal{P}_A(B)$ fast nie nach der Definition (5) berechnet, sondern es werden irgendwelche Annahmen über $\mathcal{P}_A(B)$ gemacht und auf Grund dieser Annahmen wird $\mathcal{P}(AB)$ nach (6) berechnet. Man sehe etwa das nachfolgende Beispiel 3. Man sollte also eigentlich die bedingten Wahrscheinlichkeiten $\mathcal{P}_A(B)$ nicht durch (5) definieren, sondern sie als undefinierte Begriffe der Axiomatik zugrunde legen. Man könnte dann (6) als Axiom hinzunehmen.

Wir wollen aber hier auf diese axiomatischen Fragen nicht eingehen, sondern nach KOLMOGOROFF (5) als Definition zugrunde legen.

Beispiel 3. Aus einer Urne mit r weißen und $N-r$ schwarzen Kugeln werden nacheinander (ohne Zurücklegen) 2 Kugeln gezogen. Wie groß ist die Wahrscheinlichkeit, a) beim ersten Zug eine weiße Kugel, b) beim ersten und zweiten Zuge beide Male eine weiße Kugel, c) beim zweiten Zug eine weiße Kugel zu ziehen? Dabei wird angenommen, daß die Kugeln in der Urne gut durchgemischt sind, so daß die Wahrscheinlichkeit, eine bestimmte Kugel zu ziehen, für alle Kugeln die gleiche ist. Auch die relative Wahrscheinlichkeit, beim zweiten Zug eine der Kugeln zu ziehen, wenn beim ersten Zug schon eine bestimmte Kugel gezogen ist, wird für alle $N-1$ noch übrigen Kugeln als gleich angenommen.

Es sei A_j das Ereignis, beim ersten Zug eine bestimmte Kugel, Nummer j, zu ziehen. Ebenso sei B_k das Ereignis, beim zweiten Zug die Kugel Nummer k zu ziehen. Aus den angegebenen Voraussetzungen folgt

$$\mathcal{P}(A_j) = \frac{1}{N}$$

und

$$\mathcal{P}_{A_j}(B_k) = \frac{1}{N-1} \qquad (j \neq k).$$

Nach der Produktregel ist also die Wahrscheinlichkeit, beim ersten Zug Kugel Nummer j und beim zweiten Zug Kugel Nummer k zu ziehen, für alle Paare (j, k) mit $j \neq k$ die gleiche, nämlich

$$\mathcal{P}(A_j B_k) = \frac{1}{N} \cdot \frac{1}{N-1}.$$

Die Anzahl der Paare, bei denen die erste Kugel weiß ist, ist $r(N-1)$. Also ist die Wahrscheinlichkeit, beim ersten Zug eine weiße Kugel zu ziehen, gleich

$$\frac{r(N-1)}{N(N-1)} = \frac{r}{N}.$$

Ebenso ist die Anzahl der Paare, bei denen die zweite Kugel weiß ist, gleich $r(N-1)$, also ist auch die Wahrscheinlichkeit, beim zweiten Zug eine weiße Kugel zu ziehen, gleich r/N. Schließlich ist die Anzahl der weißen Paare (j, k) gleich $r(r-1)$, also ist die Wahrscheinlichkeit, beide Male eine weiße Kugel zu ziehen,

$$\frac{r(r-1)}{N(N-1)}.$$

---

[1] H. RICHTER, Grundlegung der Wahrscheinlichkeitsrechnung, Math. Annalen 125 und 126. Siehe auch P. FINSLER, Elemente der Math. 2 (1947) p. 112.

E. Die Regel von der totalen Wahrscheinlichkeit

Unter einem *Versuch* versteht man eine Fallunterscheidung

$$E = A_1 + A_2 + \cdots + A_n,$$

wobei die möglichen Fälle A_k Ereignisse sind. Für jede solche Zerlegung gilt nach (3) und (6) die *Regel von der totalen Wahrscheinlichkeit*

$$\mathcal{P}(B) = \sum_k \mathcal{P}(A_k)\, \mathcal{P}_{A_k}(B). \tag{7}$$

F. Unabhängigkeit

Zwei oder mehrere solche Zerlegungen

$$E = A_1 + A_2 + \cdots + A_n, \quad E = B_1 + \cdots + B_m, \quad \ldots$$

heißen *unabhängig*, wenn für alle $h, i, \ldots, k$ gilt

$$\mathcal{P}(A_h B_i \ldots D_k) = \mathcal{P}(A_h)\, \mathcal{P}(B_i) \ldots \mathcal{P}(D_k). \tag{8}$$

Endlich viele Ereignisse $A, B, \ldots, D$ heißen *unabhängig*, wenn die Zerlegungen $E = A + \bar{A}$, $E = B + \bar{B}, \ldots, E = D + \bar{D}$ unabhängig sind.

Dann gilt also

$$\mathcal{P}(AB \ldots D) = \mathcal{P}(A)\, \mathcal{P}(B) \ldots \mathcal{P}(D)$$

$$\mathcal{P}(\bar{A}B \ldots D) = \mathcal{P}(\bar{A})\, \mathcal{P}(B) \ldots \mathcal{P}(D), \quad \text{usw.}$$

Bei den Anwendungen ist es wiederum meistens so, daß die Unabhängigkeit nicht durch (8) definiert, sondern postuliert wird. Man nimmt zwei Versuche als unabhängig an, wenn der Ausgang des einen praktisch keinen Einfluß auf den Ausgang des andern hat.

G. Unendliche Summen

Eine unendliche Summe $A_1 + A_2 + \cdots$ von sich ausschließenden Ereignissen braucht kein Ereignis zu sein und keine Wahrscheinlichkeit zu haben. Man kann aber mit den Methoden der LEBESGUEschen Maßtheorie den Körper der „Ereignisse" zum Körper der „meßbaren Mengen" erweitern und für diese Mengen A^* Maßzahlen $\mathcal{P}^*(A^*)$ definieren, so daß im erweiterten Bereich die Axiome 1 bis 5 wieder gelten und daß für die ursprünglichen Ereignisse A die Maßzahl $\mathcal{P}^*$ mit der Wahrscheinlichkeit $\mathcal{P}$ übereinstimmt:

$$\mathcal{P}^*(A) = \mathcal{P}(A).$$

Wenn die Wahrscheinlichkeit $\mathcal{P}(A)$ noch von unbekannten Parametern ϑ abhängt, so beschränkt man sich auf diejenigen Mengen A^*, die für alle ϑ meßbar sind.

Jede abzählbare Summe von Mengen A^* ist wieder eine Menge A^* und es gilt der *uneingeschränkte Summensatz:*

$$\mathcal{P}^*(A_1^* + A_2^* + \cdots) = \mathcal{P}^*(A_1^*) + \mathcal{P}^*(A_2^*) + \cdots. \tag{9}$$

Für den Beweis siehe etwa C. CARATHÉODORY, Vorlesungen über reelle Funktionen (1918), p. 237—258.

Diese Erweiterung denken wir uns im folgenden, wenn nötig, immer ausgeführt, ohne die neuen Mengen und ihre Maßzahlen durch Sternchen von den ursprünglichen Ereignissen und Wahrscheinlichkeiten zu unterscheiden. Wir nehmen also künftig an, daß eine Summe von Ereignissen $A_1 + A_2 + \cdots$ wieder ein Ereignis ist und daß der uneingeschränkte Summensatz gilt.

§2. Zufällige Größen, Verteilungsfunktionen

A. Zufällige Größen

Eine *zufällige Größe* oder *stochastische Veränderliche* ist, populär ausgedrückt, eine Größe, deren Wert vom Zufall abhängt. Genauer: Eine reelle Funktion $\boldsymbol{x}$ sei auf der Menge E definiert, so daß für jedes Elementarereignis ξ der Wert $\boldsymbol{x}(\xi)$ eine reelle Zahl ist. Die Funktion sei meßbar in dem Sinne, daß für jede reelle Zahl t die Menge der ξ, für welche $\boldsymbol{x} < t$ ausfällt, eine meßbare Menge ist. Wir haben aber verabredet, jede meßbare Menge als Ereignis (im erweiterten Sinne) zu bezeichnen. Die Voraussetzung der Meßbarkeit bedeutet also, daß $\boldsymbol{x} < t$ für jedes t ein Ereignis darstellt.

Der einfachste Fall ist der, daß die Menge E in endlich viele Teile zerlegt wird:

$$E = A_1 + A_2 + \cdots + A_n$$

und daß auf jedem Teil A_k die Funktion $\boldsymbol{x}$ einen konstanten Wert x_k annimmt. Sind die A_k Ereignisse, so ist die Meßbarkeitsvoraussetzung erfüllt.

In Beispiel 1 (§ 1) ist die gesamte Augenzahl, die beim Würfeln herauskommt, eine zufällige Größe, die nur endlich viele Werte (von 3 bis 18) annimmt. In Beispiel 2 sind die beiden Koordinaten $\boldsymbol{x}, \boldsymbol{y}$ des Einschußpunktes zufällige Größen.

B. Verteilungsfunktionen

Ist $\boldsymbol{x}$ eine zufällige Größe und läßt man t von $-\infty$ bis $+\infty$ gehen, so ist die Wahrscheinlichkeit des Ereignisses $\boldsymbol{x} < t$ eine nicht abnehmende, linksseitig stetige Funktion von t, die wir nach KOLMOGOROFF[1] die

[1] Andere Autoren definieren $F(t)$ als die Wahrscheinlichkeit des Ereignisses $\boldsymbol{x} \leq t$. Dieses $F(t)$ ist dann rechtsseitig stetig.

Verteilungsfunktion $F(t)$ der Größe $\boldsymbol{x}$ nennen:

$$F(t) = \mathcal{P}(\boldsymbol{x} < t). \tag{1}$$

Für $t \to -\infty$ strebt $F(t)$ gegen Null, für $t \to +\infty$ gegen 1. Dies folgt leicht aus dem Stetigkeitsaxiom 5. Strebt t von links gegen a, so strebt $F(t)$ gegen $F(a)$, strebt aber t von rechts gegen a, so strebt $F(t)$ gegen $\mathcal{P}(\boldsymbol{x} \leq a)$. Die Differenz dieser beiden Grenzwerte

$$\Delta F(a) = F(a+0) - F(a-0)$$

ist die Wahrscheinlichkeit, daß $\boldsymbol{x}$ genau gleich a ist. Weiter hat man für $a < b$

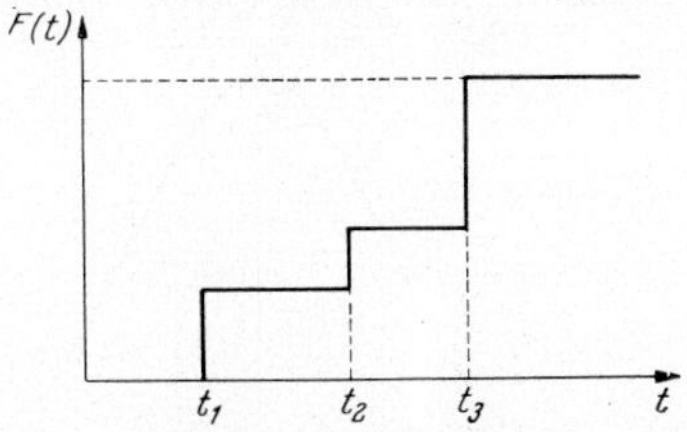

Fig. 1. Treppenfunktion

$$F(b) - F(a) = \mathcal{P}(a \leq \boldsymbol{x} < b). \tag{2}$$

Zwei Extremfälle sind für die Anwendungen besonders wichtig. Nimmt die Größe $\boldsymbol{x}$ nur endlich viele Werte $t_1, \ldots, t_n$ mit Wahrscheinlichkeiten $p_1, \ldots, p_n$ an, so ist $F(t)$ eine *Treppenfunktion*, die an der Stelle $t = t_i$ jeweils um p_i in die Höhe schnellt.

C. Wahrscheinlichkeitsdichten

Der andere Extremfall tritt ein, wenn $F(t)$ stetig differenzierbar ist:

$$F'(t) = f(t).$$

Nach (2) ist dann

$$\mathcal{P}(a \leq \boldsymbol{x} < b) = F(b) - F(a) = \int_a^b f(t)\,dt. \tag{3}$$

Aus (3) folgt durch Grenzübergang $a \to -\infty$

$$\mathcal{P}(\boldsymbol{x} < b) = F(b) = \int_{-\infty}^{b} f(t)\,dt$$

und durch Grenzübergang $b \to \infty$

$$\int_{-\infty}^{\infty} f(t)\,dt = 1. \tag{4}$$

Die Funktion $f(t)$ heißt die *Wahrscheinlichkeitsdichte* der Größe $\boldsymbol{x}$. Populär und ungenau ausgedrückt, ist $f(t)\,dt$ die Wahrscheinlichkeit, daß $\boldsymbol{x}$ zwischen t und $t + dt$ liegt.

D. Normale Verteilungen

Ein berühmtes Beispiel ist die GAUSS*sche Fehlerfunktion*

$$f(t) = \frac{1}{c\sqrt{2\pi}} \exp\left(-\frac{1}{2}\frac{(t-a)^2}{c^2}\right). \tag{5}$$

Indem man statt x die Größe $\frac{x-a}{c}$ betrachtet, kann man die Funktion auf die in Fig. 2 oben abgebildete einfachere Form

$$(6) \qquad f(t) = \frac{1}{\sqrt{2\pi}} e^{-\frac{1}{2}t^2}$$

bringen. In § 12 wird sich zeigen, daß

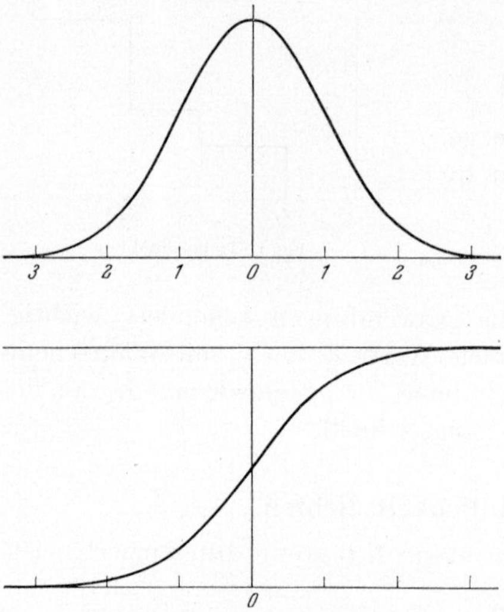

Fig. 2. GAUSSsche Fehlerfunktion

$$(7) \qquad \int_{-\infty}^{\infty} e^{-\frac{1}{2}t^2} dt = \sqrt{2\pi}$$

ist; daher ist die Bedingung (4) für die Funktion (6) erfüllt. Die zugehörige Verteilungsfunktion heißt

$$(8) \qquad \Phi(t) = \frac{1}{\sqrt{2\pi}} \int_{-\infty}^{t} e^{-\frac{1}{2}\tau^2} d\tau$$

(s. Fig. 2 unten, sowie Tafel 1 am Schluß des Buches).

Die Bezeichnung „GAUSSsche Fehlerfunktion" rührt daher, daß man nach GAUSS für die zufälligen Fehler astronomischer Beobachtungen eine Wahrscheinlichkeitsdichte der Form (5) annimmt. Aber auch viele andere Größen in der Natur und in der mathematischen Statistik haben exakt oder genähert Wahrscheinlichkeitsdichten dieser Form. Daher lohnt es sich, die Funktionen (6) und (8) etwas näher zu studieren.

Zur numerischen Berechnung des Fehlerintegrales für nicht zu große t entwickelt man $f(t)$ in eine unendliche Reihe

$$f(t) = \frac{1}{\sqrt{2\pi}} \left(1 - \frac{t^2}{2} + \frac{t^4}{2!\,2^2} - \frac{t^6}{3!\,2^3} + \cdots\right)$$

und integriert:

$$(9) \qquad \Phi(t) = \frac{1}{2} + \frac{1}{\sqrt{2\pi}} \left(t - \frac{t^3}{2\cdot 3} + \frac{t^5}{2!\,2^2\cdot 5} - \frac{t^7}{3!\,2^3\cdot 7} + \cdots\right).$$

Für große t gibt es eine asymptotische Entwicklung, die man folgendermaßen erhält. Man hat

$$1 - \Phi(t) = \frac{1}{\sqrt{2\pi}} \int_{t}^{\infty} e^{-\frac{1}{2}\tau^2} d\tau.$$

Setzt man $\frac{1}{2}\tau^2 = x$ und $\frac{1}{2}t^2 = u$, so kommt

$$1 - \Phi(t) = \frac{1}{2\sqrt{\pi}} \int\limits_u^\infty e^{-x} x^{-\frac{1}{2}} dx. \tag{10}$$

Partielle Integration ergibt

$$\int\limits_u^\infty e^{-x} x^{-\frac{1}{2}} dx = e^{-u} u^{-\frac{1}{2}} - \frac{1}{2} \int\limits_u^\infty e^{-x} x^{-\frac{3}{2}} dx = e^{-u} u^{-\frac{1}{2}} - R_1, \tag{11}$$

wobei $-R_1$ ein negatives Restglied ist. Um R_1 nach oben abzuschätzen, integriert man noch einmal partiell:

$$R_1 = \frac{1}{2} \int\limits_u^\infty e^{-x} x^{-\frac{3}{2}} dx = \frac{1}{2} e^{-u} u^{-\frac{3}{2}} - \frac{1}{2} \cdot \frac{3}{2} \int\limits_u^\infty e^{-x} x^{-\frac{5}{2}} dx < \frac{1}{2} e^{-u} u^{-\frac{3}{2}}.$$

Setzt man (11) in (10) ein, so erhält man die gesuchte asymptotische Formel

$$\begin{cases} \Phi(t) = 1 - \dfrac{1}{\sqrt{2\pi}} e^{-\frac{1}{2}t^2} (t^{-1} - S_1) \\ 0 < S_1 < t^{-3}. \end{cases} \tag{12}$$

Will man das Restglied auf die Größenordnung t^{-5} herabdrücken, so braucht man nur noch einmal partiell zu integrieren und erhält

$$\begin{cases} \Phi(t) = 1 - \dfrac{1}{\sqrt{2\pi}} e^{-\frac{1}{2}t^2} (t^{-1} - t^{-3} + S_2) \\ 0 < S_2 < 1 \cdot 3 \cdot t^{-5}. \end{cases} \tag{13}$$

Es ist klar, wie das weitergeht. Als Faktor nach $\exp(-\frac{1}{2}t^2)$ erhält man immer einen Abschnitt der alternierenden Reihe

$$t^{-1} - t^{-3} + 1 \cdot 3 \cdot t^{-5} - 1 \cdot 3 \cdot 5 \cdot t^{-7} + \cdots \tag{14}$$

und das Restglied ist immer kleiner als das erste vernachlässigte Glied.

Für numerische Rechnungen mit vielen Dezimalstellen ist die asymptotische Reihe (14) nicht gut brauchbar, weil die Reihenglieder anfangs zwar abnehmen, nachher aber wieder zunehmen. VAN WIJNGAARDEN[1] hat aber eine Transformation angegeben, welche die Reihe (14) in eine konvergente Reihe verwandelt, die für numerische Rechnungen für mittelgroße und große t sehr gut brauchbar ist.

Tafel 1 am Schluß des Buches gibt die Funktion $u = \Phi(t)$, Tafel 2 die Umkehrfunktion $t = \Psi(u)$. Die Bezeichnungen Φ und Ψ werden im ganzen Buch festgehalten.

[1] A. VAN WIJNGAARDEN, A transformation of formal series, Proc. Kon. Ned. Akad. Amsterdam, Section of Science A 56 (1953) p. 537.

Die Wendepunkte der Kurve $y = f(t)$ liegen bei ± 1, denn die zweite Ableitung

$$y'' = \frac{t^2 - 1}{\sqrt{2\pi}} e^{-\frac{1}{2}t^2}$$

ist von -1 bis $+1$ negativ, sonst positiv. Von den Wendepunkten nach außen hin nimmt die Funktion sehr stark ab. Über dem Bereich von -2 bis $+2$ liegt schon mehr als 95% der Gesamtfläche bis zur Kurve, über dem Bereich von -3 bis $+3$ sogar 99,7% und über dem Bereich von -4 bis $+4$ nur unmerklich weniger als 100%. Man kann sich also für alle praktischen Zwecke auf den Bereich von -4 bis $+4$ beschränken: die Wahrscheinlichkeit, daß die Größe $\frac{\boldsymbol{x} - a}{c}$ außerhalb dieses Bereiches fällt, ist praktisch Null.

Alle Verteilungsfunktionen, die zu Wahrscheinlichkeitsdichten der Gestalt (5) gehören, heißen *normale Verteilungen*. Die Konstante a gibt die Stelle des Maximums von $f(t)$ an, während c die Entfernung der beiden Wendepunkte von der Mitte bedeutet, also ein Maß für die Breite der Kurve ist.

§ 3. Mittelwert und Streuung

A. Erwartungswerte

Der *Mittelwert* oder *Erwartungswert* $\mathcal{E}\boldsymbol{x}$ einer zufälligen Größe $\boldsymbol{x}$, die nur endlich vieler Werte $t_1, \ldots, t_n$ fähig ist, wird definiert als die Summe dieser Werte, multipliziert mit ihren Wahrscheinlichkeiten:

$$\hat{\boldsymbol{x}} = \mathcal{E}\boldsymbol{x} = \sum t_k p_k. \tag{1}$$

Nach der Definition ist klar, daß der Mittelwert $\hat{\boldsymbol{x}}$ zwischen dem größten und dem kleinsten möglichen Wert liegt. Der Mittelwert kann auch als Schwerpunkt der möglichen Werte t_k mit Gewichten p_k definiert werden.

Hat die Größe $\boldsymbol{x}$ eine Wahrscheinlichkeitsdichte $f(t)$, so tritt an die Stelle der Summe ein Integral:

$$\mathcal{E}\boldsymbol{x} = \int_{-\infty}^{\infty} t f(t)\, dt. \tag{2}$$

Im allgemeinen Fall einer beliebigen Verteilungsfunktion $F(t)$ muß man das Integral (2) durch ein sog. Stieltjes-Integral ersetzen:

$$\mathcal{E}\boldsymbol{x} = \int_{-\infty}^{\infty} t\, dF(t). \tag{3}$$

Den allgemeinen Begriff des Stieltjes-Integrales brauchen wir im folgenden nicht, da wir mit den Spezialfällen (1) und (2) völlig auskommen; wir geben daher nur der Vollständigkeit halber die Definition des Integrals (3) nach FRÉCHET:

$$\mathcal{E}\,\boldsymbol{x} = \lim_{h\to 0} \sum_{k=-\infty}^{\infty} k\,h\{F(k\,h+h) - F(k\,h)\}. \tag{4}$$

Der Mittelwert ist ein Spezialfall des LEBESGUEschen Integrals. Ist nämlich E_k das Ereignis $k\,h \leqq \boldsymbol{x} < (k+1)\,h$, so wird das LEBESGUEsche Integral von $\boldsymbol{x}$ über B in bezug auf die Maßfunktion $\mathcal{P}(A)$ so definiert:

$$\int_B \boldsymbol{x}\,\mathcal{P}(d\,E) = \lim_{h\to 0} \sum_{k=-\infty}^{\infty} k\,h\,\mathcal{P}(B\,E_k). \tag{5}$$

Setzt man insbesondere $B=E$, so geht (5) in (4) über.

In der LEBESGUEschen Integrationstheorie wird bewiesen, daß die Summe $\boldsymbol{x}+\boldsymbol{y}$ von zwei meßbaren Funktionen $\boldsymbol{x}$ und $\boldsymbol{y}$ wieder meßbar und daß das Integral der Summe über jede meßbare Menge B gleich der Summe der Integrale der Summanden ist:

$$\int_B (\boldsymbol{x}+\boldsymbol{y})\,\mathcal{P}(d\,E) = \int_B \boldsymbol{x}\,\mathcal{P}(d\,E) + \int_B \boldsymbol{y}\,\mathcal{P}(d\,E).$$

Dabei ist vorausgesetzt, daß die beiden Integrale rechts endlich sind. Für den Beweis möge wieder auf C. CARATHÉODORY, Vorlesungen über reelle Funktionen, oder auf das neue Buch „Maß und Integral" desselben Autors verwiesen werden.

Wählt man insbesondere $B=E$, so folgt, daß der Mittelwert einer Summe gleich der Summe der Mittelwerte der Summanden ist, falls diese endlich sind:

$$\mathcal{E}\,(\boldsymbol{x}+\boldsymbol{y}) = \mathcal{E}\,\boldsymbol{x} + \mathcal{E}\,\boldsymbol{y} \tag{6}$$

und ebenso bei mehr als zwei Summanden:

$$\mathcal{E}\,(\boldsymbol{x}_1 + \cdots + \boldsymbol{x}_n) = \mathcal{E}\,\boldsymbol{x}_1 + \cdots + \mathcal{E}\,\boldsymbol{x}_n. \tag{7}$$

Ist c eine Konstante, so ist offenbar

$$\mathcal{E}\,(c\,\boldsymbol{x}) = c\,\mathcal{E}\,\boldsymbol{x}. \tag{8}$$

Zur Abkürzung werden wir manchmal $\mathcal{E}\boldsymbol{x} = \hat{\boldsymbol{x}}$ setzen.

B. Unabhängige Größen

Zwei oder mehr zufällige Größen $\boldsymbol{x}, \boldsymbol{y}, \ldots$ heißen *unabhängig*, wenn die Ereignisse

$$\boldsymbol{x} < t, \qquad \boldsymbol{y} < u, \ldots$$

für beliebige reelle Zahlen $t, u, \ldots$ unabhängig sind. Dann sind auch die Ereignisse

$$a \leqq \boldsymbol{x} < b, \qquad c \leqq \boldsymbol{y} < d, \ldots$$

unabhängig und es gilt, wenn es sich etwa um zwei unabhängige Größen $\boldsymbol{x}$ und $\boldsymbol{y}$ handelt,

$$\mathcal{P}(a \leqq \boldsymbol{x} < b,\ c \leqq \boldsymbol{y} < d) = \mathcal{P}(a \leqq \boldsymbol{x} < b) \cdot \mathcal{P}(c \leqq \boldsymbol{y} < d).$$

In diesem Fall ist der Mittelwert des Produktes gleich dem Produkt der Mittelwerte:

$$\mathcal{E}(\boldsymbol{x}\boldsymbol{y}) = \mathcal{E}\boldsymbol{x} \cdot \mathcal{E}\boldsymbol{y} \tag{9}$$

und analog bei mehr als zwei unabhängigen Größen

$$\mathcal{E}(\boldsymbol{x}_1 \boldsymbol{x}_2 \ldots \boldsymbol{x}_n) = \hat{\boldsymbol{x}}_1 \hat{\boldsymbol{x}}_2 \ldots \hat{\boldsymbol{x}}_n. \tag{10}$$

Für den Beweis von (9) siehe etwa KOLMOGOROFF, Grundbegr. d. Wahrsch. p. 53, Formel (6).

C. Streuung und Varianz

Die *Streuung* $\sigma = \sigma_{\boldsymbol{x}}$ einer zufälligen Größe $\boldsymbol{x}$ ist als positive Quadratwurzel aus der *Varianz*

$$\sigma^2 = \mathcal{E}(\boldsymbol{x} - \hat{\boldsymbol{x}})^2 = \mathcal{E}(\boldsymbol{x}^2 - 2\boldsymbol{x}\,\hat{\boldsymbol{x}} + \hat{\boldsymbol{x}}^2) \tag{11}$$

definiert. Rechnet man die rechte Seite nach (7) und (8) aus, so ergibt sich

$$\sigma^2 = \mathcal{E}(\boldsymbol{x}^2) - 2\,\hat{\boldsymbol{x}}^2 + \hat{\boldsymbol{x}}^2 = \mathcal{E}(\boldsymbol{x}^2) - (\mathcal{E}\boldsymbol{x})^2. \tag{12}$$

Für konstante c gilt offenbar

$$\sigma_{c\boldsymbol{x}} = c \cdot \sigma_{\boldsymbol{x}}. \tag{13}$$

Für die Streuung einer Summe hat man

$$\begin{aligned}\sigma^2_{\boldsymbol{x}+\boldsymbol{y}} &= \mathcal{E}(\boldsymbol{x} - \hat{\boldsymbol{x}} + \boldsymbol{y} - \hat{\boldsymbol{y}})^2 \\ &= \mathcal{E}(\boldsymbol{x} - \hat{\boldsymbol{x}})^2 - 2\,\mathcal{E}[(\boldsymbol{x} - \hat{\boldsymbol{x}})(\boldsymbol{y} - \hat{\boldsymbol{y}})] + \mathcal{E}(\boldsymbol{y} - \hat{\boldsymbol{y}})^2.\end{aligned}$$

Sind $\boldsymbol{x}$ und $\boldsymbol{y}$ unabhängig, so wird das Mittelglied Null:

$$\mathcal{E}(\boldsymbol{x} - \hat{\boldsymbol{x}})(\boldsymbol{y} - \hat{\boldsymbol{y}}) = \mathcal{E}(\boldsymbol{x} - \hat{\boldsymbol{x}}) \cdot \mathcal{E}(\boldsymbol{y} - \hat{\boldsymbol{y}}) = 0$$

und man erhält

$$\sigma^2_{\boldsymbol{x}+\boldsymbol{y}} = \sigma^2_{\boldsymbol{x}} + \sigma^2_{\boldsymbol{y}}. \tag{14}$$

Dieselbe Formel gilt für die Differenz zweier unabhängiger Größen:

$$\sigma^2_{\boldsymbol{x}-\boldsymbol{y}} = \sigma^2_{\boldsymbol{x}} + \sigma^2_{\boldsymbol{y}}.$$

Ebenso gilt bei mehr als zwei paarweise unabhängigen Größen für die Streuung der Summe $\boldsymbol{x} = \boldsymbol{x}_1 + \cdots + \boldsymbol{x}_n$ die Formel

$$\sigma^2 = \sigma_1^2 + \cdots + \sigma_n^2. \tag{15}$$

Zur Berechnung von Mittelwerten und Streuungen ist folgende Formel nützlich, eine Verallgemeinerung der Formel (2):

$$\mathcal{E}\, g(\boldsymbol{x}) = \int_{-\infty}^{\infty} g(t)\, f(t)\, dt. \tag{16}$$

In § 4 werden wir diese Formel noch weiter verallgemeinern und einen Beweis geben. Jetzt wenden wir sie zunächst auf ein Beispiel an.

Beispiel 4. Die Größe $\boldsymbol{x}$ habe eine GAUSSsche Wahrscheinlichkeitsdichte

$$f(t) = \frac{1}{\sqrt{2\pi}}\, e^{-\frac{1}{2}t^2}.$$

Wie groß sind Mittelwert und Streuung von $\boldsymbol{x}$? Nach (2) ist der Mittelwert

$$\hat{\boldsymbol{x}} = \int_{-\infty}^{\infty} t\, f(t)\, dt = \frac{1}{\sqrt{2\pi}} \int_{-\infty}^{\infty} t\, e^{-\frac{1}{2}t^2}\, dt = 0\,.$$

Das Streuungsquadrat σ^2 ist der Mittelwert von $(\boldsymbol{x}-0)^2 = \boldsymbol{x}^2$. Wenden wir Formel (16) mit $g(t) = t^2$ an, so erhalten wir

$$\sigma^2 = \mathcal{E}(\boldsymbol{x}^2) = \int_{-\infty}^{\infty} t^2 f(t)\, dt = \frac{1}{\sqrt{2\pi}} \int_{-\infty}^{\infty} t^2 e^{-\frac{1}{2}t^2}\, dt.$$

Partielle Integration ergibt

$$\sigma^2 = \left[-\frac{1}{\sqrt{2\pi}}\, t\, e^{-\frac{1}{2}t^2}\right]_{-\infty}^{+\infty} + \frac{1}{\sqrt{2\pi}} \int_{-\infty}^{\infty} e^{-\frac{1}{2}t^2}\, dt = 0 + 1 = 1\,,$$

also $\sigma = 1$. Im allgemeineren Fall

$$f(t) = \frac{1}{c\sqrt{2\pi}}\, e^{-\frac{1}{2}\frac{(t-a)^2}{c^2}}$$

findet man ebenso $\mathcal{E}\boldsymbol{x} = a$ und $\sigma = c$. Daher werden wir künftig statt c immer σ schreiben:

$$f(t) = \frac{1}{\sigma\sqrt{2\pi}}\, e^{-\frac{1}{2}\frac{(t-a)^2}{\sigma^2}}\,.$$

D. Die Ungleichung von TSCHEBYSCHEFF

Die praktische Bedeutung der Streuung σ liegt darin, daß solche Abweichungen einer Größe $\boldsymbol{x}$ von ihrem Mittelwert $\hat{\boldsymbol{x}}$, die groß gegen die Streuung σ sind, sehr unwahrscheinlich sind. Dies besagt nämlich die TSCHEBYSCHEFF*sche Ungleichung:*

Ist g eine beliebige reelle Zahl, so ist die Wahrscheinlichkeit des Ereignisses $|\boldsymbol{x}-\hat{\boldsymbol{x}}| > g\sigma$ kleiner als g^{-2}.

Der Beweis ist sehr einfach. Man geht von der Definition des Erwartungswertes

$$\sigma^2 = \mathcal{E}(\boldsymbol{x}-\hat{\boldsymbol{x}})^2$$

aus. Bei der Summendefinition hat man die möglichen Werte der Größe

$$\boldsymbol{y} = (\boldsymbol{x} - \hat{\boldsymbol{x}})^2$$

mit ihren Wahrscheinlichkeiten zu multiplizieren und zu addieren. Die möglichen Werte zerfallen in solche $\leq g^2\sigma^2$ und solche $> g^2\sigma^2$. Dementsprechend zerfällt die Summe in zwei Teile. Der erste Teil der Summe ist jedenfalls $\geqq 0$, da alle Werte eines Quadrates $\geqq 0$ sind. Der zweite Teil der Summe ist größer als $g^2\sigma^2$ multipliziert mit der gesamten Wahrscheinlichkeit P des Ereignisses $(\boldsymbol{x} - \hat{\boldsymbol{x}})^2 > g^2\sigma^2$. Dabei ist angenommen, daß P nicht Null ist; ist aber $P = 0$, so ist alles trivial. Für die ganze Summe erhält man so die Ungleichung

$$\sigma^2 > g^2\sigma^2 P.$$

Daraus folgt die Behauptung:

$$P < g^{-2}.$$

Bei der Definition des Erwartungswertes als Integral geht der Beweis genau so. Es sei $F(t)$ die Verteilungsfunktion der Größe $\boldsymbol{y}$. Das Integral

$$\sigma^2 = \mathcal{E}\,\boldsymbol{y} = \int_{-\infty}^{\infty} t\,dF(t)$$

wird in ein Integral über $t \leq g^2\sigma^2$ und ein Integral über $t > g^2\sigma^2$ zerlegt. Der erste Teil ist $\geqq 0$, der zweite Teil $> g^2\sigma^2 P$. Somit ist wiederum $\sigma^2 > g^2\sigma^2 P$, also $P < g^{-2}$.

Meistens ist die Wahrscheinlichkeit P sogar erheblich kleiner als g^{-2}. Im Fall einer normalen Verteilung z.B. beträgt die Wahrscheinlichkeit, daß $|\boldsymbol{x} - a| > 3\sigma$ ist, nur 0,0027; das ist sehr viel weniger als $\frac{1}{9}$.

Als Spezialfall der Ungleichung von TSCHEBYSCHEFF hat man für $\sigma = 0$:

Ist die Streuung Null, so ist die Wahrscheinlichkeit, daß $\boldsymbol{x}$ von dem konstanten Wert $\hat{\boldsymbol{x}}$ verschieden ist, Null.

§ 4. Integraldarstellungen von Mittelwerten und Wahrscheinlichkeiten

A. Rechtecke und offene Mengen

Unter einem *Rechteck* in der (u, v)-Ebene verstehen wir eine Punktmenge

$$a \leq u < b, \quad c \leq v < d.$$

Jede offene Punktmenge M in der (u, v)-Ebene kann als Summe von abzählbar vielen solchen Rechtecken dargestellt werden. Teilt man nämlich die Ebene durch senkrechte und waagrechte äquidistante

Geraden in Rechtecke ein und sucht von diesen Rechtecken diejenigen aus, die zur Menge M gehören, teilt man dann die übrigen durch je zwei Halbierungsgeraden in je vier Teilrechtecke und sucht von diesen wieder diejenigen heraus, die in M liegen, usw., so ist jeder Punkt der Menge M schließlich in einem der Rechtecke enthalten und man hat

$$M = R_1 + R_2 + \cdots.$$

Sind nun $\boldsymbol{x}$ und $\boldsymbol{y}$ zufällige Größen, so sind $a \leq \boldsymbol{x} < b$ und $c \leq \boldsymbol{y} < d$ Ereignisse, also gibt es auch ein Ereignis, das eintritt, wenn beide Ungleichungen erfüllt sind, d.h. wenn der Punkt $\boldsymbol{X}$ mit Koordinaten $\boldsymbol{x}, \boldsymbol{y}$ dem Rechteck $R(a \leq u < b,\ c \leq v < d)$ angehört. Das gilt für jedes Rechteck, also ist auch die Zugehörigkeit von $\boldsymbol{X}$ zu $M = R_1 + R_2 + \cdots$ ein Ereignis. Dabei ist vorausgesetzt, daß der Bereich der Ereignisse so erweitert ist, daß eine unendliche Summe $A_1 + A_2 + \cdots$ stets wieder ein Ereignis ist (§ 1 G).

Solche Mengen M in der (u, v)-Ebene, für die die Zugehörigkeit des Punktes $\boldsymbol{X}$ zu M ein Ereignis ist und daher eine Wahrscheinlichkeit hat, nennt man *meßbar*, und die Wahrscheinlichkeit des Ereignisses nennt man das *Maß* der Menge M. Das Maß hat auf Grund der Axiome der Wahrscheinlichkeitsrechnung die üblichen Eigenschaften einer absolut-additiven Maßfunktion.

Nach dem Obigen ist jede offene Menge meßbar. Folglich ist auch jede abgeschlossene Menge meßbar, denn die Komplementärmenge ist offen.

Es seien $\boldsymbol{x}$ und $\boldsymbol{y}$ zufällige Größen und es sei $g(u, v)$ eine stetige Funktion der reellen Variablen u und v. Dann ist $g(\boldsymbol{x}, \boldsymbol{y})$ wieder eine zufällige Größe. Um das zu beweisen, brauchen wir nur zu zeigen, daß für beliebige reelle t

$$g(\boldsymbol{x}, \boldsymbol{y}) < t$$

stets ein Ereignis ist. Das ist aber nach dem Vorangehenden klar, denn die Menge aller Punkte (u, v), für die $g(u, v) < t$ gilt, ist wegen der Stetigkeit der Funktion g eine offene Menge.

Dasselbe gilt, wenn die Funktion $g(u, v)$ *stückweise stetig* ist. Darunter möge folgendes verstanden werden: Die Ebene E sei in endlich viele meßbare Mengen $M_1 + \cdots + M_n$ zerlegt und auf jeder dieser Mengen sei die Funktion $g(u, v)$ stetig. Der Beweis ist leicht. Im übrigen wird der Satz nachher nur in ganz einfachen Fällen gebraucht, in denen die Funktion $g(u, v)$ entweder stückweise konstant ist oder auf M_1 mit einer gegebenen stetigen Funktion übereinstimmt und auf $E - M_1$ Null ist.

B. Zweidimensionale Wahrscheinlichkeitsdichten

Man sagt, das Größenpaar $(\boldsymbol{x}, \boldsymbol{y})$ besitze die *Wahrscheinlichkeitsdichte* $f(u, v)$, wenn die Wahrscheinlichkeit des Ereignisses

$$a \leq \boldsymbol{x} < b \quad \text{und} \quad c \leq \boldsymbol{y} < d$$

gleich dem Integral der Funktion $f(u, v)$ über das Rechteck

$$a \leq u < b, \quad c \leq v < d$$

in der (u, v)-Ebene ist:

$$\mathcal{P}(a \leq \boldsymbol{x} < b,\ c \leq \boldsymbol{y} < d) = \int_a^b \int_c^d f(u, v)\, du\, dv.$$

Das Integral rechter Hand soll ein gewöhnliches RIEMANNsches Integral sein; die Funktion $f(u, v)$ wird als integrierbar im RIEMANNschen Sinne angenommen.

Jetzt können wir die Formel (16), § 3 auf Funktionen von zwei Veränderlichen übertragen:

Satz I. *Besitzt das Größenpaar* $(\boldsymbol{x}, \boldsymbol{y})$ *die Wahrscheinlichkeitsdichte* $f(u, v)$ *und ist* $g(u, v)$ *eine im* RIEMANN*schen Sinne integrierbare Funktion, so gilt*

$$\mathcal{E}\, g(\boldsymbol{x}, \boldsymbol{y}) = \int_{-\infty}^{\infty} \int_{-\infty}^{\infty} g(u, v) f(u, v)\, du\, dv \tag{1}$$

vorausgesetzt, daß das (RIEMANN*sche*) *Integral rechts konvergiert. Analog für mehr als zwei Größen* $\boldsymbol{x}, \boldsymbol{y}, \ldots$.

Beweis. Zunächst beschränken wir uns auf ein großes Quadrat $-n \leq u < n$, $-n \leq v < n$ in der (u, v)-Ebene und ersetzen die Funktion $g(u, v)$ außerhalb des Quadrates durch Null. Das Quadrat möge in m^2 gleiche Teilquadrate eingeteilt werden. Nun ersetzen wir die Funktion $g(u, v)$ in jedem Teilquadrat durch ihre untere oder obere Grenze und erhalten so eine stückweise konstante Unterfunktion $g_1(u, v)$ und Oberfunktion $g_2(u, v)$. Für die Größen $g_1(\boldsymbol{x}, \boldsymbol{y})$ und $g_2(\boldsymbol{x}, \boldsymbol{y})$, die je nur endlich viele Werte annehmen, wird die Formel (1) selbstverständlich:

$$\mathcal{E}\, g_1(\boldsymbol{x}, \boldsymbol{y}) = \iint g_1(u, v) f(u, v)\, du\, dv, \tag{2}$$

$$\mathcal{E}\, g_2(\boldsymbol{x}, \boldsymbol{y}) = \iint g_2(u, v) f(u, v)\, du\, dv. \tag{3}$$

Die linke Seite von (2) ist nämlich die Summe der möglichen Werte, multipliziert mit ihren Wahrscheinlichkeiten, und die rechte Seite ist eine Summe von Integralen über Teilquadrate. Klammert man aus jedem solchen Teilintegral den konstanten Faktor $g_1(u, v)$ aus, so steht rechts dieselbe Summe wie links. Genau so bei (3).

Offenbar ist nun für beliebige Wertepaare x, y der zufälligen Veränderlichen $\boldsymbol{x}, \boldsymbol{y}$:

$$g_1(x, y) \leq g(x, y) \leq g_2(x, y).$$

Daraus folgt aber

$$\mathcal{E}\, g_1(\boldsymbol{x}, \boldsymbol{y}) \leq \mathcal{E}\, g(\boldsymbol{x}, \boldsymbol{y}) \leq \mathcal{E}\, g_2(\boldsymbol{x}, \boldsymbol{y}).$$

Läßt man nun die Seiten der Teilquadrate gegen Null streben, so streben die rechten Seiten von (2) und (3) beide gegen die rechte Seite von (1). Da der Erwartungswert von $g(\boldsymbol{x}, \boldsymbol{y})$ zwischen den beiden eingeklemmt ist, so folgt (1) für die modifizierte Funktion $g^{(n)}(u, v)$, die außerhalb des großen Quadrates Null ist.

Nun ist noch der Grenzübergang $n \to \infty$ auszuführen. Er gelingt ohne weiteres auf Grund eines Satzes der LEBESGUEschen Integrationstheorie, der besagt, daß ein Integral über eine Summe $A_1 + A_2 + \cdots$ gleich der Summe der Integrale über $A_1, A_2, \ldots$ ist. In unserem Fall ist A_1 das Ereignis, das eintritt, wenn der Punkt $(\boldsymbol{x}, \boldsymbol{y})$ in das Quadrat $-1 \leq u < 1$, $-1 \leq v < 1$ hineinfällt, ebenso $A_1 + A_2$ das Ereignis, daß der Punkt in das Quadrat $-2 \leq u < 2$, $-2 \leq v < 2$ fällt, usw. Das LEBESGUEsche Integral der Größe $g(\boldsymbol{x}, \boldsymbol{y})$ über $A_1 + A_2 + \cdots + A_n$ ist nach dem Bewiesenen gleich dem RIEMANNschen Integral des Produktes $g(u, v)\, f(u, v)$ über das Rechteck $-n \leq u < n$, $-n \leq v < n$. Grenzübergang $n \to \infty$ ergibt nun unmittelbar die Behauptung (1).

C. Berechnung von Wahrscheinlichkeiten durch Integration

Die wichtigste Anwendung des Satzes I ist die folgende. Es sei G irgendeine offene Menge in der (u, v)-Ebene. Es sei nun $\boldsymbol{X}$ ein vom Zufall abhängiger Punkt mit Koordinaten $\boldsymbol{x}, \boldsymbol{y}$. Wir fragen nach der Wahrscheinlichkeit des Ereignisses „$\boldsymbol{X}$ liegt in G".

Um Satz I anwenden zu können, definieren wir eine Funktion $g(u, v)$ durch

$$g(u, v) = 1 \quad \text{in } G$$

$$g(u, v) = 0 \quad \text{außerhalb } G.$$

Dann ist der Mittelwert der Größe $g(\boldsymbol{x}, \boldsymbol{y})$ gleich der Wahrscheinlichkeit, daß $\boldsymbol{X}$ in G liegt. Die Formel (1) ergibt in diesem Falle

$$\mathcal{P}(\boldsymbol{X} \text{ in } G) = \int_G f(u, v)\, du\, dv. \tag{4}$$

Das Ergebnis läßt sich ohne weiteres auf mehr als zwei Größen verallgemeinern:

Satz II. *Wenn das System der Größen $\boldsymbol{x}, \boldsymbol{y}, \ldots$ die Wahrscheinlichkeitsdichte $f(x, y, \ldots)$ besitzt, so ist die Wahrscheinlichkeit, daß der Punkt $\boldsymbol{X}$ mit Koordinaten $\boldsymbol{x}, \boldsymbol{y}, \ldots$ in irgendein Gebiet G hineinfällt, gleich dem Integral der Funktion f über diesem Gebiet:*

$$\mathcal{P}(\boldsymbol{X} \text{ in } G) = \int_G f(u, v, \ldots)\, du\, dv \ldots. \tag{5}$$

D. Verteilungsfunktion einer Summe $x+y$

Wir wollen Satz II auf das folgende Problem anwenden: Zwei unabhängige Größen x und y mögen Wahrscheinlichkeitsdichten $f(u)$ und $g(v)$ haben. Was ist die Verteilungsfunktion der Summe $x+y$?

Die Wahrscheinlichkeit, daß x zwischen a und b und y zwischen c und d liegt, ist wegen der Unabhängigkeit von x und y gleich dem Produkt

$$\int_a^b f(u)\,du \cdot \int_c^d g(v)\,dv = \int_a^b\int_c^d f(u)\,g(v)\,du\,dv.$$

Also hat das Größenpaar (x, y) die Wahrscheinlichkeitsdichte

$$f(u,v) = f(u)\,g(v).$$

Die Verteilungsfunktion $H(t)$ von $x+y$ ist die Wahrscheinlichkeit, daß $x+y<t$ ausfällt:

$$H(t) = \mathcal{P}(x+y<t).$$

Nach Satz II ist diese Wahrscheinlichkeit gleich dem Doppelintegral

$$H(t) = \iint_{u+v<t} f(u)\,g(v)\,du\,dv.$$

Das Integral läßt sich durch sukzessive einfache Integrationen auswerten:

$$H(t) = \int_{-\infty}^{\infty} du \int_{-\infty}^{t-u} f(u)\,g(v)\,dv.$$

Führt man in das innere Integral $w=u+v$ als neue Veränderliche ein, so erhält man

$$H(t) = \int_{-\infty}^{\infty} du \int_{-\infty}^{t} f(u)\,g(w-u)\,dw.$$

Vertauscht man nun die Reihenfolge der Integrationen, was bei nicht negativen Funktionen stets erlaubt ist, so erhält man

$$H(t) = \int_{-\infty}^{t} dw \int_{-\infty}^{\infty} f(u)\,g(w-u)\,du. \tag{6}$$

Zu dieser Verteilungsfunktion gehört die Wahrscheinlichkeitsdichte

$$h(t) = \int_{-\infty}^{\infty} f(u)\,g(t-u)\,du. \tag{7}$$

Damit haben wir:

Satz III. *Die Wahrscheinlichkeitsdichte einer Summe von unabhängigen Größen mit Wahrscheinlichkeitsdichten $f(t)$ und $g(t)$ wird durch (7) gegeben.*

Beispiel 5. Die Größen x und y seien unabhängig normal verteilt. Was ist die Verteilungsfunktion ihrer Summe $x+y$?

Die Wahrscheinlichkeitsdichten seien

$$(8)\qquad f(t) = \frac{1}{\sigma\sqrt{2\pi}}\, e^{-\frac{1}{2}\left(\frac{t-a}{\sigma}\right)^2},$$

$$(9)\qquad g(t) = \frac{1}{\tau\sqrt{2\pi}}\, e^{-\frac{1}{2}\left(\frac{t-b}{\tau}\right)^2}.$$

Indem man $\boldsymbol{x}$ und $\boldsymbol{y}$ durch $\boldsymbol{x}-a$ und $\boldsymbol{y}-b$ ersetzt, kann man $a=0$ und $b=0$ annehmen. Nach Satz III hat die Summe $\boldsymbol{z}=\boldsymbol{x}+\boldsymbol{y}$ die Wahrscheinlichkeitsdichte

$$(10)\qquad \begin{cases} h(t) = \displaystyle\int_{-\infty}^{\infty} f(u)\, g(t-u)\, du \\ \quad = \dfrac{1}{2\pi\sigma\tau} \displaystyle\int_{-\infty}^{\infty} e^{-\frac{1}{2}\sigma^{-2}u^2-\frac{1}{2}\tau^{-2}(t-u)^2}\, du \\ \quad = \dfrac{1}{2\pi\sigma\tau} \displaystyle\int_{-\infty}^{\infty} e^{-\frac{1}{2}(\alpha u^2-2\beta u+\gamma)}\, du \end{cases}$$

mit

$$\alpha = \sigma^{-2}+\tau^{-2}, \qquad \beta = t\,\tau^{-2}, \qquad \gamma = t^2\,\tau^{-2}.$$

Führt man

$$(11)\qquad u - \frac{\beta}{\alpha} = v$$

als neue Veränderliche ein, so erhält man

$$(12)\qquad h(t) = \frac{1}{2\pi\sigma\tau} \int_{-\infty}^{\infty} e^{-\frac{1}{2}\alpha v^2-\frac{1}{2}\delta}\, dv$$

mit

$$\delta = \frac{\alpha\gamma-\beta^2}{\alpha} = \frac{(\sigma^{-2}+\tau^{-2})\,t^2\tau^{-2} - t^2\tau^{-4}}{\sigma^{-2}+\tau^{-2}} = \frac{t^2}{\sigma^2+\tau^2}$$

oder

$$(13)\qquad \begin{cases} h(t) = \dfrac{1}{2\pi\sigma\tau}\, e^{-\frac{1}{2}\delta} \displaystyle\int_{-\infty}^{\infty} e^{-\frac{1}{2}\alpha v^2}\, dv \\ \quad = \dfrac{1}{2\pi\sigma\tau}\, e^{-\frac{1}{2}\delta} \left(\dfrac{2\pi}{\alpha}\right)^{\frac{1}{2}} \\ \quad = (2\pi)^{-\frac{1}{2}}\,(\sigma^2+\tau^2)^{-\frac{1}{2}}\, e^{-\frac{1}{2}t^2(\sigma^2+\tau^2)^{-1}}. \end{cases}$$

Für $\boldsymbol{z}$ erhält man also eine normale Verteilung mit Mittelwert 0 und Streuung $(\sigma^2+\tau^2)^{\frac{1}{2}}$. Die ursprüngliche Summe $\boldsymbol{x}+\boldsymbol{y}$ ist also normal verteilt mit Mittelwert $a+b$ und Streuung $(\sigma^2+\tau^2)^{\frac{1}{2}}$.

Für die Differenz $\boldsymbol{x}-\boldsymbol{y}$ gilt dasselbe, nur daß der Mittelwert natürlich $a-b$ wird.

Durch wiederholte Anwendung folgt, daß auch eine Summe von mehr als zwei normal verteilten unabhängigen Größen wieder normal verteilt ist.

Zweites Kapitel

Wahrscheinlichkeiten und Häufigkeiten

Die ersten drei Abschnitte dieses Kapitels (§§ 5 bis 7) sind grundlegend. Die letzten drei (§§ 8 bis 10) bringen Anwendungen auf die Bevölkerungsstatistik, Medizin, Biologie und Physik. Wer rasch zu den wichtigen Begriffen „empirische Mittel“ und „empirische Streuung“ kommen will, kann von § 7 gleich auf § 18 springen.

§ 5. Die Binomialverteilung

A. Die BERNOULLIsche Formel

Ein Versuch, dessen Ergebnis vom Zufall abhängt, möge unter gleichen Bedingungen immer wiederholt werden. Zum Beispiel: Ein Botaniker züchtet aus einem bestimmten Elternmaterial durch Kreuzung Nachkommen und klassifiziert sie nach der Blütenfarbe oder anderen Merkmalen. Jeder Nachkomme ist ein Zufallsprodukt und die verschiedenen Blütenfarben sind die möglichen Ergebnisse des Versuches. Oder ein Chirurg übt dieselbe Operation an einer Reihe von Patienten aus und zählt, wieviele geheilt werden oder wieviele sterben.

Der Einfachheit halber setzen wir voraus, daß bei jedem Versuch nur zwei Möglichkeiten A und $\bar{A}$ unterschieden werden, z.B. ob der Patient stirbt oder nicht. Der Tod des 1. Patienten ist ein Ereignis A_1, der Tod des 2. Patienten ein Ereignis A_2, usw. bis A_n. Wir setzen voraus:

1. daß die Versuche $E=A_1+\bar{A}_1$, $E=A_2+\bar{A}_2$, …, $E=A_n+\bar{A}_n$ alle unabhängig sind,

2. daß die Wahrscheinlichkeiten $\mathcal{P}(A_1), \mathcal{P}(A_2), \ldots, \mathcal{P}(A_n)$ alle den gleichen Wert p haben.

Es könnte scheinen, als ob die Bedingung 2. bei der Anwendung auf konkrete praktische Probleme nur selten erfüllt wäre. Die Patienten, die einem Chirurgen unter die Hände kommen, haben nicht alle dieselbe Konstitution: einige haben ein besseres, andere ein weniger gutes Herz, Alter und Geschlecht machen viel aus, usw. Jedoch stört das die Anwendbarkeit der Theorie nicht, sofern die Auswahl der Patienten nicht systematisch, sondern zufällig ist. Wenn unser Chirurg die Patienten unabhängig voneinander in der Reihenfolge vornimmt, wie sie ihm unter die Hände kommen, natürlich mit einer gewissen Selektion, indem er die Patienten ausscheidet, bei denen die Operation unnötig oder zu gefährlich erscheint, aber nicht etwa so, daß er eine Zeitlang nur Männer und dann wieder nur Frauen operiert, sondern in zufälliger Reihenfolge Männer und Frauen durcheinander, so kann man die Bedingung der gleichbleibenden Wahrscheinlichkeit als erfüllt ansehen. Ist nämlich etwa $\mathcal{P}(F)$ die Wahrscheinlichkeit, daß eine Frau auf den Operationstisch kommt und $\mathcal{P}_F(T)$ die Sterbenswahrscheinlichkeit für eine Frau, ebenso $\mathcal{P}(M)$ und $\mathcal{P}_M(T)$ die entsprechenden Wahrscheinlichkeiten für Männer, so ist nach der Regel von der totalen Wahrscheinlichkeit (§ 1) die Sterbenswahrscheinlichkeit eines zufällig ausgewählten Patienten gleich

(1) $$\mathcal{P}(T) = \mathcal{P}(F)\,\mathcal{P}_F(T) + \mathcal{P}(M)\,\mathcal{P}_M(T).$$

Diese Wahrscheinlichkeit $\mathcal{P}(T)$ nun bleibt immer dieselbe und damit ist die Bedingung 2. erfüllt, auch wenn die bedingten Sterbenswahrscheinlichkeiten für Männer und Frauen verschieden sein sollten. Ebenso schließt man, wenn die Patienten, statt nach dem Geschlecht, nach irgendeinem anderen Merkmal klassifiziert und für die verschiedenen Klassen verschiedene Sterbenswahrscheinlichkeiten angenommen werden.

Bei pharmakologischen Tierversuchen, in denen man den Versuchstieren bestimmte Gifte oder andere biologisch wirksame Substanzen verabreicht, ist es manchmal üblich, um die Bedingungen für alle Tiere möglichst gleich zu machen, ihnen nicht allen die gleiche Substanzmenge, sondern die gleiche Substanzmenge pro kg Körpergewicht zu geben. Auch das ist für die Anwendung der allgemeinen Theorie unnötig: sofern nur die Tiere ohne Rücksicht auf ihr Gewicht zufällig und unabhängig ausgewählt werden, kann man ihnen ruhig dieselbe Dosis zuteilen und trotzdem annehmen, daß die Wahrscheinlichkeit, auf die Dosis zu reagieren, für alle dieselbe ist. Die Überlegung ist dieselbe wie oben für die männlichen und weiblichen Patienten. Abgesehen davon sind die individuellen Unterschiede in der Giftempfindlichkeit der Versuchstiere soviel bedeutender als die Gewichtsunterschiede, daß man diese meines Erachtens unbedenklich vernachlässigen kann.

In der Wahrscheinlichkeitsrechnung ist es üblich,

$$\mathcal{P}(A_i) = p \quad \text{und} \quad \mathcal{P}(\bar{A}_i) = q \qquad (p + q = 1)$$

zu setzen. Die Wahrscheinlichkeit, daß in einer Reihe von n Versuchen k mal ein Ereignis A_i und die übrigen l mal ein Ereignis $\bar{A}_i$ eintrifft, ist nach Bernoulli gleich

(2) $$W_k = \binom{n}{k} p^k q^l = \frac{n!}{k!\,l!} p^k q^l.$$

Beweis. Die Wahrscheinlichkeit, daß in k bestimmten Fällen A_i eintritt und in den übrigen Fällen $\bar{A}_i$, ist $p^k q^l$. Die Anzahl der Kombinationen von k aus n Fällen ist $\binom{n}{k}$. Also ist die Wahrscheinlichkeit, daß in irgend k Fällen A_i eintritt und in den übrigen Fällen $\bar{A}_i$, gleich $\binom{n}{k} p^k q^l$.

B. Mittelwert und Streuung der Eintrittszahl

Definiert man für jedes i eine zufällige Größe $\boldsymbol{x}_i$, deren Wert gleich $+1$ oder 0 sein soll, je nachdem beim i-ten Versuch das Ereignis A_i eintritt oder nicht, so ist die Summe

$$\boldsymbol{x} = \boldsymbol{x}_1 + \boldsymbol{x}_2 + \cdots + \boldsymbol{x}_n$$

eine zufällige Größe, deren Wert gleich k ist, wenn k mal ein Ereignis A_i eintritt. Die einzelnen $\boldsymbol{x}_i$ sind unabhängig, weil die Versuche $E = A_i + \bar{A}_i$ als unabhängig vorausgesetzt wurden. Der Mittelwert von $\boldsymbol{x}_i$ ist

$$\mathcal{E}\boldsymbol{x}_i = p \cdot 1 + q \cdot 0 = p.$$

Der Mittelwert von $\boldsymbol{x}_i^2$ ist ebenso

$$\mathcal{E}\boldsymbol{x}_i^2 = p \cdot 1 + q \cdot 0 = p.$$

Das Quadrat der Streuung von $\boldsymbol{x}_i$ ist also

$$\sigma_i^2 = \mathcal{E}\boldsymbol{x}_i^2 - (\mathcal{E}\boldsymbol{x}_i)^2 = p - p^2 = p(1-p) = pq.$$

Mittelwert und Streuungsquadrat von $\boldsymbol{x} = \boldsymbol{x}_1 + \cdots + \boldsymbol{x}_n$ sind

$$\mathcal{E}\boldsymbol{x} = np \tag{3}$$

$$\sigma^2 = \sigma_1^2 + \cdots + \sigma_n^2 = npq.$$

Die Streuung von $\boldsymbol{x}$ ist also

$$\sigma = \sqrt{pqn}. \tag{4}$$

C. Das Gesetz der großen Zahl

Nach der TSCHEBYSCHEFFschen Ungleichung (§ 3) haben die Werte von $\boldsymbol{x} - pn$, die groß gegen σ sind, alle zusammen eine äußerst kleine Wahrscheinlichkeit. *Ereignisse aber, die eine sehr kleine Wahrscheinlichkeit haben, pflegt man als fast unmöglich zu betrachten; man rechnet nicht mit ihrem Eintreffen bei einer einmaligen Realisierung der Bedingungen, unter denen sie theoretisch möglich sind.* Auf diesem Prinzip beruht überhaupt jede praktische Anwendung der Wahrscheinlichkeitsrechnung. Demnach haben also die Werte $k - pn$, mit denen man praktisch zu rechnen hat, höchstens die Größenordnung $\sqrt{pqn}$. Man kann auch den Faktor q weglassen und sagen: *$k-pn$ hat praktisch höchstens die Größenordnung $\sqrt{pn}$.* Die letztere Formulierung wird besonders dann mit Vorteil angewandt, wenn es sich um seltene Ereignisse handelt, wenn also p nahe bei 0 und q nahe bei 1 liegt.

Die *Häufigkeit* der positiv ausgefallenen Versuche oder der Ereignisse A_i ist die Anzahl k, dividiert durch n:

$$h = \frac{k}{n}. \tag{5}$$

Bilden wir nun eine zufällige Größe

$$\boldsymbol{h} = \frac{\boldsymbol{x}}{n},$$

deren Wert jeweils gleich $h = k/n$ ist, so sind Erwartungswert und Streuung von $\boldsymbol{h}$ nach (3) und (4) durch

$$\mathcal{E}\boldsymbol{h} = p, \qquad \sigma_{\boldsymbol{h}} = \left(\frac{pq}{n}\right)^{\frac{1}{2}}$$

gegeben.

Die begriffliche Unterscheidung zwischen der zufälligen Größe $\boldsymbol{h}$ und dem Wert h, den diese Größe im Einzelfall annimmt, ist sprachlich sehr mühsam. Sie soll daher von jetzt an fallen gelassen werden. Wir werden einfach von der Häufigkeit h reden und dabei im Auge behalten, daß diese Häufigkeit vom Zufall abhängt, also einen Mittelwert und eine Streuung besitzt. Ebenso wollen wir in allen ähnlichen Fällen verfahren. Die fetten Typen werden also mehr und mehr aus dem Text verschwinden und nur in solchen Fällen, wo ausdrücklich an die allgemeinen Grundlagen des Kap. I erinnert werden soll, wieder auftauchen.

Der Mittelwert von h ist p. Die Werte von $|h-p|$, mit denen man praktisch zu rechnen hat, haben also höchstens die Größenordnung

$$\left(\frac{pq}{n}\right)^{\frac{1}{2}}.$$

Da pq höchstens $\frac{1}{4}$ beträgt, kann man auch sagen: *$|h-p|$ hat praktisch höchstens die Größenordnung $n^{-\frac{1}{2}}$.*

Damit ist also gemeint: Die Werte von $|h-p|$, die groß gegen $n^{-\frac{1}{2}}$ sind, haben alle zusammen nur eine verschwindend kleine Wahrscheinlichkeit.

Läßt man die Versuchszahl n anwachsen, so strebt $n^{-\frac{1}{2}}$ gegen Null. Die Häufigkeit bildet also ein immer genaueres Maß für die Wahrscheinlichkeit p. Auf diesem *Gesetz der großen Zahl* beruht die prinzipielle Möglichkeit, Wahrscheinlichkeiten statistisch zu erfassen.

§ 6. Wie weit kann die Häufigkeit *h* von der Wahrscheinlichkeit *p* abweichen?

A. Annäherung der Binomialverteilung durch eine Normalverteilung

De Moivre und Laplace haben die Binomialverteilung für große n untersucht und sie durch eine viel bequemere stetige Verteilung angenähert. Die Ergebnisse sind allgemein bekannt und sollen hier nur kurz zusammengefaßt werden[1]. Zunächst leitet man einen genäherten Ausdruck für die Wahrscheinlichkeit W_k für große np und nq ab, nämlich

$$W_k \sim \left(\sigma \sqrt{2\pi}\right)^{-1} e^{-\frac{1}{2}\left(\frac{z}{\sigma}\right)^2} \left[1 + \tfrac{1}{2}\sigma^{-2}(p-q)\,z - \tfrac{1}{6}\sigma^{-4}(p-q)\,z^3\right] \tag{1}$$

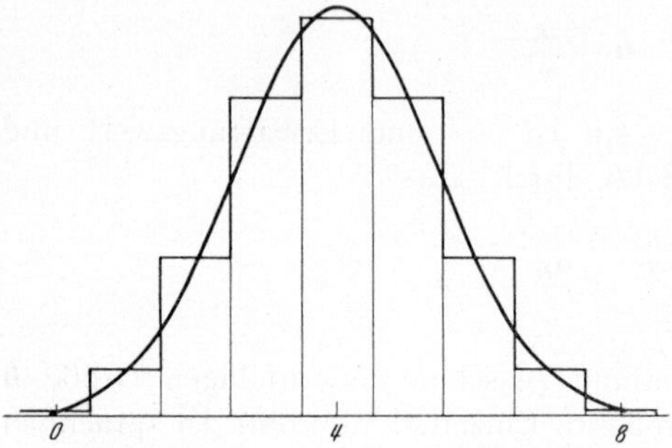

Fig. 3. Die Wahrscheinlichkeiten W_k für $n = 8$, $p = \frac{1}{2}$

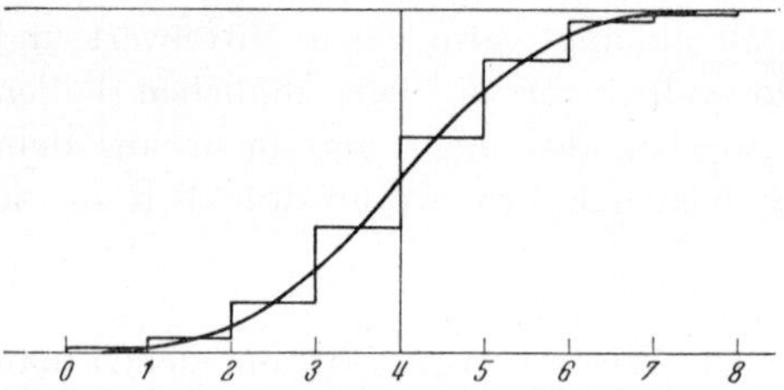

Fig. 4. Die Verteilungsfunktion der Größe $\boldsymbol{x}$ für $n = 8$, $p = \frac{1}{2}$

mit $z = k - np$. Die Herleitung gilt zunächst für solche Werte von z, die höchstens von der Größenordnung $\sigma = (npq)^{\frac{1}{2}}$ sind. Man kann die Endformel aber unbedenklich auch für solche z, die groß gegen σ sind, anwenden, da dann sowohl W_k, als auch die rechte Seite verschwindend klein sind. Wie gut die Näherung (1) schon für mäßig große n ist, zeigt die Fig. 3, in der für $n = 8$, $p = q = \frac{1}{2}$ die exakten Werte W_k als Höhen von Rechtecken und die Näherungswerte durch eine Kurve dargestellt sind. In diesem Fall ist, weil $p - q = 0$, die Kurve eine Gausssche Fehlerkurve; ist $p - q \neq 0$, so bewirken die Zusatzglieder in der Klammer in (1) eine gewisse Schiefe der Kurve, die aber mit $n \to \infty$ verschwindet.

Aus der Näherungsformel (1) folgt, daß die Verteilungsfunktion der zufälligen Größe $\boldsymbol{x}$ recht gut durch eine integrierte Gausssche Fehler-

[1] Für die Herleitung, die auf der Stirlingschen Formel

$$n! \sim n^n e^{-n} \sqrt{2\pi n}\left(1 + \frac{\vartheta}{12n}\right) \qquad (0 < \vartheta < 1)$$

beruht, sei auf die Lehrbücher der Wahrscheinlichkeitsrechnung verwiesen, unter denen besonders das von Markoff hervorgehoben zu werden verdient.

kurve approximiert werden kann. In Wirklichkeit ist die Verteilungsfunktion von $\boldsymbol{x}$ eine Treppenfunktion (Fig. 4), da $\boldsymbol{x}$ nur die endlich vielen Werte $k=0, 1, \ldots, n$ annehmen kann[1].

Durch Summation berechnet man weiter die Gesamtwahrscheinlichkeit derjenigen k-Werte, für welche die Differenz $k-np$ dem Betrage nach ein gewisses Vielfaches $g\sigma$ der Streuung $\sigma=(pqn)^{\frac{1}{2}}$ nicht übertrifft:

$$|k-np| \leq g(pqn)^{\frac{1}{2}} \tag{2}$$

oder, was dasselbe ist, für welche

$$|h-p| \leq g\left(\frac{pq}{n}\right)^{\frac{1}{2}} \tag{3}$$

gilt, und findet, daß diese Wahrscheinlichkeit näherungsweise gleich dem Integral

$$2\Phi(g)-1=\frac{2}{\sqrt{2\pi}}\int_0^g e^{-\frac{1}{2}t^2}\,dt \tag{4}$$

ist. Die Funktion $\Phi(g)$ geht so schnell gegen 1, daß bei $g=2{,}58$ die Wahrscheinlichkeit $2\Phi(g)-1=0{,}99$, bei $g=3$ sogar $0{,}9973$ ist. Das heißt also: *Die Werte von $k-np$, die dem Betrage nach größer als die dreifache Streuung sind, sind so unwahrscheinlich, daß man kaum damit zu rechnen braucht.*

Dieses Ergebnis gilt, wie numerische Rechnungen lehren, nicht nur für sehr große, sondern bereits für mäßig große Werte von n. In der mathematischen Statistik macht man überhaupt häufig die Erfahrung, daß 4 schon eine große Zahl ist. Sind pn und qn (oder k und l) beide größer als 4, so kann man die obige 3σ-Regel unbedenklich anwenden.

B. Die Schätzung von σ

Eine Schwierigkeit bei der Anwendung der 3σ-Regel besteht darin, daß man in der Praxis wohl k, l und n, also auch die Häufigkeit h kennt, aber nicht p und q, daß also die Streuung σ unbekannt ist. Man kann sich da in verschiedenen Weisen helfen.

Will man ganz sicher gehen, so ersetze man pq durch den größtmöglichen Wert $\frac{1}{4}$, also $\sigma=(pqn)^{\frac{1}{2}}$ durch $\frac{1}{2}\sqrt{n}$. Dieses Verfahren ist besonders dann sehr gut, wenn die beobachtete Häufigkeit h in der Nähe von $\frac{1}{2}$ liegt.

---

[1] Es gibt stetige Kurven, die für mäßig große n die Binomialverteilung noch besser approximieren als die Gausssche Fehlerkurve. Siehe M. E. Wise, Proc. Kon. Ned. Akad. Amsterdam (section of sciences) A 57, p. 513.

Eine zweite Möglichkeit ist, daß man p und q durch h und $1-h$, also $\sigma=(pqn)^{\frac{1}{2}}$ durch

$$s = \bigl(h(1-h)\,n\bigr)^{\frac{1}{2}} = \left(\frac{k\,l}{n}\right)^{\frac{1}{2}} \tag{5}$$

ersetzt. Dies ist für große n wohl erlaubt, da dann p nach dem Gesetz der großen Zahl nahe bei h liegt; nur muß man vorsichtig sein, wenn k oder l eine kleine Zahl (etwa <4) ist. Liegt nämlich h nahe bei Null, so macht es unter Umständen sehr viel aus, ob man $h(1-h)$ oder $p(1-p)$ nimmt. Es besteht also bei kleinen k oder l die Gefahr, daß das eben definierte s beträchtlich kleiner als σ ist und daß man die Streuung σ unterschätzt, wenn man σ durch s ersetzt.

Besonders kraß sieht man das in dem Extremfall $k=0$. Nehmen wir an, ein Chirurg habe bei 90 Patienten keinen einzigen Todesfall. Die Statistik ist umfangreich genug, um einen Schluß auf die wahre Mortalität p zu gestatten: p ist sicherlich klein. Man darf aber nicht schließen, daß $p-h$ nun vermutlich kleiner ist als das Dreifache der gefundenen Streuung $s=\left(\frac{k\,l}{n}\right)^{\frac{1}{2}}$; denn in unserem Fall ist auch $s=0$, und daß die Mortalität exakt Null sein muß, wird wohl niemand behaupten wollen.

Ein immer gangbarer Ausweg aus dieser Schwierigkeit wird im nächsten Paragraphen gezeigt werden[1]. Für jetzt soll nur eine kleine Korrektur angegeben werden, die man bei nicht allzu kleinen k und l zweckmäßig an s^2 anbringt, um der möglichen Unterschätzung der Streuung entgegenzuwirken. Vergleicht man nämlich $s^2=\frac{k\,l}{n}$ mit $\sigma^2=pqn$, so zeigt sich, daß der Mittelwert von s^2 nicht σ^2, sondern $\frac{n-1}{n}\sigma^2$ ist. Die Rechnung verläuft so:

$$\mathcal{E}\,s^2 = \mathcal{E}\,\frac{k(n-k)}{n} = \frac{\mathcal{E}\,k\,n - \mathcal{E}\,k^2}{n}.$$

Nun ist $\mathcal{E}k=pn$ und

$$\mathcal{E}\,k^2 = (\mathcal{E}\,k)^2 + \sigma^2 = (p\,n)^2 + p\,q\,n$$

also

$$\begin{aligned}\mathcal{E}\,s^2 = \frac{p\,n^2-(p^2\,n^2+p\,q\,n)}{n} &= p\,n - p^2 n - p\,q\\ &= p\,q\,n - p\,q = p\,q\,(n-1) = \frac{n-1}{n}\,\sigma^2.\end{aligned}$$

[1] Ein anderer Ausweg besteht darin, die h-Achse so zu transformieren, daß die Streuung des transformierten h fast unabhängig von p wird. Siehe dafür S. R. Rao, Advanced Statistical Methods in Biometric Research, Wiley (New York) 1952, p. 207—214.

Damit also der Mittelwert genau σ^2 wird, muß s^2 durch

$$(6) \qquad s'^2 = \frac{n}{n-1} s^2 = \frac{k\,l}{n-1}$$

ersetzt werden.

Um von der beobachteten Anzahl k auf die Häufigkeit h überzugehen, muß man sie durch n dividieren. Dividiert man dementsprechend auch die wahre Streuung σ und den Näherungswert s' durch n, so erhält man für die genäherte Streuung von h die Formel

$$(7) \qquad s_h^2 = \frac{k\,l}{n^2(n-1)} = \frac{h(1-h)}{n-1}.$$

Der Mittelwert von s_h^2 ist

$$(8) \qquad \mathcal{E}\, s_h^2 = \sigma_h^2 = \frac{\sigma^2}{n^2} = \frac{p\,q}{n}.$$

Benutzt man h als Schätzung für p und s_h^2 als Schätzung für σ_h^2, so ist man jedenfalls sicher, daß man im Mittel das Richtige erhält: die Schätzungen haben keinen *Bias*, keinen *systematischen Fehler*.

Beispiel 6. Von 1871 bis 1900 wurden in der Schweiz 1359671 Knaben und 1285086 Mädchen geboren (s. Polya, Handbuch der biol. Arbeitsmethoden, S. 742). Was kann man über die Wahrscheinlichkeit einer Knabengeburt aussagen?

Die Häufigkeit der Knabengeburten war

$$h = \frac{k}{n} = \frac{1359671}{2644757} = 51{,}41\,\%.$$

Die Zahlen sind sehr groß, man kann also unbedenklich mit der normalen Verteilung rechnen. Die Streuung von h ist

$$\sigma = \left(\frac{p\,q}{n}\right)^{\frac{1}{2}} \sim \left(\frac{1}{4n}\right)^{\frac{1}{2}} = 0{,}03\,\%.$$

Rechnet man mit der dreifachen Streuung als mögliche Abweichung zwischen h und p, so folgt, daß die Wahrscheinlichkeit p vermutlich zwischen 51,32% und 51,50% liegt.

C. Zweiseitige und einseitige Schranken für h

Durch die Ungleichung (3) ist die Häufigkeit h nach beiden Seiten beschränkt. Die Wahrscheinlichkeit der Ungleichung ist näherungsweise $2\Phi(g) - 1$.

Setzen wir nun $\Phi(g) = 1 - \beta$, so wird die Wahrscheinlichkeit, daß die Ungleichung (3) erfüllt ist,

$$2\Phi(g) - 1 = 1 - 2\beta.$$

Die Wahrscheinlichkeit, daß (3) verletzt ist, ist also 2β. Die Zahl 2β wird beliebig klein, wenn g groß genug gewählt wird. Für $g = 2{,}58$ wird $2\beta = 0{,}01$, wie schon erwähnt.

Ist die Ungleichung (3) verletzt, so kann das dadurch geschehen, daß h nach oben oder nach unten die durch (3) definierten Schranken überschreitet:

$$h - p > g\left(\frac{pq}{n}\right)^{\frac{1}{2}} \quad \text{oder} \quad h - p < -g\left(\frac{pq}{n}\right)^{\frac{1}{2}}.$$

Die Wahrscheinlichkeiten der beiden Fälle sind fast gleich, also beide ungefähr β. Allerdings muß man, um zu dieser Näherung zu kommen, die Zusatzglieder mit z und z^3 in (1) vernachlässigen; die Näherung ist also nicht mehr so gut wie bei (4). Begnügt man sich aber mit dieser gröberen Näherung, so kann man sagen: *Mit einer Wahrscheinlichkeit* $\sim 1-\beta$ *gilt*

$$h \leq p + g\left(\frac{pq}{n}\right)^{\frac{1}{2}}$$

und ebenso gilt mit einer Wahrscheinlichkeit $\sim 1-\beta$

$$h \geq p - g\left(\frac{pq}{n}\right)^{\frac{1}{2}}.$$

Das sind die einseitigen Schranken für h.

In der Tafel 3 am Schluß des Buches sind für verschiedene Irrtumswahrscheinlichkeiten die zugehörigen Werte von g verzeichnet. Die Irrtumswahrscheinlichkeit der einseitigen Abschätzung heißt in dieser Tafel β, die der zweiseitigen Abschätzung 2β. Die Beziehung zwischen β und g ist durch

(9) $$\Phi(g) = 1 - \beta$$

gegeben.

§ 7. Vertrauensgrenzen für unbekannte Wahrscheinlichkeiten

A. Das Problem

Man habe unter den Bedingungen des vorigen Paragraphen eine Häufigkeit $h = k/n$ beobachtet. In welchen Grenzen kann die zugrunde liegende Wahrscheinlichkeit p liegen?

Mit absoluter Sicherheit kann man darüber natürlich nichts aussagen; man muß immer mit einer gewissen Irrtumswahrscheinlichkeit rechnen. Die als zulässig betrachtete Irrtumswahrscheinlichkeit einer zweiseitigen Abschätzung für p wollen wir wieder 2β nennen.

Welche Irrtumswahrscheinlichkeit man zuläßt, das hängt weitgehend von dem Zweck ab, den man verfolgt. Die Tarife einer Lebensversicherungsgesellschaft z.B. müssen so berechnet werden, daß ein Bankerott durch zufällige Übersterblichkeit äußerst unwahrscheinlich ist: mit einer Irrtumswahrscheinlichkeit 0,01 wird man sich da nicht begnügen können, da sonst von 100 Gesellschaften durchschnittlich eine Bankerott machen müßte. Bei biologischen und medizinischen statistischen Erhebungen andererseits hat man so viele andere Fehlerquellen durch die Unsicherheit der theoretischen Voraussetzungen und vereinfachenden Annahmen, daß eine zusätzliche Fehlerwahrscheinlichkeit von nur 0,01 durch die Anwendung der Statistik relativ harmlos erscheint. Sehr häufig begnügt man sich sogar mit $2\beta = 0{,}05$.

Die sehr guten graphischen Tafeln von KOLLER[1] rechnen durchwegs mit einer Irrtumswahrscheinlichkeit $2\beta = 0{,}0027$ entsprechend der dreifachen Streuung bei einer normalen Verteilung. Die Engländer rechnen dagegen meistens mit $2\beta = 0{,}05$ oder $0{,}01$. Wir werden im folgenden im allgemeinen 0,01 als zulässige Irrtumswahrscheinlichkeit betrachten. Die theoretischen Entwicklungen gelten aber ganz allgemein für jedes beliebige β.

B. Genäherte Lösung des Problems für große *n*

Nach Formel (3), § 6, gilt für große n mit einer Wahrscheinlichkeit $W = 1 - 2\beta$ die Ungleichung

$$|h - p| \leq g \left(\frac{p q}{n}\right)^{\frac{1}{2}}. \tag{1}$$

Statt (1) kann man auch schreiben

$$(h - p)^2 \leq \frac{g^2}{n}\, p (1 - p). \tag{2}$$

Bei gegebenem β entnimmt man g aus Tafel 3 am Schluß des Buches. In der letzten Spalte findet man auch g^2. Wählt man z.B. $2\beta = 0{,}01$, so findet man $g = 2{,}58$ und $g^2 = 6{,}63$. Wählt man $2\beta = 0{,}05$, so wird $g = 1{,}96$ und $g^2 = 3{,}84$.

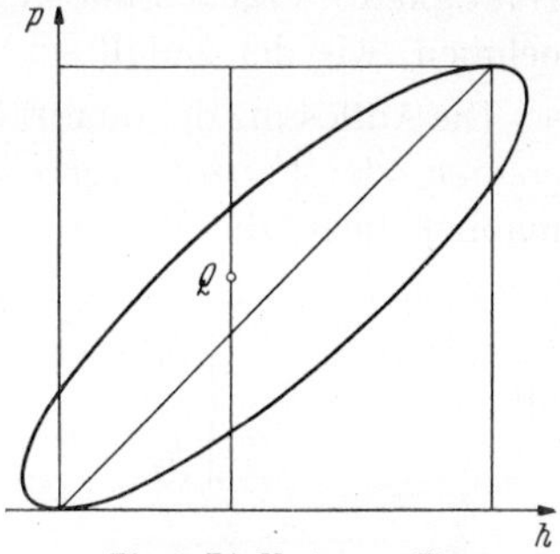

Fig. 5. Die Vertrauensellipse

Trägt man die Wahrscheinlichkeit p und die empirische Häufigkeit h als Koordinaten eines Punktes Q in einer (h, p)-Ebene auf, so stellt die Gleichung (2) eine Ellipse samt deren Innerem dar, die in den Endpunkten einer Diagonale des Einheitsquadrates dessen waagrechte Seiten berührt und deren Breite von g und n abhängt: je größer die Versuchszahl n, um so schmäler die Ellipse. Die Lage des Punktes Q hängt vom Zufall ab, weil die eine Koordinate h vom Zufall abhängt. Die

[1] S. KOLLER, Graphische Tafeln zur Beurteilung statistischer Zahlen, 2. Aufl., Dresden 1943.

Wahrscheinlichkeit, daß Q innerhalb oder auf der Ellipse liegt, ist stets (bei jedem Wert von p) nahezu $1-2\beta$. Oder anders ausgedrückt ($2\beta=0{,}01$ angenommen): Wenn man die Behauptung aufstellt, daß der Punkt Q nicht außerhalb der Ellipse fällt, so wird man sich von 100mal durchschnittlich nur einmal irren.

Nun ist in der Praxis p unbekannt, h aber bekannt. Eine Gerade $h=$ konst. schneidet die Ellipse in zwei Punkten, deren p-Koordinaten durch Auflösung der quadratischen Gleichung

$$(h-p)^2=\frac{g^2}{n}\,p(1-p) \tag{3}$$

gefunden werden können. Das Intervall zwischen diesen beiden Schnittpunkten liegt im Innern der Ellipse. Stellt man also die Behauptung auf, daß der wahre Wert p zwischen den beiden Wurzeln p_1 und p_2 der quadratischen Gleichung (3) liegt, so wird die Irrtumswahrscheinlichkeit dieser Behauptung nur 2β betragen. Denn diese Behauptung ist gleichbedeutend mit der andern, daß Q nicht außerhalb der Ellipse fällt.

Das bedeutet nicht, daß man in jedem *einzelnen* Fall bei gegebenen h und n mit 99% Wahrscheinlichkeit behaupten kann, daß p zwischen p_1 und p_2 liegt. Im einzelnen Fall hat p einen bestimmten (wenn auch unbekannten) Wert, und die Aussage $p_1=p=p_2$ ist wahr oder falsch: ist sie wahr, so hat sie die Wahrscheinlichkeit 1, sonst 0. Sondern es bedeutet: Wenn ein Statistiker für jede Versuchsreihe, die ihm vorgelegt wird, jedesmal p_1 und p_2 berechnet und jedesmal die Behauptung $p_1\leqq p\leqq p_2$ aufstellt, so wird er sich durchschnittlich von 100mal nur einmal irren. Er darf nicht die Versuche auswählen, die eine bestimmte Häufigkeit h ergeben haben, sondern er muß die Häufigkeiten h so hinnehmen, wie der Zufall sie ergibt.

Die Auflösung der quadratischen Gleichung (3) ergibt für die *Mutungsgrenzen* oder *Vertrauensgrenzen*, zwischen denen der wahre Wert p mutmaßlich liegt, die Werte

$$\begin{cases} p_1=\dfrac{h\,n+\frac{1}{2}g^2-g\,[h(1-h)\,n+\frac{1}{4}g^2]^{\frac{1}{2}}}{n+g^2} \\[2ex] p_2=\dfrac{h\,n+\frac{1}{2}g^2+g\,[h(1-h)\,n+\frac{1}{4}g^2]^{\frac{1}{2}}}{n+g^2}. \end{cases} \tag{4}$$

Die Rechnung nach diesen Formeln ist recht verwickelt. Praktischer ist das folgende zeichnerische Verfahren.

Setzt man in (3)

$$h-p=\frac{g}{\sqrt{n}}\,x, \tag{5}$$

so geht die Ellipsengleichung (3) in eine Kreisgleichung

$$x^2 = p(1 - p) \tag{6}$$

über. Die Gleichung (5) stellt bei gegebenem h eine Gerade in der xp-Ebene dar, die mit dem Kreis (6) zum Schnitt gebracht werden muß. Die Gerade geht durch den Punkt $x = 0$, $p = h$ und hat die Steigung $-g : \sqrt{n}$. Der Kreis (6) kann auf Millimeterpapier (etwa mit 10 cm Durchmesser) ein für allemal gezeichnet werden. Auf dem senkrechten Durchmesser wird jeweils der Punkt H in der Höhe h markiert, durch

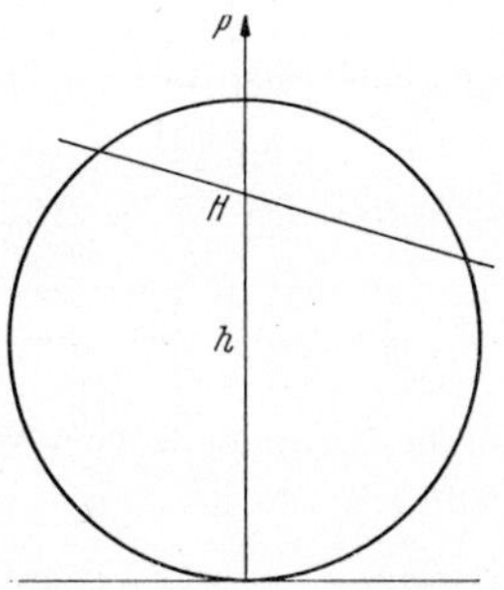

Fig. 6. Konstruktion der Vertrauensgrenzen

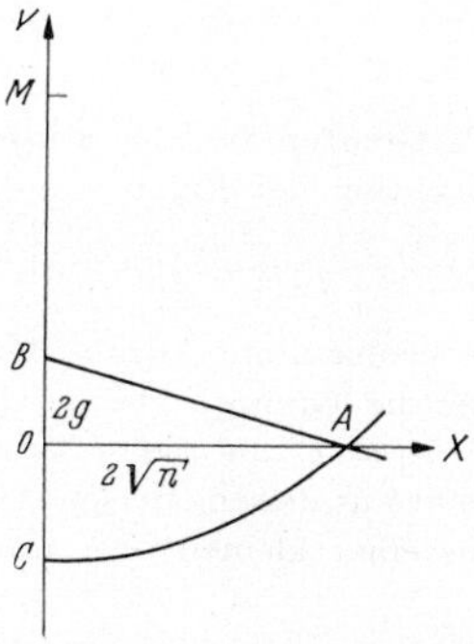

Fig. 7. Hilfsfigur

den die Gerade (5) gehen soll. Um die Richtung der Geraden zu erhalten, zeichne man in einer Hilfsfigur (Fig. 7) ein Achsenkreuz OXY, auf dessen Schenkeln die Strecken $\sqrt{n}$ und g, oder, wenn man die Genauigkeit steigern will, $OA = 2\sqrt{n}$ und $OB = 2g$ abgetragen werden. Die Verbindungslinie AB hat dann die Richtung der gewünschten Geraden. Die Größe $\sqrt{n}$ kann aus einer Quadratwurzeltafel abgelesen, oder, wenn n nicht allzu groß ist, folgendermaßen durch Zeichnung ermittelt werden: Auf OY trage man nach unten $OC = 2$ cm, nach oben $OM = (n - 1)$ cm ab und beschreibe um den oberen Punkt M einen Kreis durch den unteren Punkt C. Wo dieser die Achse OX schneidet, liegt der Punkt A. Ist nämlich CD der senkrechte Halbmesser des Kreises um M, so ist $OC = 2$ und $OD = 2n$, also $OA^2 = OC \cdot OD = 4n$, wie es sein soll. — Zieht man nun durch H jeweils eine Parallele zu AB, so schneidet diese den festen Kreis in zwei Punkten, deren Höhen p_1 und p_2 auf dem Millimeterpapier direkt abgelesen werden können und die gewünschten Mutungsgrenzen darstellen. Benutzt man nur die obere oder nur die untere Mutungsgrenze, so wird die Irrtumswahrscheinlichkeit β.

Die hier verwendeten Näherungsformeln werden unzuverlässig, wenn einer der Erwartungswerte pu und qn klein wird. Ich würde daher raten, die Formeln (4) oder die damit äquivalente geometrische Konstruktion nur dann zu verwenden, wenn die beobachteten Anzahlen

$$k = hn \quad \text{und} \quad n - k = (1 - h)\, n$$

beide mindestens 4 betragen.

Beispiel 7. In den Jahren 1948 bis 1952 sind in der Zürcher Chirurgischen Universitätsklinik 79 Lungenresektionen bei primären Bronchektasien vorgenommen worden. Von den 79 operierten Patienten sind 3 innerhalb einer Woche nach der Operation gestorben[1]. Die beobachtete Mortalität ist also

$$h = \frac{3}{79} = 3{,}8\,\% \,.$$

Als 5%-Grenzen für die wahre Mortalität findet man aus (4) oder mittels der Konstruktion der Fig. 6:

$$p_1 = 1{,}3\,\% \,, \qquad p_2 = 10{,}6\,\% \,.$$

Da die beobachtete Anzahl der Gestorbenen kleiner als 4 ist, wird man vorsichtshalber die Grenzen etwas weiter nehmen und sagen: *Die wahre Mortalität liegt wahrscheinlich zwischen 1% und 11%.*

Man sieht aus diesem Beispiel, wie ungenau die Bestimmung einer Wahrscheinlichkeit aus einer kleinen oder mittelgroßen Statistik ist.

C. Exakte Lösung des Problems

Die eben angegebene Näherungslösung des Problems der Vertrauensgrenzen beruhte darauf, daß die exakte Binomialverteilung (2) § 5 durch eine stetige Verteilung nach (1) § 6 ersetzt wurde. Die Näherungskurve liegt, wie Fig. 4 zeigt, manchmal unter und manchmal über der exakten Treppenkurve. Die Folge ist, daß die Irrtumswahrscheinlichkeit der genäherten Vertrauensgrenzen manchmal etwas größer oder kleiner als 2β ausfällt, abhängig vom wahren Wert p der Wahrscheinlichkeit[2].

Man kann aber auch nach Clopper und E. S. Pearson[3] exakte Vertrauensgrenzen angeben, die eine Irrtumswahrscheinlichkeit $\leq 2\beta$ garantieren, und zwar so, daß jede der beiden Vertrauensgrenzen nur mit einer Wahrscheinlichkeit $\leq \beta$ überschritten wird. Man geht zu dem Zweck von der exakten Binomialverteilung

$$W_k(p) = \binom{n}{k} p^k q^{n-k} \tag{7}$$

---

[1] F. Wegmann, Die operative Behandlung der Bronchektasien, Diss. Zürich 1955, Zusammenfassung S. 39.

[2] In meiner Note „Vertrauensgrenzen für unbekannte Wahrscheinlichkeiten", Sitzungsber. sächs. Akad. Wiss. 91 (1939) S. 213 ist eine Kurve gezeichnet, die den Verlauf der Irrtumswahrscheinlichkeit als Funktion von p im Grenzfall seltener Ereignisse veranschaulicht.

[3] C. J. Clopper and E. S. Pearson, Biometrika 26 (1934) p. 404.

aus. Wie Fig. 3 zeigt, sind die W_k in der Mitte am größten und nehmen, wenn p nicht zu nahe bei 0 oder 1 liegt, nach beiden Seiten rasch ab. Die Summe aller W_k ist Eins:

$$\sum_0^n W_k(p) = 1. \tag{8}$$

Die einseitigen Vertrauensgrenzen mit Irrtumswahrscheinlichkeit $\leq \beta$ werden nun folgendermaßen bestimmt. Es sei K eine ganze Zahl $(0 \leq K < n)$. Wir bilden aus (8) die Teilsumme von 0 bis K:

$$S_K(p) = \sum_0^K W_k(p). \tag{9}$$

$S_K(p)$ bedeutet die Wahrscheinlichkeit, daß k einen der Werte von 0 bis K annimmt.

Differenziert man S_K nach p, so heben sich alle Glieder bis auf ein einziges negatives Glied weg:

$$\tag{10} \left\{ \begin{aligned} \frac{d}{dp} S_K(p) &= -n q^{n-1} + \\ &+ \sum_1^K \left[\frac{n!}{(k-1)!\,(n-k)!} p^{k-1} q^{n-k} - \frac{n!}{k!\,(n-k-1)!} p^k q^{n-k-1} \right] \\ &= -\frac{n!}{K!\,(n-K-1)!} p^K q^{n-K-1}. \end{aligned} \right.$$

Nebenbei bemerkt, folgt aus (10) eine interessante Integraldarstellung von $S_K(p)$ als „unvollständiger Betafunktion"

$$\tag{11} \left\{ \begin{aligned} S_K(p) &= \int_p^0 \frac{n!}{K!\,(n-K-1)!} x^K (1-x)^{n-K-1}\, dx \\ &= \int_0^{1-p} \frac{n!}{K!\,(n-K-1)!} (1-y)^K y^{n-K-1}\, dy. \end{aligned} \right.$$

Hier brauchen wir aber nur die Tatsache, daß S_K eine abnehmende stetige Funktion von p ist, die für $p=0$ den Wert 1 und für $p=1$ den Wert 0 annimmt. Daraus folgt, daß S_K auch jeden Zwischenwert genau einmal annimmt. Man kann also (für jedes $K < n$) p_K so bestimmen, daß die Funktion $S_K(p)$ für $p = p_K$ den Wert β annimmt:

$$S_K(p_K) = \beta.$$

Clopper und Pearson stellen nun folgende Regel auf: *Wenn das Experiment die Häufigkeit k/n ergibt, so nehme man p_k als obere Vertrauensgrenze für p, d.h. man verwerfe alle Werte von p, die größer als p_k sind.* Dann wird behauptet: *Die Wahrscheinlichkeit, daß der wahre Wert von p irrtümlich verworfen wird, ist $<\beta$.*

Beweis. Wenn der wahre Wert p verworfen wird, so bedeutet das, daß $p > p_k$ wird. Daraus folgt, weil S_k eine abnehmende Funktion von p ist,

$$S_k(p) < S_k(p_k) = \beta.$$

Nun sei K der größte Index derart, daß $S_K(p)$ gerade noch $< \beta$ ist. Dann ist $k \leq K$, d.h. k ist einer der Werte $0, 1, \ldots, K$. Die Wahrscheinlichkeit, daß k einen der Werte von 0 bis K annimmt, ist aber gerade $S_K(p)$, also kleiner als β, was zu beweisen war.

Die obere Mutungsgrenze p_k ist also für $k < n$ die Lösung der Gleichung

$$W_0(p) + W_1(p) + \cdots + W_k(p) = \beta.$$

Ebenso ist die untere Mutungsgrenze für $k > 0$ die Lösung der Gleichung

$$W_k(p) + W_{k+1}(p) + \cdots + W_n(p) = \beta.$$

Für $k = 0$ ist die untere Mutungsgrenze natürlich Null, ebenso ist für $k = n$ die obere Mutungsgrenze Eins.

Die nach Clopper und Pearson berechneten exakten Vertrauensgrenzen sind bedeutend weiter als die unter B definierten Grenzen p_1 und p_2. Das hängt damit zusammen, daß die Irrtumswahrscheinlichkeit der genäherten Grenzen p_1 und p_2 um 2β herum schwankt, während sie bei den exakten Grenzen garantiert höchstens 2β und meistens erheblich kleiner ist.

Soll man nun die exakten oder die bequemeren genäherten Grenzen benutzen? Ich meine: wenn man schon bereit ist, eine Irrtumswahrscheinlichkeit 2β zu riskieren, kann man auch ruhig eine um 2β schwankende Irrtumswahrscheinlichkeit mit in den Kauf nehmen. Wenn man im Laufe der Zeit mehrere Wahrscheinlichkeiten zu schätzen hat und jedesmal die genäherten Grenzen benutzt, so werden sich die Abweichungen der Irrtumswahrscheinlichkeit nach oben und nach unten wohl kompensieren und man wird sich im Durchschnitt in 100 Fällen nur etwa $2\beta \cdot 100$mal irren. Bei extrem kleinen Anzahlen k (etwa $k < 4$) wird man die untere Vertrauensgrenze für p etwas herabsetzen, um sicher zu gehen.

§ 8. Auswahlprobleme. Stichprobenverfahren

Aus einer Urne mit K weißen und L schwarzen Kugeln ($K + L = N$) mögen n Kugeln gezogen werden (ohne Zurücklegen). Wie groß ist die Wahrscheinlichkeit, daß sich darunter k weiße und l schwarze ($k + l = n$) befinden?

Die Anzahlen der möglichen Wahlen von insgesamt n aus N Kugeln ist $\binom{N}{n}$. Alle diese Wahlen haben, wenn die Kugeln gut gemischt sind, die gleiche Wahrscheinlichkeit; jede von ihnen hat also die Wahrscheinlichkeit $1:\binom{N}{n}$. Die Anzahl der möglichen Wahlen von k aus den K weißen und von l aus den L schwarzen Kugeln ist $\binom{K}{k}\binom{L}{l}$. Also ist die gesuchte Wahrscheinlichkeit

$$(1) \qquad W_k = \binom{K}{k}\binom{L}{l}:\binom{N}{n} = \frac{K!}{k!(K-k)!}\,\frac{L!}{l!(L-l)!}\,\frac{n!(N-n)!}{N!}.$$

Definiert man nun wie in § 5 eine zufällige Größe $\boldsymbol{x}$, deren Wert jeweils gleich der Anzahl k der gezogenen weißen Kugeln ist, so ist $\boldsymbol{x}$ die Summe von n Größen $\boldsymbol{x}_1 + \cdots + \boldsymbol{x}_n$, wobei $\boldsymbol{x}_i$ nur von der Farbe der i-ten gezogenen Kugel abhängt, und zwar so, daß $\boldsymbol{x}_i = 1$, wenn die i-te Kugel weiß ist, sonst $= 0$. Die Wahrscheinlichkeit, daß die Größe $\boldsymbol{x}$ den Wert k annimmt, ist durch (1) gegeben. Die durch (1) definierte Verteilung nennt man *hypergeometrische Verteilung*.

Wir wollen nun Mittelwert und Streuung der Größe $\boldsymbol{x}$ berechnen. Die Wahrscheinlichkeit für $\boldsymbol{x}_i = 1$ ist nach § 1, Beispiel 3 gleich K/N. Ebenso ist die Wahrscheinlichkeit für $\boldsymbol{x}_i\boldsymbol{x}_j = 1$ für $i \neq j$ gleich $\frac{K(K-1)}{N(N-1)}$, aber für $i = j$ gleich $\frac{K}{N}$.

Also ist

$$\mathcal{E}(\boldsymbol{x}_i^2) = \mathcal{E}\,\boldsymbol{x}_i = \frac{K}{N}$$
$$\mathcal{E}(\boldsymbol{x}_i\boldsymbol{x}_j) = \frac{K(K-1)}{N(N-1)} \qquad (i \neq j).$$

Daraus folgt

$$(2) \qquad \left\{\begin{aligned}
&\mathcal{E}\,\boldsymbol{x} = \sum \mathcal{E}\,\boldsymbol{x}_i = n\frac{K}{N}\\
&\mathcal{E}\,\boldsymbol{x}^2 = \mathcal{E}\left(\sum \boldsymbol{x}_i\right)^2 = \mathcal{E}\left(\sum \boldsymbol{x}_i^2 + 2\sum \boldsymbol{x}_i\boldsymbol{x}_j\right)\\
&\qquad = n\frac{K}{N} + n(n-1)\frac{K(K-1)}{N(N-1)}\\
&\sigma^2 = \mathcal{E}\,\boldsymbol{x}^2 - (\mathcal{E}\,\boldsymbol{x})^2 = n\frac{K}{N} + n(n-1)\frac{K(K-1)}{N(N-1)} - n^2\left(\frac{K}{N}\right)^2\\
&\qquad = nK\,\frac{N(N-1) + N(n-1)(K-1) - n(N-1)K}{N^2(N-1)}\\
&\qquad = \frac{nK(N-K)(N-n)}{N^2(N-1)} = \frac{KL\,n(N-n)}{N^2(N-1)}.
\end{aligned}\right.$$

Also werden die k-Werte, mit denen man es praktisch zu tun hat, in der Nähe des Mittelwertes $n\frac{K}{N}$ liegen, und die Abweichung

$$k - n\frac{K}{N} = z$$

wird von der Größenordnung

$$\sigma = \frac{1}{N}\left(\frac{K\,L\,n(N-n)}{N-1}\right)^{\frac{1}{2}} \tag{3}$$

sein.

Mit Hilfe der STIRLINGschen Formel für $n!$, die wir in § 12 herleiten werden, kann man die Wahrscheinlichkeit (1) für große K, L, n und $N-n$ asymptotisch entwickeln. Wir unterdrücken die etwas langwierige Rechnung und geben nur das Ergebnis an:

$$W_k \sim \sigma^{-1}(2\pi)^{-\frac{1}{2}}\,e^{-\frac{1}{2}\sigma^{-2}z^2}\{1+(K-L)(N-2n)N^{-2}(\tfrac{1}{2}\sigma^{-2}z-\tfrac{1}{6}\sigma^{-4}z^3)\}. \tag{4}$$

Daraus folgt wie in § 6, daß die Wahrscheinlichkeit, daß k zwischen $n\frac{K}{N}-g\sigma$ und $n\frac{K}{N}+g\sigma$ liegt, näherungsweise durch

$$\frac{2}{\sqrt{2\pi}}\int\limits_0^g e^{-\frac{1}{2}t^2}\,dt = 2\Phi(g)-1 \tag{5}$$

gegeben wird. Wie früher kann man g so wählen, daß das Integral (5) einen gegebenen Wert $1-2\beta$ annimmt (s. Tafel 3).

Die Ungleichung

$$\left|k-n\frac{K}{N}\right| \leq g\sigma, \tag{6}$$

deren Wahrscheinlichkeit durch (5) ausgedrückt wird, kann auch so geschrieben werden:

$$(kN-nK)^2 \leq g^2N^2\sigma^2$$

oder, wenn der Wert von σ aus (3) eingesetzt wird,

$$\frac{(kN-nK)^2(N-1)}{K\,L\,n(N-n)} \leq g^2. \tag{7}$$

Die Wahrscheinlichkeit der Ungleichung (7) ist also näherungsweise gleich $1-2\beta$. Die Näherung gilt gleichmäßig in folgendem Sinne: sobald die Erwartungswerte der vier Größen $k, l, K-k$ und $L-l$ eine Schranke $M(\varepsilon)$ überschreiten, wird die Wahrscheinlichkeit der Ungleichung (7) sich von $1-2\beta$ um weniger als ε unterscheiden. Davon werden wir im nächsten Abschnitt Gebrauch machen.

Beispiel 8. Das *Stichprobenverfahren* in der Bevölkerungs- und Wirtschaftsstatistik besteht darin, daß man statt der gesamten Bevölkerung nur einen Teil statistisch erfaßt, der als repräsentativ für das Ganze betrachtet werden kann in dem Sinne, daß in ihm Großstädte, Kleinstädte und Landgemeinden, nördliche und südliche Gegenden usw. in etwa dem gleichen Verhältnis vertreten sind wie in der Gesamtbevölkerung. Die für die Stichprobe ermittelten Häufigkeiten (z.B. der Sterblichkeit nach Todesursachen) werden dann näherungsweise auch für die Gesamtbevölkerung gelten. Welche Abweichungen zwischen der Gesamthäufigkeit H und der Häufigkeit in der Stichprobe h sind zu erwarten?

Das Problem ist offenbar, wenn die Stichprobe ganz zufällig aus der Gesamtbevölkerung ausgewählt ist, mit unserem Urnenproblem identisch. Die fraglichen Häufigkeiten sind

$$h = \frac{k}{n}, \quad H = \frac{K}{N}. \tag{8}$$

Der Mittelwert von h ist H, die Streuung ist

$$\sigma_h = \frac{\sigma}{n} = \frac{1}{N}\left(\frac{K\,L(N-n)}{n(N-1)}\right)^{\frac{1}{2}} = \left(\frac{H(1-H)}{n}\cdot\frac{N-n}{N-1}\right)^{\frac{1}{2}}. \tag{9}$$

Die zu erwartenden Abweichungen $|h-H|$ sind in 99% aller Fälle kleiner als $2{,}58\sigma_h$.

Eine ausführlichere Behandlung der mit dem Stichprobenverfahren verbundenen Probleme findet man in dem kürzlich erschienenen Buch von L. SCHMETTERER, Einführung in die math. Statistik, Springer-Verlag Wien 1956, Kap. 2.

§ 9. Vergleich zweier Wahrscheinlichkeiten

A. Das Problem

Noch wichtiger als die Messung einer einzelnen Wahrscheinlichkeit ist, namentlich in der Medizin und Biologie, der Vergleich zweier Wahrscheinlichkeiten. Ein Chirurg hat etwa eine neue Operationsmethode an einer Reihe von Patienten ausprobiert und findet eine kleinere Todeshäufigkeit als bei dem hergebrachten Verfahren; ist die Mortalität wirklich kleiner geworden? Oder ein neues Heilmittel gegen eine Krankheit ist erfunden worden; früher starben von 400 Patienten 40, also 10%, nach der Verabreichung des neuen Mittels aber von 50 Patienten nur einer, also 2%. Hat das Heilmittel gewirkt oder kann der Unterschied auch zufällig sein?

Die gefundenen Häufigkeiten seien

$$h_1 = \frac{k_1}{n_1}, \quad h_2 = \frac{k_2}{n_2}, \tag{1}$$

die zugrunde liegenden Wahrscheinlichkeiten p_1 und p_2. Man habe gefunden, daß $h_1 > h_2$ ist; wie groß muß $h_1 - h_2$ sein, damit man mit einiger Sicherheit behaupten kann, daß $p_1 > p_2$ ist?

Wie wir in § 5 gesehen haben, hat die zufällige Größe h_1 den Mittelwert p_1 und die Streuung $\sigma_1 = (p_1 q_1 : n_1)^{\frac{1}{2}}$. Die Verteilungsfunktion von h_1 ist nahezu eine GAUSSsche Fehlerkurve mit einer gewissen Schiefe, die durch die Korrekturglieder in (1) § 6 recht gut dargestellt wird. Entsprechendes gilt für h_2. Die Differenz $h_1 - h_2$ hat also den Mittelwert $p_1 - p_2$ und die Streuung

$$\sigma = (\sigma_1^2 + \sigma_2^2)^{\frac{1}{2}}. \tag{2}$$

In § 4, Beispiel 5 haben wir gesehen, daß die Differenz zweier zufälliger Größen, von denen jede einzelne eine normale Verteilung hat, wieder eine normale Verteilung besitzt. Haben h_1 und h_2 nur genähert normale Verteilungen, so ist für $h_1 - h_2$ die Näherung durch die GAUSSsche Verteilung noch besser als für h_1 und h_2 einzeln, da die Höhe der Treppenstufen kleiner wird und die Schiefe der Verteilungen durch die Differenzenbildung zum Teil aufgehoben wird.

Wir können also unbedenklich für $h_1 - h_2$ eine normale Verteilung mit Mittelwert $p_1 - p_2$ und Streuung σ annehmen. Dann folgt aber, daß die Werte von $(h_1 - h_2) - (p_1 - p_2)$, die größer als die g-fache Streuung sind, sehr selten sind, wobei g in bekannter Weise von der angenommenen Irrtumswahrscheinlichkeit 2β abhängt (z.B. $g = 2{,}58$ bei $2\beta = 0{,}01$). Ist also $h_1 - h_2$ größer als $g\sigma$, so wird man annehmen können, daß $p_1 - p_2$ positiv ist.

Nun entsteht aber wiederum die Schwierigkeit, daß der genaue Wert σ nicht bekannt ist. Es gibt zwei Auswege aus diesem Dilemma. Der erste, weniger empfehlenswerte, besteht darin, daß man in der Formel

$$\sigma^2 = \sigma_1^2 + \sigma_2^2 \tag{3}$$

die unbekannten Größen σ_1^2 und σ_2^2 durch ihre Näherungswerte

$$s_1^2 = \frac{h_1(1 - h_1)}{n_1 - 1}$$

und

$$s_2^2 = \frac{h_2(1 - h_2)}{n_2 - 1}$$

ersetzt und mit ihnen den Näherungswert

$$s^2 = s_1^2 + s_2^2 \tag{4}$$

bildet, der im Mittel gleich σ^2 ist, aber in einzelnen Fällen beträchtlich von σ^2 abweichen kann. Statt nun zu verlangen, daß $h_1 - h_2$ größer als $g\sigma$ ist, verlangt man, daß $h_1 - h_2$ größer als gs sein soll. Sind n_1 und n_2 groß und liegen die Häufigkeiten h_1 und h_2 nicht zu nahe bei Null oder Eins, so wird man sich bei der Anwendung dieser Regel mit $g = 2{,}58$ von 100mal durchschnittlich nur einmal irren.

B. Der χ^2-Test

Der zweite Weg gibt etwas einfachere Rechnungen und ist auch theoretisch vorzuziehen. Man schließt so: Die Hypothese, die man prüfen will und gerne verwerfen möchte, ist die, daß die Unterschiede in h_1 und h_2 rein zufällig sind und daß in Wahrheit $p_1 = p_2$ ist. Nun macht man es so wie Sokrates, wenn er eine Behauptung seines Mitunterredners dialektisch widerlegen wollte: man nimmt die Hypothese $p_1 = p_2$ zunächst einmal als richtig an und entwickelt die Konsequenzen daraus: stehen diese im Widerspruch zu den Tatsachen, so ist die Hypothese zu verwerfen.

Unter der Annahme $p_1 = p_2 = p$ hat man für die Streuungen

$$\sigma_1^2 = \frac{pq}{n_1}, \quad \sigma_2^2 = \frac{pq}{n_2}$$

und

$$\sigma^2 = \sigma_1^2 + \sigma_2^2 = \frac{pq(n_1+n_2)}{n_1 n_2} = \frac{pqN}{n_1 n_2} = \frac{pq}{N} \cdot \frac{N^2}{n_1 n_2},$$

wobei $N = n_1 + n_2$ gesetzt wurde. Nun ersetzt man die unbekannte Wahrscheinlichkeit p wieder durch die entsprechende Häufigkeit. Zu ihrer Bestimmung hat man jetzt ein größeres Material zur Verfügung als früher für die einzelnen p_1 und p_2, nämlich die Gesamtheit aller $N = n_1 + n_2$ Versuche, von denen $k_1 + k_2 = K$ positiv und $l_1 + l_2 = L$ negativ ausgefallen sind. Daher ersetze man p und q durch

$$H = \frac{K}{N} \quad \text{und} \quad 1 - H = \frac{L}{N} \tag{5}$$

und erhält, wenn man noch aus bekannten Gründen (§ 6B) den Nenner N durch $N-1$ ersetzt, für σ^2 den Näherungswert

$$s^2 = \frac{KL}{N-1} \cdot \frac{1}{n_1 n_2}, \tag{6}$$

auf den mehr Verlaß ist als auf das s^2 der früheren Formel (4). Ist nun

$$|h_1 - h_2| > g s$$

oder, was dasselbe ist,

$$(h_1 - h_2)^2 > g^2 s^2$$

oder

$$\frac{(h_1 - h_2)^2 n_1 n_2 (N-1)}{KL} > g^2,$$

so wird die Hypothese $p_1 = p_2$ *verworfen.*

Wir setzen nun

$$\chi^2 = \frac{(h_1 - h_2)^2 n_1 n_2 (N-1)}{KL} \tag{7}$$

und nennen den eben formulierten Test den *χ^2-Test zum Vergleich zweier Wahrscheinlichkeiten.* Setzt man für h_1 und h_2 ihre Bedeutung, so kann man statt (7) auch schreiben

$$\chi^2 = \frac{(k_1 n_2 - k_2 n_1)^2 (N-1)}{KL n_1 n_2}. \tag{8}$$

C. Rechtfertigung

Zur Rechtfertigung dieses Testes haben wir zu beweisen, daß die Ungleichung

(9) $$\chi^2 \leqq g^2$$

unter der Hypothese $p_1 = p_2$ näherungsweise die Wahrscheinlichkeit

(10) $$1 - 2\beta = \frac{2}{\sqrt{2\pi}} \int_0^g e^{-\frac{1}{2}t^2}\, dt$$

besitzt. Dabei seien n_1 und n_2 zunächst große Zahlen und $p_1 = p_2 = p$ möge nicht zu nahe bei Null oder Eins liegen, so daß die Erwartungswerte pn_1, pn_2, qn_1 und qn_2 auch große Zahlen sind. Dann sind k_1, k_2, $l_1 = n_1 - k_1$ und $l_2 = n_2 - k_2$ sehr wahrscheinlich auch groß. Die Fälle, in denen eine dieser 4 Zahlen klein ist, sind zwar möglich, spielen aber bei der Berechnung der Wahrscheinlichkeit der Ungleichung (9) keine große Rolle.

Es sei $\mathcal{P}(K)$ die Wahrscheinlichkeit, daß $k_1 + k_2$ einen bestimmten ganzzahligen Wert K besitzt. Es sei $\mathcal{P}_K(\chi^2 \leqq g^2)$ die bedingte Wahrscheinlichkeit dafür, daß $\chi^2 \leqq g^2$ unter der Hypothese, daß $k_1 + k_2$ den Wert K besitzt. Dann ist nach der Regel von der totalen Wahrscheinlichkeit [Formel (7), § 1]

(11) $$\mathcal{P}(\chi^2 \leqq g^2) = \sum_K \mathcal{P}(K) \cdot \mathcal{P}_K(\chi^2 \leqq g^2)\,.$$

Wenn wir also beweisen können, daß die bedingten Wahrscheinlichkeiten $\mathcal{P}_K(\chi^2 \leqq g^2)$ alle näherungsweise gleich $1 - 2\beta$ sind, so sind wir fertig. Liegt nämlich jeder einzelne Faktor $\mathcal{P}_K(\chi^2 \leqq g^2)$ rechts in (11) zwischen $1 - 2\beta - \varepsilon$ und $1 - 2\beta + \varepsilon$, wo ε beliebig klein ist, so liegt auch die linke Seite von (11) zwischen $1 - 2\beta - \varepsilon$ und $1 - 2\beta + \varepsilon$.

Die Wahrscheinlichkeit eines einzelnen Wertepaares (k_1, k_2) mit $k_1 + k_2 = K$ ist

$$\mathcal{P}(k_1, k_2) = \binom{n_1}{k_1} p^{k_1} q^{l_1} \binom{n_2}{k_2} p^{k_2} q^{l_2}$$
$$= \binom{n_1}{k_1}\binom{n_2}{k_2} p^K q^L.$$

Die Wahrscheinlichkeit $\mathcal{P}(K)$, daß k_1 und k_2 eine bestimmte Summe K haben, ist gleich der gesamten Wahrscheinlichkeit, daß von N Versuchen K positiv ausfallen, also

$$\mathcal{P}(K) = \binom{N}{K} p^K q^L.$$

Die bedingte Wahrscheinlichkeit eines einzelnen Wertepaares (k_1, k_2) mit $k_1 + k_2 = K$ ist nach der Definition der bedingten Wahrscheinlichkeit [Formel (5), § 1] der Quotient

$$\mathcal{P}_K(k_1, k_2) = \mathcal{P}(k_1, k_2) : \mathcal{P}(K)$$
$$= \binom{n_1}{k_1}\binom{n_2}{k_2} : \binom{N}{K}$$
$$= \frac{n_1!\, n_2!\, K!\, L!}{k_1!\, l_1!\, k_2!\, l_2!\, N!}.$$

Setzen wir nun, um die Bezeichnungen zu vereinfachen,

$$n_1 = n, \quad k_1 = k, \quad l_1 = l,$$

so wird

(12) $$\mathcal{P}_K(k, K-k) = \frac{n!\,(N-n)!\,K!\,L!}{k!\,l!\,(K-k)!\,(L-l)!\,N!}.$$

Die Faktoren p und q sind bei der Division ganz herausgefallen und das Ergebnis stimmt genau mit (1) § 8 überein. Das heißt: *Die bedingte Wahrscheinlichkeit $\mathcal{P}_K(k, K-k)$ ist genau gleich der Wahrscheinlichkeit, aus einer Urne mit K weißen und L schwarzen Kugeln bei n-maligem Ziehen k weiße und l schwarze Kugeln zu ziehen.*

Setzt man weiter $k_2 = K - k$ und $n_2 = N - n$ in (8) ein, so erhält man

(13) $$\chi^2 = \frac{(kN - nK)^2 (N-1)}{KLn(N-n)}.$$

Also stimmt die Ungleichung $\chi^2 \leqq g^2$ genau mit der Ungleichung (7) § 8 überein. Die Wahrscheinlichkeit dieser Ungleichung ist aber nach § 8 näherungsweise gleich $1 - 2\beta$. Damit ist alles bewiesen.

Die Idee dieses Beweises stammt von M.-P. Geppert. Die Formel (7) mit $(N-1)$ im Zähler wurde zuerst von H. v. Schelling angegeben; früher nahm man immer N statt $N-1$.

D. Einseitige und zweiseitige Anwendung des χ^2-Testes

In der Praxis verwendet man den χ^2-Test nicht nur zur Prüfung der Hypothese $p_1 = p_2$, sondern auch dazu, zu entscheiden, welche der beiden Wahrscheinlichkeiten p_1 und p_2 die größere ist. Man schließt nämlich unwillkürlich (und mit Recht, wie wir gleich sehen werden) so: Ist $\chi^2 > g^2$ und dabei $h_1 > h_2$, so wird $p_1 > p_2$ angenommen. Ist andererseits $\chi^2 > g^2$ und $h_2 < h_1$, so wird $p_2 < p_1$ angenommen.

Ist nun in Wahrheit $p_1 = p_2$, so ist, wie wir gesehen haben, die Wahrscheinlichkeit, daß irrtümlich $p_1 \neq p_2$ angenommen wird, nahezu 2β, und zwar sind, wie aus dem Beweis hervorgeht, die Wahrscheinlichkeiten für $h_1 > h_2$ und $h_1 < h_2$ ungefähr gleich groß, so daß mit etwa der Wahrscheinlichkeit β irrtümlich $p_1 > p_2$ und mit fast der gleichen Wahrscheinlichkeit irrtümlich $p_1 < p_2$ angenommen wird.

Ist aber $p_1 < p_2$, so ist die Wahrscheinlichkeit, daß $\chi^2 > g^2$ und $h_1 > h_2$ ausfällt, kleiner als β. Die Wahrscheinlichkeit, daß irrtümlich $p_1 > p_2$ erklärt wird, ist also in diesem Fall kleiner als β.

Ebenso ist im Fall $p_1 > p_2$ die Wahrscheinlichkeit, daß auf Grund des χ^2-Testes $p_2 < p_1$ erklärt wird, kleiner als β.

In allen drei Fällen ist die Irrtumswahrscheinlichkeit des Testes höchstens 2β.

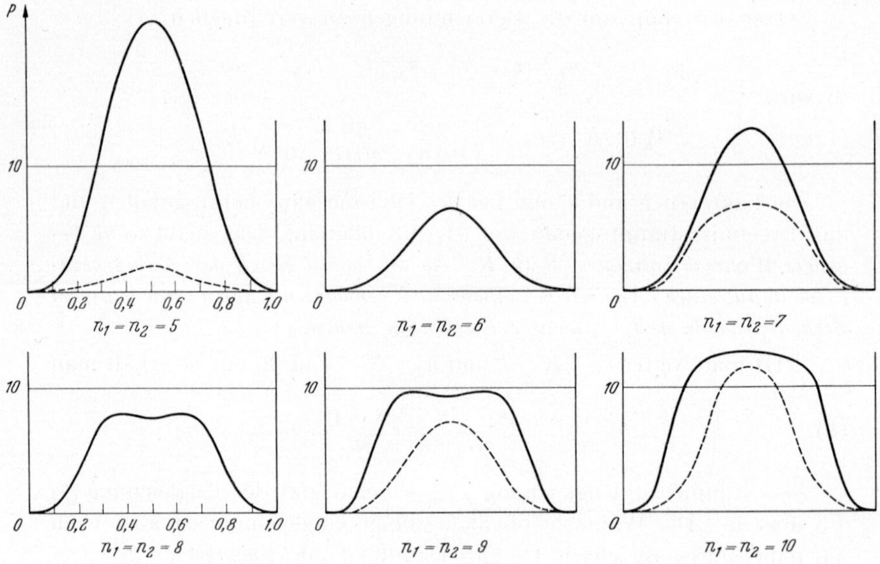

Fig. 8. Irrtumswahrscheinlichkeit des χ^2-Kriteriums als Funktion von p nach GILDEMEISTER und VAN DER WAERDEN, Ber. sächs. Akad. Wiss. 95 (1943)

Wird der χ^2-Test *einseitig* angewandt, so bedeutet das, daß man, sofern χ^2 groß genug ist, nur im Fall $h_1 > h_2$ (oder nur im Fall $h_1 < h_2$) die Schlußfolgerung $p_1 > p_2$ (oder $p_1 < p_2$) zieht und sich in allen anderen Fällen eines Urteils enthält. Es kommt praktisch sehr häufig vor, daß man sich z.B. nur dafür interessiert, ob ein neues Heilmittel besser ist als die bisherigen, während die Frage, ob es gleich gut oder weniger gut wirkt, gänzlich belanglos ist. Die Irrtumswahrscheinlichkeit des einseitig angewandten Tests ist nur die Hälfte von der des zweiseitigen Tests.

E. Zuverlässigkeit bei kleinen Zahlen

Man kann den χ^2-Test unbedenklich auch bei kleinen Werten von N anwenden. In der beigegebenen Fig. 8, die einer Arbeit von GILDEMEISTER und mir entnommen ist, ist die Irrtumswahrscheinlichkeit des Testes für $2\beta = 0{,}01$ als Funktion von p für einige typische Fälle dargestellt. Die ausgezogenen Linien beziehen sich auf den Test mit N

im Zähler, die gestrichelten auf den Test mit $N-1$ im Zähler nach (8). Man sieht, daß die gestrichelten Kurven nur an einzelnen Stellen ein wenig über die 10 Promille-Schranke steigen, aber nie sehr viel. Die meisten Kurven bleiben sogar dauernd unter der Schranke.

Beispiel 9. Von 1946 bis 1951 wurden an der Medizinischen Universitätsklinik Zürich 252 Thrombosen mit Antikoagulantien behandelt[1]. Von 252 so behandelten Patienten starben 7; die Letalität war also 2,8%. Von 1937 bis 1942 wurden noch keine Antikoagulantien angewandt. Von den „konservativ" behandelten Thrombosefällen dieser Jahre wurden diejenigen ausgeschieden, die sich für die Antikoagulantientherapie nicht eigneten, weil typische Kontraindikationen vorlagen. Von den 205 übrigbleibenden, konservativ behandelten Patienten starben 37, also 18,0%. Ist die günstige Wirkung der Antikoagulantien gesichert?

Berechnet man χ^2 nach (7) oder (8), so findet man

$$\chi^2 = 30{,}2.$$

Die 1%-Schranke ist 6,6, die 1‰-Schranke 10,8. Beide Schranken werden weit überschritten. Von einem Zufall kann also keine Rede sein.

Methodisch zu beanstanden ist, daß die beiden Versuchsreihen sich auf verschiedene Zeitperioden beziehen. Ein fanatischer Statistiker würde vielleicht während einer gewissen Zeit abwechselnd einen Patienten konservativ und den nächsten nach der neuen Therapie behandeln. Der Mediziner, der seine Patienten möglichst retten will, wird so etwas bei einer lebensgefährlichen Thrombose natürlich nicht tun.

Wenn in einer medizinischen Erfolgsstatistik die beiden Versuchsreihen nicht gleichzeitig durchgeführt sind, muß man sich immer fragen, ob für einen allfälligen Verlaufswandel nicht noch andere Faktoren als die angewandte Therapie maßgebend sein könnten (Schwankungen im epidemiologischen Verhalten, veränderte hygienische und Ernährungsverhältnisse usw.). Bei den Thrombosen allerdings ist anzunehmen, daß die neue Therapie der entscheidende Faktor ist.

F. Der exakte Test von R. A. FISHER

Derselbe Gedankengang, der uns in § 9C oben zur Rechtfertigung des χ^2-Testes im Grenzfall großer Erwartungswerte diente, kann nach R. A. FISHER auch zur Konstruktion eines exakten Testes verwendet werden, dessen Irrtumswahrscheinlichkeit bei einseitiger Anwendung unter allen Umständen $\leq \beta$ bleibt.

Man kann das Verfahren am besten an einem Beispiel erläutern, das einer Arbeit von K. D. TOCHER (Biometrika, Vol. 37, p. 130) entnommen ist. Die beobachteten Zahlen seien

$k_1 = 2$	$l_1 = 5$	$(n_1 = 7)$
$k_2 = 3$	$l_2 = 2$	$(n_2 = 5)$
$(K = 5)$	$(L = 7)$	$(N = 12)$

Aus diesen Zahlen bilde man eine „Vierfeldertafel" und schreibe daneben alle Vierfeldertafeln mit denselben Zeilen- und Spaltensummen,

[1] I. PUGATSCH, Zur Antikoagulantienbehandlung der Venenthrombosen in der inneren Medizin, Diss. Zürich 1954.

aber mit kleinerem k_1, folgendermaßen:

Beobachtet

2	5	7
3	2	5
5	7	12

Extremere Fälle

1	6	7
4	1	5
5	7	12

0	7	7
5	0	5
5	7	12

Nun berechnet man für alle diese Tafeln die bedingten Wahrscheinlichkeiten bei gegebener Spaltensumme $K = k_1 + k_2$

$$\mathcal{P}_K(k_1, k_2) = \frac{n_1!\, n_2!\, K!\, L!}{k_1!\, l_1!\, k_2!\, l_2!\, N!} \tag{14}$$

und addiert diese. In unserem Fall erhält man für die Summe

$$P = 0{,}265 + 0{,}044 + 0{,}001 = 0{,}310.$$

Der Test lautet nun so: *Wenn die Summe P höchstens gleich β ist, wird die Hypothese $p_1 = p_2$ zugunsten der Alternative $p_1 < p_2$ verworfen.*

Ist z.B. $\beta = 0{,}05$, so wird, wenn der Versuch die zuerst angeschriebenen Zahlen (2, 5, 3, 2) ergibt, die Hypothese $p_1 = p_2$ nicht verworfen, wohl aber dann, wenn einer der beiden extremeren Fälle vorliegt. Die bedingte Wahrscheinlichkeit, daß einer dieser beiden Fälle vorliegt, ist

$$0{,}044 + 0{,}001 < 0{,}05,$$

also ist die bedingte Wahrscheinlichkeit, daß die Hypothese $p_1 = p_2$ zu Unrecht verworfen wird, kleiner als 0,05.

Allgemein sei A das Ereignis, das eintritt, wenn die Hypothese $p_1 = p_2$ auf Grund des obigen Testes zugunsten der Hypothese $p_1 < p_2$ verworfen wird. Es sei $\mathcal{P}_K(A)$ die bedingte Wahrscheinlichkeit dieses Ereignisses bei gegebenen Spaltensummen $K = k_1 + k_2$ und $L = l_1 + l_2$ unter der Annahme, daß die Hypothese $p_1 = p_2$ richtig ist. Dann gilt allgemein

$$\mathcal{P}_K(A) \leq \beta, \tag{15}$$

denn so ist der Test gerade eingerichtet.

Die gesamte Wahrscheinlichkeit, daß die Hypothese $p_1 = p_2$, wenn sie richtig ist, auf Grund des Testes verworfen wird, ist

$$\mathcal{P}(A) = \sum_K \mathcal{P}(K)\, \mathcal{P}_K(A), \tag{16}$$

summiert über alle möglichen K. Nun sind nach (15) alle $\mathcal{P}_K(A) \leq \beta$, also ist die ganze Summe (16) ebenfalls $\leq \beta$:

$$\mathcal{P}(A) \leq \beta \sum \mathcal{P}(K) = \beta.$$

Also ist die Irrtumswahrscheinlichkeit von Fishers Test immer $\leq \beta$ bei einseitiger Anwendung, und natürlich $\leq 2\beta$ bei zweiseitiger Anwendung.

In Wirklichkeit liegt die Irrtumswahrscheinlichkeit von FISHERs Test bei kleinen oder mäßig großen n_1 und n_2 meistens weit unter 2β. Der Test ist wohl übertrieben vorsichtig. Außerdem erfordert der χ^2-Test erheblich weniger Rechnung.

§ 10. Häufigkeit seltener Ereignisse

A. Die POISSONsche Formel

Wenn im BERNOULLIschen Problem zwar n eine große Zahl ist, aber die Wahrscheinlichkeit p sehr klein, so daß pn keine große Zahl ist, so gelten wohl die Formeln (2) § 5, sowie (3) und (4) und die daran geknüpften Schlußfolgerungen, aber nicht die asymptotische Entwicklung (6). POISSON hat daher eine andere asymptotische Entwicklung gerade für diesen Grenzfall gegeben, nämlich:

$$W_k \sim \frac{\lambda^k e^{-\lambda}}{k!}. \tag{1}$$

Dabei ist W_k die Wahrscheinlichkeit, daß in einer langen Reihe von n unabhängigen Versuchen k mal das seltene Ereignis A eintritt, $\lambda = np$ ist der Erwartungswert von k. Die Zahl n der Versuche tritt in (1) nicht explizit auf. Die Formel ist auf alle seltenen Ereignisse wie Unfälle, Atomkernzertrümmerungen usw. anwendbar.

Der Beweis der Näherungsformel (1) ist sehr einfach. Die exakte Formel lautet

$$\begin{aligned} W_k &= \binom{n}{k} p^k (1-p)^{n-k} \\ &= \frac{n(n-1)\dots(n-k+1)}{k!} \frac{\lambda^k}{n^k} \left(1 - \frac{\lambda}{n}\right)^{n-k} \\ &= \frac{\lambda^k}{k!} \left(1 - \frac{\lambda}{n}\right)^n \left(1 - \frac{1}{n}\right)\left(1 - \frac{2}{n}\right) \dots \left(1 - \frac{k-1}{n}\right)\left(1 - \frac{\lambda}{n}\right)^{-k}. \end{aligned}$$

Der erste Faktor hängt von n nicht ab. Der zweite strebt für $n \to \infty$ gegen $e^{-\lambda}$. Alle weiteren Faktoren streben gegen 1. Also strebt W_k gegen die rechte Seite von (1).

Bisher war n eine endliche, wenn auch große Zahl und die Formel (1) nur eine Näherungsformel. Wir wollen nun ein idealisiertes Experiment betrachten, bei dem alle ganzzahligen Trefferzahlen $k = 0, 1, 2, \dots$ möglich sind und die Formel (1) nicht genähert, sondern exakt gilt. Wir denken uns also eine zufällige Größe $\boldsymbol{x}$, deren mögliche Werte die Trefferzahlen $k = 0, 1, 2, \dots$ sind, mit Wahrscheinlichkeiten

$$W_k = \frac{\lambda^k e^{-\lambda}}{k!}. \tag{2}$$

Die Größe $\boldsymbol{x}$ hat dann eine treppenförmige POISSON*sche Verteilungsfunktion*

$$F(t) = \mathcal{P}(\boldsymbol{x} < t) = \sum_{k<t} \frac{\lambda^k e^{-\lambda}}{k!}.$$

Für $t \to \infty$ strebt $F(t)$ gegen Eins, wie es sein soll.

Der Mittelwert von $\boldsymbol{x}$ ist

$$(3) \qquad \mathcal{E}\boldsymbol{x} = \sum_{k=0}^{\infty} k \frac{\lambda^k e^{-\lambda}}{k!} = \sum_{1}^{\infty} k \frac{\lambda^k e^{-\lambda}}{k!} = \lambda e^{-\lambda} \sum_{1}^{\infty} \frac{\lambda^{k-1}}{(k-1)!} = \lambda e^{-\lambda} e^{\lambda} = \lambda.$$

Ebenso ist

$$\mathcal{E}(\boldsymbol{x}^2) = \sum_{1}^{\infty} k^2 \frac{\lambda^k e^{-\lambda}}{k!} = \sum_{1}^{\infty} (k-1+1) \frac{\lambda^k e^{-\lambda}}{(k-1)!} = \sum_{2}^{\infty} \frac{\lambda^k e^{-\lambda}}{(k-2)!} + \sum_{1}^{\infty} \frac{\lambda^k e^{-\lambda}}{(k-1)!}$$

$$= \lambda^2 e^{-\lambda} \sum_{2}^{\infty} \frac{\lambda^{k-2}}{(k-2)!} + \lambda e^{-\lambda} \sum_{1}^{\infty} \frac{\lambda^{k-1}}{(k-1)!}$$

$$= \lambda^2 e^{-\lambda} e^{\lambda} + \lambda e^{-\lambda} e^{\lambda} = \lambda^2 + \lambda.$$

Das Quadrat der Streuung ist also

$$\sigma^2 = \mathcal{E}(\boldsymbol{x}^2) - (\mathcal{E}\boldsymbol{x})^2 = \lambda^2 + \lambda - \lambda^2 = \lambda$$

und die Streuung selbst $\sigma = \sqrt{\lambda}$. Dasselbe ergibt sich auch aus der früheren Formel

$$\sigma = \sqrt{npq}$$

durch Grenzübergang $np \to \lambda$, $q \to 1$.

Die Werte der Größe $\boldsymbol{x}$, mit denen man praktisch zu rechnen hat, liegen also zwischen $\lambda - g\sqrt{\lambda}$ und $\lambda + g\sqrt{\lambda}$, wobei g praktisch nicht größer als 3 oder 4 genommen zu werden braucht. Können wir das näher präzisieren?

Für große λ und entsprechend große $k = \lambda + z$ kann man W_k asymptotisch entwickeln:

$$(4) \qquad W_k \sim \frac{1}{\sqrt{2\pi\lambda}} e^{-\frac{z^2}{2\lambda}} \left(1 - \frac{1}{2}\lambda^{-1} z + \frac{1}{6}\lambda^{-2} z^3\right).$$

Die Entwicklung stimmt mit (1) § 6 für $q = 1$ überein. Die Figur zeigt, daß die Entwicklung bereits für $\lambda = 4$ recht gut ist. Wiederum erweist sich 4 schon als eine große Zahl. Es zeigt sich, daß die POISSONsche Verteilungsfunktion (2) schon für mäßig große λ recht gut durch eine integrierte GAUSSsche Fehlerkurve mit einem Korrekturglied für die Schiefe dargestellt werden kann. Daraus folgt, daß die Wahrscheinlichkeit, daß k zwischen $\lambda - g\sqrt{\lambda}$ und $\lambda + g\sqrt{\lambda}$ liegt, näherungsweise durch

$$2\Phi(g) - 1 = \left(\frac{2}{\pi}\right)^{\frac{1}{2}} \int_0^g e^{-\frac{1}{2}t^2}\, dt$$

gegeben wird. Daran anknüpfend, kann man wie in § 7 bei gegebenem k Vertrauensgrenzen für λ bilden, die durch Auflösung der quadratischen

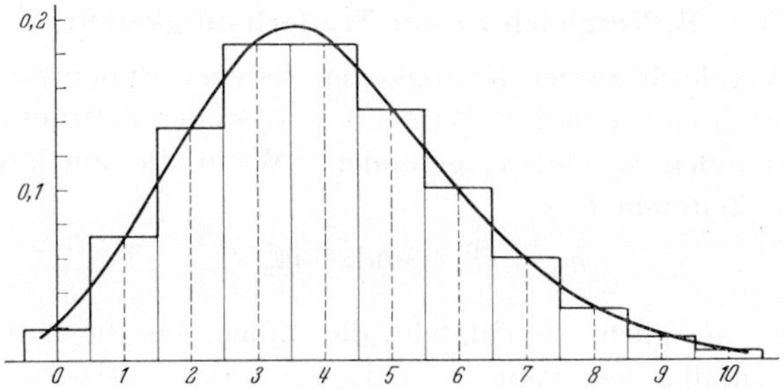

Fig. 9. Die Poissonsche Verteilung exakt und asymptotisch ($\lambda = 4$)

Gleichung $|k - \lambda| = \pm g\sqrt{\lambda}$ oder

(5) $$(k - \lambda)^2 = g^2 \lambda$$

gefunden werden. Der Wert von g^2 ist wiederum der Tafel 3 zu entnehmen. Die Lösung von (5) ergibt die beiden Grenzen

(6) $$\lambda_1 = k + \tfrac{1}{2}g^2 - g(k + \tfrac{1}{4}g^2)^{\frac{1}{2}} \qquad \lambda_2 = k + \tfrac{1}{2}g^2 + g(k + \tfrac{1}{4}g^2)^{\frac{1}{2}}.$$

Verwendet man nur eine der beiden Grenzen, so ist die Irrtumswahrscheinlichkeit annähernd die Hälfte.

Über die Berechnung von exakten Vertrauensgrenzen siehe F. Garwood, Biometrika 28, p. 437 (1936).

Beispiel 10. Ein Höhenstrahlungsregistrierapparat verzeichnet in einem Zeitraum von 5 Std 80 Strahlungsquanten. Die Zahl ist natürlich vom Zufall abhängig: ein daneben gestellter ganz gleicher Apparat würde bei derselben Strahlungsintensität vielleicht 70 oder 90 Treffer verzeichnen. Worum es zu tun ist, ist nicht die zufällig beobachtete Trefferzahl k, sondern der Mittelwert λ der Trefferzahl für alle so gebauten Apparate in dieser Gegend und in diesem Zeitraum als Maß für die Strahlungsintensität. In welchen Grenzen kann λ liegen?

Da die Höhenstrahlungsteilchen, die im Apparat eingefangen werden, nur einen winzigen Bruchteil aller in dieser Raumgegend auffallenden Teilchen ausmachen, kann man die Poissonsche Formel für seltene Ereignisse anwenden. Demnach ist die Streuung von k gleich $\sigma = \sqrt{\lambda}$. Da k in der Nähe von λ liegt, ist $s = \sqrt{k} = \sqrt{80} = 9$ eine brauchbare Schätzung für σ. Das Ergebnis der Messung wird man daher in der üblichen Bezeichnungsweise so vermerken:

Trefferzahl in 5 Std	80 ± 9
oder Trefferzahl pro Std	$16 \pm 1{,}8$

Nach der Regel von der dreifachen Streuung würde man daraus schließen, daß die mittlere Trefferzahl λ in 5 Std mutmaßlich zwischen den Grenzen

$$k - 3s = 80 - 27 = 53 \quad \text{und} \quad k + 3s = 80 + 27 = 107$$

liegt. Nach der korrekteren Formel (6) mit $g = 3$ findet man aber die etwas höheren Grenzen

$$\lambda_1 = 84{,}5 - 3\sqrt{82} = 57 \quad \text{und} \quad \lambda_2 = 84{,}5 + 3\sqrt{82} = 112$$

mit der zu $g = 3$ gehörigen Irrtumswahrscheinlichkeit von 0,27%.

B. Vergleich zweier Trefferhäufigkeiten

Beim Vergleich zweier Häufigkeiten seltener Ereignisse kann man ähnlich verfahren wie in § 9. Man habe z.B. in den Zeiträumen t_1 und t_2 die Trefferzahlen k_1 und k_2 gefunden. Wenn die mittleren Trefferzahlen pro Zeiteinheit

$$(7) \qquad m_1 = \frac{k_1}{t_1} \quad \text{und} \quad m_2 = \frac{k_2}{t_2}$$

verschieden ausfallen, so entsteht die Frage, ob dieser Unterschied auch rein zufällig sein kann.

Angenommen, der Unterschied wäre rein zufällig, d.h. der wahre Mittelwert der Trefferzahl pro Zeiteinheit wäre beide Male gleich. Nennen wir diesen Mittelwert μ, dann wären also

$$\lambda_1 = \mu t_1 \quad \text{und} \quad \lambda_2 = \mu t_2$$

die Erwartungswerte der Trefferzahlen $\boldsymbol{x}_1$ und $\boldsymbol{x}_2$ in t_1 und t_2 Sekunden. Die Streuungen wären $(\mu t_1)^{\frac{1}{2}}$ und $(\mu t_2)^{\frac{1}{2}}$. Die Verteilungen von $\boldsymbol{x}_1$ und $\boldsymbol{x}_2$ sind angenähert normal. Die Differenz

$$(8) \qquad \frac{\boldsymbol{x}_1}{t_1} - \frac{\boldsymbol{x}_2}{t_2}$$

hätte also auch eine genäherte Normalverteilung; der Mittelwert wäre Null und das Quadrat der Streuung wäre

$$(9) \qquad \sigma^2 = \sigma_1^2 + \sigma_2^2 = \frac{\mu}{t_1} + \frac{\mu}{t_2} = \frac{\mu}{t_1 t_2}(t_1 + t_2).$$

Wenn nun der empirisch gefundene Wert der Differenz (8), absolut genommen, die g-fache Streuung übertrifft:

$$\left|\frac{k_1}{t_1} - \frac{k_2}{t_2}\right| > g\sigma$$

oder

$$(10) \qquad \left(\frac{k_1}{t_1} - \frac{k_2}{t_2}\right)^2 > \frac{g^2 \mu}{t_1 t_2}(t_1 + t_2),$$

so ist die Hypothese, daß der Unterschied rein zufällig ist, zu verwerfen.

Nun kennt man aber μ nicht. Da hilft man sich wie in § 9, indem man für μ die bestmögliche Schätzung aus dem gesamten Beobachtungsmaterial einsetzt. In der Zeit $t_1 + t_2$ sind $k_1 + k_2$ Treffer verzeichnet;

daraus ergibt sich die folgende Schätzung für μ:

(11) $$m = \frac{k_1 + k_2}{t_1 + t_2}.$$

Setzt man diese Schätzung für μ in (10) ein, so erhält man den folgenden praktischen Test: *Der beobachtete Unterschied in den Trefferzahlen pro Zeiteinheit ist als reell zu betrachten, sobald*

(12) $$\left(\frac{k_1}{t_1} - \frac{k_2}{t_2}\right)^2 > \frac{g^2}{t_1 t_2} \cdot (k_1 + k_2)$$

ausfällt. Dabei ist g^2 nach der Tafel 3 am Schluß des Buches zu bestimmen.

Wird der Test einseitig angewandt, d.h. wird nur im Fall einer positiven Differenz in der Klammer oder nur im Fall einer negativen Differenz ein Schluß gezogen, so ist die Irrtumswahrscheinlichkeit nur halb so groß.

Man kann diesen Test auch als χ^2-*Test* schreiben, indem man

(13) $$\chi^2 = \left(\frac{k_1}{t_1} - \frac{k_2}{t_2}\right)^2 \frac{t_1 t_2}{k_1 + k_2} = \frac{(k_1 t_2 - k_2 t_1)^2}{t_1 t_2 (k_1 + k_2)}$$

setzt. Fällt dann χ^2 größer als g^2 aus, so ist die Zufallshypothese zu verwerfen.

Die Rechtfertigung des χ^2-Testes kann ganz ähnlich wie in § 9C gegeben werden. Auf die Durchführung können wir hier verzichten, da wir später, in einem viel allgemeineren Zusammenhang, noch einmal auf diesen Test zurückkommen werden (§ 56F).

Drittes Kapitel

Mathematische Hilfsmittel

Dieses Zwischenkapitel kann zunächst übergangen und erst später, je nach Bedarf, herangezogen werden.

§ 11. Mehrfache Integrale. Transformation auf Polarkoordinaten

Als *Gebiet* möge jede offene Menge im Raum der reellen Veränderlichen $x, y, \ldots$ bezeichnet werden.

Ein Doppelintegral über ein ebenes Gebiet G:

$$I = \iint_G f(x, y)\, dx\, dy$$

kann bekanntlich durch zwei aufeinanderfolgende einfache Integrationen ausgewertet werden:

$$I = \int_c^d dy \int f(x, y)\, dx.$$

Dabei werden die Grenzen für die innere Integration nach x so gefunden: Eine Gerade $y=$ konst. habe mit G eine oder mehrere Strecken gemeinsam; über diese Strecken (deren Grenzen von y abhängen dürfen) erstreckt sich die Integration nach x. Die Grenzen für y aber sind der kleinste und der größte Wert von y, die überhaupt für Punkte des Gebietes G in Betracht kommen.

Genau analog kann man auch ein $(m+n)$-faches Integral

$$I=\int\limits_G\cdots\int f(x_1,\ldots,x_m,y_1,\ldots,y_n)\,dx_1\ldots dx_m\,dy_1\ldots dy_n$$

durch zwei sukzessive Integrationen, zuerst nach $x_1,\ldots,x_m$, dann nach $y_1,\ldots,y_n$ auswerten:

$$I=\iint dy_1\ldots dy_n\iint f(x_1,\ldots,x_m,y_1,\ldots,y_n)\,dx_1\ldots dx_m. \tag{1}$$

Dabei ist das Gebiet der Veränderlichen $x_1,\ldots,x_m$, über das die innere Integration zu erstrecken ist, durch die x-Werte gegeben, die für konstante $y_1,\ldots,y_n$ dem Gebiet G angehören, d.h. es ist durch dieselben Ungleichungen definiert wie G, aber nur die x_i sind darin veränderlich. Das Integrationsgebiet der $y_1,\ldots,y_n$ dagegen ist das gesamte Gebiet der Wertsysteme $y_1,\ldots,y_n$, zu denen überhaupt Wertsysteme $x_1,\ldots,x_m,y_1,\ldots,y_n$ des Gebietes G gehören.

Die *Transformation der mehrfachen Integrale* geschieht nach der Formel

$$\left\{\begin{aligned}&\int\limits_G\cdots\int f(u_1,\ldots,u_n)\,du_1\ldots du_n\\&\qquad=\int\limits_{G'}\cdots\int f(u_1,\ldots,u_n)\left|\frac{\partial(u_1,\ldots,u_n)}{\partial(x_1,\ldots,x_n)}\right|dx_1\ldots dx_n,\end{aligned}\right. \tag{2}$$

wobei G' das transformierte Gebiet ist und die Funktionaldeterminante, deren absoluter Betrag als Faktor hinzukommt, die Determinante aus den partiellen Ableitungen der u_i nach den x_k ist.

Wichtig für uns ist insbesondere die Transformation auf *Polarkoordinaten*. Sie ist für n Veränderliche durch die Formeln

$$\left\{\begin{aligned}x_1&=r\cos\varphi_1 && (0\leqq\varphi_1\leqq\pi)\\x_2&=r\sin\varphi_1\cos\varphi_2 && (0\leqq\varphi_2\leqq\pi)\\&\cdots\cdots\cdots\cdots\\x_{n-1}&=r\sin\varphi_1\sin\varphi_2\ldots\cos\varphi_{n-1} && (0\leqq\varphi_{n-1}<2\pi)\\x_n&=r\sin\varphi_1\sin\varphi_2\ldots\sin\varphi_{n-1} && (0\leqq r)\end{aligned}\right. \tag{3}$$

definiert, aus denen

$$x_1^2+x_2^2+\cdots+x_n^2=r^2$$

folgt. Die Eineindeutigkeit der Transformation im Bereich

$$r\sin\varphi_1\sin\varphi_2\ldots\sin\varphi_{n-1}\neq 0$$

beweist man am leichtesten durch vollständige Induktion nach n, von dem Fall der Ebene ($n=2$) ausgehend. Setzt man nämlich für $(n-1)$ Veränderliche $x_2, \ldots, x_n$ die Eineindeutigkeit der Transformation

$$(4)\quad \begin{cases} x_2 = r_1 \cos\varphi_2 & (0 \leqq \varphi_2 \leqq \pi) \\ x_3 = r_1 \sin\varphi_2 \cos\varphi_3 & (0 \leqq \varphi_3 \leqq \pi) \\ \cdots\cdots\cdots\cdots & \\ x_{n-1} = r_1 \sin\varphi_2 \sin\varphi_3 \ldots \cos\varphi_{n-1} & (0 \leqq \varphi_{n-1} < 2\pi) \\ x_n = r_1 \sin\varphi_2 \sin\varphi_3 \ldots \sin\varphi_{n-1} & (0 \leqq r_1) \end{cases}$$

als bekannt voraus, so braucht man die Transformation (4) nur noch mit der zweidimensionalen Transformation

$$\begin{cases} x_1 = r\cos\varphi_1 & (0 \leqq r) \\ r_1 = r\sin\varphi_1 & (0 \leqq \varphi_1 \leqq \pi \quad \text{wegen } 0 \leqq r_1) \end{cases}$$

zusammenzusetzen, um die Transformation (3) zu erhalten.

Durch dieselbe Transformationszerlegung und vollständige Induktion beweist man auch, daß die Funktionaldeterminante der Transformation (3) den Betrag

$$(5)\quad \left| \frac{\partial(x_1, \ldots, x_n)}{\partial(r, \varphi_1, \ldots, \varphi_{n-1})} \right| = r^{n-1}\Theta$$

hat, wo Θ eine Funktion der Winkelvariabeln allein ist:

$$\Theta = \sin^{n-2}\varphi_1 \cdot \sin^{n-3}\varphi_2 \ldots \sin^2\varphi_{n-3} \cdot \sin\varphi_{n-2}.$$

Der Schluß von $(n-1)$ auf n zum Beweise von (5) verläuft so:

$$\begin{aligned} \frac{\partial(x_1, \ldots, x_n)}{\partial(r, \varphi_1, \ldots, \varphi_{n-1})} &= \frac{\partial(x_1, x_2, \ldots, x_n)}{\partial(x_1, r_1, \varphi_2, \ldots, \varphi_{n-1})} \cdot \frac{\partial(x_1, r_1, \varphi_2, \ldots, \varphi_{n-1})}{\partial(r, \varphi_1, \varphi_2, \ldots, \varphi_{n-1})} \\ &= \frac{\partial(x_2, \ldots, x_n)}{\partial(r_1, \varphi_2, \ldots, \varphi_{n-1})} \cdot \frac{\partial(x_1, r_1)}{\partial(r, \varphi_1)} \\ &= r_1^{n-2} \sin^{n-3}\varphi_2 \ldots \sin^2\varphi_{n-3} \sin\varphi_{n-2} \cdot r \\ &= (r\sin\varphi_1)^{n-2} \sin^{n-3}\varphi_2 \ldots \sin^2\varphi_{n-3} \sin\varphi_{n-2} \cdot r \\ &= r^{n-1}\Theta. \end{aligned}$$

Die Transformationsformel auf Polarkoordinaten heißt also

$$(6)\quad \int\ldots\int f\,dx_1\ldots dx_n = \int\cdots\int f\,r^{n-1}\Theta\,dr\,d\varphi_1\ldots d\varphi_{n-1}$$

oder kurz, indem man $\Theta\,d\varphi_1\ldots d\varphi_{n-1} = d\Omega$ setzt,

$$(7)\quad \int\ldots\int f\,dx_1\ldots dx_n = \int\ldots\int f\,r^{n-1}\,dr\,d\Omega.$$

Ein uneigentliches mehrfaches Integral über ein Gebiet G, das sich ins Unendliche erstreckt oder gegen dessen Rand hin der Integrand unendlich wird, wird definiert als Limes des Integrals über eine Folge von beschränkten Gebieten $G_1, G_2, \ldots$, deren Vereinigungsmenge das Gebiet G ist und in denen der Integrand jeweils beschränkt bleibt. Das Integral konvergiert, wenn der Grenzwert unabhängig von der Gebietsfolge $G_1, G_2, \ldots$ existiert und endlich ist. Bei den Integralen, mit denen wir es in diesem Buch zu tun haben, nimmt der Integrand nach außen hin so stark ab, daß die Konvergenz selbstverständlich ist. Bei nicht negativen Funktionen, wie es unsere Wahrscheinlichkeitsdichten durchweg sind, gibt es ohnehin nur zwei Möglichkeiten: Konvergenz oder Divergenz gegen ∞ bei jeder Wahl der Gebietsfolge $G_1, G_2, \ldots$. Man kann sich also bei der Nachprüfung der Konvergenz auf die einfachsten Gebietsfolgen beschränken.

Die Transformationsformel (2) gilt ohne weiteres auch für uneigentliche Integrale. Ebenso die sukzessive Integration (1), sofern die Integrale auf beiden Seiten von (1) konvergieren.

§ 12. Beta- und Gammafunktion

A. Die Gammafunktion

Die Eulersche Gammafunktion $\Gamma(z+1)$ wird für $z+1>0$ [oder im Fall eines komplexen Argumentes für $R(z+1)>0$] durch

$$\Gamma(z+1) = \int_0^\infty x^z e^{-x}\,dx \tag{1}$$

definiert. Das uneigentliche Integral wird wie immer definiert als Limes des eigentlichen Integrales

$$\int_0^t x^z e^{-x}\,dx, \tag{1a}$$

das man daher auch *unvollständige Gammafunktion nennt.*

Durch Substitutionen kann das Integral auf andere Gestalten gebracht werden. Setzt man $x=at$, so erhält man

$$\int_0^\infty t^z e^{-at}\,dt = a^{-(z+1)}\,\Gamma(z+1). \tag{2}$$

Setzt man in (1) $x=\frac{1}{2}t^2$, so erhält man

$$\int_0^\infty t^{2z+1} e^{-\frac{1}{2}t^2}\,dt = 2^z\,\Gamma(z+1)$$

oder, wenn $2z+1=n$ gesetzt und t durch $\sigma^{-1}t$ ersetzt wird,

$$\int_0^\infty t^n e^{-\frac{1}{2}\sigma^{-2}t^2}\,dt = 2^{\frac{n-1}{2}}\,\sigma^{n+1}\,\Gamma\left(\frac{n+1}{2}\right). \tag{3}$$

Insbesondere ist

$$\int_{-\infty}^{\infty} e^{-\frac{1}{2}t^2}\,dt = 2\int_{0}^{\infty} e^{-\frac{1}{2}t^2}\,dt = \sqrt{2}\cdot\Gamma(\tfrac{1}{2})\,. \tag{4}$$

B. Die Funktionalgleichung der Gammafunktion

Für das unbestimmte Integral (1a) erhält man durch partielle Integration

$$\int x^z e^{-x}\,dx = -x^z e^{-x} + z\int x^{z-1} e^{-x}\,dx\,,$$

also nach Einsetzen der Grenzen 0 und ∞ unter der Voraussetzung $z > 0$

$$\Gamma(z+1) = z\,\Gamma(z)\,. \tag{5}$$

Offenbar ist $\Gamma(1) = 1$. Aus der Funktionalgleichung (5) erhält man weiter

$$\Gamma(2) = 1\cdot\Gamma(1) = 1$$
$$\Gamma(3) = 2\cdot\Gamma(2) = 2!$$

und so fortfahrend allgemein für ganzzahlige n

$$\Gamma(n+1) = n!\,. \tag{6}$$

Um $\Gamma(\frac{1}{2})$ auszurechnen, betrachten wir das Doppelintegral über die ganze Ebene

$$I = \iint e^{-\frac{1}{2}(x^2+y^2)}\,dx\,dy\,. \tag{7}$$

Einerseits kann man nach x und y sukzessiv integrieren und erhält nach (4)

$$I = \int_{-\infty}^{\infty} e^{-\frac{1}{2}x^2}\,dx\cdot\int_{-\infty}^{\infty} e^{-\frac{1}{2}y^2}\,dy = 2\{\Gamma(\tfrac{1}{2})\}^2. \tag{8}$$

Andererseits kann man in (7) auch Polarkoordinaten einführen:

$$I = \iint e^{-\frac{1}{2}r^2}\,r\,dr\,d\varphi = \int_0^{2\pi} d\varphi\cdot\int_0^{\infty} e^{-\frac{1}{2}r^2}\,r\,dr = 2\pi\cdot\Gamma(1) = 2\pi\,. \tag{9}$$

Vergleich von (8) mit (9) ergibt

$$\{\Gamma(\tfrac{1}{2})\}^2 = \pi\,,$$

also, da $\Gamma(\frac{1}{2})$ positiv ist,

$$\Gamma(\tfrac{1}{2}) = \sqrt{\pi}\,. \tag{10}$$

Hieraus kann man nach der Funktionalgleichung (5) weiter $\Gamma(1\frac{1}{2})$, $\Gamma(2\frac{1}{2})$ usw. bestimmen; z.B. ist

$$\Gamma(1\tfrac{1}{2}) = \tfrac{1}{2}\sqrt{\pi}\,. \tag{11}$$

C. Die Oberfläche der mehrdimensionalen Sphäre

Betrachtet man an Stelle von (7) das n-fache Integral über den ganzen Raum

$$I = \int \ldots \int e^{-\frac{1}{2}(x_1^2 + \cdots + x_n^2)}\, d x_1 \ldots d x_n, \tag{12}$$

so erhält man einerseits

$$I = \left\{ \int_{-\infty}^{\infty} e^{-\frac{1}{2}x^2}\, d x \right\}^n = \left\{\sqrt{2}\, \Gamma(\tfrac{1}{2})\right\}^n = \sqrt{2\pi}^{\,n} \tag{13}$$

anderseits durch Einführung von n-dimensionalen Polarkoordinaten nach § 11

$$I = \int_0^{\infty} e^{-\frac{1}{2}r^2} r^{n-1}\, d r \cdot \int d\Omega = 2^{\frac{n-2}{2}}\, \Gamma\left(\frac{n}{2}\right) \int d\Omega, \tag{14}$$

wobei das Integral $\int d\Omega$ sich über den gesamten Bereich der Winkelvariablen $\varphi_1, \ldots, \varphi_{n-1}$ erstreckt. Der Vergleich von (13) mit (14) ergibt

$$\int d\Omega = \frac{2}{\Gamma(n/2)}\, \pi^{n/2}. \tag{15}$$

Zum Beispiel findet man für $n = 3$ den bekannten Archimedischen Wert für die Oberfläche der Einheitskugel

$$\int d\Omega = \frac{4}{\sqrt{\pi}}\, \pi^{\frac{3}{2}} = 4\pi.$$

Ebenso kann man (15) geometrisch als Oberfläche der Einheitskugel im n-dimensionalen Raum deuten.

D. Die Stirlingsche Formel

Wir wollen die Gammafunktion

$$\Gamma(\lambda + 1) = \int_0^{\infty} x^{\lambda} e^{-x}\, d x$$

für große λ asymptotisch entwickeln.

Das Maximum des Integranden

$$f(x) = x^{\lambda} e^{-x}$$

liegt bei $x = \lambda$. In der Nähe des Maximums kann man den Logarithmus des Integranden in eine Reihe entwickeln:

$$\begin{aligned} \ln f(x) &= \lambda \ln \lambda + \lambda \ln \frac{x}{\lambda} - x \\ &= \lambda \ln \lambda + \lambda \left(\frac{x-\lambda}{\lambda} - \frac{(x-\lambda)^2}{2\lambda^2} + \cdots \right) - x \\ &= \lambda \ln \lambda - \lambda - \frac{(x-\lambda)^2}{2\lambda} + \cdots \end{aligned}$$

$$f(x) = \lambda^{\lambda} e^{-\lambda} e^{-\frac{1}{2\lambda}(x-\lambda)^2 + \cdots}. \tag{16}$$

Solange $x-\lambda$ klein gegen λ ist, sind die durch ... angedeuteten Zusatzglieder klein gegen das Hauptglied und können vernachlässigt werden. Ist aber $x-\lambda$ von derselben Größenordnung wie λ und ist λ groß gegen Eins, so können die Zusatzglieder auch vernachlässigt werden, denn dann sind sowohl $f(x)$ als die rechte Seite von (16) verschwindend klein. Läßt man also die Zusatzglieder weg und integriert beide Seiten von 0 bis ∞, so erhält man

$$\Gamma(\lambda+1) \sim \lambda^\lambda e^{-\lambda} \int_0^\infty e^{-\frac{1}{2\lambda}(x-\lambda)^2} dx$$

$$= \lambda^{\lambda+\frac{1}{2}} e^{-\lambda} \int_{-\sqrt{\lambda}}^\infty e^{-\frac{1}{2}t^2} dt.$$

Die asymptotische Gleichung $\sim$ bedeutet, daß der Quotient der beiden Seiten für $\lambda \to \infty$ gegen 1 strebt. Die untere Grenze $-\sqrt{\lambda}$ kann durch $-\infty$ ersetzt werden, ohne daß die asymptotische Gleichung ihre Gültigkeit verliert. Unter Benutzung von (4) und (10) erhält man so:

(17) $$\Gamma(\lambda+1) \sim \lambda^{\lambda+\frac{1}{2}} e^{-\lambda} \sqrt{2\pi}.$$

Dies ist die STIRLING*sche Formel.* Treibt man die Entwicklung etwas weiter, so erhält man die genauere Annäherung

(18) $$\Gamma(\lambda+1) = \lambda^{\lambda+\frac{1}{2}} e^{-\lambda} \sqrt{2\pi}\left(1+\frac{1}{12\lambda}-R\right),$$

wobei das Restglied $-R$ negativ und von der Größenordnung λ^{-2} ist. Für den letzten Faktor kann man auch $\left(1+\frac{\vartheta}{12\lambda}\right)$ schreiben, wobei ϑ etwas kleiner als 1 ist.

Insbesondere gilt (17) für ganzzahlige $\lambda = n$:

(19) $$n! \sim n^n e^{-n} \sqrt{2\pi n}.$$

E. Die Betafunktion

Die EULERsche Betafunktion wird durch

(20) $$\mathrm{B}(p+1, q+1) = \int_0^1 x^p (1-x)^q dx$$

definiert. Das Integral konvergiert, wenn p und q beide größer als -1 sind. Durch die Substitution $u = ax$ erhält man

(21) $$\int_0^a u^p (a-u)^q du = a^{p+q+1} \mathrm{B}(p+1, q+1).$$

Durch die Substitution $x = \sin^2\varphi$ erhält man zweitens

(22) $$\mathrm{B}(p+1, q+1) = 2\int_0^{\pi/2} \sin^{2p+1}\varphi \cos^{2q+1}\varphi \, d\varphi.$$

Um das Integral (20) auszuwerten, gehen wir von dem Doppelintegral

$$I = \int_0^\infty \int_0^\infty e^{-\frac{1}{2}(x^2+y^2)} x^{2q+1} y^{2p+1} \, dx \, dy$$

aus. Einerseits kann man wieder nach x und y sukzessiv integrieren und erhält nach (3)

(23) $$\begin{cases} I = \int_0^\infty e^{-\frac{1}{2}x^2} x^{2q+1} dx \cdot \int_0^\infty e^{-\frac{1}{2}y^2} y^{2p+1} dy \\ \quad = 2^q \Gamma(q+1) \cdot 2^p \Gamma(p+1) = 2^{p+q} \Gamma(p+1) \Gamma(q+1). \end{cases}$$

Andererseits kann man auch Polarkoordinaten einführen und erhält

(24) $$\begin{cases} I = \int_0^\infty e^{-\frac{1}{2}r^2} r^{2p+2q+3} dr \cdot \int_0^{\pi/2} \cos^{2q+1}\varphi \sin^{2p+1}\varphi \, d\varphi \\ \quad = 2^{p+q+1} \Gamma(p+q+2) \cdot \frac{1}{2} \mathrm{B}(p+1, q+1) \\ \qquad\qquad = 2^{p+q} \Gamma(p+q+2) \mathrm{B}(p+1, q+1). \end{cases}$$

Vergleich von (23) mit (24) ergibt

$$\Gamma(p+1)\Gamma(q+1) = \Gamma(p+q+2)\mathrm{B}(p+1, q+1),$$

mithin

(25) $$\mathrm{B}(p+1, q+1) = \frac{\Gamma(p+1)\Gamma(q+1)}{\Gamma(p+q+2)}.$$

Das folgende Integral kann auf die Betafunktion zurückgeführt werden:

(26) $$K = \int_0^\infty (z^2+a)^{-l} z^k \, dz \qquad (k > -1,\ 2l - k > 1,\ a > 0).$$

Setzt man nämlich $(z^2+a)^{-1}a = y$, also $z^2 = a y^{-1}(1-y)$, so geht das Integral über in

$$K = \frac{1}{2} a^{\frac{k+1}{2}-l} \int_0^1 y^{l-\frac{k+3}{2}} (1-y)^{\frac{k-1}{2}} dy = \frac{1}{2} a^{\frac{k+1}{2}-l} \mathrm{B}\left(l - \frac{k+1}{2}, \frac{k+1}{2}\right)$$

oder nach (25)

(27) $$K = \frac{\Gamma\left(l - \frac{k+1}{2}\right)\Gamma\left(\frac{k+1}{2}\right)}{2\Gamma(l)} a^{\frac{k+1}{2}-l}.$$

Insbesondere hat man für $k = 0$

(28) $$\int_0^\infty (z^2+a)^{-l} dz = \frac{\Gamma(l-\frac{1}{2})\sqrt{\pi}}{2\Gamma(l)} a^{\frac{1}{2}-l}.$$

§ 13. Orthogonale Transformationen

Eine Variabelntransformation

$$(1)\qquad \begin{cases} y_1 = a_{11}x_1 + a_{12}x_2 + \cdots + a_{1n}x_n \\ y_2 = a_{21}x_1 + a_{22}x_2 + \cdots + a_{2n}x_n \\ \cdot\ \cdot\ \cdot\ \cdot\ \cdot\ \cdot\ \cdot\ \cdot\ \cdot\ \cdot\ \cdot\ \cdot\ \cdot\ \cdot\ \cdot \\ y_n = a_{n1}x_1 + a_{n2}x_2 + \cdots + a_{nn}x_n \end{cases}$$

heißt bekanntlich *orthogonal*, wenn die Form $x_1^2 + \cdots + x_n^2$ invariant bleibt:

$$(2)\qquad \sum y^2 = \sum x^2.$$

Setzt man (1) in (2) ein und vergleicht die Koeffizienten von x_i^2 und $x_i y_j$ $(i \neq j)$ auf beiden Seiten, so erhält man die *Orthogonalitätsbedingungen:*

$$(3)\qquad \begin{cases} a_{1i}^2 + a_{2i}^2 + \cdots + a_{ni}^2 = 1 \\ a_{1i}a_{1j} + a_{2i}a_{2j} + \cdots + a_{ni}a_{nj} = 0. \end{cases}$$

Multipliziert man die Determinante

$$\Delta = \begin{vmatrix} a_{11}\, a_{12} \ldots a_{1n} \\ \cdot\cdot\ \cdot\cdot\ \cdot\cdot\cdot\ \cdot\cdot \\ a_{n1}\, a_{n2} \ldots a_{nn} \end{vmatrix}$$

spaltenweise mit sich selbst, so erhält man auf Grund der Orthogonalitätsbedingungen die Produktdeterminante

$$\Delta^2 = \begin{vmatrix} 1 & 0 & \ldots & 0 \\ 0 & 1 & \ldots & 0 \\ \cdot\cdot & \cdot\cdot & \cdot\cdot\cdot & \cdot\cdot \\ 0 & 0 & \ldots & 1 \end{vmatrix} = 1.$$

Daraus folgt: *Die Determinante einer orthogonalen Transformation ist* ± 1. Die Determinante ist gleichzeitig Funktionaldeterminante:

$$(4)\qquad \frac{\partial(y_1, \ldots, y_n)}{\partial(x_1, \ldots, x_n)} = \pm 1.$$

Multipliziert man die Gleichungen (1) der Reihe nach mit $a_{1i}, a_{2i}, \ldots, a_{ni}$ und addiert, so heben sich auf Grund der Orthogonalitätsbedingungen (3) alle x außer dem einen x_i weg und man erhält

$$(5)\qquad x_i = a_{1i}y_1 + a_{2i}y_2 + \cdots + a_{ni}y_n.$$

Das heißt: *Die Matrix der Umkehrtransformation ist die Gespiegelte zur Matrix der Transformation* (1).

Die Umkehrtransformation (5) ist wegen (2) wieder orthogonal, also gelten auch für die gespiegelte Matrix die Orthogonalitätsrelationen:

$$\text{(6)}\qquad \begin{cases} a_{i1}^2 + a_{i2}^2 + \cdots + a_{in}^2 = 1 \\ a_{i1}a_{j1} + a_{i2}a_{j2} + \cdots + a_{in}a_{jn} = 0. \end{cases}$$

Ebenso folgen umgekehrt die Relationen (3) aus (6).

Den folgenden Satz werden wir sehr oft anwenden:

Jede Anfangszeile

$$y_1 = a_{11}x_1 + a_{12}x_2 + \cdots + a_{1n}x_n$$

kann zu einer orthogonalen Transformation (1) *ergänzt werden, sofern die Bedingung*

$$a_{11}^2 + a_{12}^2 + \cdots + a_{1n}^2 = 1$$

erfüllt ist.

Beweis. Für die zweite Zeile hat man nach (6) eine lineare Bedingungsgleichung

$$\text{(7)}\qquad a_{11}a_{21} + a_{12}a_{22} + \cdots + a_{1n}a_{2n} = 0$$

und eine quadratische

$$\text{(8)}\qquad a_{21}^2 + a_{22}^2 + \cdots + a_{2n}^2 = 1.$$

Die lineare Gleichung (7) hat sicher eine von der Nullösung verschiedene Lösung. Durch Multiplikation dieser Lösung mit einem passenden Faktor λ kann man auch die quadratische Gl. (8) erfüllen.

Für die dritte Zeile hat man, nachdem die erste und zweite einmal feststehen, zwei lineare und eine quadratische Bedingung. Die beiden linearen Gleichungen haben, weil sie homogen sind und die Anzahl der Gleichungen kleiner als die Zahl n der Unbekannten ist, sicher eine von der Nullösung verschiedene Lösung. Durch Multiplikation der ganzen Zeile mit einem Faktor λ kann man auch die Quadratsumme zu 1 machen.

So fährt man fort bis zur letzten Zeile. Hier hat man $(n-1)$ homogene lineare Gleichungen mit n Unbekannten und eine quadratische Gleichung, die nachträglich durch Hinzufügen eines Faktors λ erfüllt werden kann. Damit ist alles bewiesen.

§ 14. Quadratische Formen und ihre Invarianten

A. Vektoren und Tensoren

Eine Reihe von n Zahlen $(x^1, \ldots, x^n)$ nennen wir einen *Vektor* x. Werden die Indizes hochgestellt, so sprechen wir von einem *Obervektor*.

Eine Linearform $L = \sum u_i x^i$ in den Veränderlichen $x^1, \ldots, x^n$ wird bestimmt durch einen *Untervektor* u mit Komponenten $u_1, \ldots, u_n$.

Ebenso wird eine quadratische Form

$$G = g_{ik} x^i x^k \qquad (g_{ik} = g_{ki})$$

durch einen (symmetrischen) *Tensor* g_{ik} definiert. Über Indizes, die oben und unten je einmal vorkommen, wird in diesem § 14 stillschweigend summiert. Die quadratische Form definiert eindeutig eine Bilinearform in den Vektoren x und y, die *Polarform*

$$G_{xy} = g_{ik} x^i y^k.$$

Werden die Vektorkomponenten x^i und y^i linear transformiert nach einer umkehrbaren Transformation

$$(1) \qquad \begin{cases} x^i = e^i_{j'} x^{j'} \\ y^i = e^i_{j'} y^{j'}, \end{cases}$$

so sollen die u_i und g_{ik} so transformiert werden, daß die Formen $L = u_i x^i$ und $G_{xy} = g_{ik} x^i y^k$ invariant bleiben:

$$u_i x^i = u_i e^i_{j'} x^{j'} = u_{j'} x^{j'}$$

$$g_{ik} x^i y^k = g_{ik} e^i_{j'} e^k_{l'} x^{j'} y^{l'} = g_{j'l'} x^{j'} y^{l'}.$$

Selbstverständlich bleibt mit G_{xy} auch $G_{xx} = G$ invariant. So erhält man die Transformationsvorschrift für die Untervektoren und Tensoren:

$$(2) \qquad u_{j'} = u_i e^i_{j'},$$

$$(3) \qquad g_{j'l'} = g_{ik} e^i_{j'} e^k_{l'}.$$

Die Transformation (2) heißt *kontragredient zu* (1).

Ist eine quadratische Form G fest gegeben, so kann man zu jedem Obervektor y einen Untervektor v definieren durch

$$(4) \qquad v_i = g_{ik} y^k.$$

Die Polarform $G_{xy} = g_{ik} x^i y^k$ läßt sich jetzt als $v_i x^i$ schreiben. Da G_{xy} invariant bleibt, so bleibt auch $v_i x^i$ invariant, d.h. v transformiert sich in der Tat wie ein Untervektor.

B. Die inverse Matrix (g^{ij})

Nimmt man nun an, daß die Form G nicht singulär, d.h. ihre Determinante g von Null verschieden ist, so kann man (4) nach den y^k auflösen:

$$(5) \qquad y^i = g^{ij} v_j.$$

Die g^{ij} sind die Unterdeterminanten der Matrix (g^{ik}), dividiert durch die ganze Determinante. Man nennt sie auch *Elemente der inversen Matrix*.

Setzt man (4) in (5) ein, so erhält man

$$g^{ij} g_{jk} y^k = y^i$$

identisch in den y^i. Dafür kann man auch schreiben

(6) $$g^{ij} g_{jk} = \delta^i_k \quad (= 1 \text{ für } i = k, \text{ sonst } = 0).$$

In (5) ist v_j beliebig wählbar. Ist u_i ein zweiter Untervektor, so ist $u_i y^i$ invariant, also ist

(7) $$(u\,v) = g^{ij} u_i v_j$$

eine Invariante. Dadurch ist die Transformationsvorschrift für die g^{ij} festgelegt.

Die drei Invarianten

$$(x\,y) = g_{ik} x^i x^k, \qquad (u\,x) = u_i x^i, \qquad (u\,v) = g^{ij} u_i v_j$$

bezeichnet man als *skalare Produkte.*

Bekanntlich kann man jede quadratische Form durch Einführung von neuen Veränderlichen $x'_1, \ldots, x'_n$ (eigentlich müßten die Indizes wieder hochgestellt werden, aber Symbole mit hochgestellten Indizes lassen sich typographisch nicht gut quadrieren) als Summe und Differenz von Quadraten schreiben:

$$G = x'^2_1 + x'^2_2 + \cdots + x'^2_k - x'^2_{k+1} \cdots - x'^2_{k+l}.$$

Ist $k = n$ und $l = 0$, so nimmt die Form G (außer wenn alle Veränderliche Null sind) nur positive Werte an und heißt *positiv definit;* ebenso, wenn alle Vorzeichen negativ sind, *negativ definit.* Eine positiv definite Form läßt sich also in die *Einheitsform*

(8) $$G = x'^2_1 + x'^2_2 + \cdots + x'^2_n$$

transformieren. In bezug auf diese Einheitsform werden alle skalaren Produkte besonders einfach:

$$(x\,y) = \sum x'_i y'_i, \qquad (u\,x) = \sum u'_i x'_i, \qquad (u\,v) = \sum u'_i v'_i.$$

Aus (3) folgt nach dem Produktsatz der Determinanten

$$g' = |g_{j'l'}| = |g_{ik} e^i_{j'}| \cdot |e^k_{l'}| = |g_{ik}| \cdot |e^i_{j'}| \cdot |e^k_{l'}|$$

oder, wenn Δ die Determinante der Transformation (1) ist,

(9) $$g' = g\,\Delta^2.$$

Ist die transformierte Form insbesondere die Einheitsform, so ist $g' = 1$, also

$$\Delta = \pm g^{-\frac{1}{2}}.$$

C. Berechnung eines Integrals

Wir benutzen diese algebraischen Hilfsmittel zur Berechnung des Integrals

(10) $$I = \sqrt{2\pi}^{-n} \sqrt{g} \int \underset{B}{\cdots} \int e^{-\frac{1}{2}G}\, d x^1 d x^2 \dots d x^n,$$

wo $G = g_{ik} x^i x^k$ eine positiv definite quadratische Form ist und das Integrationsgebiet B durch zwei lineare Ungleichungen

(11) $$(u\,x) > 0, \qquad (v\,x) > 0$$

definiert ist.

Transformiert man G durch Einführung von neuen Veränderlichen $x'_1, \dots, x'_n$ in die Einheitsform (8), so wird das transformierte Integral

(12) $$I = \sqrt{2\pi}^{-n} \int \underset{B}{\cdots} \int e^{-\frac{1}{2}(x_1'^2 + \cdots + x_n'^2)}\, d x'_1 \dots d x'_n,$$

wobei das Gebiet B durch

$$(u'\,x') > 0, \qquad (v'\,x') > 0$$

gegeben ist.

Nun führen wir durch eine orthogonale Transformation neue Veränderliche $y_1, \dots, y_n$ ein, wobei nach § 13, wenn

$$u = (u_1'^2 + \cdots + u_n'^2)^{\frac{1}{2}}$$

gesetzt wird,

$$y_1 = \frac{(u'\,x')}{u} = \frac{u'_1 x'_1 + \cdots + u'_n x'_n}{u}$$

angenommen werden kann. Dabei möge $(v\,x)$ in $(w\,y) = w_1 y_1 + w_2 y_2 + \cdots + w_n y_n$ übergehen. Schließlich führen wir durch eine zweite orthogonale Transformation statt $y_2, \dots, y_n$ neue $z_2, \dots, z_n$ ein, wobei wieder

$$z_2 = \frac{w_2 y_2 + \cdots + w_n y_n}{w} \qquad \text{und} \qquad w = (w_2^2 + \cdots + w_n^2)^{\frac{1}{2}}$$

gewählt werden kann. So erhalten wir

(13) $$I = \sqrt{2\pi}^{-n} \int \underset{B}{\cdots} \int e^{-\frac{1}{2}(y_1^2 + z_2^2 + \cdots + z_n^2)}\, d y_1 d z_2 \dots d z_n.$$

Die Formen $(u\,x) = (u'\,x')$ und $(v\,x) = (v'\,x')$ werden in den neuen Veränderlichen durch

$$(u\,x) = u\,y_1$$
$$(v\,x) = w_1 y_1 + w\,z_2$$

gegeben. Ihre skalaren Produkte sind (wegen der Invarianz der skalaren Produkte):

$$(u\,u) = (u'\,u') = u^2$$
$$(u\,v) = (u'\,v') = u\,w_1$$
$$(v\,v) = (v'\,v') = w_1^2 + w^2$$

und das Integrationsgebiet B ist gegeben durch die Ungleichungen

(14) $$\begin{cases} u\,y_1 > 0 \\ w_1\,y_1 + w\,z_2 > 0\,. \end{cases}$$

Nun kann man in (13) die Integration nach $dz_3 \ldots dz_n$ ausführen und statt der übrigen beiden y_1, z_2 Polarkoordinaten einführen:

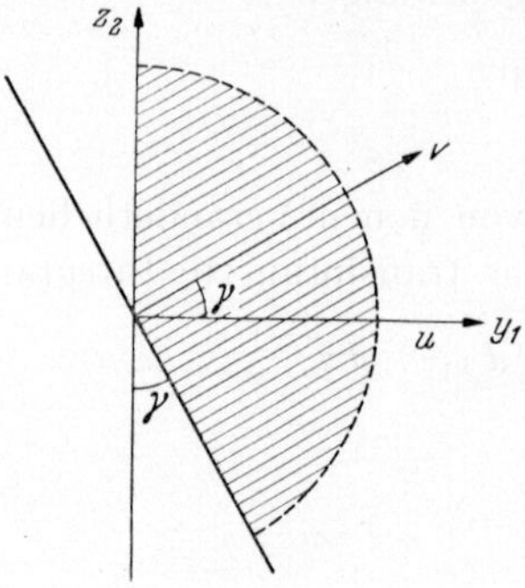

Fig. 10. Das Integrationsgebiet in der $(y_1 z_2)$-Ebene

$$y_1 = r\cos\varphi$$
$$z_2 = r\sin\varphi\,.$$

So erhält man

$$I = \frac{1}{2\pi}\int_0^\infty e^{-\frac{1}{2}r^2}\,r\,dr\int_\alpha^\beta d\varphi = \frac{\beta-\alpha}{2\pi}\,.$$

Die Integrationsgrenzen für φ ergeben sich durch folgende Überlegung: Die Gleichungen (14) definieren je eine Halbebene in der $(y_1 z_2)$-Ebene. Die in diese Halbebenen hinein gerichteten Normalen sind die Vektoren u und v mit Komponenten $(u, 0)$ und (w_1, w). Der Winkel γ zwischen ihnen ist durch

$$\cos\gamma = \frac{u\,w_1}{\sqrt{u^2}\sqrt{w_1^2+w^2}} = \frac{(u\,v)}{\sqrt{(u\,u)}\sqrt{(v\,v)}}$$

gegeben. Der Winkelraum, der den beiden Halbebenen gemeinsam ist, beträgt $\pi-\gamma$. Also ist

$$\beta-\alpha = \pi-\gamma = \arccos\frac{-(u\,v)}{\sqrt{(u\,u)}\sqrt{(v\,v)}}\,.$$

Somit wird unser Integral

(15) $$I = \frac{1}{2\pi}\arccos\frac{-(u\,v)}{\sqrt{(u\,u)}\sqrt{(v\,v)}}\,.$$

Dabei können die skalaren Produkte direkt nach der Formel

(16) $$(u\,v) = g^{ik}\,u_i\,v_k$$

berechnet werden, ohne daß man auch nur eine von den drei linearen Koordinatentransformationen wirklich auszuführen braucht.

Wäre das Gebiet B durch drei lineare Ungleichungen

$$(u\,x) > 0, \quad (v\,x) > 0, \quad (w\,x) > 0$$

definiert, so würde dieselbe Methode auf den Flächeninhalt eines sphärischen Dreiecks führen. Bekanntlich ist dieser proportional zu dem Überschuß der Winkelsumme über 2π, also

$$I = \frac{1}{4\pi}\left\{\arc\cos\frac{-(u\,v)}{\sqrt{(u\,u)}\sqrt{(v\,v)}} + \arc\cos\frac{-(u\,w)}{\sqrt{(u\,u)}\sqrt{(w\,w)}} + \right.$$
$$\left. + \arc\cos\frac{-(v\,w)}{\sqrt{(v\,v)}\sqrt{(w\,w)}} - \pi\right\}.$$

Bei vier Ungleichungen hätte man den Rauminhalt eines sphärischen Tetraeders auszurechnen, was nicht so einfach ist.

Viertes Kapitel

Empirische Bestimmung von Verteilungsfunktionen, Mittelwerten und Streuungen

Die wichtigsten Abschnitte dieses Kapitels sind § 15 und § 18.

§ 15. Die „Kurve von QUETELET"

Lebhaft erinnere ich mich noch, wie mein Vater mich als Knaben eines Tages an den Rand der Stadt führte, wo am Ufer die Weiden standen, und mich hundert Weidenblätter willkürlich pflücken hieß. Nach Aussonderung der beschädigten Spitzen blieben noch 89 unversehrte Blätter übrig, die wir dann zu Hause, nach abnehmender Größe geordnet, wie Soldaten in Reih und Glied stellten. Dann zog mein Vater durch die Spitzen eine gebogene Linie und sagte: „Dies ist die Kurve von QUETELET. Aus ihr siehst du, wie die Mittelmäßigen immer die große Mehrheit bilden und nur wenige nach oben hervorragen oder nach unten zurückbleiben."

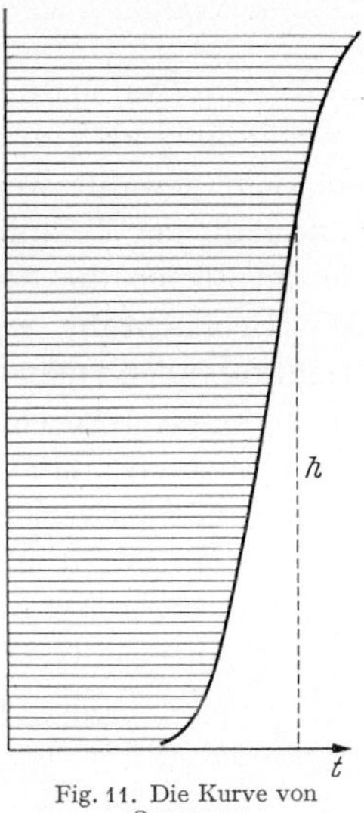

Fig. 11. Die Kurve von QUETELET

Stellt man die Kurve aufrecht (Fig. 11) und wählt die gesamte Höhe der Figur als Längeneinheit für die Ordinatenachse, so stellt die Ordinate h zur Abszisse t offenbar die Häufigkeit der Weidenblätter dar, deren Längen $< t$ sind. Nun ist die Häufigkeit h genähert gleich der Wahrscheinlichkeit p, also stellt unsere Kurve näherungsweise die *Verteilungsfunktion* $p = F(t)$ der Blättergröße dar.

Die gemessenen Längen $x_1, \ldots, x_n$ der Weidenblätter bilden das, was man heutzutage eine *Stichprobe (sample)* nennt. Aus einer Stichprobe kann man in der angegebenen Art die Verteilungsfunktion $F(t)$ empirisch ermitteln. Aus $F(t)$ kann man durch graphische Differentiation die Wahrscheinlichkeitsdichte $f(t)$ zu ermitteln suchen, aber das Ergebnis bleibt immer recht unsicher.

Eine andere, vielfach übliche Art, $f(t)$ und $F(t)$ zu bestimmen, beruht auf einer Gruppierung der beobachteten x-Werte. Durch willkürlich gewählte Teilpunkte $t_1, \ldots, t_{r-1}$ wird der Bereich von t_0 bis t_r, in dem die beobachteten x-Werte liegen, in Teilintervalle eingeteilt. Sind die

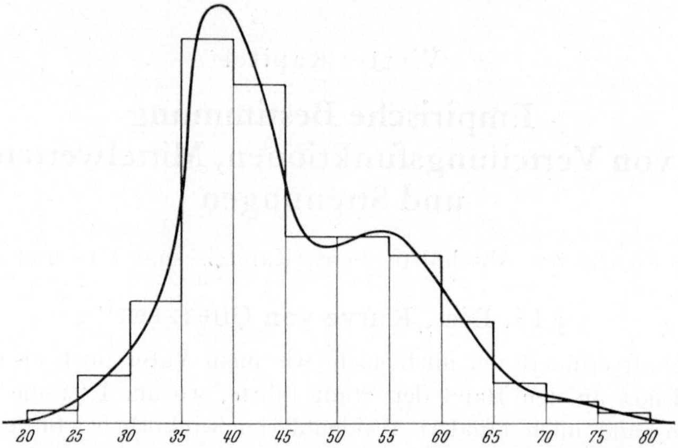

Fig. 12. Verteilung der Gewichte der Nachkommen von selektierten Bohnen nach JOHANNSEN

x-Werte etwa in mm genau gemessen, so wählt man die Teilpunkte zweckmäßig als ganzzahlig $+\frac{1}{2}$ mm. Die Länge der Teilintervalle muß so klein gewählt werden, daß die Wahrscheinlichkeitsdichte $f(t)$ sich innerhalb der Teilintervalle nicht allzu stark ändert; andererseits wiederum dürfen die Anzahlen in den Teilintervallen nicht zu klein sein. Die Beobachtung ergibt nun die Häufigkeiten der x-Werte in den Teilintervallen; man trägt sie zweckmäßig als Flächen von Rechtecken über diesen Intervallen ab (Fig. 12). Nun zeichnet man die Kurve $y = f(x)$ so ein, daß die Flächeninhalte über den Teilintervallen bis zur Kurve möglichst gleich den Rechtecksflächen sind. Durch numerische Integration erhält man aus $f(t)$ die Verteilungsfunktion $F(t)$.

Die frühere Art der Bestimmung von $F(t)$ ist aber besser, weil dabei das gesamte Material ausgenutzt wird und die willkürliche Intervallteilung keine Rolle spielt. Wie genau das Verfahren ist, wird im nächsten Abschnitt (§ 16) untersucht.

GALTON und QUETELET haben gefunden, daß die Verteilungen biologischer Größen sehr häufig durch GAUSSsche Fehlerkurven

(1) $$f(t) = \frac{1}{\sigma\sqrt{2\pi}}\, e^{-\frac{1}{2}\left(\frac{t-a}{\sigma}\right)^2}$$

dargestellt werden können. Deswegen heißen solche Verteilungen *normal*. Jedoch kommen auch andere Verteilungen in der Natur vor. K. PEARSON hat eine Reihe von Typen häufig vorkommender Verteilungsfunktionen aufgestellt.

Beispiel 11. W. JOHANNSEN hat in seinen berühmten Selektionsexperimenten[1] aus etwa 16000 braunen Bohnen die 25 größten ausgesucht und durch Selbstbefruchtung weitergezüchtet. In der nächsten Generation ergab sich die folgende Gewichtsverteilung:

Gewichtsgrenzen . . .	20	25	30	35	40	45	50	55	60	65	70	75	80
Anzahl Bohnen . . .		5	18	46	144	127	70	70	63	28	15	8	4

Die Zeichnung ergibt eine beträchtlich schiefe Verteilung (Fig. 12), die nicht annähernd durch eine Normalverteilung dargestellt werden kann. Wie die Analyse von JOHANNSEN zeigt, wird die Abweichung von der Normalkurve in diesem Fall dadurch bedingt, daß verschiedene „reine Linien" miteinander vermischt sind. In jeder „reinen Linie" — Nachkommen einer Bohne — ergibt sich eine ungefähr normale Verteilung, deren Mittelwert sich durch weitere Selektion nicht oder fast nicht mehr verschiebt. Die Durchschnittsgewichte der 11 reinen Linien haben die folgende Verteilung:

Gewichtsgrenzen . . .	35	40	45	50	55	60
Anzahl Linien		4	2	0	2	3

Durch die Mischung dieser 11 fast normalen Verteilungen erklärt sich die gefundene empirische Verteilung.

§ 16. Empirische Bestimmung von Verteilungsfunktionen

Beim ersten Studium dieses Kapitels können § 16 und § 17 übergangen werden. Die Begriffsbildungen dieser beiden Abschnitte werden erst viel später wieder benutzt werden.

KOLMOGOROFF hat aus dem, was im vorigen Abschnitt an Hand der Weidenblätter anschaulich angedeutet wurde, eine exakte Theorie gemacht. Er definiert zunächst die aus einer Stichprobe $x_1, \ldots, x_n$ gewonnene *empirische Verteilungsfunktion* $F_n(t)$ als die empirische Häufigkeit der x_i, die $<t$ sind, d.h. als Anzahl der $x_i < t$ dividiert durch n. Die graphische Darstellung der empirischen Verteilungsfunktion ist nicht eine glatte Kurve, wie QUETELET und seine Schüler sie in naiver Begeisterung gezogen hatten, sondern eine Treppenkurve, die an der Stelle x_i jeweils einen Sprung von der Höhe $\delta = 1/n$ macht (Fig. 13).

Es fragt sich nun, wie weit die wahre Verteilungskurve $y = F(t)$ sich von der empirischen Kurve $F_n(t)$ unterscheiden kann. Wir untersuchen zunächst die positiven Abweichungen $F - F_n$, sodann die negativen. Bei der praktischen Anwendung ist F_n gegeben und F unbekannt; bei der theoretischen Untersuchung müssen wir aber $F(t)$ als gegebene

[1] W. JOHANNSEN, Über Erblichkeit in Populationen und reinen Linien, Jena 1903, S. 19.

Funktion annehmen und $F_n(t)$ als vom Zufall abhängig, denn die beobachteten Werte $x_1, \ldots, x_n$ hängen ja vom Zufall ab. Es sei also $\varDelta$ das Maximum von $F - F_n$; wir fragen nach der Verteilungsfunktion von $\varDelta$.

Von der Verteilungsfunktion $F(t)$ nehmen wir nur an, daß sie *stetig* ist, sonst nichts. Da eine stetige monotone Transformation der t-Achse die Differenzen $F - F_n$ ungeändert läßt, können wir statt t und x

$$t' = F(t) \quad \text{und} \quad x' = F(x)$$

als neue Variable nehmen, ohne daß sich an der maximalen Differenz $\varDelta$ irgend etwas ändert. Nennen wir die neuen Variabeln wieder t und x, so hat die Verteilungsfunktion nunmehr die einfache Gestalt

$$F(t) = t \qquad (0 < t < 1). \tag{1}$$

Die Verteilungskurve ist also die Diagonale des Einheitsquadrates. Werte von x kleiner als 0 oder größer als 1 kommen nicht vor; daher können wir

$$F(t) = 0 \quad \text{für} \quad t \leqq 0$$
$$F(t) = 1 \quad \text{für} \quad t \geqq 1$$

setzen (Fig. 13). Die Wahrscheinlichkeitsdichte ist

$$f(t) = 1 \quad \text{für} \quad 0 < t < 1$$
$$f(t) = 0 \ \text{sonst.}$$

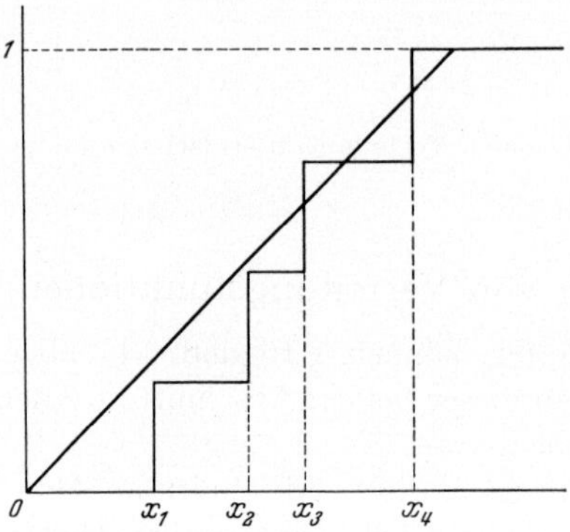

Fig. 13. Wahre und empirische Verteilungskurve

Das graphische Bild dieser Funktion $y = f(t)$ ist ein Rechteck. Daher spricht man wohl von einer *rechteckigen Verteilung.*

Wir wollen die Wahrscheinlichkeit Q dafür berechnen, daß $\varDelta$ eine Schranke ε überschreitet. Da $x_1, \ldots, x_n$ als unabhängig angenommen werden und alle die Wahrscheinlichkeitsdichte $f(t) = 1$ haben, ist die gesuchte Wahrscheinlichkeit nach § 4, Satz II gleich dem n-fachen Integral

$$Q = \int \ldots \int d x_1 \, d x_2 \ldots d x_n \tag{2}$$

integriert über das Gebiet, das durch die Ungleichungen

$$0 < x_1 < 1, \ldots, 0 < x_n < 1 \quad \text{und} \quad \varDelta > \varepsilon$$

definiert ist.

Es ist bequem, das Integrationsgebiet durch die Ungleichungen

$$x_1 < x_2 < \cdots < x_n$$

weiter einzuschränken. Durch eine Permutation der x_i kann man diesen Teil des Integrationsgebietes in jeden anderen ähnlich definierten Teil (z.B. $x_2 < x_1 < \cdots < x_n$) überführen. Die Treppenfunktionen F_n und das Maximum Δ bleiben von diesen Permutationen unberührt. Alle diese Teile des Integrationsgebietes haben gleiche Rauminhalte und somit auch gleiche Wahrscheinlichkeiten. Die Grenzflächen $x_i = x_k$ haben Wahrscheinlichkeit Null. Die gesuchte Wahrscheinlichkeit Q ist also

$$Q = n!\, q, \tag{3}$$

wobei q die Wahrscheinlichkeit des Ereignisses

$$\begin{cases} 0 < x_1 < x_2 < \cdots < x_n < 1 \\ \Delta > \varepsilon \end{cases} \tag{4}$$

ist.

An der Stelle x_k springt die Funktion $F_n(t)$ von $(k-1)\,\delta$ auf $k\delta$. Es ist klar, daß das Maximum Δ gerade an einer von diesen Stellen erreicht wird, und zwar jeweils am unteren Ende der senkrechten Sprungstrecke. Der Wert des Maximums ist

$$\Delta = x_k - (k-1)\,\delta. \tag{5}$$

Das Ereignis $\Delta > \varepsilon$ tritt also dann ein, wenn eine der Differenzen $x_k - (k-1)\,\delta$ größer als ε ausfällt.

Die Wahrscheinlichkeit, daß dieses Ereignis für einen Index k eintritt, aber für kleinere Indizes $j < k$ noch nicht, sei q_k. Da die Fälle $k = 1, 2, \ldots, n$ sich gegenseitig ausschließen, ist die gesuchte Wahrscheinlichkeit q gleich

$$q = q_1 + q_2 + \cdots + q_n. \tag{6}$$

Wir haben also nur noch die q_k zu berechnen. q_k ist die Wahrscheinlichkeit des Ereignisses

$$\begin{cases} 0 < x_1 < x_2 < \cdots < x_n < 1 \\ x_k - (k-1)\,\delta > \varepsilon \\ x_j - (j-1)\,\delta \leq \varepsilon \quad \text{für } j < k. \end{cases} \tag{7}$$

Zunächst sei $k = 1$. Dann haben wir nur die Ungleichungen

$$\begin{cases} x_1 < x_2 < \cdots < x_n < 1 \\ x_1 > \varepsilon. \end{cases} \tag{8}$$

Alle x_i liegen also zwischen ε und 1. Die Wahrscheinlichkeit, daß das der Fall ist, ist $(1-\varepsilon)^n$. Ist es der Fall, so sind alle Rangordnungen der x_i gleich wahrscheinlich, also ist die Wahrscheinlichkeit des Ereignisses (8)

$$q_1 = \frac{1}{n!}(1-\varepsilon)^n. \tag{9}$$

Ist nun $k > 1$, so setzen wir $k = h + 1$. Die Ungleichungen (7) zerfallen dann in solche, die nur $x_1, \ldots, x_h$ enthalten:

$$\begin{cases} 0 < x_1 < \cdots < x_h \\ x_j \leq \varepsilon + (j-1)\,\delta \qquad \text{für } j = 1, \ldots, h \end{cases} \tag{10}$$

und solche, die nur $x_{h+1}, \ldots, x_n$ enthalten:

$$\begin{cases} x_{h+1} < x_{h+2} < \cdots < x_n < 1 \\ x_{h+1} > \varepsilon + h\,\delta. \end{cases} \tag{11}$$

Die Ungleichung $x_h < x_{h+1}$ nämlich, die x_h mit x_{h+1} verknüpft, ist eine Folge von (10) und (11) und kann daher weggelassen werden.

Nun sind $x_{h+1}, \ldots, x_n$ von $x_1, \ldots, x_h$ unabhängig. Die Wahrscheinlichkeit des Ereignisses (7) ist also das Produkt der Wahrscheinlichkeiten von (10) und (11):

$$q_k = q_{h+1} = p_h r_h. \tag{12}$$

Die Wahrscheinlichkeit r_h des Ereignisses (11) ist ganz leicht zu bestimmen. Die Methode ist dieselbe wie bei (8); das Ergebnis ist

$$r_h = \frac{1}{(n-h)!}(1 - \varepsilon - h\,\delta)^{n-h}. \tag{13}$$

Dabei ist vorausgesetzt, daß $1 - \varepsilon - h\delta$ positiv ist. Ist das nicht der Fall, so ist die letzte Ungleichung (11) unmöglich und r_h wird Null.

Die Wahrscheinlichkeit p_h des Ereignisses (10) ist

$$p_h = \int_0^{\varepsilon} d\,x_1 \int_{x_1}^{\varepsilon+\delta} d\,x_2 \int_{x_2}^{\varepsilon+2\delta} d\,x_3 \ldots \int_{x_{h-1}}^{\varepsilon+(h-1)\delta} d\,x_h. \tag{14}$$

Für $h = 1$ findet man ohne weiteres

$$p_1 = \varepsilon.$$

Rechnet man ebenso p_2 und p_3 aus, so kommt man auf die Vermutung

$$p_h = \frac{\varepsilon}{h!}(\varepsilon + h\,\delta)^{h-1}. \tag{15}$$

Diese Vermutung ist durch vollständige Induktion nach h leicht zu verifizieren. Zunächst stimmt sie für $h = 1$. Ist sie für einen Wert h richtig, so hat man nach (14)

$$p_{h+1} = \int_0^{\varepsilon} d\,x_1 \int_{x_1}^{\varepsilon+\delta} d\,x_2 \int_{x_2}^{\varepsilon+2\delta} d\,x_3 \ldots \int_{x_h}^{\varepsilon+h\delta} d\,x_{h+1}.$$

Führt man statt $x_2, x_3, \ldots, x_{h+1}$ neue Veränderliche $y_1, y_2, \ldots, y_h$ ein durch die Substitution

$$x_j = x_1 + y_{j-1},$$

so findet man

$$p_{h+1} = \int_0^{\varepsilon} R \, d x_1, \tag{16}$$

$$R = \int_0^{\varepsilon+\delta-x_1} d y_1 \int_{y_1}^{\varepsilon+2\delta-x_1} d y_2 \ldots \int_{y_{h-1}}^{\varepsilon+h\delta-x_1} d y_h. \tag{17}$$

Setzt man

$$\varepsilon + \delta - x_1 = \varepsilon',$$

so sieht man, daß das Integral R genau dieselbe Gestalt hat wie das ursprüngliche p_h nach (14), nur mit ε' statt ε. Nach der Induktionsvoraussetzung ist also

$$R = \frac{1}{h!} \varepsilon'(\varepsilon' + h\delta)^{h-1} = \frac{1}{h!} (\varepsilon + \delta - x_1)(\varepsilon + (h+1)\delta - x_1)^{h-1}. \tag{18}$$

Setzt man das in (16) ein, so ist die Integration leicht auszuführen, etwa indem $\varepsilon + (h+1)\delta - x_1$ als neue Integrationsvariable gewählt wird. Das Ergebnis

$$p_{h+1} = \frac{\varepsilon}{(h+1)!} (\varepsilon + (h+1)\delta)^h$$

hat dieselbe Form wie (15) mit $h+1$ statt h. Damit ist die Induktion vollständig.

Setzt man (13) und (15) in (12) ein, so erhält man

$$q_k = \frac{\varepsilon}{h!(n-h)!} (\varepsilon + h\delta)^{h-1} (1 - \varepsilon - h\delta)^{n-h}. \tag{19}$$

Diese Formel gilt nach (9) auch für $k=1$. Aus (3) und (6) erhält man schließlich das von BIRNBAUM und TINGEY zuerst gefundene Ergebnis:

$$Q = \sum_{h=0}^{H} \binom{n}{h} \varepsilon (\varepsilon + h\delta)^{h-1} (1 - \varepsilon - h\delta)^{n-h} \tag{20}$$

mit

$$\delta = \frac{1}{n}. \tag{21}$$

Die obere Summationsgrenze H wird gegeben durch die Bedingung, daß $1-\varepsilon-h\delta$ nicht negativ sein darf. H ist also das größte Ganze in $n(1-\varepsilon)$:

$$H = [n(1-\varepsilon)]. \tag{22}$$

Die Berechnung der Summe (20) ist für große n sehr mühsam. Daher wendet man für große n besser eine von SMIRNOV hergeleitete asymptotische Entwicklung an, die so lautet:

$$Q \sim e^{-2n\varepsilon^2}. \tag{23}$$

Man kann nun für jedes n die Schranke ε so bestimmen, daß Q einen gegebenen Wert β (etwa 0,01 oder 0,05) annimmt. Für kleine n benutzt man (20), für große n (23). In Tafel 4 sind die exakten und asymptotischen Schranken ε nach BIRNBAUM und TINGEY für einige Werte von n und β zusammengestellt. Man sieht aus der Tafel, daß die exakten und asymptotischen Schranken sich bei $n=50$ nur ganz wenig voneinander unterscheiden. Ferner sieht man, daß bei Anwendung der asymptotischen Schranken die Wahrscheinlichkeit des Überschreitens *kleiner* als β wird. Man bleibt also, wenn man die asymptotischen Schranken statt der genauen Schranken nimmt, auf der sicheren Seite.

Mit dem so gefundenen ε hat man dann einen *einseitigen Test* zur Prüfung einer hypothetischen Verteilungsfunktion $F(x)$, nämlich: *Ist das Maximum Δ der Differenz $F-F_n$ größer als ε, so wird die Annahme, daß $F(t)$ die Verteilungsfunktion ist, verworfen.* Wir wollen den Test den *Δ-Test* nennen. Die Irrtumswahrscheinlichkeit des Δ-Testes ist β.

Ersetzt man die Größe x durch $1-x$ und t durch $1-t$, so kehrt $F-F_n$ das Vorzeichen um und man erhält einen einseitigen Test nach der anderen Seite: Die angenommene Verteilungsfunktion wird verworfen, wenn

$$\Delta' = \operatorname{Max}(F_n - F) > \varepsilon$$

ausfällt. Die Irrtumswahrscheinlichkeit ist wieder $\beta \sim e^{-2n\varepsilon^2}$.

Wendet man beide Tests an, so erhält man den *zweiseitigen Test von* KOLMOGOROFF: Die hypothetische Verteilungsfunktion wird verworfen, wenn das Maximum von $|F-F_n|$ größer als ε ausfällt. Die Irrtumswahrscheinlichkeit ist offensichtlich $\leq 2\beta$. Für kleine n genügt das völlig: man nimmt einfach 2β als Irrtumswahrscheinlichkeit an und bleibt damit auf der sicheren Seite. Für große n lautet die asymptotische Formel für die Irrtumswahrscheinlichkeit nach KOLMOGOROFF:

$$2\sum_{1}^{\infty}(-1)^{j-1}e^{-2j^2n\varepsilon^2}.$$

Die Reihe konvergiert sehr rasch. Für praktische Zwecke kann man sich auf das erste Glied

$$2e^{-2n\varepsilon^2}$$

beschränken, das der obigen bequemen Faustregel entspricht. In Tafel 5 sind die Werte von ε für gegebene Irrtumswahrscheinlichkeiten β zusammengestellt.

Die praktische Anwendung des Testes von KOLMOGOROFF gestaltet sich so. Man habe eine empirische Verteilungsfunktion $F_n(t)$ gefunden.

Jetzt sucht man ε aus Tafel 5 und grenzt einen Streifen von der Breite 2ε ab, begrenzt durch die Treppenkurven $y = F_n(t) + \varepsilon$ und $y = F_n(t) - \varepsilon$. In diesem Streifen wird dann vermutlich die wahre Kurve $y = F(t)$ verlaufen.

Literatur zu § 16.

A. Kolmogoroff, Determinazione empirica di una legge di distribuzione, Giornale Istit. Ital. Attuari 4 (1933) p. 83.

N. Smirnov, Sur les écarts de la courbe de distribution empirique, Mat. Sbornik 48 (1939) p. 3.

W. Feller, On the Kolmogorov-Smirnov limit theorems for empirical distributions, Ann. Math. Stat. 19 (1948) p. 177.

Z. W. Birnbaum und F. H. Tingey, One-sided confidence contours for distribution functions, Ann. Math. Stat. 22 (1951) p. 592.

Z. W. Birnbaum, On the power of a one-sided test of fit for continuous probability functions, Ann. of Math. Stat. 24 (1953) p. 484.

§ 17. Ranggrößen (Order statistics)

Es sei wieder $(x_1, \ldots, x_n)$ eine Stichprobe, bestehend aus n unabhängigen beobachteten Werten einer zufälligen Größe x mit stetiger Verteilungsfunktion $F(t)$.

Werden die x_i nach aufsteigender Größe geordnet und mit $x^{(h)}$ bezeichnet:

$$x^{(1)} < x^{(2)} < \cdots < x^{(n)},$$

so heißt jede von ihnen eine *Ranggröße* (an order statistic).

Beispiele von Ranggrößen:

$x^{(1)}$ ist die *kleinste*, $x^{(n)}$ die *größte* der x_i.

Ist n ungerade:

$$n = 2m - 1,$$

so gibt es eine *mittlere* $x^{(m)}$. Sie ist eine Annäherung an den *Zentralwert* ζ, der durch

$$F(\zeta) = \tfrac{1}{2}$$

definiert wird. Daher nennt man $x^{(m)} = Z$ auch den *empirischen Zentralwert.* Bei einer symmetrischen Kurve $y = f(t)$, insbesondere bei einer Normalverteilung, fällt der Zentralwert ζ mit dem Mittelwert $\hat{x}$ zusammen; daher kann man Z als bequeme Schätzung für $\hat{x}$ benutzen.

Analog kann man für $n = 4r - 1$ die beiden *Quartile*

$$Z_1 = x^{(r)} \quad \text{und} \quad Z_3 = x^{(3r)}$$

definieren. Die Quartile und der empirische Zentralwert zerlegen die aufsteigende Reihe der $x^{(h)}$ in vier Abschnitte zu je $r - 1$ Größen. Für große n nähern sich die Quartile den durch

$$F(\zeta_1) = \tfrac{1}{4} \quad \text{und} \quad F(\zeta_3) = \tfrac{3}{4}$$

definierten *Viertelwerten* ζ_1 und ζ_3.

Ähnlich kann man auch Sextile Y_1 und Y_5 definieren. Sie nähern sich den durch

$$F(\eta_1) = \tfrac{1}{6} \quad \text{und} \quad F(\eta_5) = \tfrac{5}{6}$$

definierten Punkten. Bei einer normalen Verteilung liegen diese Punkte ungefähr bei $\hat{x} - \sigma$ und $\hat{x} + \sigma$, denn man hat, wenn $\Phi(x)$ wieder die normale Verteilungsfunktion mit Mittelwert Null und Streuung Eins ist,

$$\Phi(-1) = 0{,}16\ldots \quad \text{und} \quad \Phi(+1) = 0{,}84\ldots.$$

Daher kann man bei einer Stichprobe aus einer halbwegs normalen Verteilung den halben Abstand zwischen den Sextilen als bequeme rohe Schätzung für die Streuung σ benutzen. Auch aus den Quartilen kann man σ schätzen; wir kommen darauf in § 20 zurück.

Um die Genauigkeit dieser Schätzungen beurteilen zu können, ist es notwendig, die Verteilungsfunktionen $G^{(h)}(t)$ der Ranggrößen $x^{(h)}$ zu ermitteln.

$G^{(h)}(t)$ ist die Wahrscheinlichkeit des Ereignisses $x^{(h)} < t$. Sie ist gleich der Wahrscheinlichkeit, daß mindestens h von den x_i kleiner als t sind. Ist W_k die Wahrscheinlichkeit, daß genau k von den x_i kleiner als t sind, so ist nach § 5, Formel (2)

$$W_k = \binom{n}{k} F(t)^k \left(1 - F(t)\right)^{n-k}. \tag{1}$$

Somit erhält man

$$G^{(h)}(t) = W_h + W_{h+1} + \cdots + W_n. \tag{2}$$

Damit ist das gestellte Problem gelöst. Die Lösung ist aber etwas unhandlich. Wir nehmen daher an, daß $F(t)$ differenzierbar ist, setzen

$$F'(t) = f(t)$$

und berechnen aus (2) durch Differentiation nach t die Wahrscheinlichkeitsdichte

$$g^{(h)}(t) = W'_h + W'_{h+1} + \cdots + W'_n.$$

Bei der Differentiation heben sich alle Glieder bis auf eines weg und es bleibt nur

$$g^{(h)}(t) = n \binom{n-1}{h-1} F(t)^{h-1} \left(1 - F(t)\right)^{n-h} f(t). \tag{3}$$

Das Produkt $F^{h-1}(1-F)^{n-h}$ wird am größten, wenn

$$F = \frac{h-1}{n-1} \quad \text{und} \quad 1-F = \frac{n-h}{n-1}$$

ist. Das sei für $t = t_0$ der Fall. Setzt man nun

$$F_0 = F(t_0) = \frac{h-1}{n-1}$$
$$f_0 = f(t_0)$$
$$F = F_0 + X,$$

so erhält man aus (3)

$$g^{(h)}(t) = g^{(h)}(t_0) \cdot \left(1 + \frac{X}{F_0}\right)^{h-1} \left(1 - \frac{X}{1-F_0}\right)^{n-h} \cdot \frac{f}{f_0}. \tag{4}$$

Wir nehmen nun an, daß h und $n-h$ beide groß sind und untersuchen das Verhalten der drei Faktoren von (4) in der Nähe von $t = t_0$.

Der erste Faktor

$$g^{(h)}(t_0) = \frac{n(n-1)!}{(h-1)!\,(n-h)!} \left(\frac{h-1}{n-1}\right)^{h-1} \left(\frac{n-h}{n-1}\right)^{n-h} f_0$$

kann mittels der STIRLINGschen Formel

$$n! \sim n^n e^{-n} \sqrt{2\pi n}$$

approximiert werden. Man erhält

$$g^{(h)}(t_0) \sim n \left(\frac{n-1}{2\pi(h-1)\,(n-h)}\right)^{\frac{1}{2}} f_0 = \frac{\alpha}{\sqrt{2\pi}} f_0. \tag{5}$$

Vom zweiten Faktor

$$Q = \left(1 + \frac{X}{F_0}\right)^{h-1} \left(1 - \frac{X}{1-F_0}\right)^{n-h}$$

entwickeln wir den Logarithmus

$$\begin{aligned} \ln Q &= (h-1) \ln\left(1 + \frac{X}{F_0}\right) + (n-h) \ln\left(1 - \frac{X}{1-F_0}\right) \\ &= (h-1)\left(\frac{X}{F_0} - \frac{X^2}{2F_0^2}\right) + (n-h)\left(-\frac{X}{1-F_0} - \frac{X^2}{2(1-F_0)^2}\right) + \cdots \\ &= -\frac{1}{2} X^2 \frac{(n-1)^3}{(k-1)\,(n-h)} + \cdots, \end{aligned}$$

wobei die weggelassenen Zusatzglieder nur die Größenordnung nX^3 haben, also für kleine X klein sind gegen das Hauptglied von der Größenordnung nX^2. Ersetzt man im Hauptglied noch $(n-1)^3$ durch $n^2(n-1)$, was für große n nichts ausmacht, so erhält man für den zweiten Faktor in (4) die asymptotische Entwicklung

$$Q \sim e^{-\frac{1}{2}\alpha^2 X^2}. \tag{6}$$

Der dritte Faktor in (4) kann in der Nähe von $t = t_0$ durch Eins ersetzt werden. Somit erhält man

$$g^{(h)}(t) \sim \frac{\alpha}{\sqrt{2\pi}} f_0 e^{-\frac{1}{2}\alpha^2 X^2} \tag{7}$$

mit

$$\alpha = n \left(\frac{n-1}{(h-1)(n-h)} \right)^{\frac{1}{2}}. \tag{8}$$

Wenn αX groß gegen 1 ist, ist die rechte Seite von (7) sehr klein. Man kann beweisen, daß dann auch die linke Seite klein ist. Daß das Integral der linken Seite klein ist, folgt übrigens leicht aus dem Gesetz der großen Zahl, und das Integral ist schließlich das, worauf es ankommt.

Jetzt müssen wir noch X durch t ausdrücken. Da $t - t_0$ klein ist und F differenzierbar, ist $F - F_0$ näherungsweise gleich $(t - t_0) f_0$. Also kann man statt (7) schreiben

$$g^{(h)}(t) \sim \frac{\alpha}{\sqrt{2\pi}} f_0 e^{-\frac{1}{2}\alpha^2 f_0^2 (t-t_0)^2}. \tag{9}$$

Das heißt: *Die Ranggrößen $x^{(h)}$ sind, sofern h und $n-h$ beide groß sind, asymptotisch normal verteilt mit Mittelwert t_0 und Streuung*

$$\sigma = (\alpha f_0)^{-1} = \frac{1}{n} \left(\frac{(h-1)(n-h)}{n-1} \right)^{\frac{1}{2}} f_0^{-1}. \tag{10}$$

Im Fall des empirischen Zentralwertes Z findet man

$$\sigma = \frac{1}{n} \left(\frac{n-1}{2} \right)^{\frac{1}{2}} f_0^{-1} \sim \frac{1}{2} n^{-\frac{1}{2}} f_0^{-1}.$$

Bei einer Normalverteilung mit Mittelwert 0 und Streuung 1 wird

$$t_0 = 0 \quad \text{und} \quad f_0^{-1} = \sqrt{2\pi},$$

also

$$\sigma_Z \sim \left(\frac{\pi}{2n} \right)^{\frac{1}{2}}. \tag{11}$$

Für die äußeren Ranggrößen, d.h. für die mit kleinem h oder $n-h$, ist die asymptotische Auswertung der Verteilung viel schwieriger. Fisher und Tippett, Fréchet, v. Mises und Gumbel haben wichtige Beiträge dazu geliefert. Man sehe den Bericht über Order Statistics von S. S. Wilks im Bull. Amer. Math. Soc. 54 (1948).

Die Wahrscheinlichkeitsdichte $f(u, v)$ eines Paares von Ranggrößen $x^{(h)}$, $x^{(j)}$ kann ebenso berechnet werden wie die einer einzelnen Ranggröße. Nimmt man z.B. die kleinste und größte, $x^{(1)}$ und $x^{(n)}$, so ist die Wahrscheinlichkeit, daß $x^{(1)} > u$ und $x^{(n)} < v$ ist,

$$\{F(v) - F(u)\}^n.$$

Durch Differentiation nach u und v erhält man daraus die Wahrscheinlichkeitsdichte

$$f(u, v) = n(n-1)\{F(v) - F(u)\}^{n-2} f(u) f(v). \tag{12}$$

Eine für manche Anwendungen wichtige Funktion der Ranggrößen ist die *Spannweite (range)*

$$W = x^{(n)} - x^{(1)}. \tag{13}$$

Ihre Verteilungsfunktion $H(t)$ kann durch Integration aus (12) erhalten werden:

$$H(t) = \mathcal{P}(W < t) = \iint\limits_{0<v-u<t} f(u, v)\, du\, dv = \int_{-\infty}^{\infty} du \int_{u}^{u+t} f(u, v)\, dv.$$

Das unbestimmte Integral von $f(u, v)$ nach v ist offenbar

$$n\{F(v) - F(u)\}^{n-1} f(u).$$

Setzt man die Grenzen u und $u+t$ ein, so erhält man

$$\int_{u}^{u+t} f(u, v)\, dv = n\{F(u+t) - F(u)\}^{n-1} f(u),$$

also

$$H(t) = \int_{-\infty}^{\infty} n\{F(u+t) - F(u)\}^{n-1} f(u)\, du. \tag{14}$$

§ 18. Das empirische Mittel und die empirische Streuung

Unter den Konstanten, die für eine Verteilungsfunktion charakteristisch sind, sind die wichtigsten der *Mittelwert* oder *Erwartungswert (expectation value* oder *population mean)*

$$\hat{x} = \mathcal{E}x = \int_{-\infty}^{\infty} t\, dF(t) \tag{1}$$

und die *Streuung (standard deviation)* σ, deren Quadrat durch

$$\sigma^2 = \mathcal{E}(x-\hat{x})^2 = \int_{-\infty}^{\infty} (t-\hat{x})^2\, dF(t) \tag{2}$$

definiert ist[1]. Das Streuungsquadrat σ^2 heißt auch *Varianz* (variance).

Wir nehmen an, daß beide Integrale (1) und (2) konvergieren. Wie bestimmt man nun $\hat{x}$ und σ empirisch?

Man habe eine *Stichprobe* $(x_1, \ldots, x_n)$, also n beobachtete Werte $x_1, \ldots, x_n$ von x, wie sie sich durch Zufall ergeben. In der Sprache der

[1] Einige Autoren nennen σ^2 Streuung.

Wahrscheinlichkeitsrechnung sind $x_1, \ldots, x_n$ unabhängige zufällige Größen, die alle dieselbe Verteilungsfunktion $F(t)$ haben. Nun bildet man das *arithmetische Mittel* der Stichprobe:

$$M = \frac{1}{n}(x_1 + \cdots + x_n) = \frac{1}{n}x_1 + \cdots + \frac{1}{n}x_n. \tag{3}$$

Auf englisch heißt M *the mean of the sample*, $\hat{x}$ *the mean of the population*. Statt M wird häufig $\bar{x}$ geschrieben.

Die Größe M hängt selber vom Zufall ab. Ihr Mittelwert ist

$$\mathcal{E}M = \hat{M} = \frac{\hat{x}}{n} + \frac{\hat{x}}{n} + \cdots + \frac{\hat{x}}{n} = \hat{x} \tag{4}$$

und ihr Streuungsquadrat nach (15) § 3

$$\sigma_M^2 = \frac{\sigma^2}{n^2} + \frac{\sigma^2}{n^2} + \cdots + \frac{\sigma^2}{n^2} = n\frac{\sigma^2}{n^2} = \frac{\sigma^2}{n}. \tag{5}$$

Die Streuung von M ist also für große n beträchtlich kleiner als die der einzelnen x_i. Da $M - \hat{x}$ nach der Ungleichung von Tschebyscheff (§ 3C) mit großer Wahrscheinlichkeit nur die Größenordnung

$$\sigma_M = \frac{\sigma}{\sqrt{n}}$$

haben kann, so ist M ein brauchbarer Näherungswert für $\hat{x}$. Die Näherung ist um so besser, je größer n ist.

Ebenso hat man für σ^2 den Näherungswert

$$s_0^2 = \frac{1}{n}\sum (x_i - \hat{x})^2. \tag{6}$$

Der Erwartungswert von s_0^2 ist offensichtlich genau σ^2.

Die Formel (6) läßt sich nur dann anwenden, wenn $\hat{x}$ genau bekannt ist. Das ist jedoch meistens nicht der Fall. Man hilft sich, indem man in (6) rechts $\hat{x}$ durch M ersetzt. Dann hat man aber damit zu rechnen, daß der Ausdruck (6) etwas verkleinert wird. Man hat nämlich für beliebige a die Identität

$$\sum (x_i - M)^2 = \sum (x_i - a)^2 - n(M - a)^2, \tag{7}$$

die man so beweist:

$$\begin{aligned}\sum (x_i - M)^2 &= \sum \{(x_i - a) - (M - a)\}^2 \\ &= \sum (x_i - a)^2 - 2\sum (x_i - a)(M - a) + n(M - a)^2 \\ &= \sum (x_i - a)^2 - 2n(M - a)(M - a) + n(M - a)^2 \\ &= \sum (x_i - a)^2 - n(M - a)^2.\end{aligned}$$

Setzt man in (7) $a = \hat{x}$, so erhält man

$$(8) \qquad \sum (x_i - M)^2 = \sum (x_i - \hat{x})^2 - n(M - \hat{x})^2.$$

Die Identität (8) zeigt, daß der Ausdruck (6) im allgemeinen verkleinert wird, wenn $\hat{x}$ durch M ersetzt wird. Um das wieder zu kompensieren, dividiert man besser nicht durch n, sondern durch $(n-1)$, bildet also

$$(9) \qquad s^2 = \frac{1}{n-1} \sum (x_i - M)^2.$$

Bildet man auf beiden Seiten von (8) den Erwartungswert, so erhält man

$$(n-1)\,\mathcal{E}(s^2) = n\sigma^2 - n\frac{\sigma^2}{n} = (n-1)\,\sigma^2$$

oder

$$(10) \qquad \mathcal{E}(s^2) = \sigma^2.$$

Der Nenner $(n-1)$ in (9) bewirkt also, daß der Erwartungswert von s^2 genau σ^2 wird. Man nennt s die *empirische Streuung* (standard deviation of the sample) und s^2 die *empirische Varianz* (sample variance).

Zur Vereinfachung der Berechnung von s^2 kann man die Identität (7) heranziehen. Man verfährt zweckmäßig so:

1. Zunächst werden die beobachteten x_i auf so viele Dezimalstellen abgerundet, daß die Differenz zwischen dem größten und dem kleinsten x_i eine zweistellige Zahl wird. Diese Abrundung hat auf s^2 praktisch keinen Einfluß.

2. Sodann läßt man das Dezimalkomma weg, d.h. man multipliziert die abgerundeten x mit einer solchen Zehnerpotenz, daß sie alle ganzzahlig werden.

3. Aus den abgerundeten x berechnet man das Mittel M nach (3) und rundet es auf eine Dezimalstelle ab.

4. Sodann wählt man eine runde Zahl a im Bereich der x und bildet die Differenzen $x - a$. Kontrolle: Die Summe dieser Differenzen muß gleich $n(M - a)$ sein.

5. Die Differenzen $x - a$ sind höchstens zweistellige ganze Zahlen, sie können also aus dem Kopf oder mit einer ganz kurzen Quadrattafel quadriert werden.

6. Nun berechnet man $\sum (x - a)^2$, daraus $\sum (x - M)^2$ nach (7) und s^2 nach (9), auf ganze Zahlen abgerundet.

7. Zur Kontrolle ist Formel (7) mit $a = 0$ nützlich:

$$(11) \qquad \sum (x - M)^2 = \sum x^2 - n M^2.$$

Beispiel 12. Regen in 90 Jahren in Rothamsted (nach R. A. FISHER, Statistical Methods for Research Workers, § 14). In der ersten Spalte sind die Regenmengen x (in inches) angegeben, in der zweiten die Anzahlen k von Jahren, in denen diese Mengen beobachtet sind. Als genähertes Mittel wurde $a = 28$ genommen. Die dritte Spalte enthält die Differenzen $x - a$, die vierte $k(x - a)$, die fünfte $k(x - a)^2$.

x	k	$x-a$	$k(x-a)$	$k(x-a)^2$
16	1	−12	−12	144
19	3	−9	−27	243
20	2	−8	−16	128
21	3	−7	−21	147
23	3	−5	−15	75
24	2	−4	−8	32
25	12	−3	−36	108
26	4	−2	−8	16
27	7	−1	−7	7
28	4	0	0	0
29	8	1	8	8
30	9	2	18	36
31	6	3	18	54
32	7	4	28	112
33	4	5	20	100
34	4	6	24	144
35	4	7	28	196
36	3	8	24	192
37	3	9	27	243
39	1	11	11	121
Summe	90		56	2106

Korrektur des Mittels $56 : 90 = 0{,}62$
Mittel $M = 28{,}62$
$n(M - a)^2 = 35$
$\sum (x - M)^2 = 2106 - 35 = 2071$
Varianz $s^2 = 2071 : 89 = 23$
Streuung $s = 4{,}9$

§ 19. Die SHEPPARDsche Korrektur

Die beiden folgenden Abschnitte (§ 19 und § 20) können übergangen werden. Ihr Zweck ist vor allem, dem Leser den Anschluß an die Literatur zu erleichtern, in der von der SHEPPARD-Korrektur, vom „wahrscheinlichen Fehler" und dergleichen häufig die Rede ist.

Häufig werden die beobachteten Werte $x_1, \ldots, x_n$ abgerundet oder gruppiert, d.h. in Größenklassen zusammengefaßt. Wenn die Klasse mit Nummer k die Werte zwischen $\tau_k - \frac{1}{2}h$ und $\tau_k + \frac{1}{2}h$ umfaßt, so heißt τ_k die *Klassenmitte*. Ist nun n_k die Anzahl der beobachteten x-Werte im k-ten Intervall und ersetzt man alle diese x-Werte durch die Klassenmitte τ_k, so erhält man an Stelle von M die Näherung

$$M' = \frac{1}{n} \sum n_k \tau_k \tag{1}$$

und an Stelle von s_0^2

(2) $$s_0'^2 = \frac{1}{n} \sum n_k (\tau_k - \hat{x})^2.$$

M' kann zufällig etwas größer oder kleiner als M sein, aber die Differenz $M' - M$ ist im Mittel Null; dagegen ist $s_0'^2$ im Durchschnitt etwas größer als s_0^2. Um das einzusehen und das Korrekturglied zu bestimmen, das man von $s_0'^2$ zu subtrahieren hat, um s_0^2 zu erhalten, machen wir die Annahme, daß alle Intervalle die gleiche Länge h haben. Wir lassen die Nummern k von $-\infty$ bis $+\infty$ gehen. Die Klasse mit Nummer 0 gehe von $t - \frac{1}{2}h$ bis $t + \frac{1}{2}h$. Die Klasse mit Nummer k geht dann von $t + kh - \frac{1}{2}h$ bis $t + kh + \frac{1}{2}h$. Verschieben wir noch den Anfangspunkt, so daß $\hat{x} = 0$ wird, so wird

$$M' = \frac{1}{n} \sum n_k (t + kh)$$

$$s_0'^2 = \frac{1}{n} \sum n_k (t + kh)^2.$$

Die Erwartungswerte von M' und $s_0'^2$ erhält man, indem man die n_k durch ihre Erwartungswerte np_k ersetzt. Dabei ist

$$p_k = F(t + kh + \tfrac{1}{2}h) - F(t + kh - \tfrac{1}{2}h)$$

die Wahrscheinlichkeit, daß ein x zwischen $t + kh - \frac{1}{2}h$ und $t + kh + \frac{1}{2}h$ liegt. So erhält man

(3) $$A(t) = \mathcal{E} M' = \sum_{-\infty}^{\infty} [F(t + kh + \tfrac{1}{2}h) - F(t + kh - \tfrac{1}{2}h)] \cdot (t + kh),$$

(4) $$B(t) = \mathcal{E} s_0'^2 = \sum_{-\infty}^{\infty} [F(t + kh + \tfrac{1}{2}h) - F(t + kh - \tfrac{1}{2}h)] \cdot (t + kh)^2.$$

Beide Ausdrücke (3) und (4) sind periodische Funktionen von t. Sie gehen nämlich in sich über, wenn t durch $t + h$ ersetzt wird.

In den meisten Fällen sind diese periodischen Funktionen fast konstant, d.h. in ihrer FOURIER-Entwicklung kann man sich auf das konstante Glied beschränken, das gleich dem Integralmittelwert ist. Aber auch wenn das nicht der Fall ist, hat es einen Sinn, sich für die Integralmittel der Funktionen $A(t)$ und $B(t)$ zu interessieren. Die Wahl der Klassengrenzen $t + kh \pm \frac{1}{2}h$ ist nämlich weitgehend willkürlich und in einem gewissen Sinn zufällig. Man kann also t als eine zufällige Größe betrachten, die etwa zwischen 0 und h gleichverteilt ist. Der Mittelwert von $A(t)$ über alle t-Werte ist dann gerade das Integralmittel

(5) $$\hat{A} = \frac{1}{h} \int_0^h A(t)\, dt$$

und analog für $B(t)$:

$$\hat{B} = \frac{1}{h} \int_0^h B(t)\, dt. \tag{6}$$

Setzt man (3) in (5) ein, so erhält man

$$(7)\quad \begin{cases} h\hat{A} = \sum\limits_{-\infty}^{\infty} \int\limits_0^h [F(t+kh+\tfrac{1}{2}h) - F(t+kh-\tfrac{1}{2}h)] \cdot (t+kh)\, dt \\ \quad = \int\limits_{-\infty}^{\infty} [F(t+\tfrac{1}{2}h) - F(t-\tfrac{1}{2}h)] \cdot t\, dt. \end{cases}$$

Partielle Integration ergibt

$$\begin{aligned} h\hat{A} &= \int_{-\infty}^{\infty} \tfrac{1}{2} t^2\, d[F(t-\tfrac{1}{2}h) - F(t+\tfrac{1}{2}h)] \\ &= \int_{-\infty}^{\infty} \tfrac{1}{2} t^2\, dF(t-\tfrac{1}{2}h) - \int_{-\infty}^{\infty} \tfrac{1}{2} t^2\, dF(t+\tfrac{1}{2}h) \\ &= \int_{-\infty}^{\infty} \tfrac{1}{2} (t+\tfrac{1}{2}h)^2\, dF(t) - \int_{-\infty}^{\infty} \tfrac{1}{2} (t-\tfrac{1}{2}h)^2\, dF(t) \\ &= \int_{-\infty}^{\infty} \tfrac{1}{2} [(t+\tfrac{1}{2}h)^2 - (t-\tfrac{1}{2}h)^2]\, dF(t) \\ &= \int_{-\infty}^{\infty} t\, h\, dF(t), \end{aligned}$$

also

$$\hat{A} = \int_{-\infty}^{\infty} t\, dF(t) = \hat{x} = 0,$$

und ebenso

$$\begin{aligned} h\hat{B} &= \int_{-\infty}^{\infty} \tfrac{1}{3} [(t+\tfrac{1}{2}h)^3 - (t-\tfrac{1}{2}h)^3]\, dF(t) \\ &= \int_{-\infty}^{\infty} (t^2 h + \tfrac{1}{12} h^3)\, dF(t) \\ &= h \int_{-\infty}^{\infty} t^2\, dF(t) + \tfrac{1}{12} h^3 \end{aligned}$$

oder

$$\hat{B} = \int_{-\infty}^{\infty} t^2\, dF(t) + \tfrac{1}{12} h^2 = \sigma^2 + \tfrac{1}{12} h^2.$$

Der Erwartungswert von ${s_0'}^2$ ist also, gemittelt über alle möglichen Lagen von t, um $\frac{1}{12} h^2$ größer als der Erwartungswert σ^2 von s^2. Um eine Schätzung ohne Bias für σ^2 zu erhalten, muß man also von $s_0'^2$ die SHEPPARD*sche Korrektur* $\frac{1}{12}h^2$ subtrahieren.

Auch bei der Berechnung von s^2 pflegt man dieselbe Korrektur anzuwenden. Man berechnet zunächst

$$s'^2 = \frac{1}{n-1} \sum n_k (\tau_k - M')^2$$

und subtrahiert $\frac{1}{12}h^2$, damit im Durchschnitt ungefähr dasselbe herauskommt, wie wenn man aus den ursprünglichen x_i direkt s^2 bildet.

Beispiel 13. In § 18 wurde gesagt, daß man bei der Berechnung von s^2 die beobachteten x-Werte ruhig so abrunden kann, daß die Spannweite eine zweistellige Zahl wird. Diese Behauptung soll nun durch Berechnung der SHEPPARDschen Korrektur erhärtet werden. Wir nehmen dabei an, daß n nicht ungewöhnlich groß ist und daß die x annähernd normal verteilt sind.

Die x_i seien auf die nächste ganze Zahl abgerundet und die Spannweite $W = x^{(n)} - x^{(1)}$, d.h. die Differenz zwischen dem größten und dem kleinsten x_i, sei eine zweistellige Zahl:

$$10 \leq W < 100.$$

Man kann nun annehmen, daß die Streuung σ größer als 2 ist. Wäre nämlich $\sigma \leq 2$, so würden die x_i wahrscheinlich alle zwischen $\hat{x} - 5$ und $\hat{x} + 5$ liegen und die Spannweite W wäre < 10, entgegen der Annahme. Mit Hilfe der in § 17 hergeleiteten Verteilungsfunktion könnte man den letzten Schluß noch schärfer fassen, aber eine ungefähre Schätzung genügt bereits.

Die Abrundung kommt auf eine Gruppierung hinaus, bei der ein Intervall von $g - \frac{1}{2}$ bis $g + \frac{1}{2}$ reicht, wobei g jeweils eine ganze Zahl ist. Der Erwartungswert von s^2 ist > 4, die SHEPPARDsche Korrektur aber nur $\frac{1}{12}$. Also macht die SHEPPARDsche Korrektur weniger als $\frac{1}{48}$ des Betrages von s^2 aus, d.h. nur 2%. In s selbst ist der Unterschied nur 1%, also praktisch unbedeutend.

Bei ungewöhnlich großem n oder bei sehr unnormalen Verteilungen, kann es vorkommen, daß die Verhältnisse etwas ungünstiger liegen. Vorsichtshalber wird man also bei großem n die Abrundung nicht so weit treiben. Kommt W bei der Abrundung unter 20 zu liegen, so wird man eine Dezimale mehr mitnehmen. W wird dann eine Zahl unter 200, und man kann immer noch a so wählen, daß die Differenzen $x - a$ zweistellige Zahlen werden, die man leicht quadrieren kann.

§ 20. Weitere Mittel und Streuungsmasse

An die Seite des Mittelwertes $\hat{x}$ tritt der *Zentralwert* ζ, der bei einer stetigen Verteilungsfunktion $F(t)$ durch

$$F(\zeta) = \tfrac{1}{2} \tag{1}$$

definiert ist. Bei einer symmetrischen, insbesondere einer normalen Wahrscheinlichkeitsdichte ist der Zentralwert ζ gleich dem Mittelwert $\hat{x}$.

Ersetzt man die Wahrscheinlichkeiten durch empirische Häufigkeiten, so kommt man auf den *empirischen Zentralwert* Z. Im Fall einer ungeraden Zahl $n = 2m - 1$ ist Z gleich dem mittleren Glied x_m in der

Reihe der nach aufsteigender Größe geordneten $x_1, \ldots, x_n$. Im Falle einer geraden Zahl $n=2m$ liegt Z in der Mitte zwischen den beiden Mittelgliedern x_m und x_{m+1}.

Der empirische Zentralwert ist leichter zu berechnen als das Mittel M. Im Fall einer annähernd normalen Verteilung verdient aber das Mittel M mehr Vertrauen.

Bei einer Normalverteilung hat nämlich nach § 17 der empirische Zentralwert Z annähernd eine Normalverteilung mit Streuung

$$\sigma_Z = \sigma \sqrt{\frac{\pi}{2n}},$$

während die Streuung des Mittels M nur

$$\sigma_M = \sigma \sqrt{\frac{1}{n}}$$

beträgt. Die Streuung von Z ist also um einen Faktor $\sqrt{\frac{\pi}{2}}$ größer.

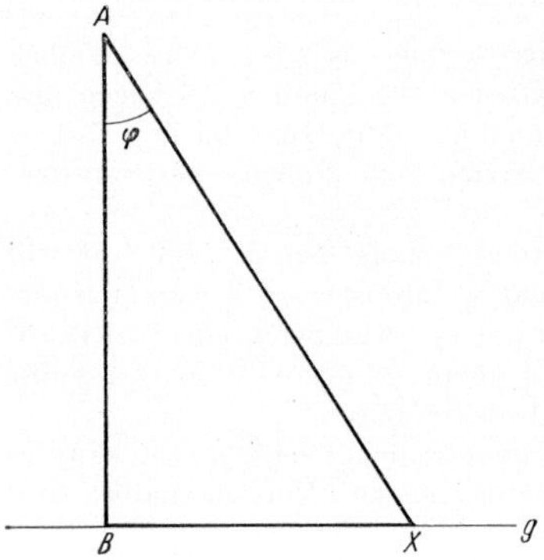

Fig. 14

Es gibt aber auch Verteilungsfunktionen, bei denen der empirische Zentralwert Z genauer ist als das Mittel M. Als Beispiel nehmen wir die Verteilungsfunktion von CAUCHY

$$F(t) = \frac{1}{2} + \frac{1}{\pi} \operatorname{arc\,tg} t, \tag{2}$$

zu der die Wahrscheinlichkeitsdichte

$$f(t) = \frac{1}{\pi(1+t^2)} \tag{3}$$

gehört. Man erhält sie, wenn man von einem Punkte A aus in einer beliebigen Richtung eine Gerade AX zieht und sie mit der festen Geraden g schneidet. Ist φ der Winkel, den die variable Gerade AX mit dem Lot AB macht, und ist AB die Längeneinheit, so wird der Abstand des Treffpunktes X vom Fußpunkt B

$$x = \operatorname{tg} \varphi.$$

Sind nun die Winkel φ zwischen $-\frac{\pi}{2}$ und $+\frac{\pi}{2}$ gleich verteilt (d.h. ist die Wahrscheinlichkeitsdichte der Größe φ konstant gleich π^{-1}), so hat $x = \operatorname{tg} \varphi$ die Verteilungsfunktion (2) und die Wahrscheinlichkeitsdichte (3).

Haben zwei unabhängige Größen x_1 und x_2 beide dieselbe Verteilungsfunktion (2) und berechnet man nach Satz III (§ 4) die Verteilungsfunktion der Summe $x_1 + x_2$ und daraus die des Mittels

$$M_2 = \tfrac{1}{2}(x_1 + x_2),$$

so findet man überraschenderweise genau dieselbe Wahrscheinlichkeitsdichte (3). Das Mittel aus zwei solchen Mitteln

$$M_4 = \tfrac{1}{4}(x_1 + x_2 + x_3 + x_4)$$

hat wieder dieselbe Wahrscheinlichkeitsdichte, und so geht es weiter. Durch die Mittelung wird also die Genauigkeit überhaupt nicht gesteigert!

Bildet man dagegen aus einer ungeraden Anzahl von x_i den empirischen Zentralwert, so hat dieser nach § 17 annähernd eine Normalverteilung mit Mittelwert Null und Streuung

$$\sigma_Z = \frac{\pi}{2} n^{-\frac{1}{2}}.$$

Der empirische Zentralwert ergibt also bei wachsendem n eine immer genauere Schätzung für den wahren Zentralwert Null.

Bei der Wahrscheinlichkeitsdichte (3) gibt es übrigens keinen Mittelwert und keine Streuung: die Integrale divergieren.

Analog zum Zentralwert ζ definiert man die beiden *Viertelwerte* ζ_1 und ζ_3 durch

$$F(\zeta_1) = \tfrac{1}{4} \quad \text{und} \quad F(\zeta_3) = \tfrac{3}{4}.$$

Als Näherungswerte hat man die *empirischen Quartile* Z_1 und Z_3, die man allgemein so definieren kann. Es sei

$$q = \left[\frac{m}{4}\right].$$

Dann ist Z_1 in der aufsteigend geordneten Reihe der x_i diejenige mit Rangnummer $q+1$ und Z_3 die mit Rangnummer $n-q$, so daß q von den x_i kleiner als Z_1 und auch q größer als Z_3 sind. Für $n = 4m - 1$ stimmt diese Definition mit der in § 17 gegebenen überein.

Verwandt mit den Viertelwerten ist ein altmodisches Streuungsmaß, die *wahrscheinliche Abweichung* w. Sie kann bei einer stetigen Verteilungsfunktion $F(t)$ dadurch definiert werden, daß die Größe x mit einer Wahrscheinlichkeit $\frac{1}{2}$ zwischen $\zeta - w$ und $\zeta + w$ liegt:

$$F(\zeta + w) - F(\zeta - w) = \tfrac{1}{2}.$$

Bei einer symmetrischen Verteilung fallen $\zeta - w$ und $\zeta + w$ mit den Viertelwerten zusammen:

$$\zeta_1 = \zeta - w, \quad \zeta_3 = \zeta + w.$$

Bei einer normalen Verteilung ist

$$w = 0{,}6745\,\sigma. \tag{4}$$

In der älteren Literatur wird häufig w statt σ oder s angegeben. Davon ist man aber heute abgekommen. Die nachträgliche Berechnung einer Schätzung w' für w nach der Formel

$$w' = 0{,}6745\,s$$

ist eine überflüssige Rechenoperation.

Das dritte traditionelle Streuungsmaß neben σ und w ist die *durchschnittliche Abweichung* δ, die als Erwartungswert von $|x - \hat{x}|$ definiert ist:

$$\delta = \mathcal{E}\,|x - \hat{x}| = \int_{-\infty}^{\infty} |t - \hat{x}|\, dF(t). \tag{5}$$

Einen empirischen Näherungswert d erhält man, indem man den Mittelwert durch das arithmetische Mittel und $\hat{x}$ durch M ersetzt:

$$d = \frac{1}{n}\sum |x_k - M|. \tag{6}$$

Bei einer normalen Verteilung besteht zwischen δ und σ ein festes Verhältnis. Normiert man nämlich durch Maßstabsänderung und Verschiebung des Nullpunktes die Größe x so, daß $\hat{x} = 0$ und $\sigma = 1$ wird, so ist

$$\delta = \frac{1}{\sqrt{2\pi}} \int_{-\infty}^{\infty} |t|\, e^{-\frac{1}{2}t^2}\, dt$$

$$= \frac{2}{\sqrt{2\pi}} \int_{0}^{\infty} t\, e^{-\frac{1}{2}t^2}\, dt = \sqrt{\frac{2}{\pi}},$$

Mithin gilt für jede normale Verteilung die Beziehung

$$\delta = \sigma\sqrt{\frac{2}{\pi}}. \tag{7}$$

Der Näherungswert d ist etwas einfacher zu berechnen als die empirische Streuung s, aber s ist als Schätzung für σ grundsätzlich wichtiger und meistens auch genauer.

Später werden wir sehen, daß s^2 bei einer normalen Verteilung in einem gewissen Sinne die bestmögliche Schätzung für σ^2 ist.

Fünftes Kapitel

Fourier-Integrale und Grenzwertsätze

§ 21. Charakteristische Funktionen

A. Mittelwerte von komplexen Größen

Erwartungswerte sind bisher nur für reelle zufällige Größen definiert worden. Aus zwei reellen zufälligen Größen $\boldsymbol{x}$ und $\boldsymbol{y}$ kann man aber eine komplexe zufällige Größe

$$\boldsymbol{z} = \boldsymbol{x} + i\boldsymbol{y}$$

bilden und ihren Erwartungswert durch

$$\mathcal{E}\boldsymbol{z} = \mathcal{E}\boldsymbol{x} + i\,\mathcal{E}\boldsymbol{y}$$

definieren. Genau so definiert man allgemeiner den Mittelwert eines Vektors $\boldsymbol{v} = (\boldsymbol{x}_1, \ldots, \boldsymbol{x}_n)$ durch

$$\mathcal{E}(\boldsymbol{x}_1, \ldots, \boldsymbol{x}_n) = (\mathcal{E}\boldsymbol{x}_1, \ldots, \mathcal{E}\boldsymbol{x}_n).$$

Für zwei beliebige Vektoren oder komplexe Zahlen $\boldsymbol{v}$ und $\boldsymbol{w}$ gilt

$$\mathcal{E}(\boldsymbol{v} + \boldsymbol{w}) = \mathcal{E}\boldsymbol{v} + \mathcal{E}\boldsymbol{w}. \tag{1}$$

Zwei komplexe zufällige Größen $\boldsymbol{z} = \boldsymbol{x} + i\boldsymbol{y}$ und $\boldsymbol{w} = \boldsymbol{u} + i\boldsymbol{v}$ heißen *unabhängig*, wenn $\boldsymbol{u}$ und $\boldsymbol{v}$ von $\boldsymbol{x}$ und $\boldsymbol{y}$ unabhängig sind, d.h. wenn für beliebige a, b, c, d

$$\mathcal{P}(\boldsymbol{x} < a, \boldsymbol{y} < b, \boldsymbol{u} < c, \boldsymbol{v} < d) = \mathcal{P}(\boldsymbol{x} < a, \boldsymbol{y} < b) \cdot \mathcal{P}(\boldsymbol{u} < c, \boldsymbol{v} < d)$$

gilt. Ist das der Fall, so ist

$$\mathcal{E}(\boldsymbol{z}\boldsymbol{w}) = (\mathcal{E}\boldsymbol{z})(\mathcal{E}\boldsymbol{w}), \tag{2}$$

wie man durch Aufspalten in Real- und Imaginärteil sofort sieht.

B. Die charakteristische Funktion

Es sei $\boldsymbol{x}$ eine reelle zufällige Größe mit Verteilungsfunktion $F(u) = \mathcal{P}(\boldsymbol{x} < u)$. Unter der *charakteristischen Funktion* der Größe $\boldsymbol{x}$ versteht man den Erwartungswert von $\exp(it\boldsymbol{x})$:

$$\varphi(t) = \mathcal{E}\,e^{it\boldsymbol{x}} = \int_{-\infty}^{\infty} e^{itu}\,dF(u). \tag{3}$$

Das Integral konvergiert für reelle t immer, denn Real- und Imaginärteil von e^{itu} sind dem Betrage nach ≤ 1, und $\int dF(u)$ konvergiert.

Ist $F(u)$ das Integral einer Wahrscheinlichkeitsdichte $f(u)$, so hat man ein gewöhnliches FOURIER-Integral

$$\varphi(t) = \int_{-\infty}^{\infty} e^{itu} f(u)\, du. \tag{4}$$

Ist andererseits $\boldsymbol{x}$ eine diskrete Größe, die nur endlich oder abzählbar unendlich viele Werte $x_1, x_2, \ldots$ mit Wahrscheinlichkeiten $p_1, p_2, \ldots$ annimmt, so ist

$$\varphi(t) = \sum p_k \exp(i t x_k). \tag{5}$$

Offensichtlich ist

$$\varphi(0) = 1$$

und

$$|\varphi(t)| \leq 1$$

für reelle t.

Ist $\varphi(t)$ die charakteristische Funktion von $\boldsymbol{x}$, so ist die von $a\boldsymbol{x} + b$

$$\mathcal{E}\, e^{it(a\boldsymbol{x}+b)} = e^{itb}\, \mathcal{E}\, e^{iat\boldsymbol{x}} = e^{ibt} \varphi(at).$$

C. Stetigkeit der charakteristischen Funktion

Eine allgemeine Eigenschaft der LEBESGUE-Integrale ist, daß sie stetig vom Integranden abhängen, sobald der Integrand durch eine Funktion mit endlichem Integral majorisiert werden kann. Das heißt: *Ist $g_\nu(u)$ eine Folge von integrierbaren Funktionen, wobei der Index ν auch durch einen stetig veränderlichen Parameter t ersetzt werden darf, und ist erstens*

$$|g_\nu(u)| \leq G(u), \tag{6}$$

wobei $G(u)$ ein endliches Integral $\int G(u)\, dF(u)$ hat, und zweitens für alle reellen u

$$\lim g_\nu(u) = g(u), \tag{7}$$

so ist

$$\lim \int_{-\infty}^{\infty} g_\nu(u)\, dF(u) = \int_{-\infty}^{\infty} g(u)\, dF(u). \tag{8}$$

Für den Beweis verweisen wir auf die LEBESGUEsche Integrationstheorie.

Aus diesem Satz folgt unmittelbar, daß die charakteristische Funktion $\varphi(t)$ eine stetige Funktion von t ist.

D. Momente

Unter dem *n-ten Moment* einer Größe $\boldsymbol{x}$ versteht man den Erwartungswert von $\boldsymbol{x}^n$:

$$(9) \qquad \alpha_n = \mathcal{E}\boldsymbol{x}^n = \int_{-\infty}^{\infty} u^n \, dF(u).$$

Allgemeiner kann man die *Momente in bezug auf einen Punkt* c bilden:

$$(10) \qquad \mathcal{E}(\boldsymbol{x} - c)^n = \int_{-\infty}^{\infty} (u - c)^n \, dF(u).$$

Besonders wichtig sind die Momente in bezug auf den Mittelwert $\hat{\boldsymbol{x}}$:

$$(11) \qquad \mu_n = \mathcal{E}(\boldsymbol{x} - \hat{\boldsymbol{x}}) = \int_{-\infty}^{\infty} (u - \hat{\boldsymbol{x}})^n \, dF(u).$$

Offenbar ist $\mu_0 = 1$ und $\mu_1 = 0$, während μ_2 die Varianz oder das Quadrat der Streuung ist:

$$\mu_2 = \sigma^2 = \mathcal{E}(\boldsymbol{x} - \hat{\boldsymbol{x}})^2.$$

Die Integrale (9) konvergieren nur dann, wenn $F(u)$ für $u \to -\infty$ genügend schnell nach Null und für $u \to +\infty$ genügend schnell nach Eins strebt. Wenn für ein n das Integral (9) konvergiert, so sagt man, daß das Moment α_n *existiert.* Dann existieren auch alle früheren Momente $\alpha_1, \ldots, \alpha_{n-1}$, sowie die Integrale (10) und (11).

Wenn α_n existiert, so kann das Integral (3) *n mal unter dem Integralzeichen differenziert werden:*

$$(12) \qquad \varphi^{(n)}(t) = i^n \int_{-\infty}^{\infty} u^n e^{itu} \, dF(u).$$

Wir führen den Beweis für die erste Differentiation; für die weiteren verläuft er genau so. Wir bilden

$$(13) \qquad \frac{\varphi(t+h) - \varphi(t)}{h} = \int_{-\infty}^{\infty} e^{itu} \frac{e^{ihu} - 1}{h} \, dF(u)$$

und lassen h nach Null gehen. Der Limes des Bruches

$$\frac{e^{ihu} - 1}{h} = e^{\frac{1}{2}ihu} \frac{\sin \frac{1}{2}hu}{\frac{1}{2}hu} \, iu$$

ist iu und der Betrag des Bruches ist kleiner als $|u|$. Der unter C angeführte Stetigkeitssatz ergibt also unmittelbar die Behauptung:

$$(14) \qquad \varphi'(t) = i \int_{-\infty}^{\infty} u \, e^{itu} \, dF(u).$$

Aus (12) folgt, daß $\varphi^{(n)}(t)$ stetig ist. Für $t=0$ ergibt sich

$$\varphi^{(n)}(0) = i^n \alpha_n. \tag{15}$$

Die Momente α_n sind also, soweit sie existieren, durch Differentiation aus der charakteristischen Funktion zu gewinnen.

Wenn die Funktion $\varphi(t)$ für $t=0$ regulär-analytisch ist, so läßt sie sich in einem Kreis $|t|<r$ in eine TAYLORsche Reihe entwickeln, deren Koeffizienten durch die Momente bestimmt sind:

$$\varphi(t) = \sum_0^\infty \frac{\alpha_n}{n!}(i t)^n. \tag{16}$$

Nach CRAMÉR, Math. Methods of Statistics, p. 177 genügt für die Gültigkeit der Formel (16) für $|t|<r$ bereits die Voraussetzung, daß die Reihe $\sum \frac{\alpha_n}{n!} r^n$ absolut konvergiert.

E. Umkehrformeln

Die Umkehrung des FOURIER-Integrales (4) lautet bekanntlich

$$f(u) = \lim_{T\to\infty} \frac{1}{2\pi} \int_{-T}^{T} e^{-itu}\, \varphi(t)\, dt.$$

Integriert man das von a bis b, so erhält man

$$F(b) - F(a) = \lim_{T\to\infty} \frac{i}{2\pi} \int_{-T}^{T} \frac{e^{-itb} - e^{-ita}}{t}\, \varphi(t)\, dt. \tag{17}$$

Diese Formel kann auch so geschrieben werden:

$$F(u+h) - F(u-h) = \lim_{T\to\infty} \frac{1}{\pi} \int_{-T}^{T} \frac{\sin h t}{t}\, e^{-itu}\, \varphi(t)\, dt. \tag{18}$$

Nach PAUL LÉVY gelten die Formeln (17) und (18) auch dann, wenn $F(u)$ nicht differenzierbar, sondern nur an den Stellen a und b (bzw. $u-h$ und $u+h$) stetig ist. Für den Beweis siehe etwa CRAMÉR, Math. Methods of Statistics, p. 93. Ebenda findet sich noch eine andere Umkehrformel, nämlich

$$\int_0^h [F(u+v) - F(u-v)]\, dv = \frac{1}{\pi} \int_{-\infty}^{\infty} \frac{1-\cos h t}{t^2}\, e^{-itu}\, \varphi(t)\, dt. \tag{19}$$

Aus den Umkehrformeln folgt:

Eine Verteilungsfunktion $F(u)$ ist durch ihre charakteristische Funktion $\varphi(t)$ eindeutig bestimmt.

Aus (17) folgt die eindeutige Bestimmtheit zunächst nur für die Stetigkeitsstellen. Jede Unstetigkeitsstelle b ist aber Limes einer wachsenden Folge von Stetigkeitsstellen[1] b_ν, und da $F(u)$ linksseitig stetig ist, gilt

(20) $$F(b) = \lim F(b_\nu).$$

Ist weiter a_ν eine nach $-\infty$ strebende Folge von Stetigkeitsstellen, so ist

(21) $$0 = \lim F(a_\nu).$$

Durch Subtraktion folgt aus (20) und (21)

(22) $$F(b) = \lim [F(b_\nu) - F(a_\nu)].$$

Aus (22) folgt die eindeutige Bestimmtheit von $F(b)$ für beliebige b.

F. Die charakteristische Funktion einer Summe

Es seien $\boldsymbol{x}$ und $\boldsymbol{y}$ unabhängige zufällige Größen. Dann ist nach (2)

(23) $$\mathcal{E}\, e^{it(\boldsymbol{x}+\boldsymbol{y})} = \mathcal{E}\, e^{it\boldsymbol{x}} \cdot \mathcal{E}\, e^{it\boldsymbol{y}},$$

in Worten: *Die charakteristische Funktion einer Summe von unabhängigen zufälligen Größen ist das Produkt der charakteristischen Funktionen der Summanden.*

Dasselbe gilt natürlich auch für eine Summe $\boldsymbol{x}_1 + \cdots + \boldsymbol{x}_n$ von beliebig vielen Summanden.

Dieser Satz gibt, in Verbindung mit dem Eindeutigkeitssatz, in vielen Fällen ein sehr bequemes Mittel, die Verteilungsfunktion einer Summe zu bestimmen. Die nachfolgenden Beispiele werden das klarmachen.

§ 22. Beispiele

A. Binomische Verteilung

Die Größen $\boldsymbol{x}_1, \ldots, \boldsymbol{x}_n$ seien unabhängig, und jede von ihnen möge die Werte 1 und 0 mit Wahrscheinlichkeiten p und q annehmen. Die Summe $\boldsymbol{x}_1 + \boldsymbol{x}_2 + \cdots + \boldsymbol{x}_n$ hat dann eine binomische Verteilung: sie nimmt jeden ganzzahligen Wert k von 0 bis n mit einer Wahrscheinlichkeit

$$W_k = \binom{n}{k} p^k q^{n-k}$$

[1] Die Unstetigkeitsstellen einer monoton von 0 bis 1 wachsenden Funktion bilden nämlich eine abzählbare Menge. Das beweist man etwa so: Es gibt nur endlich viele Sprünge ≥ 1, endlich viele $\geq \frac{1}{2}$, endlich viele $\geq \frac{1}{3}$, usw. Man kann die Sprünge also nach abnehmender Größe abzählen.

an. Die charakteristische Funktion eines einzelnen Summanden $\boldsymbol{x}_j$ ist nach (5) § 21

$$\varphi(t) = p\,e^{it} + q. \tag{1}$$

Die charakteristische Funktion der Summe ist also

$$\varphi(t)^n = (p\,e^{it} + q)^n. \tag{2}$$

Entwickelt man das, so erhält man in der Tat die richtige Summe

$$(p\,e^{it} + q)^n = \sum \binom{n}{k} p^k\,e^{ikt}\,q^{n-k} = \sum W_k\,e^{ikt}.$$

B. Normalverteilung

Ist die Verteilung von $\boldsymbol{x}$ normal mit Streuung 1 und Mittelwert Null, also

$$f(u) = (2\pi)^{-\frac{1}{2}}\,e^{-\frac{1}{2}u^2}, \tag{3}$$

so wird die charakteristische Funktion

$$\left\{\begin{aligned} \varphi(t) &= (2\pi)^{-\frac{1}{2}} \int_{-\infty}^{\infty} e^{-\frac{1}{2}u^2 + itu}\,du \\ &= (2\pi)^{-\frac{1}{2}} \int_{-\infty}^{\infty} e^{-\frac{1}{2}(u-it)^2 - \frac{1}{2}t^2}\,du. \end{aligned}\right. \tag{4}$$

Wir führen nun $u - it = w$ als neue Veränderliche ein und erhalten

$$\varphi(t) = (2\pi)^{-\frac{1}{2}}\,e^{-\frac{1}{2}t^2} \int e^{-\frac{1}{2}w^2}\,dw, \tag{5}$$

wobei der Integrationsweg in der w-Ebene parallel zur reellen Achse verläuft. Verschiebt man nun den Integrationsweg in die reelle Achse, so erhält man

$$\varphi(t) = e^{-\frac{1}{2}t^2}. \tag{6}$$

Die Größe $\sigma\boldsymbol{x}$ ist ebenfalls normal, mit Streuung σ und Mittelwert Null. Ihre charakteristische Funktion ist

$$\mathcal{E}\,e^{it\sigma\boldsymbol{x}} = \varphi(t\sigma) = e^{-\frac{1}{2}\sigma^2 t^2}. \tag{7}$$

Die charakteristische Funktion einer normal verteilten Größe mit Mittelwert Null ist also bis auf einen konstanten Faktor wieder eine GAUSS*sche Fehlerfunktion, und das Produkt der Streuungen ist Eins.*

Addiert man zu einer Größe $\boldsymbol{x}$ eine Konstante a, so wird die charakteristische Funktion mit e^{ita} multipliziert. Die charakteristische Funktion einer normal verteilten Größe mit Mittelwert a und Streuung σ ist also

$$\varphi(t) = e^{ita}\,e^{-\frac{1}{2}\sigma^2 t^2}. \tag{8}$$

Ein Produkt von zwei Funktionen dieser Form hat wieder dieselbe Form. Damit erhalten wir von neuem, mit viel weniger Rechnung als früher, das Ergebnis:

Eine Summe von zwei unabhängigen normal verteilten Größen ist wieder normal verteilt.

C. Poisson-Verteilung

Wenn $\boldsymbol{x}$ die Werte $k = 0, 1, 2, \ldots$ mit Wahrscheinlichkeiten

$$p_k = \frac{\lambda^k}{k!} e^{-\lambda} \tag{9}$$

annimmt (§ 10), so ist die charakteristische Funktion nach (5)

$$\varphi(t) = \sum_0^\infty p_k e^{itk} = e^{-\lambda} \sum_0^\infty \frac{(\lambda \exp it)^k}{k!} = e^{-\lambda} e^{\lambda \exp it} = e^{\lambda(\exp it - 1)}. \tag{10}$$

Das Produkt von zwei solchen Funktionen, mit Parametern λ_1 und λ_2, ist wieder eine ebensolche Funktion mit Parameter $\lambda_1 + \lambda_2$. Daraus folgt:

Die Summe von zwei unabhängigen nach Poisson *verteilten Größen* $\boldsymbol{x}_1$ *und* $\boldsymbol{x}_2$ *mit Mittelwerten* λ_1 *und* λ_2 *ist wieder nach* Poisson *verteilt, mit Mittelwert* $\lambda_1 + \lambda_2$.

§ 23. Die χ^2-Verteilung

Der Astronom F. R. Helmert hat, im Anschluß an die Gausssche Fehlertheorie, Summen von Quadraten von normal verteilten Größen untersucht und ist dabei auf eine Verteilungsfunktion $G(u)$ gekommen, die K. Pearson später χ^2-Verteilung genannt hat. Für negative u ist $G(u) = 0$, für nicht negative u ist

$$G(u) = \alpha \int_0^u y^{\lambda-1} e^{-\frac{1}{2}y} \, dy. \tag{1}$$

Dabei ist $\lambda = \frac{1}{2} f$ und f eine natürliche Zahl, die man nach R. A. Fisher die *Zahl der Freiheitsgrade* nennt. Der Faktor α wird so bestimmt, daß $G(\infty) = 1$ wird:

$$\alpha = \Gamma(\lambda)^{-1} 2^{-\lambda}. \tag{2}$$

Die Wahrscheinlichkeitsdichte ist

$$g(u) = \alpha u^{\lambda-1} e^{-\frac{1}{2}u} \qquad (u > 0). \tag{3}$$

Der einfachste Fall ist $\lambda = 1$ (zwei Freiheitsgrade). Die Wahrscheinlichkeitsdichte ist dann einfach eine Exponentialfunktion

$$g(u) = \tfrac{1}{2} e^{-\frac{1}{2}u} \qquad (u > 0). \tag{4}$$

Der Fall $\lambda = \frac{1}{2}$ (ein Freiheitsgrad) ergibt sich direkt aus der Normalverteilung nach folgendem Satz:

Wenn eine Größe $\boldsymbol{x}$ normal verteilt ist mit Mittelwert Null und Streuung Eins, so hat $\boldsymbol{x}^2$ eine χ^2-Verteilung mit einem Freiheitsgrad.

Zum Beweis braucht man nur die Wahrscheinlichkeit für $\boldsymbol{x}^2 < u$ auszurechnen. Sie ist

$$G(u) = (2\pi)^{-\frac{1}{2}} \int_{-\sqrt{u}}^{\sqrt{u}} e^{-\frac{1}{2}z^2}\, dz = 2(2\pi)^{-\frac{1}{2}} \int_0^{\sqrt{u}} e^{-\frac{1}{2}z^2}\, dz.$$

Führt man hier $z^2 = y$ als neue Integrationsvariable ein, so erhält man ohne weiteres das gesuchte Ergebnis

$$G(u) = (2\pi)^{-\frac{1}{2}} \int_0^u y^{-\frac{1}{2}} e^{-\frac{1}{2}y}\, dy. \tag{5}$$

Wir gehen nun zum allgemeinen Fall über. Die charakteristische Funktion zur χ^2-Verteilung ist

$$\varphi(t) = \int_0^\infty \alpha\, u^{\lambda-1} e^{-\frac{1}{2}u + itu}\, du. \tag{6}$$

Führt man $(\frac{1}{2} - it)u = v$ als neue Veränderliche ein, so erhält man

$$\varphi(t) = 2^\lambda (1 - 2it)^{-\lambda} \alpha \int v^{\lambda-1} e^{-v}\, dv. \tag{7}$$

Der Integrationsweg in der v-Ebene ist eine Gerade, die vom Nullpunkt in der rechten Halbebene ins Unendliche geht. In

$$v = (\tfrac{1}{2} - it)\, u$$

ist nämlich t fest, während u von 0 nach ∞ geht. Der Integrationsweg kann in die positive reelle Achse hineingedreht werden, ohne daß der Wert des Integrals sich ändert. Das Integral ist also gleich $\Gamma(\lambda)$, und man erhält

$$\varphi(t) = (1 - 2it)^{-\lambda}. \tag{8}$$

Das erste und zweite Moment der χ^2-Verteilung sind leicht zu berechnen, entweder nach der Definition der Momente

$$\alpha_n = \int_0^\infty u^n\, dG(u) = \int_0^\infty u^n g(u)\, du$$

oder nach der Formel (15) des vorigen Paragraphen. Man erhält

$$\alpha_1 = 2\lambda = f$$

$$\alpha_2 = 4\lambda(\lambda + 1) = f^2 + 2f.$$

Daraus berechnet man Mittelwert und Streuung einer Größe $\boldsymbol{y}$ mit χ^2-Verteilung:

$$\mathcal{E}\boldsymbol{y} = \alpha_1 = f, \tag{9}$$

$$\sigma^2 = \mathcal{E}\boldsymbol{y}^2 - (\mathcal{E}\boldsymbol{y})^2 = \alpha_2 - \alpha_1^2 = 2f. \tag{10}$$

Es seien nun $\boldsymbol{y}$ und $\boldsymbol{z}$ unabhängige Größen mit χ^2-Verteilungen mit f und f' Freiheitsgraden. Die charakteristischen Funktionen sind nach (8)

$$(1-2it)^{-\frac{1}{2}f} \quad \text{und} \quad (1-2it)^{-\frac{1}{2}f'}.$$

Das Produkt hat wieder dieselbe Form. Daraus folgt:

Wenn zwei unabhängige Größen χ^2-Verteilungen mit f und f' Freiheitsgraden haben, so hat ihre Summe $\boldsymbol{y}+\boldsymbol{z}$ eine χ^2-Verteilung mit $f+f'$ Freiheitsgraden.

Diesen Satz kann man auch durch direkte Berechnung des Integrals

(11) $$h(v) = \int_0^v g_1(u)\, g_2(v-u)\, du$$

nach Formel (7) § 4B verifizieren. Die Berechnung führt auf eine Betafunktion. So kann man die Benutzung der charakteristischen Funktion vermeiden; allerdings hat man dann mehr zu rechnen.

Selbstverständlich gilt der Satz auch für Summen $\boldsymbol{y}_1+\cdots+\boldsymbol{y}_n$ von mehr als zwei unabhängigen Größen. Wendet man ihn an auf eine Summe von Quadraten von normal verteilten Größen mit Mittelwert Null und Streuung Eins, so erhält man folgenden Satz:

Sind $\boldsymbol{x}_1, \boldsymbol{x}_2, \ldots, \boldsymbol{x}_n$ unabhängige normal verteilte Größen mit Mittelwert Null und Streuung Eins, so hat die Quadratsumme

(12) $$\chi^2 = \boldsymbol{x}_1^2 + \boldsymbol{x}_2^2 + \cdots + \boldsymbol{x}_n^2$$

eine χ^2-Verteilung mit n Freiheitsgraden.

Damit sind wir bei HELMERTs Ausgangspunkt angelangt. Ist die Streuung nicht 1, sondern σ, so ist es klar, daß man

(13) $$\chi^2 = \frac{x_1^2 + \cdots + x_n^2}{\sigma^2}$$

zu setzen hat, um eine χ^2-Verteilung zu erhalten.

§ 24. Grenzwertsätze

A. Der Grenzwertsatz von LÉVY-CRAMÉR

Aus den Umkehrformeln für die charakteristische Funktion (§ 21 E) folgt ein *Grenzwertsatz:*

Wenn eine Folge von charakteristischen Funktionen $\varphi_1(t)$, $\varphi_2(t)$, ... für jedes t einen Limes $\varphi(t)$ hat, der für $t=0$ stetig ist, so ist $\varphi(t)$ die charakteristische Funktion einer Verteilungsfunktion $F(u)$ und die Folge der Verteilungsfunktionen $F_1(u), F_2(u), \ldots$ konvergiert zu $F(u)$ für alle u, für welche $F(u)$ stetig ist.

Für den Beweis möge auf H. CRAMÉR, Math. Meth. of Statistics, p. 96 verwiesen werden.

Ist $F(u)$ eine Verteilungsfunktion und gilt $\lim F_n(u) = F(u)$ für alle u, für welche $F(u)$ stetig ist, so werden wir künftig manchmal kurz sagen: *Die F_n streben gegen F.*

B. Beispiel zum Grenzwertsatz: Binomialverteilung

Die charakteristische Funktion zur Binomialverteilung ist

$$\varphi(t) = (p\, e^{it} + q)^n. \tag{1}$$

Der Mittelwert der Größe $\boldsymbol{x} = \boldsymbol{x}_1 + \cdots + \boldsymbol{x}_n$ ist np, die Streuung $\sigma = (npq)^{\frac{1}{2}}$. Führt man

$$\frac{\boldsymbol{x} - np}{\sigma} \tag{2}$$

als neue Größe ein, so wird die charakteristische Funktion

$$\varphi_n(t) = \exp\left(-\frac{itnp}{\sigma}\right) \cdot \left(p \exp\frac{it}{\sigma} + q\right)^n. \tag{3}$$

Ihr Logarithmus ist

$$\ln \varphi_n(t) = -\frac{itnp}{\sigma} + n \ln\left\{1 + p\left(\exp\frac{it}{\sigma} - 1\right)\right\}. \tag{4}$$

Für feste t und $n \to \infty$ strebt $\frac{it}{\sigma}$ gegen Null. Die Exponentialfunktion in der letzten Klammer kann in eine Potenzreihe entwickelt werden:

$$\exp\frac{it}{\sigma} - 1 = \frac{it}{\sigma} - \frac{1}{2}\left(\frac{t}{\sigma}\right)^2 + \cdots.$$

Multipliziert man das mit p, so ist das Ergebnis klein gegen Eins. Der Logarithmus rechts in (4) kann also wieder in eine Potenzreihe entwickelt werden:

$$\ln\left\{1 + p\left(\exp\frac{it}{\sigma} - 1\right)\right\} = \frac{itp}{\sigma} - \frac{1}{2}(p - p^2)\left(\frac{t}{\sigma}\right)^2 + \cdots.$$

Somit ergibt (4)

$$\ln \varphi_n(t) = -\frac{npq}{2}\left(\frac{t}{\sigma}\right)^2 + \cdots = -\frac{1}{2}t^2 + \cdots. \tag{5}$$

Läßt man nun n nach ∞ gehen, so ergibt sich im Limes

$$\lim \varphi_n(t) = \exp(-\tfrac{1}{2}t^2). \tag{6}$$

Die rechte Seite ist die charakteristische Funktion einer Normalverteilung. Daraus folgt, daß die Verteilungsfunktion der auf Mittelwert Null und Streuung Eins normierten Größe (2) für $n \to \infty$ gegen die normale Verteilungsfunktion konvergiert. Man drückt das auch so aus: *Die Größe* $\boldsymbol{x}$ *ist asymptotisch normal verteilt mit Mittelwert* pn *und Streuung* σ.

Wir kennen das Ergebnis schon, aber die jetzige Herleitung erfordert weniger Rechnung. Auch die Zusatzglieder von der Größenordnung $n^{-\frac{1}{2}}$ sind mühelos aus der charakteristischen Funktion zu erhalten.

C. Das Gesetz der Großen Zahl

Das Gesetz der Großen Zahl wurde in § 5 so formuliert: Die Häufigkeit $\boldsymbol{h}$ eines Ereignisses mit Wahrscheinlichkeit p in n unabhängigen Versuchen unterscheidet sich von p mit beliebig großer Wahrscheinlichkeit nur um beliebig wenig, sobald n genügend groß ist.

Man drückt dasselbe auch aus, indem man sagt: *Die Häufigkeit* $\boldsymbol{h}$ *konvergiert nach Wahrscheinlichkeit zu* p *für* $n \to \infty$. Oder auch: *Für* $n \to \infty$ *ist* $\boldsymbol{h}$ *eine konsistente Schätzung für* p. Alle diese Aussagen bedeuten dasselbe, nämlich: Die Wahrscheinlichkeit für $|\boldsymbol{h} - p| < \varepsilon$ kommt beliebig nahe an Eins, wenn n genügend groß wird.

Die zufällige Größe $\boldsymbol{h}$ war als Quotient $\boldsymbol{x}/n$ definiert, wobei

$$\boldsymbol{x} = \boldsymbol{x}_1 + \cdots + \boldsymbol{x}_n \tag{7}$$

eine Summe von unabhängigen Größen ist, von denen jede die Werte 1 und 0 mit Wahrscheinlichkeiten p und q annimmt. Man kann das Gesetz der Großen Zahl aber verallgemeinern, indem man für $\boldsymbol{x}_1, \ldots, \boldsymbol{x}_n$ irgendwelche unabhängige Größen nimmt, die alle dieselbe Verteilungsfunktion $F(u)$ haben. Dabei braucht man nach KHINTSCHIN über $F(u)$ nur anzunehmen, daß ein endlicher Mittelwert

$$a = \mathcal{E}\boldsymbol{x}_1 = \int_{-\infty}^{\infty} u\, dF(u) \tag{8}$$

existiert. Nach DUGUÉ genügt sogar die noch etwas schwächere Annahme, daß die charakteristische Funktion von $\boldsymbol{x}_1$ für $t = 0$ eine endliche Ableitung

$$\varphi'(0) = i\, a \tag{9}$$

besitzt. Das nach KHINTSCHIN und DUGUÉ verallgemeinerte Gesetz der Großen Zahl lautet nun so:

Wenn $\boldsymbol{x}_1, \ldots, \boldsymbol{x}_n$ *unabhängige Größen sind, die alle dieselbe Verteilungsfunktion haben und wenn* (9) *erfüllt ist, so konvergiert das Mittel*

$$\boldsymbol{m} = \frac{1}{n}(\boldsymbol{x}_1 + \cdots + \boldsymbol{x}_n) \tag{10}$$

nach Wahrscheinlichkeit gegen a *für* $n \to \infty$.

Der Beweis ist äußerst einfach. In einer gewissen Umgebung von $t=0$ ist $\varphi(t)$ nahe bei Eins; wir können also dort

$$\varphi(t) = \exp\psi(t) \tag{11}$$

setzen. Die charakteristische Funktion des Mittels $\boldsymbol{m}$ ist

$$\varphi\left(\frac{t}{n}\right)^n = \exp n\,\psi\left(\frac{t}{n}\right) = \exp t\,\frac{n}{t}\,\psi\left(\frac{t}{n}\right). \tag{12}$$

Da $\varphi(t)$ für $t=0$ differenzierbar ist, ist $\psi(t)$ es auch; die Ableitung ist

$$\psi'(0) = \frac{\varphi'(0)}{\varphi(0)} = i\,a. \tag{13}$$

Für $n\to\infty$ strebt $\frac{n}{t}\,\psi\left(\frac{t}{n}\right)$ gegen $\psi'(0)$ nach Definition der Ableitung; also hat (12) für $n\to\infty$ den Limes

$$\exp[t\,\psi'(0)] = e^{iat}. \tag{14}$$

Die rechte Seite ist aber die charakteristische Funktion einer Größe $\boldsymbol{a}$, die nur den einen Wert a mit Sicherheit annimmt. Die charakteristische Funktion von $\boldsymbol{m}$ strebt also für jedes t gegen die charakteristische Funktion dieser konstanten Größe $\boldsymbol{a}$. Die Verteilungsfunktion von $\boldsymbol{a}$ ist eine solche Funktion $E(u)$, die an der Stelle a von 0 auf 1 springt und von da an konstant gleich 1 bleibt. Nach dem Grenzwertsatz strebt die Verteilungsfunktion von $\boldsymbol{m}$ gegen diese Funktion $E(u)$ an allen den Stellen, wo $E(u)$ stetig ist. Die Verteilungsfunktion $F(u)$ von $\boldsymbol{m}$ strebt also gegen Null für $u<a$ und gegen Eins für $u>a$. Das ist aber genau die Behauptung.

Der eben bewiesene Satz ist das „schwache Gesetz der großen Zahl". Daneben gibt es noch ein „starkes Gesetz der großen Zahl", das aber in der mathematischen Statistik kaum eine Rolle spielt. Siehe A. KHINTCHINE, Sur la loi des grands nombres, Comptes Rendus de l'Acad. des Sciences Paris 188 (1929) p. 477.

D. Der zentrale Grenzwertsatz

Eine zufällige Größe $\boldsymbol{x}$, deren Verteilungsfunktion von einem Parameter n abhängt, heißt *asymptotisch normal*, wenn es zwei Zahlen a und c gibt, die auch von n abhängen dürfen, so daß die Verteilungsfunktion der Größe

$$\frac{\boldsymbol{x}-a}{c} \tag{15}$$

für $n\to\infty$ gegen die normierte normale Verteilungsfunktion $\Phi(u)$ strebt. Notwendig und hinreichend dafür ist nach A, daß die charakteristische Funktion der Größe (15) für jedes t gegen die charakteristische Funktion der Normalverteilung

(16) $$\exp\left(-\tfrac{1}{2}t^2\right)$$

strebt.

In vielen Fällen ist a der Mittelwert und c die Streuung von $\boldsymbol{x}$, aber es kann vorkommen, daß die Streuung divergiert oder sogar Mittelwert und Streuung beide divergieren, und daß es trotzdem Zahlen a und c mit der erwähnten Eigenschaft gibt.

Unter B haben wir gesehen, daß die Trefferzahl $\boldsymbol{x}=\boldsymbol{x}_1+\cdots+\boldsymbol{x}_n$ bei n unabhängigen Versuchen mit gleichbleibender Treffwahrscheinlichkeit p asymptotisch normal verteilt ist. Dabei nimmt jedes $\boldsymbol{x}_j$ nur die Werte 1 und 0 mit Wahrscheinlichkeiten p und q an.

Der zentrale Grenzwertsatz besagt nun, daß unter gewissen Bedingungen jede Summe von unabhängigen Größen

(17) $$\boldsymbol{x}=\boldsymbol{x}_1+\cdots+\boldsymbol{x}_n$$

asymptotisch normal verteilt ist.

LAPLACE und GAUSS haben den Satz schon vermutet und Gründe für ihre Vermutung angegeben. Der erste vollständige Beweis stammt von LIAPOUNOFF (1901). PAUL LÉVY hat zum Beweis die charakteristische Funktion herangezogen. Später haben KHINTSCHIN, LÉVY und FELLER den Satz unter erheblich schwächeren Voraussetzungen bewiesen. Für Literatur siehe P. LÉVY, Theorie de l'addition des variables aléatoires, Paris 1954.

Gewisse Bedingungen sind jedenfalls notwendig, erstens um zu verhüten, daß ein einziges Glied in (17) einen zu großen Beitrag zur ganzen Summe liefert, zweitens um dafür zu sorgen, daß die Verteilungsfunktionen der $\boldsymbol{x}_j$ bei $\pm\infty$ schnell genug nach Null oder Eins streben. Wenn z.B. die einzelnen $\boldsymbol{x}_j$ alle eine Arcustangensverteilung haben (§ 20), so hat die Summe $\boldsymbol{x}$ eine ebensolche Verteilung und der zentrale Grenzwertsatz gilt nicht. Eine recht schwache hinreichende Bedingung hat LINDEBERG (Math. Zeitschr. 15, 1922) angegeben, aber die Bedingungen von FELLER (Math. Zeitschr. 40 und 42) sind noch schwächer, da FELLER nicht einmal die Endlichkeit der Streuungen fordert.

Auf diese Feinheiten wollen wir hier nicht eingehen, sondern wir wollen nur den Fall behandeln, daß die $\boldsymbol{x}_j$ alle dieselbe Verteilungsfunktion mit endlichem Mittelwert und endlicher Streuung haben. Wir beweisen also:

Wenn $\boldsymbol{x}_1,\ldots,\boldsymbol{x}_n$ unabhängig sind und alle dieselbe Verteilungsfunktion mit Mittelwert μ und Streuung σ haben, so ist die Summe (17) *asymptotisch normal verteilt mit Mittelwert $n\mu$ und Streuung $\sigma\sqrt{n}$.*

Beweis. Wir können $\mu=0$ annehmen. Die charakteristische Funktion von $\boldsymbol{x}_1$ sei $\varphi(t)$. Dann ist $\varphi(t)^n$ die charakteristische Funktion von $\boldsymbol{x}$.

Wir haben zu beweisen, daß

$$\varphi\left(\frac{t}{\sigma\sqrt{n}}\right)^n \tag{18}$$

für $n \to \infty$ gegen $\exp(-\frac{1}{2}t^2)$ strebt.

Die erste und zweite Ableitung von $\varphi(z)$ für $z=0$ sind $i\mu=0$ und $i^2\sigma^2=-\sigma^2$. Wir können $\varphi(z)$ also in eine TAYLORsche Reihe entwickeln:

$$\varphi(z) = 1 - \tfrac{1}{2}\sigma^2 z^2 + R,$$

wobei das Restglied R klein gegen z^2 ist. Das gibt

$$\varphi\left(\frac{t}{\sigma\sqrt{n}}\right) = 1 - \frac{t^2}{2n} + R \tag{19}$$

wobei R klein gegen n^{-1} ist. Der Logarithmus wird

$$\ln\varphi\left(\frac{t}{\sigma\sqrt{n}}\right) = -\frac{t^2}{2n} + R' \tag{20}$$

wobei R' wieder klein gegen n^{-1} ist. Multipliziert man das mit n, so erhält man den Logarithmus von (18). Läßt man nun n nach ∞ gehen, so erhält man im Limes $-\frac{1}{2}t^2$, also

$$\lim\varphi\left(\frac{t}{\sigma\sqrt{n}}\right) = \exp\left(-\frac{1}{2}t^2\right) \tag{21}$$

was zu beweisen war.

E. Beispiel: χ^2-Verteilung

Bei einer Summe von Quadraten normal verteilter Größen:

$$\chi^2 = \boldsymbol{x}_1^2 + \boldsymbol{x}_2^2 + \cdots + \boldsymbol{x}_n^2, \tag{22}$$

wobei die $\boldsymbol{x}_j$ alle Mittelwert Null und Streuung Eins haben, sind alle Voraussetzungen des eben bewiesenen Satzes erfüllt. Der Mittelwert von $\boldsymbol{x}_1^2$ ist 1, die Streuung $\sqrt{2}$. Also ist die Summe (22) asymptotisch normal verteilt mit Mittelwert n und Streuung $\sqrt{2n}$ (vgl. § 23). Da die Streuung klein ist im Vergleich zum Mittelwert, ist auch $\sqrt{2\chi^2}$ asymptotisch normal verteilt. Die Näherung ist für die Wurzel noch besser als für χ^2 selbst (s. R. A. FISHER, Statistical Methods § 20). Der Mittelwert von $\sqrt{2\chi^2}$ ist genähert $\sqrt{2n-1}$ und die Streuung nahezu Eins.

F. Der zweite Grenzwertsatz

Sehr nützlich ist auch der „zweite Grenzwertsatz" von FRÉCHET und SHOHAT[1], der so lautet:

[1] M. FRÉCHET and J. SHOHAT, A Proof of the Generalized Second Limit Theorem, Trans. Amer. Math. Soc. 33 (1931) p. 533.

Wenn eine Folge von Verteilungsfunktionen $F_n(t)$ die endlichen Momente $\alpha_k(n)$ hat und wenn für jedes k die $\alpha_k(n)$ für $n \to \infty$ gegen β_k streben, dann sind die β_k die Momente einer Verteilungsfunktion F. Wenn außerdem F durch seine Momente eindeutig bestimmt ist, so konvergieren die $F_n(t)$ gegen $F(t)$ an jeder Stetigkeitsstelle von $F(t)$.

Den Beweis findet man in der zitierten Abhandlung von Fréchet und Shohat oder bei M. G. Kendall, Advanced Theory of Statistics I (1945) 4.24.

Der wichtigste Fall ist der, wo die β_k die Momente der Normalverteilung $\Phi(t)$ sind:

$$(23) \qquad \begin{cases} \beta_{2r+1} = 0 \\ \beta_{2r} = \dfrac{(2r)!}{2^r r!}. \end{cases}$$

Die normale Verteilungsfunktion ist überall stetig und durch ihre Momente eindeutig bestimmt. Also: *Wenn die $\alpha_k(n)$ gegen die Momente der Normalverteilung* (23) *streben, so konvergieren die $F_n(t)$ gegen $\Phi(t)$.*

G. Ein elementarer Grenzwertsatz

Die bisher behandelten Grenzwertsätze beruhen alle auf der Integraltransformation von Fourier. Der folgende Satz aber, dessen Formulierung ich aus Cramér, Math. Methods of Statistics 20.6 entnehme, ist ganz elementar.

Es seien $x_1, x_2, \ldots$ zufällige Größen, deren Verteilungsfunktionen $F_1, F_2, \ldots$ gegen $F(u)$ streben. Ferner seien $y_1, y_2, \ldots$ zufällige Größen, die nach Wahrscheinlichkeit gegen eine Konstante c streben. Dann haben die Summen

$$(24) \qquad z_n = x_n + y_n$$

Verteilungsfunktionen, die gegen $F(u-c)$ streben. Das entsprechende gilt, wenn $c > 0$ vorausgesetzt wird, für die Produkte $x_n y_n$ und die Quotienten x_n/y_n.

Bemerkenswert ist, daß über die Unabhängigkeit der x_n und y_n nichts vorausgesetzt zu werden braucht.

Wir führen den Beweis für die Summen (24). Die Beweise für Produkte und Quotienten sind analog.

Es sei u eine Stetigkeitsstelle von $F(u-c)$. Zu jedem ε gibt es dann ein δ so, daß $F(u-c-\delta)$ und $F(u-c+\delta)$ sich um höchstens ε von $F(u-c)$ unterscheiden. Da nach einer früher (§ 21 E, Fußnote) gemachten Bemerkung die Unstetigkeitsstellen von F abzählbar sind, können wir δ so wählen, daß F an den Stellen $u-c+\delta$ und $u-c-\delta$ ebenfalls stetig ist.

Die Wahrscheinlichkeit des Ereignisses $z_n < u$ sei $G_n(u)$. Wir haben zu beweisen, daß $G_n(u)$ für $n \to \infty$ gegen $F(u-c)$ strebt.

Wenn $x_n < u-c-\delta$ und $y_n \leq c+\delta$ ist, so ist $z_n < u$. Daraus folgt: Wenn $x_n < u-c-\delta$, so ist entweder $z_n < u$ oder $y_n > c+\delta$. Also ist

$$\mathcal{P}(x_n < u-c-\delta) \leq \mathcal{P}(z_n < u) + \mathcal{P}(y_n > c+\delta)$$

oder

$$F_n(u-c-\delta) \leq G_n(u) + \mathcal{P}(y_n > c+\delta). \tag{25}$$

Da y_n nach Wahrscheinlichkeit gegen c strebt, ist die Wahrscheinlichkeit des Ereignisses $y_n > c+\delta$ für genügend große n kleiner als ε. Also ergibt (25)

$$F_n(u-c-\delta) < G_n(u) + \varepsilon.$$

Da F_n gegen F strebt, so folgt, immer für genügend große n,

$$F(u-c-\delta) < G_n(u) + 2\varepsilon$$

und weiter

$$F(u-c) < G_n(u) + 3\varepsilon. \tag{26}$$

Ebenso beweist man, indem man die Rollen von x_n und z_n vertauscht,

$$G_n(u) < F_n(u-c+\delta) + \varepsilon < F(u-c) + 3\varepsilon. \tag{27}$$

Aus (26) und (27) folgt $\lim G_n(u) = F(u-c)$. Damit ist der Grenzwertsatz bewiesen.

§ 25. Rechteckige Verteilung. Abrundungsfehler

Eine Größe $\boldsymbol{x}$ heißt *gleichverteilt zwischen a und b*, wenn die Wahrscheinlichkeitsdichte konstant ist zwischen a und b und Null außerhalb dieses Intervalles:

$$\begin{cases} f(x) = \dfrac{1}{b-a} & \text{für } a < x < b \\ = 0 & \text{für } x < a \quad \text{oder} \quad x > b. \end{cases} \tag{1}$$

Eine solche Verteilung heißt *rechteckig*, weil das Bild der Funktion $f(x)$ ein Rechteck ist. Ob und wie man $f(a)$ und $f(b)$ definiert, ist gleichgültig. Die Verteilungsfunktion ist

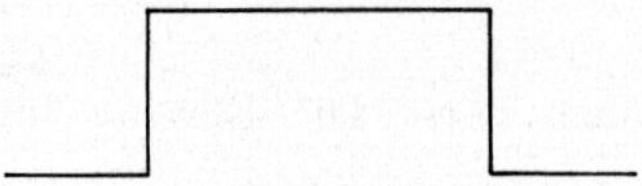

Fig. 15. Rechteckige Verteilung

$$\begin{cases} F(x) = 0 & \text{für } x \leq a \\ = \dfrac{x-a}{b-a} & \text{für } a < x < b \\ = 1 & \text{für } x \geq b. \end{cases} \tag{2}$$

Der Mittelwert von $\boldsymbol{x}$ ist $\frac{a+b}{2}$, die Streuung $\frac{b-a}{\sqrt{12}}$. Um etwas Bestimmtes vor Augen zu haben, nehmen wir $a = -\frac{1}{2}$ und $b = \frac{1}{2}$ an. Die Größe $\boldsymbol{x}_1$ sei also gleichverteilt zwischen $-\frac{1}{2}$ und $+\frac{1}{2}$, mit Mittelwert Null und Streuung $1:\sqrt{12}$.

Eine solche Verteilung tritt auf, wenn das Ergebnis einer numerischen Rechnung auf ganze Zahlen abgerundet wird. Wenn das genaue Rechenergebnis vom Zufall abhängig ist und in weiten Grenzen variiert mit einer Wahrscheinlichkeitsdichte, die sich in einem Intervall von der Länge Eins nicht stark ändert, so wird der Abrundungsfehler ungefähr gleichverteilt sein zwischen $-\frac{1}{2}$ und $+\frac{1}{2}$.

Die charakteristische Funktion der rechteckigen Verteilung ist

$$\varphi(t) = \int_{-\frac{1}{2}}^{\frac{1}{2}} e^{itx}\, dx = \frac{2}{t} \sin\frac{1}{2} t. \tag{3}$$

Wir untersuchen nun die Verteilung einer Summe von unabhängigen Größen

$$\boldsymbol{x} = \boldsymbol{x}_1 + \cdots + \boldsymbol{x}_n, \tag{4}$$

die alle zwischen $-\frac{1}{2}$ und $+\frac{1}{2}$ gleichverteilt sind. Der Mittelwert der Summe ist Null, die Streuung $\left(\frac{n}{12}\right)^{\frac{1}{2}}$. Normiert man auf Streuung Eins und läßt n anwachsen, so nähert die charakteristische Funktion

$$\varphi_n(t) = \varphi\left(t\sqrt{\frac{12}{n}}\right)^n \tag{5}$$

sich sehr rasch der GAUSS-Funktion $\exp(-\frac{1}{2}t^2)$. Es ist also zu erwarten, daß die Verteilungsfunktion von $\boldsymbol{x}$ sich sehr rasch einer normalen Verteilung nähert.

Die Rechnung bestätigt diese Erwartung. Ist $f_n(x)$ die Wahrscheinlichkeitsdichte, so gelten die Rekursionsformeln

$$\begin{cases} f_1(x) = 1 & \text{für } -\frac{1}{2} < x < \frac{1}{2} \\ = 0 & \text{für } x < -\frac{1}{2} \text{ oder } x > \frac{1}{2}, \end{cases} \tag{6}$$

$$f_n(x) = \int_{x-\frac{1}{2}}^{x+\frac{1}{2}} f_{n-1}(u)\, du. \tag{7}$$

Man findet

$$\begin{cases} f_2(x) = x + 1 & \text{für } -1 \leqq x \leqq 0 \\ = (x+1) - 2x & \text{für } 0 \leqq x \leqq 1, \end{cases} \tag{8}$$

$$\begin{cases} f_3(x) = \frac{1}{2}(x+\frac{3}{2})^2 & \text{für } -\frac{3}{2} \leqq x \leqq -\frac{1}{2} \\ = \frac{1}{2}[(x+\frac{3}{2})^2 - 3(x+\frac{1}{2})^2] & \text{für } -\frac{1}{2} \leqq x \leqq \frac{1}{2} \\ = \frac{1}{2}[(x+\frac{3}{2})^2 - 3(x+\frac{1}{2})^2 + 3(x-\frac{1}{2})^2] & \text{für } \frac{1}{2} \leqq x \leqq \frac{3}{2} \end{cases} \tag{9}$$

usw., allgemein

$$\begin{cases} f_n(x) = \frac{1}{(n-1)!} \times \\ \times\left[\left(x+\frac{n}{2}\right)^{n-1} - \binom{n}{1}\left(x+\frac{n}{2}-1\right)^{n-1} + \binom{n}{2}\left(x+\frac{n}{2}-2\right)^{n-1} + \cdots\right], \end{cases} \tag{10}$$

wobei die Summe so lange fortgesetzt wird als die Argumente $x+\frac{n}{2}$, $x+\frac{n}{2}-1, \ldots$ noch positiv sind.

Die Kurvenbilder sind in Fig. 16 bis 18 gezeichnet. $f_2(x)$ ist eine „dreieckige Verteilung": die Kurve geht von $x=-1$ geradlinig in die Höhe bis zum Maximum bei $x=0$ und dann geradlinig herunter bis $x=1$. Die Kurve für $f_3(x)$ ist aus drei Parabeln zusammengesetzt und

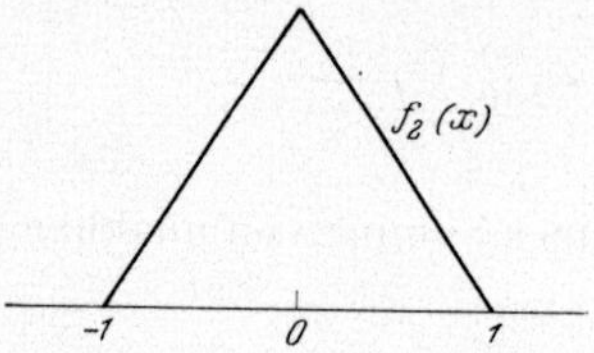

Fig. 16. $f_2(x)$

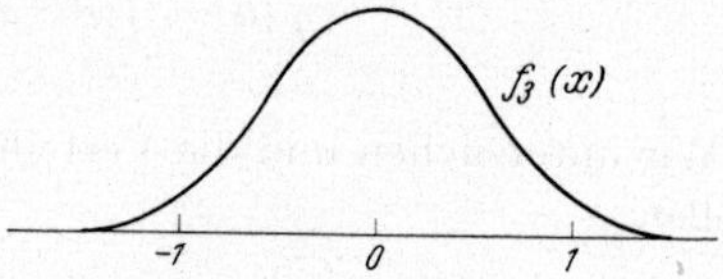

Fig. 17. $f_3(x)$

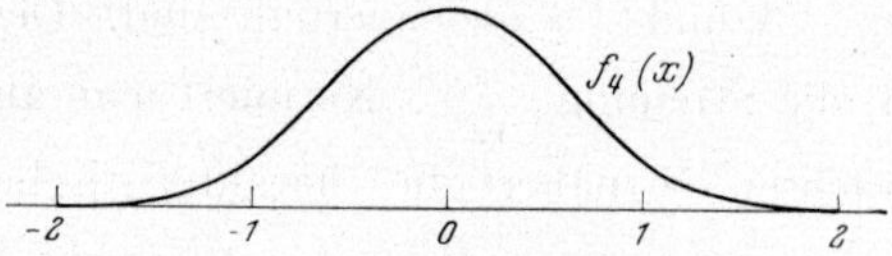

Fig. 18. $f_4(x)$

sieht einer GAUSS-Kurve schon viel ähnlicher. Die Kurve für $f_4(x)$ ist von einer GAUSS-Kurve kaum zu unterscheiden.

Beispiel 14. Das „fundamentale Argument" z in den Saturntafeln von HILL[1] wird als Summe von 24 Gliedern gewonnen, von denen jedes aus einer vierstelligen Tafel durch Interpolation gewonnen wird. Wenn die einzelnen Glieder zunächst genau, d.h. mit 5 oder 6 Dezimalstellen berechnet werden und erst die Summe auf 4 Stellen abgerundet wird, mit welchen Abrundungsfehlern in z muß man dann rechnen?

Wir machen zunächst die Tafelwerte zu ganzen Zahlen, indem wir alle Summanden mit 10^4 multiplizieren. Wenn nun zwischen zwei Tafelwerten y_n und y_{n+1} linear interpoliert wird nach der Formel

(11) $$y = y_n + x(y_{n+1} - y_n) = y_n(1-x) + y_{n+1}x \qquad (0 \leq x < 1)$$

und wenn y_n und y_{n+1} die Abrundungsfehler u und v haben, so wird der Fehler in y

(12) $$w = u(1-x) + v\,x.$$

Nehmen wir nun an, daß u, v und x unabhängige zufällige Größen sind, und zwar u und v gleichverteilt zwischen $-\frac{1}{2}$ und $+\frac{1}{2}$ und x gleichverteilt zwischen 0 und 1, so hat (12) bei gegebenem x eine Verteilungsfunktion mit Mittelwert 0 und Varianz

(13) $$\sigma^2 = \mathcal{E} w^2 = \int_0^1 dx \int_{-\frac{1}{2}}^{\frac{1}{2}} du \int_{-\frac{1}{2}}^{\frac{1}{2}} dv\,[u(1-x) + v\,x]^2.$$

Integriert man zuerst nach u und v und dann nach x, so erhält man

(14) $$\sigma^2 = \int_0^1 \left[\tfrac{1}{12}(1-x)^2 + \tfrac{1}{12}x^2\right] dx = \tfrac{1}{18}$$

[1] Astron. Papers Amer. Ephemeris VIII (1898) p. 145—285.

Bei Tafeln mit doppeltem Eingang und linearer Interpolation findet man eine noch kleinere Varianz. Da aber bei HILL nur 3 von den 24 Summanden aus Tafeln mit doppeltem Eingang gewonnen werden, hat es keinen Wert, das genau auszurechnen.

In einigen Tafeln sind die Tafelwerte y_n über lange Strecken konstant. In diesem Fall sind u und v nicht mehr unabhängig und das Ergebnis (14) verliert seine Gültigkeit. Der Abrundungsfehler des Interpolationsergebnisses ist dann nahezu gleich dem Abrundungsfehler eines Tafelwertes, daher wird in diesen Fällen

$$\sigma^2 \sim \tfrac{1}{12}. \tag{15}$$

In den meisten Tafeln genügt lineare Interpolation nicht, sondern man muß quadratisch interpolieren, etwa nach der Formel

$$y = y_n + (y_{n+1} - y_n)\, x + \frac{y_{n+1} - 2y_n + y_{n-1}}{2}\, x(x-1)$$

für $-\frac{1}{2} < x \leq \frac{1}{2}$. Die gleiche Rechnung wie oben ergibt dann eine etwas größere Varianz, nämlich

$$\sigma^2 = \tfrac{47}{384} = 0{,}12\ldots. \tag{16}$$

Wenn man in 15 Fällen nach (16) und in 9 Fällen nach (15) rechnet, so bleibt man auf der sicheren Seite. Die Summe der 24 Einzelwerte hat nach dem zentralen Grenzwertsatz eine fast normale Verteilungsfunktion mit Varianz 2,58. Dazu kommt noch der Abrundungsfehler der Summe, deren Varianz $\frac{1}{12}$ beträgt. Insgesamt erhält man praktisch eine Normalverteilung mit Varianz

$$\sigma^2 = 2{,}67.$$

Der Standardfehler σ des Endergebnisses ist somit rund $1{,}6 \cdot 10^{-4}$. Ein Gesamtfehler von mehr als 4 Einheiten der vierten Dezimalstelle wird nur äußerst selten vorkommen.

Würde man die theoretischen Maximalfehler der einzelnen Summanden addieren, so würde man auf 14 Einheiten der vierten Dezimalstelle kommen. Der so berechnete theoretische Maximalfehler ist proportional der Gliederzahl m, der praktische proportional zu $\sqrt{m}$.

Sechstes Kapitel

GAUSSsche Fehlertheorie und STUDENTs Test

In diesem Kapitel werden die Kap. 1 bis 4 als bekannt vorausgesetzt, sowie der zentrale Grenzwertsatz und die Definition der χ^2-Verteilung aus Kap. 5.

§ 26. GAUSSsche Fehlertheorie

A. Beobachtungen gleicher Genauigkeit

Wiederholte Messungen einer physikalischen Größe ergeben, auch wenn die Größe selbst konstant bleibt, nicht immer den gleichen Wert, sondern die beobachteten Werte x streuen um einen Mittelwert $\hat{x}$. Die Differenz $x - \hat{x}$ heißt nach GAUSS der *zufällige Fehler* einer Beobachtung.

Der Mittelwert $\hat{x}$ braucht nicht gleich dem wahren Wert der gemessenen Größe zu sein, sondern die Beobachtung kann einen *systematischen Fehler* haben, der von der Meßmethode herrührt. Der systematische Fehler läßt sich unter Umständen durch Verbesserung der Apparatur oder durch Korrekturglieder herabsetzen. Die statistische Fehlertheorie befaßt sich damit nicht, sondern nur mit den zufälligen Fehlern $x - \hat{x}$.

In der Fehlertheorie nimmt man immer an, daß die zufällige Größe x einen endlichen Mittelwert $\hat{x}$ und eine endliche Streuung σ hat. Manchmal macht man noch weitergehende Annahmen über das Verteilungsgesetz der Fehler; wir wollen aber zunächst einmal sehen, wie weit wir kommen, ohne ein bestimmtes Fehlergesetz zugrunde zu legen.

Die Streuung σ heißt nach Gauss der *mittlere Fehler* einer Beobachtung. Durch Mittelbildung aus mehreren Beobachtungen läßt sich der mittlere Fehler herabsetzen. Nach § 18 hat nämlich das Mittel M aus n unabhängigen Beobachtungen

$$M = \bar{x} = \frac{1}{n} \sum x_i \tag{1}$$

denselben Mittelwert $\hat{x}$ wie die einzelnen Beobachtungen, aber einen um den Faktor $\sqrt{n}$ kleineren mittleren Fehler:

$$\sigma_M = \frac{\sigma}{\sqrt{n}}. \tag{2}$$

Um die Genauigkeit von M zu beurteilen, braucht man einen Näherungswert für σ^2. Als solchen nimmt man, wie in § 18 schon erklärt wurde, die Größe

$$s^2 = \frac{1}{n-1} \sum (x_i - M)^2. \tag{3}$$

Für die Varianz des Mittels M

$$\sigma_M^2 = \frac{\sigma^2}{n} \tag{4}$$

hat man dementsprechend den Näherungswert

$$s_M^2 = \frac{s^2}{n}. \tag{5}$$

Ist die Beobachtungszahl n groß, so ist s_M eine gute Näherung für den mittleren Fehler σ_M. Das gefundene Mittel M und dessen empirischer mittlerer Fehler s_M werden üblicherweise zu einem Ausdruck $M \pm s_M$ vereinigt.

Beispiel 15. Wiederholte Bestimmungen der Polhöhe von Kapstadt in den Jahren 1892 bis 1894 haben (nach Czuber, Wahrscheinlichkeitsrechnung, Beispiel LVI) die in der Tabelle angegebenen 15 Werte ergeben.

Nr.	x	$x-a$	$(x-a)^2$
1	33° 56′ 3″,48	+22	484
2	3″,50	+24	576
3	3″,50	+24	576
4	3″,32	+ 6	36
5	3″,09	−17	289
6	2″,98	−28	784
7	3″,07	−19	361
8	3″,28	+ 2	4
9	3″,27	+ 1	1
10	3″,20	− 6	36
11	3″,30	+ 4	16
12	3″,25	− 1	1
13	3″,11	−15	225
14	3″,30	+ 4	16
15	3″,27	+ 1	1
	48″,92	+ 2	3406

Die Grade und Minuten zunächst weglassend, findet man als Mittel

$$M = \frac{48'',92}{15} = 3'',261$$

abgerundet $a = 3'',26$. Bei der Berechnung von s^2 wird $0'',01$ als neue Einheit genommen (§ 18, 2). Das Korrekturglied $-n(M-a)^2$ ist im vorliegenden Fall so klein, daß es vernachlässigt werden kann. Man findet daher

$$s^2 = \frac{3406}{14} = 243, \quad \text{also } s = 16;$$

$$s_M^2 = \frac{243}{15} = 16, \quad \text{also } s_M = 4.$$

Das Ergebnis kann als

$$\varphi = -\,33°\,56'\,3'',26 \pm 0'',04$$

mitgeteilt werden.

B. Beobachtungen verschiedener Genauigkeit

Wenn die einzelnen Beobachtungen $x_1, \ldots, x_n$ verschiedene Genauigkeit haben, so tut man gut daran, sie bei der Mittelbildung mit verschiedenen Gewichten zu versehen, also statt (1) das gewogene Mittel zu bilden, das wieder mit M bezeichnet werden soll:

$$M = g_1 x_1 + \cdots + g_n x_n. \tag{6}$$

Dabei soll die Summe der Gewichte Eins sein:

$$g_1 + \cdots + g_n = 1. \tag{7}$$

Mittelwert und Varianz von M sind durch

$$\mathcal{E} M = g_1 \hat{x}_1 + \cdots + g_n \hat{x}_n, \tag{8}$$

$$\sigma_M^2 = g_1^2 \sigma_1^2 + \cdots + g_n^2 \sigma_n^2 \tag{9}$$

gegeben. Haben alle x_i denselben Mittelwert $\hat{x}$, was wir fortan immer annehmen werden, so vereinfacht sich (8) zu $\mathcal{E} M = \hat{x}$.

Wir fragen nun: Wie muß man die Gewichte g_i wählen, damit der mittlere Fehler σ_M möglichst klein wird?

Aus (7) und (9) folgt

$$\sigma_M^2 = g_1^2 \sigma_1^2 + \cdots + g_{n-1}^2 \sigma_{n-1}^2 + (1 - g_1 - \cdots - g_{n-1})^2 \sigma_n^2.$$

Ein solches definites quadratisches Polynom in $g_1, \ldots, g_{n-1}$ erreicht bekanntlich dann sein Minimum, wenn die partiellen Ableitungen nach $g_1, \ldots, g_{n-1}$ alle Null werden. Differentiation nach g_1 ergibt

$$2g_1\sigma_1^2 - 2(1 - g_1 - \cdots - g_{n-1})\,\sigma_n^2 = 0$$

oder

$$g_1\sigma_1^2 = g_n\sigma_n^2.$$

Ebenso findet man durch Differentiation nach g_2

$$g_2\sigma_2^2 = g_n\sigma_n^2$$

usw. Das heißt: *Die Gewichte $g_1, \ldots, g_n$ sollen umgekehrt proportional sein zu den Quadraten der mittleren Fehler der einzelnen Beobachtungen.*

Für die Rechnung ist es bequem, die Nebenbedingung (7) fallen zu lassen und die g durch proportionale Gewichte zu ersetzen. Statt (6) hat man dann

(10) $$M = \frac{g_1 x_1 + \cdots + g_n x_n}{g_1 + \cdots + g_n} = \frac{\sum g x}{\sum g}$$

zu bilden. Die g_i müssen umgekehrt proportional zu den σ_i^2 gewählt werden:

(11) $$g_1 : g_2 : \ldots : g_n = \sigma_1^{-2} : \sigma_2^{-2} : \ldots : \sigma_n^{-2}.$$

Wir setzen nun

(12) $$g_i\sigma_i^2 = \sigma^2$$

und nennen σ den „mittleren Fehler einer Beobachtung vom Gewichte Eins".

Statt (9) erhält man jetzt

$$\sigma_M^2 = \left(\sum g_i\right)^{-2}\left(\sum g_i^2\sigma_i^2\right)$$

oder, wenn man von (12) Gebrauch macht,

(13) $$\sigma_M^2 = \frac{\sigma^2}{\sum g}.$$

Aus den Beobachtungen kann man einen Näherungswert für σ^2 berechnen, nämlich

(14) $$s^2 = \frac{1}{n-1}\sum g_i(x_i - M)^2.$$

Die Rechtfertigung der Formel (14) liegt wieder darin, daß der Mittelwert von s^2 gleich σ^2 ist. Der Beweis ist ganz analog dem früheren Beweis der Formel (10), § 18. Zur Vereinfachung der Rechnung verschieben wir zunächst den Nullpunkt auf der x-Achse, so daß $\hat{x} = 0$

wird, und haben dann

$$(15)\quad \begin{cases} \mathcal{E}\sum g_i(x_i - M)^2 = \mathcal{E}\left(\sum g_i x_i^2 - 2\sum g_i x_i M + \sum g_i M^2\right) \\ \qquad = \sum g_i\, \mathcal{E}\, x_i^2 - \mathcal{E}(M^2)\sum g_i \\ \qquad = \sum g_i \sigma_i^2 - \sigma_M^2 \sum g_i \\ \qquad = n\sigma^2 - \sigma^2 = (n-1)\sigma^2, \end{cases}$$

also nach (14)

$$(16)\qquad \mathcal{E}\, s^2 = \sigma^2.$$

Für die Varianz σ_M^2 des gewogenen Mittels M haben wir nun wegen (13) den Näherungswert

$$(17)\qquad s_M^2 = \frac{s^2}{\sum g}.$$

Die Formel (17) darf nur dann angewandt werden, wenn man weiß, daß die Gewichte richtig, d.h. umgekehrt proportional zu den σ_i^2 sind. Sind die Gewichte nur geschätzt, so ist Vorsicht geboten!

Bei der Berechnung von s^2 darf man wieder M durch irgendeine in der Nähe gelegene Zahl a ersetzen, nur muß man dann $(\sum g)(M-a)^2$ subtrahieren:

$$(18)\qquad s^2 = \frac{1}{n-1}\left\{\sum g(x-a)^2 - \left(\sum g\right)(M-a)^2\right\}.$$

Beispiel 16. Zur Bestimmung der Pendelzeit eines physischen Pendels mißt man etwa 20 Durchgänge durch die Gleichgewichtslage in dieselbe Richtung. Die gemessenen Zeiten seien $t_1, \ldots, t_{20}$. Aus diesen Zeiten ergeben sich zehn unabhängige Schätzungen für die Pendelzeit T, nämlich

$$T_1 = \tfrac{1}{19}(t_{20} - t_1)$$
$$T_2 = \tfrac{1}{17}(t_{19} - t_2)$$
$$\cdots\cdots\cdots$$
$$T_{10} = (t_{11} - t_{10}).$$

Wenn die Differenzen $(t_i - t_k)$ alle den gleichen mittleren Fehler σ haben, so haben $T_1, \ldots, T_{10}$ die mittleren Fehler

$$\frac{\sigma}{19}, \frac{\sigma}{17}, \ldots, \frac{\sigma}{1}.$$

Die Gewichte können demnach so gewählt werden:

$$g_i = 19^2,\ g_2 = 17^2,\ \ldots,\ g_{10} = 1^2.$$

Das gewogene Mittel aus $T_1, \ldots, T_{10}$ ist also

$$M = \frac{19^2 T_1 + 17^2 T_2 + \cdots + 1^2 T_{10}}{19^2 + 17^2 + \cdots + 1^2}.$$

Der mittlere Fehler σ_M von M ergibt sich aus (13):

$$\sigma_M^2 = \frac{\sigma^2}{19^2 + 17^2 + \cdots + 1^2}.$$

Zur Schätzung von σ^2 könnte man Formel (14) benutzen:

$$s^2 = \tfrac{1}{9}\left[19^2(T_1 - M)^2 + 17^2(T_2 - M)^2 + \cdots + 1^2(T_{10} - M)^2\right].$$

Jedoch ist diese Schätzung nicht sehr genau, da sie nur die 10 Differenzen $t_{20}-t_1, t_{19}-t_2, \ldots, t_{11}-t_{10}$ verwendet. Benutzt man alle 20 Beobachtungen und quadriert ihre Abweichungen von einer „Regressionslinie", die den beobachteten Punkten möglichst gut angepaßt wird, so kann man aus der Quadratsumme der Abweichungen eine bessere Schätzung für den mittleren Fehler der Einzelbeobachtungen t_i und damit auch für den mittleren Fehler der Differenzen $t_i - t_k$ herleiten. Wir kommen in §§ 32 bis 33 darauf zurück.

C. Die Verteilungsfunktion des Mittels *M*

Bis hierher ist die Theorie von allen speziellen Annahmen über die Verteilungsfunktion der Größe x unabhängig. Gauss macht nun die Annahme, daß die in Frage kommenden Größen x *normal verteilt* sind. Zur Begründung dieser Annahme stellt Gauss die „*Hypothese der Elementarfehler*" auf, die besagt, daß der gesamte Beobachtungsfehler die Summe einer großen Anzahl von unabhängigen kleinen Fehlern ist, die verschiedenen Ursachen zuzuschreiben sind und von denen jede nur eine kleine Streuung besitzt. Es gilt nämlich der *zentrale Grenzwertsatz* (§ 24D):

Eine Summe von sehr vielen unabhängigen Größen, von denen jede einzelne im Vergleich zur Streuung der Summe nur eine kleine Streuung besitzt, hat nahezu eine normale Verteilung.

Nimmt man nach Gauss die Normalverteilung für die einzelnen x_i an, so hat die Summe und somit auch das Mittel M ebenfalls eine Normalverteilung. Daher gilt die Regel:

Der absolute Betrag der Differenz $M - \hat{x}$ ist mit 95% Wahrscheinlichkeit kleiner als $1{,}96\sigma_M$ und mit 99% Wahrscheinlichkeit kleiner als $2{,}58\sigma_M$, wo σ_M der mittlere Fehler von M ist.

Diese Regeln gelten für große n sogar dann, wenn die Größen $x_1, \ldots, x_n$ nicht normal verteilt sind. Denn das Mittel M ist eine Summe einer Anzahl von Summanden, von denen jede nur eine verhältnismäßig kleine Streuung besitzt. Nach dem zentralen Grenzwertsatz besitzt daher M mit guter Näherung eine normale Verteilung. Um so mehr gilt das, wenn bereits die einzelnen x_i genähert normale Verteilungen haben.

Die Anwendung der obigen Regeln erfordert die Kenntnis des mittleren Fehlers σ_M. Ist es erlaubt, bei ihrer Anwendung den wahren mittleren Fehler $\sigma_M = \frac{\sigma}{\sqrt{n}}$ durch den empirischen Näherungswert $s_M = \frac{s}{\sqrt{n}}$ zu ersetzen? Um diese Frage zu beantworten, müssen wir zunächst untersuchen, wie weit sich s^2 von σ^2 unterscheiden kann, m.a.W. welche Verteilungsfunktion die Größe s^2 besitzt.

§ 27. Die Verteilung von s^2

A. Einführung der Größe χ^2

Es seien $x_1, \ldots, x_n$ unabhängige, normal verteilte Größen mit demselben Mittelwert $\hat{x} = a$ und derselben[1] Streuung σ. Wir bilden wieder

$$M = \frac{1}{n} \sum x_i, \tag{1}$$

$$s^2 = \frac{1}{n-1} \sum (x_i - M)^2 \tag{2}$$

und fragen nach der Verteilungsfunktion von s^2. Statt s^2 betrachten wir lieber die Größe

$$\chi^2 = \frac{(n-1)\, s^2}{\sigma^2} = \frac{\sum (x_i - M)^2}{\sigma^2},$$

die bei einer Maßstabsänderung auf der x-Achse ungeändert bleibt. Indem wir statt x die Größe $\frac{x-a}{\sigma}$ nehmen, können wir annehmen, daß der Mittelwert $\hat{x} = 0$ und die Streuung $\sigma = 1$ ist. Dann wird also

$$\chi^2 = \sum (x_i - M)^2 = \sum x_i^2 - n M^2 = \sum x_i^2 - \frac{1}{n} \left(\sum x_i\right)^2 \tag{3}$$

und die Wahrscheinlichkeitsdichte eines jeden x_i wird

$$f(t) = \frac{1}{\sqrt{2\pi}}\, e^{-\frac{1}{2} t^2}.$$

Da $x_1, \ldots, x_n$ unabhängig sind, ist die Wahrscheinlichkeitsdichte des ganzen Systems das Produkt

$$f(t_1, \ldots, t_n) = f(t_1)\, f(t_2) \ldots f(t_n) = (2\pi)^{-\frac{n}{2}}\, e^{-\frac{1}{2}(t_1^2 + \cdots + t_n^2)}.$$

Die gesuchte Verteilungsfunktion $G(u) = \mathcal{P}(\chi^2 < u)$ ist nun nach Satz II, § 4, gleich dem n-fachen Integral[2]

$$\left\{\begin{aligned} G(u) &= \int_{\chi^2 < u} \!\!\ldots \int f(x_1, \ldots, x_n)\, dx_1 \ldots dx_n \\ &= (2\pi)^{-\frac{n}{2}} \int_{\chi^2 < u} \!\!\cdots \int e^{-\frac{1}{2}(x_1^2 + \cdots + x_n^2)}\, dx_1 \ldots dx_n. \end{aligned}\right. \tag{4}$$

[1] Der Fall, daß $x_1, \ldots, x_n$ verschiedene Streuungen $\sigma_1, \ldots, \sigma_n$ haben, kann durch Einführung der neuen Größen

$$x_i' = \frac{x_i - a}{\sigma_i}$$

auf den hier behandelten Fall zurückgeführt werden.

[2] Daß die Integrationsveränderlichen genau so bezeichnet werden wie die zufälligen Größen $x_1, \ldots, x_n$, ist logisch nicht ganz korrekt, aber bequem. Auch Funktionen von den x_i wie M, χ^2 und die nachher einzuführenden $y_1, \ldots, y_n$ werden in zweierlei Bedeutung vorkommen: als zufällige Größen und als Funktionen der Integrationsvariabeln.

B. Auswertung des Integrals

Das Integrationsgebiet $\chi^2 < u$ ist das Innere der quadratischen Fläche $\chi^2 = u$ oder

$$\sum x_i^2 - \frac{1}{n} (\sum x_i)^2 = u.$$

Im Fall $n = 3$ ist diese Fläche, wie man sich leicht überlegt, ein Zylinder im Raum der Veränderlichen x_1, x_2, x_3. Wir wollen durch eine orthogonale Koordinatentransformation die Achse des Zylinders zur ersten Koordinatenachse machen. Zu dem Zweck setzen wir die erste Zeile der orthogonalen Transformation allgemein so an:

$$y_1 = \frac{1}{\sqrt{n}} x_1 + \frac{1}{\sqrt{n}} x_2 + \cdots + \frac{1}{\sqrt{n}} x_n = M \sqrt{n}.$$

Die Quadratsumme der Koeffizienten dieser ersten Zeile ist 1; also ist es nach § 13 möglich, $n - 1$ weitere Zeilen dazu zu finden:

$$\begin{aligned} y_2 &= a_{21} x_1 + a_{22} x_2 + \cdots + a_{2n} x_n \\ &\ldots\ldots\ldots\ldots\ldots \\ y_n &= a_{n1} x_1 + a_{n2} x_2 + \cdots + a_{nn} x_n, \end{aligned}$$

so daß die ganze Transformation orthogonal wird. Drücken wir nun χ^2 durch die neuen Veränderlichen aus, so erhalten wir, da $\sum x_i^2 = \sum y_i^2$ ist,

$$\chi^2 = \sum x_i^2 - \frac{1}{n} (\sum x_i)^2 = \sum y_i^2 - y_1^2 = y_2^2 + \cdots + y_n^2. \tag{5}$$

Die Fläche $\chi^2 = u$ ist also in der Tat ein Zylinder. Der Betrag der Funktionaldeterminante der orthogonalen Transformation ist 1; also heißt das transformierte Integral

$$G(u) = (2\pi)^{-\frac{n}{2}} \int_{\chi^2 < u} \cdots \int e^{-\frac{1}{2}(y + \cdots + y_n^2)} \, d y_1 \ldots d y_n.$$

Da y_1 in den Integrationsgrenzen nicht vorkommt, können wir die Integration nach y_1 ausführen:

$$\left\{ \begin{aligned} G(u) &= (2\pi)^{-\frac{n}{2}} \int_{-\infty}^{\infty} e^{-\frac{1}{2} y_1^2} d y_1 \int_{\chi^2 < u} \cdots \int e^{-\frac{1}{2}(y_2^2 + \cdots + y_n^2)} \, d y_2 \ldots d y_n \\ &= (2\pi)^{-\lambda} \int_{\chi^2 < u} \cdots \int e^{-\frac{1}{2}(y_2^2 + \cdots + y_n^2)} \, d y_2 \ldots d y_n, \end{aligned} \right. \tag{6}$$

wobei zur Abkürzung $\lambda = \frac{n-1}{2}$ gesetzt wurde.

Fassen wir $y_1, \ldots, y_n$ als zufällige Größen auf, so können wir das Ergebnis (6) noch einfacher so erhalten. Die Wahrscheinlichkeitsdichte der y ist dieselbe wie die der x:

$$(2\pi)^{-\frac{n}{2}} e^{-\frac{1}{2}\Sigma x^2} = (2\pi)^{-\frac{n}{2}} e^{-\frac{1}{2}\Sigma y^2}$$

wegen $\sum x^2 = \sum y^2$. Die Größen $y_1, \ldots, y_n$ sind also unabhängig normal verteilt mit Mittelwert Null und Streuung Eins. Die Größe $\chi^2 = y_2^2 + \cdots + y_n^2$ hängt von y_1 gar nicht ab; ihre Verteilungsfunktion kann also durch Integration nach $y_2, \ldots, y_n$ allein gefunden werden. Das ergibt (6).

Nun haben wir in § 23 schon bewiesen, daß die Verteilungsfunktion der Quadratsumme $y_2^2 + \cdots + y_n^2$ eine „χ^2-Verteilung mit $f = n - 1$ Freiheitsgraden" ist:

$$(7) \qquad \begin{cases} G(u) = \alpha \int\limits_0^u v^{\lambda-1} e^{-\frac{1}{2}v}\, dv \\ \alpha = \Gamma(\lambda)^{-1}\, 2^{-\lambda} \\ \lambda = \dfrac{f}{2} = \dfrac{n-1}{2}. \end{cases}$$

Dieses Ergebnis wurde mit Hilfe der „charakteristischen Funktion" sehr einfach erhalten. Wir können aber auch unabhängig davon das Integral (6) berechnen, indem wir es nach § 11 auf Polarkoordinaten transformieren. Die erste, gewöhnlich mit r bezeichnete Polarkoordinate heißt in unserem Fall χ, denn es ist $\chi^2 = y_2^2 + \cdots + y_n^2$. Man erhält so

$$G(u) = (2\pi)^{-\lambda} \int \cdots \int\limits_{\chi^2 < u} e^{-\frac{1}{2}\chi^2} \chi^{n-2}\, d\chi\, d\Omega.$$

Da die Winkelkoordinaten in der Bedingung $\chi^2 < u$ nicht vorkommen, kann die Integration nach $d\Omega$ ausgeführt werden:

$$G(u) = (2\pi)^{-\lambda} \int d\Omega \int\limits_0^{\sqrt{u}} e^{-\frac{1}{2}\chi^2} \chi^{n-2}\, d\chi.$$

Nun ist nach § 12 wegen $\lambda = \frac{n-1}{2}$

$$\int d\Omega = \frac{2}{\Gamma(\lambda)} \pi^\lambda,$$

also wird

$$2^\lambda \Gamma(\lambda)\, G(u) = 2 \int\limits_0^{\sqrt{u}} e^{-\frac{1}{2}\chi^2} \chi^{n-2}\, d\chi.$$

Führt man noch $\chi^2 = v$ als neue Integrationsveränderliche ein, so erhält man genau die Formel (7).

Das Integral rechts in (7) ist eine *unvollständige Gammafunktion.* Die zugehörige Wahrscheinlichkeitsdichte ist

$$(8) \qquad g(u) = \alpha\, u^{\lambda-1} e^{-\frac{1}{2}u} \qquad \text{für } u > 0.$$

C. Unabhängigkeit von M und χ^2

Mit derselben Methode kann man auch die Wahrscheinlichkeit bestimmen, daß $\chi^2 < u$ ist und gleichzeitig M zwischen zwei vorgeschriebenen Grenzen b und c liegt:

$$P = \int_{\substack{\chi^2 < u \\ b \leq M < c}} \cdots \int f(x_1, \ldots, x_n)\, d x_1 \ldots d x_n .$$

Führt man nämlich die gleiche orthogonale Koordinatentransformation aus wie oben, so erhält man im Integral nach y_1 die Grenzen $b\sqrt{n}$ und $c\sqrt{n}$ und im Integral nach $y_2 \ldots y_n$ das von y_1 unabhängige Integrationsgebiet $\chi^2 < u$:

$$\begin{aligned} P &= (2\pi)^{-\frac{1}{2}} \int_{b\sqrt{n}}^{c\sqrt{n}} e^{-\frac{1}{2} y_1^2}\, d y_1 \cdot (2\pi)^{-\lambda} \int_{\chi^2 < u} \cdots \int e^{-\frac{1}{2}\chi^2}\, d y_2 \ldots d y_n \\ &= \mathcal{P}(b \leq M < c) \cdot \mathcal{P}(\chi^2 < u) . \end{aligned}$$

Die Wahrscheinlichkeit, daß $b \leq M < c$ und $0 \leq \chi^2 < u$ ist, ist also gleich dem Produkt der Wahrscheinlichkeiten für $b \leq M < c$ und $0 \leq \chi^2 < u$. Das heißt: *Die Größen M und χ^2 sind unabhängig.*

Die Wahrscheinlichkeitsdichte des Paares (M, χ^2) ist also gleich dem Produkt der Wahrscheinlichkeitsdichten von M und χ^2. Die von M ist eine GAUSSsche Fehlerkurve mit Streuung σ_M, die von χ^2 ist durch (8) gegeben.

D. Mittelwert und Streuung von χ^2

Mittelwert und Streuung von $Q = \chi^2$ wurden in § 23 schon angegeben; man kann sie leicht direkt aus (8) erhalten:

$$(9) \quad \left\{ \begin{aligned} \mathcal{E} Q &= \alpha \int_0^\infty u \cdot u^{\lambda-1} e^{-\frac{1}{2} u}\, du \\ &= 2^{-\lambda}\, \Gamma(\lambda)^{-1}\, 2^{\lambda+1} \Gamma(\lambda + 1) \\ &= 2\lambda = f = n - 1 \\ \mathcal{E} Q^2 &= \alpha \int_0^\infty u^2 \cdot u^{\lambda-1} e^{-\frac{1}{2} u}\, du \\ &= 2^{-\lambda} \Gamma(\lambda)^{-1}\, 2^{\lambda+2} \Gamma(\lambda + 2) \\ &= 4(\lambda + 1)\, \lambda = f^2 + 2f \\ \sigma_Q^2 &= \mathcal{E} Q^2 - (\mathcal{E} Q)^2 = 2f = 2(n-1) . \end{aligned} \right.$$

Nun war

$$(10) \qquad \chi^2 = \frac{f s^2}{\sigma^2}$$

Somit ist der Mittelwert von s^2 gleich σ^2, was wir auch schon früher fanden, und die Streuung von s^2 gleich

$$(11) \qquad \sigma_{(s^2)} = \frac{\sigma^2}{f}\sqrt{2f} = \sigma^2\sqrt{\frac{2}{n-1}}.$$

E. Schranken für s^2

Es gibt Tafeln für die unvollständige Gammafunktion, aus denen man $G(u)$ entnehmen kann. Mit Hilfe dieser Tafeln kann man eine Schranke K für χ^2 so bestimmen, daß das Ereignis $\chi^2 < K$ eine vorgegebene Wahrscheinlichkeit hat. Setzt man

$$G(K) = \mathcal{P}(\chi^2 < K) = 1 - \beta$$

und wählt etwa $\beta = 0{,}01$, so erhält man eine obere Schranke K für χ^2, die nur selten überschritten wird. Setzt man aber

$$G(K') = \mathcal{P}(\chi^2 < K') = \beta,$$

so erhält man eine untere Schranke K', die nur selten unterschritten wird. In Tafel 6 am Schluß des Buches sind die oberen Schranken K zusammengestellt. Die unteren Schranken K' findet man in den meisten statistischen Tafelwerken.

Durch (10) ist χ^2 mit s^2/σ^2 verknüpft. Die obere Schranke K ergibt also eine obere Schranke für s^2/σ^2, d.h. eine obere Schranke für s^2 bei gegebenem σ^2 oder eine untere Schranke für σ^2 bei gegebenem s^2. Ebenso ergibt die untere Schranke K' eine obere Schranke für σ^2 bei gegebenem s^2. Die Wahrscheinlichkeit, daß diese Schranke im Einzelfall überschritten wird, ist β.

F. Additivität der χ^2-Verteilung

In § 23 wurde bewiesen: *Wenn zwei unabhängige Größen χ^2-Verteilungen mit f und g Freiheitsgraden haben, so hat die Summe eine χ^2-Verteilung mit $f+g$ Freiheitsgraden.* Auch das kann man leicht direkt, ohne Benutzung der charakteristischen Funktion beweisen. Die Größen χ_1^2 und χ_2^2 haben dieselben Verteilungsfunktionen wie die Summen

$$y_1^2 + \cdots + y_f^2 \quad \text{und} \quad y_{f+1}^2 + \cdots + y_{f+g}^2,$$

wobei $y_1, \ldots, y_{f+g}$ unabhängig normal verteilt sind mit Mittelwert Null und Streuung Eins. Also hat $\chi_1^2 + \chi_2^2$ dieselbe Verteilungsfunktion wie die Summe

$$y_1^2 + \cdots + y_{f+g}^2,$$

d.h. eine χ^2-Verteilung mit $f+g$ Freiheitsgraden.

§ 28. STUDENTs Test

Wir kommen nun auf die am Schluß von § 26 gestellte Frage zurück: Kann man bei der Anwendung von Regeln wie

$$\frac{|M - \hat{x}|}{\sigma_M} < 1{,}96 \text{ mit } 95\% \text{ Wahrscheinlichkeit}$$

oder

$$\frac{|M - \hat{x}|}{\sigma_M} < 2{,}58 \text{ mit } 99\% \text{ Wahrscheinlichkeit}$$

den Nenner σ_M durch s_M ersetzen?

Um diese Frage zu beantworten, haben wir die Verteilungsfunktion des Quotienten

$$t = \frac{M - \hat{x}}{s_M} \tag{1}$$

zu bestimmen. Wir vereinfachen zunächst das Problem.

Durch eine Verschiebung des Anfangspunktes der $\hat{x}$-Achse können wir $\hat{x} = 0$ erreichen; dann wird also

$$t = \frac{M}{s_M}. \tag{2}$$

Bei einer Maßstabänderung auf der x-Achse bleibt der Quotient t ungeändert; wir können also $\sigma = 1$ annehmen. Multiplizieren wir in (2) Zähler und Nenner mit $\sqrt{n}$, so erhalten wir in den Bezeichnungen von § 27

$$t = \frac{M\sqrt{n}}{s_M\sqrt{n}} = \frac{y_1}{s}. \tag{3}$$

In (3) multiplizieren wir Zähler und Nenner mit $\sqrt{f} = \sqrt{n-1}$ und erhalten wegen $f s^2 = \chi^2$

$$t = \frac{y_1}{\chi}\sqrt{f}. \tag{4}$$

Unser Problem ist, die Verteilungsfunktion $H(a)$ der Größe t, also die Wahrscheinlichkeit des Ereignisses

$$\frac{y_1}{\chi}\sqrt{f} < a \tag{5}$$

zu bestimmen. Setzen wir

$$c = \frac{a}{\sqrt{f}}, \tag{6}$$

so vereinfacht sich (5) zu

$$y_1 < c\,\chi. \tag{7}$$

In § 27 C wurde bewiesen, daß y_1 und χ^2 voneinander unabhängig sind. Die Wahrscheinlichkeitsdichte des Paares (y_1, χ^2) ist also das

Produkt der Wahrscheinlichkeitsdichten von y_1 und χ^2:

$$f(y)\,g(z) = \frac{1}{\sqrt{2\pi}}\, e^{-\frac{1}{2}y^2} \cdot \alpha\, z^{\frac{1}{2}f-1}\, e^{-\frac{1}{2}z} \tag{8}$$

$$\alpha = \Gamma(\tfrac{1}{2}f)^{-1}\, 2^{-\frac{1}{2}f}.$$

Die gesuchte Wahrscheinlichkeit ist also

$$\left\{\begin{aligned} H(a) &= \alpha' \iint\limits_{y < c\sqrt{z}} e^{-\frac{1}{2}y^2} z^{\frac{1}{2}f-1} e^{-\frac{1}{2}z}\, dy\, dz \qquad \left(\alpha' = \frac{\alpha}{\sqrt{2\pi}}\right) \\ &= \alpha' \int\limits_0^\infty z^{\frac{1}{2}f-1} e^{-\frac{1}{2}z}\, dz \int\limits_{-\infty}^{c\sqrt{z}} e^{-\frac{1}{2}y^2}\, dy. \end{aligned}\right. \tag{9}$$

In dem Integral nach y machen wir, um konstante Grenzen zu erhalten, die Substitution $y = x\sqrt{z}$:

$$H(a) = \alpha' \int\limits_0^\infty z^{\frac{f-1}{2}} e^{-\frac{1}{2}z}\, dz \int\limits_{-\infty}^{c} e^{-\frac{1}{2}x^2 z}\, dx \tag{10}$$

und vertauschen die Integrationsfolge, was bei einem positiven Integranden immer erlaubt ist:

$$H(a) = \alpha' \int\limits_{-\infty}^{c} dx \int\limits_0^\infty z^{\frac{f-1}{2}} e^{-\frac{1}{2}(1+x^2)z}\, dz. \tag{11}$$

Das Integral nach z ist nach (2) § 12 eine Gammafunktion

$$\int\limits_0^\infty z^{\frac{f-1}{2}} e^{-\frac{1}{2}(1+x^2)z}\, dz = \left(\frac{1+x^2}{2}\right)^{-\frac{f+1}{2}} \Gamma\left(\frac{f+1}{2}\right).$$

Daher wird

$$\left\{\begin{aligned} H(a) &= \gamma \int\limits_{-\infty}^{c} (1+x^2)^{-\frac{f+1}{2}}\, dx \\ &= \frac{\gamma}{\sqrt{f}} \int\limits_{-\infty}^{a} \left(1 + \frac{t^2}{f}\right)^{-\frac{f+1}{2}} dt \end{aligned}\right. \tag{12}$$

mit

$$\gamma = \alpha\, \pi^{-\frac{1}{2}}\, 2^{f/2}\, \Gamma\left(\frac{f+1}{2}\right) = \pi^{-\frac{1}{2}}\, \Gamma\left(\frac{f+1}{2}\right) \Gamma\left(\frac{f}{2}\right)^{-1}. \tag{13}$$

Durch (12) ist das gestellte Problem gelöst. Das Integral $H(a)$ läßt sich elementar auswerten. Für die Wahrscheinlichkeitsdichte der Größe t erhält man

$$h(t) = \frac{\gamma}{\sqrt{f}} \left(1 + \frac{t^2}{f}\right)^{-\frac{f+1}{2}}. \tag{14}$$

Die Kurve (14) hat Glockenform, wie die GAUSSsche Fehlerkurve. Für $f \to \infty$ nähert sie sich offensichtlich der Normalkurve

$$f(t) = \frac{1}{\sqrt{2\pi}} e^{-\frac{1}{2}t^2}.$$

Hat man $H(a)$ als Funktion von a berechnet, so kann man auch feststellen, für welchen Wert a die Wahrscheinlichkeit $H(a)$ einen gegebenen Wert $1-\beta$ annimmt, wobei β etwa gleich 2,5% oder 0,5% gewählt werden kann. Die Größe t überschreitet dann die Schranke $a = t_\beta$ nur mit der Wahrscheinlichkeit β. Da $-t$ die gleiche Verteilung hat wie t, wird auch $-t$ die Schranke t_β nur mit Wahrscheinlichkeit β überschreiten. Der Absolutwert $|t|$ überschreitet die Schranke t_β mit der Wahrscheinlichkeit 2β.

Die obige Fragestellung und ihre Beantwortung durch die Formel (12) rühren von dem englischen Statistiker GOSSET her, der unter dem bescheidenen Pseudonym „Student" eine umwälzende Arbeit[1] geschrieben hat. Die Verteilungsfunktion der Größe t nennt man daher *Students distribution*. Die Regel, die vorschreibt, einen angenommenen Mittelwert $\hat{x}$ immer dann zu verwerfen, wenn der Betrag des Quotienten die Schranke t_β überschreitet, heißt *Students Test*.

Die Schranke t_β hängt vom Niveau β und von der Zahl der Freiheitsgrade $f = n - 1$ ab. In Tafel 7 am Schlusse des Buches ist die Schranke t_β tabuliert.

Bei einseitiger Anwendung des Testes verwirft man einen angenommenen Mittelwert $\hat{x}$ nur dann, wenn t positiv und größer als t_β ist, oder nur dann, wenn t negativ und kleiner als $-t_\beta$ ist. Bei zweiseitiger Anwendung achtet man nicht auf das Vorzeichen von t, sondern nur auf den Absolutwert $|t|$. Die Wahrscheinlichkeit, einen richtigen Wert $\hat{x}$ zu Unrecht zu verwerfen, ist beim einseitigen Test β, beim zweiseitigen Test 2β. Dabei ist angenommen, daß die x_i unabhängig normal verteilt sind; sind sie es nicht, so gelten die Irrtumswahrscheinlichkeiten β und 2β nur genähert.

§ 29. Vergleich zweier Mittelwerte

Von großer Wichtigkeit in allen experimentellen Naturwissenschaften ist folgende Fragestellung:

Man habe aus g zufällig ausgewählten Werten $x_1, \ldots, x_g$ einer Größe x das Mittel $\bar{x}$ gebildet, ebenso unter etwas anderen Bedingungen aus h weiteren Werten $y_1, \ldots, y_h$ das Mittel $\bar{y}$. Wenn man nun findet, daß $\bar{y}$ etwas kleiner (oder etwas größer) als $\bar{x}$ ist, bedeutet das, daß auch der wahre Mittelwert $\hat{x}$ durch die geänderten Bedingungen größer oder kleiner geworden ist, oder kann der Unterschied auch rein zufällig

[1] STUDENT, The probable error of a mean, Biometrika 6, p. 1 (1908).

sein? Mit anderen Worten: Wie groß muß die Differenz $D = \bar{x} - \bar{y}$ sein, damit sie „signifikant" ist, d.h. auf einen Unterschied in den wahren Mittelwerten $\hat{x}$ und $\hat{y}$ hindeutet?

Die GAUSSsche Fehlertheorie gibt auf diese Frage die folgende Antwort: $\bar{x}$ und $\bar{y}$ haben für große g und h nahezu normale Verteilungen mit Varianzen

$$\sigma_{\bar{x}}^2 = \frac{1}{g}\sigma_x^2 \quad \text{und} \quad \sigma_{\bar{y}}^2 = \frac{1}{h}\sigma_y^2,$$

die man durch

$$s_{\bar{x}}^2 = \frac{1}{g}s_x^2 = \frac{\sum (x - \bar{x})^2}{g(g-1)} \tag{1}$$

$$s_{\bar{y}}^2 = \frac{1}{h}s_y^2 = \frac{\sum (y - \bar{y})^2}{h(h-1)} \tag{2}$$

annähern kann. Daher hat auch die Differenz

$$D = \bar{x} - \bar{y}$$

eine nahezu normale Verteilung mit der Varianz

$$\sigma_D^2 = \sigma_{\bar{x}}^2 + \sigma_{\bar{y}}^2,$$

die man durch

$$S_D^2 = s_{\bar{x}}^2 + s_{\bar{y}}^2 \tag{3}$$

annähern kann. Ist nun die wahre Differenz $\hat{x} - \hat{y} = 0$, so ist der Quotient $q = D/\sigma_D$ normal verteilt mit Mittelwert Null und Streuung 1. Also liegt $|q|$ mit Wahrscheinlichkeit $1 - 2\beta$ unterhalb einer Schranke q_β, die man aus der Normalverteilung ablesen kann; bei $2\beta = 0{,}01$ ist $q_\beta = 2{,}58$. Da man aber den Nenner σ_D nicht kennt, ersetzt man ihn durch s_D. Wegen der dadurch entstehenden zusätzlichen Unsicherheit wird die Schranke q_β etwas erhöht; z.B. wählt man oft 3 oder (wenn man ganz sicher gehen will) 4 als Schranke für den Quotienten D/s_D. Wird diese Schranke überschritten, so ist die Hypothese $\hat{x} = \hat{y}$ zu verwerfen und man schließt $\hat{x} > \hat{y}$ oder $\hat{x} < \hat{y}$, je nachdem ob D positiv oder negativ ist.

Wie man sieht, entbehrt diese Faustregel einer völlig befriedigenden Begründung. Soll man nun 2,58 oder 3 oder 4 als Schranke für D/s_D wählen, und was ist die Irrtumswahrscheinlichkeit? Für sehr große g und h ist alles klar, da dann σ_D ohne beträchtlichen Fehler durch s_D ersetzt werden darf, aber für kleine oder mäßig große g und h möchte man schon genauer wissen, wie groß man die Schranke für D/s_D wählen muß, damit sie nur mit (sagen wir) 1% Wahrscheinlichkeit überschritten wird.

Leider läßt sich diese Frage nicht ganz exakt beantworten. Die Wahrscheinlichkeit, daß der Quotient D/s_D eine vorgegebene Schranke überschreitet, hängt (wenn auch nur in geringem Maße) von dem unbekannten Verhältnis der wahren Streuungen σ_x und σ_y ab. Man stellt daher die Frage etwas anders.

Die Hypothese, die geprüft und eventuell verworfen werden soll, ist die, daß der Unterschied $\bar{x}-\bar{y}$ rein zufällig ist und die wahren Mittelwerte $\hat{x}$ und $\hat{y}$ einander gleich sind. Wenn aber der Unterschied zwischen den x und den y rein zufällig ist, so kann man auch annehmen, daß die mittleren Fehler σ_x und σ_y einander gleich sind. Wir gehen also von der Hypothese aus, daß die x und y nicht nur denselben Mittelwert $\hat{x}=\hat{y}=\mu$, sondern auch dieselbe Streuung σ haben, und prüfen, ob der gefundene Wert $D=\bar{x}-\bar{y}$ mit dieser Hypothese in Übereinstimmung ist.

Wenn die wahren Varianzen σ_x^2 und σ_y^2 gleich sind, so hat es auch keinen Sinn, zwei verschiedene Näherungswerte s_x^2 und s_y^2 zu berechnen, sondern man wird einen einzigen Näherungswert für beide wählen, nämlich das gewogene Mittel aus s_x^2 und s_y^2. Die Gewichte, mit denen s_x^2 und s_y^2 zu versehen sind, sind nach § 26B umgekehrt proportional zu den Quadraten der Streuungen von s_x^2 und s_y^2. Diese betragen nach (11) § 27

$$\frac{2\sigma^4}{g-1} \quad \text{und} \quad \frac{2\sigma^4}{h-1}.$$

Die Gewichte verhalten sich also wie $(g-1)$ zu $(h-1)$. Daher ist das gewogene Mittel

$$s^2 = \frac{(g-1)\,s_x^2 + (h-1)\,s_y^2}{(g-1)+(h-1)} = \frac{\sum (x-M_x)^2 + \sum (y-M_y)^2}{g+h-2}. \tag{4}$$

Mit diesem s^2 bildet man nun

$$S_1^2 = \frac{1}{g}\,s^2, \qquad S_2^2 = \frac{1}{h}\,s^2, \tag{5}$$

$$S^2 = S_1^2 + S_2^2 = \left(\frac{1}{g}+\frac{1}{h}\right) s^2. \tag{6}$$

Das so gebildete S^2 ist meistens nur sehr wenig verschieden von dem nach (1), (2), (3) gebildeten s_D^2. Im Fall $g=h$ sind beide sogar genau gleich, ebenso im Fall $s_x^2=s_y^2$. Es ist also praktisch ziemlich gleichgültig, ob man nach (1), (2), (3) oder nach (4), (5), (6) rechnet.

Wir bilden nun nach STUDENT und FISHER[1] den Quotienten

$$t = \frac{D}{S} \tag{7}$$

und fragen nach der Verteilungsfunktion dieses Quotienten unter der Hypothese, daß $x_1, \ldots, x_g$ und $y_1, \ldots, y_h$ unabhängig normal verteilt sind mit Mittelwert μ und Streuung σ.

---

[1] R. A. FISHER, Applications of "Student's" distribution, Metron 5, p. 90 (1926).

Da t bei Translation und Maßstabänderung ungeändert bleibt, können wir $\mu = 0$ und $\sigma = 1$ annehmen. Wir setzen

$$\chi_1^2 = (g-1)\, s_x^2 = \sum (x - \bar{x})^2$$
$$\chi_2^2 = (h-1)\, s_y^2 = \sum (y - \bar{y})^2.$$

Dann ist

(8) $$(g + h - 2)\, s^2 = \chi_1^2 + \chi_2^2.$$

Wir zeigen nun, daß die Größen $\chi_1^2, \chi_2^2, \bar{x}$ und $\bar{y}$ alle unabhängig sind. Die Wahrscheinlichkeit, daß jede von ihnen zwischen gewissen Grenzen liegt, z.B.

(9) $$\begin{cases} a_1 \leqq \chi_1^2 < b_1 & a_3 \leqq \bar{x} < b_3 \\ a_2 \leqq \chi_2^2 < b_2 & a_4 \leqq \bar{y} < b_4 \end{cases}$$

ist gleich dem Integral der Wahrscheinlichkeitsdichte des Systems $(x_1, \ldots, x_g, y_1, \ldots, y_h)$:

(10) $$\int \cdots \int f(x_1) \ldots f(x_g)\, f(y_1) \ldots f(y_h)\, d x_1 \ldots d x_g\, d y_1 \ldots d y_h$$

über das Gebiet (9). Das Integral zerlegt sich sofort in zwei Faktoren: ein Integral über $x_1, \ldots, x_g$ und eines über $y_1, \ldots, y_h$. Daher ist die Wahrscheinlichkeit, daß (9) erfüllt ist, gleich dem Produkt

(11) $$P \begin{Bmatrix} a_1 \leqq \chi_1^2 < b_1 \\ a_3 \leqq \bar{x} < b_3 \end{Bmatrix} \cdot P \begin{Bmatrix} a_2 \leqq \chi_2^2 < b_2 \\ a_4 \leqq \bar{y} < b_4 \end{Bmatrix}.$$

In § 27 wurde aber bewiesen, daß χ_1^2 und M_x unabhängig sind; also zerlegt sich der erste Faktor in (11) wieder in zwei Faktoren

$$P(a_1 \leqq \chi_1^2 < b_1) \cdot P(a_3 \leqq \bar{x} < b_3).$$

Dasselbe gilt für den zweiten Faktor. Also erhalten wir schließlich ein Produkt von vier einzelnen Wahrscheinlichkeiten für χ_1^2, χ_2^2, $\bar{x}$ und $\bar{y}$. Damit ist die Unabhängigkeit dieser vier Größen bewiesen.

Ihre Wahrscheinlichkeitsdichte $f(u_1, u_2, v_1, v_2)$ ist demnach das Produkt der vier einzelnen Wahrscheinlichkeitsdichten. Diese sind uns aber nach § 27 bekannt: χ_1^2 hat die Wahrscheinlichkeitsdichte

$$g_1(u) = \alpha_1\, u^{\frac{g-3}{2}}\, e^{-\frac{1}{2}u}$$

(χ^2-Verteilung mit $g-1$ Freiheitsgraden), χ_2^2 ebenso

$$g_2(u) = \alpha_2\, u^{\frac{h-3}{2}}\, e^{-\frac{1}{2}u},$$

während $\bar{x}$ und $\bar{y}$ normal verteilt sind mit Mittelwert 0 und Varianzen $1/g$ und $1/h$. Nunmehr folgt ebenso, daß die Größen

(12) $$\chi^2 = (g + h - 2)\, s^2 = \chi_1^2 + \chi_2^2,$$

(13) $$D = \bar{x} - \bar{y}$$

unabhängig sind. Die Wahrscheinlichkeit, daß $c_1 \leq \chi^2 < d_1$ und $c_2 \leq D < d_2$ ist, ist nämlich ein vierfaches Integral der Wahrscheinlichkeitsdichte $f(u_1, u_2, v_1, v_2)$, das sich sofort in zwei Faktoren

$$\mathcal{P}(c_1 \leq \chi^2 < d_1) \cdot \mathcal{P}(c_2 \leq D < d_2)$$

zerlegen läßt. Die Wahrscheinlichkeitsdichte von χ^2 ist nach § 27F wieder vom Typus

$$g(u) = \alpha\, u^{\frac{f-2}{2}}\, e^{-\frac{1}{2}u} \tag{14}$$

mit $f = g + h - 2$ Freiheitsgraden, während D normal verteilt ist mit Mittelwert Null und Varianz

$$\sigma_D^2 = \sigma_{\bar{x}}^2 + \sigma_{\bar{y}}^2 = \frac{1}{g} + \frac{1}{h}. \tag{15}$$

Nach (6) und (12) ist

$$S^2 = \left(\frac{1}{g} + \frac{1}{h}\right) s^2 = \left(\frac{1}{g} + \frac{1}{h}\right) \frac{\chi^2}{g + h - 2} = \left(\frac{1}{g} + \frac{1}{h}\right) \frac{\chi^2}{f}. \tag{16}$$

Aus (15) und (16) folgt

$$S^2 = \sigma_D^2 \frac{\chi^2}{f}. \tag{17}$$

Der Quotient (7) läßt sich jetzt so schreiben:

$$t = \frac{D}{S} = \frac{D}{\sigma_D} \frac{\sqrt{f}}{\chi} = Y \frac{\sqrt{f}}{\chi}. \tag{18}$$

Dabei ist

$$Y = \frac{D}{\sigma_D}. \tag{19}$$

Die Formel (18) ist vollkommen analog zur Formel (4) § 28, die so lautete:

$$t = y_1 \frac{\sqrt{f}}{\chi}. \tag{20}$$

Auch jetzt sind Y und χ^2, genau wie damals y_1 und χ^2, unabhängige Größen, von denen die erste normal verteilt ist mit Mittelwert Null und Streuung Eins, während die zweite eine χ^2-Verteilung mit f Freiheitsgraden hat. Also hat auch der Quotient t genau dieselbe Verteilungsfunktion wie damals.

So erhält man den folgenden Test, den man STUDENTs *Test zur Prüfung einer Differenz* nennt:

Wenn der Absolutwert

$$|t| = \frac{|D|}{S} = \frac{|\bar{x} - \bar{y}|}{S}$$

die Schranke t_β *aus Tafel 7 überschreitet, so wird die Hypothese* $\hat{x} = \hat{y}$ *verworfen, und zwar nimmt man* $\hat{x} > \hat{y}$ *oder* $\hat{x} < \hat{y}$ *an, je nachdem ob* D *positiv oder negativ ausfällt.*

Die Wahrscheinlichkeit, daß die Hypothese $\hat{x}=\hat{y}$ auf Grund des Testes zu Unrecht verworfen wird, ist 2β, wenn die Verteilungen nicht allzusehr von der Normalität abweichen und die Streuungen gleich sind. Wenn in Wahrheit $\hat{x}>\hat{y}$ ist und die Streuungen gleich sind, so ist die Wahrscheinlichkeit, daß irrtümlich auf $\hat{x}<\hat{y}$ geschlossen wird, sogar kleiner als β. Bei einseitiger Anwendung des Testes wird die Irrtumswahrscheinlichkeit $\leqq\beta$.

Students Test kann auch dann verwendet werden, wenn es sich darum handelt, zu entscheiden, ob eine Einzelbeobachtung, die von dem Mittel der übrigen Beobachtungen stark abweicht, zu sehr aus dem Rahmen fällt und daher auszuscheiden ist, oder ob die Abweichung noch innerhalb der Zufallsgrenzen bleibt. Man braucht nur die Formeln dieses Paragraphen mit $h=1$ anzuwenden. $y_1=x_{g+1}$ ist die Einzelbeobachtung, die man prüfen will, und $x_1, \ldots, x_g$ sind die übrigen Beobachtungen. Die Wahrscheinlichkeit, daß x_{g+1} auf Grund des Testes irrtümlich verworfen wird, ist 2β. Wendet man dasselbe Testverfahren der Reihe nach auch auf $x_1, \ldots, x_g$ an, so ist die Gesamtwahrscheinlichkeit, daß eine von ihnen irrtümlich verworfen wird, kleiner als $2\beta(g+1)=2\beta n$, wo n die Anzahl der Beobachtungen ist. Wählt man etwa $2\beta=0{,}01$, so wird bei $n=20$ die Wahrscheinlichkeit, daß eine von den 20 Beobachtungen irrtümlich verworfen wird, fast 20% betragen. Das schadet aber nichts: das Mittel aus den übrigen 19 ist fast so genau wie das aus allen 20.

Beispiel 17 (aus M. G. Kendall, Advanced Theory of Statistics II, Example 21.4).

In einer Klasse von 20 Kindern erhielten 10 zufällig ausgewählte jeden Tag Apfelsinensaft und die übrigen 10 Milch. Nach einer gewissen Periode war die Gewichtszunahme in Pfund

Erste Gruppe	$4,\ 2\frac{1}{2},\ 3\frac{1}{2},\ 4,\ 1\frac{1}{2},\ 1,\ 3\frac{1}{2},\ 3,\ 2\frac{1}{2},\ 3\frac{1}{2}$
Zweite Gruppe	$1\frac{1}{2},\ 3\frac{1}{2},\ 2\frac{1}{2},\ 3,\ 2\frac{1}{2},\ 2,\ 2,\ 2\frac{1}{2},\ 1\frac{1}{2},\ 3.$

Die mittlere Gewichtszunahme in der ersten Gruppe ist 2,9 Pfund, in der zweiten 2,4 Pfund. Ist die Differenz signifikant?

Man findet

$$D = 2{,}9 - 2{,}4 = 0{,}5,$$

$$s^2 = \frac{13{,}3}{18} = 0{,}74,$$

$$S^2 = \left(\frac{1}{10} + \frac{1}{10}\right) s^2 = 0{,}148,$$

$$t = \frac{D}{S} = 1{,}30.$$

Die 5%-Schranke für t bei $20-2=18$ Freiheitsgraden ist 2,10. Die gefundene Differenz besagt also nichts.

Siebentes Kapitel

Die Methode der kleinsten Quadrate

§ 30. Ausgleichung von Beobachtungsfehlern

Von der Astronomie und Geodäsie her ist GAUSS auf das folgende Problem gekommen:

Die wahren Werte $\vartheta_1, \ldots, \vartheta_r$ irgendwelcher physikalischer Konstanten (z.B. die Bahnelemente eines Planeten) seien unbekannt. Man habe nicht die Größen $\vartheta_1, \ldots, \vartheta_r$ selber beobachtet, sondern andere Größen $x_1, \ldots, x_n$ (z.B. die Koordinaten der Planetenörter zu verschiedenen Zeiten, von der Erde aus gesehen), deren wahre Werte $\xi_1, \ldots, \xi_n$ in bestimmter Weise von $\vartheta_1, \ldots, \vartheta_r$ abhängen:

$$\xi_i = \varphi_i(\vartheta_1, \ldots, \vartheta_r). \tag{1}$$

Welche Werte der Parameter ϑ_i sind am besten in Übereinstimmung mit den Beobachtungen $x_1, \ldots, x_n$?

Schon LAGRANGE hat den Vorschlag gemacht, die „beste Übereinstimmung" dadurch zu definieren, daß die Summe der Fehlerquadrate

$$Q = (x_1 - \xi_1)^2 + \cdots + (x_n - \xi_n)^2 \tag{2}$$

zum Minimum gemacht wird. GAUSS hat diesen Ansatz wahrscheinlichkeitstheoretisch begründet, indem er bemerkt, daß die Wahrscheinlichkeit, daß die beobachteten Werte x_i zwischen $t_i - \frac{1}{2}\delta t_i$ und $t_i + \frac{1}{2}\delta t_i$ liegen, nach dem GAUSSschen Fehlergesetz für kleine δt_i nahezu durch

$$\delta W = \sigma^{-n}(2\pi)^{-\frac{n}{2}} \exp\left\{-\frac{1}{2}\,\frac{(t_1-\xi_1)^2 + \cdots + (t_n-\xi_n)^2}{\sigma^2}\right\} \delta t_1 \ldots \delta t_n \tag{3}$$

gegeben ist, sofern keine systematischen Fehler vorhanden sind und alle Beobachtungen dieselbe Streuung σ haben. Diese Wahrscheinlichkeit δW wird bei gegebenen t_i und δt_i am größten für diejenigen ξ in der durch (1) definierten Teilmannigfaltigkeit des ξ-Raumes, welche die quadratische Form

$$(t_1 - \xi_1)^2 + \cdots + (t_n - \xi_n)^2$$

zum Minimum machen. Setzt man hier für die t_i die beobachteten Werte x_i, so erhält man gerade die Form (2). *Die „besten Werte" von $\vartheta_1, \ldots, \vartheta_r$ sind also nach* GAUSS *diejenigen, welche dem beobachteten Ergebnis die größte Wahrscheinlichkeit verleihen.*

GAUSS hat für das Prinzip der „kleinsten Quadrate" nachher eine andere Begründung gegeben, die von der Annahme der Normalverteilung der $x_1, \ldots, x_n$ unabhängig ist. Er vergleicht die Schätzung eines Parameters ϑ mit einem Glücksspiel, in dem der Spieler nicht gewinnen, sondern nur verlieren kann. Ist T der geschätzte Parameterwert, so ist der Verlust um so größer, je größer der Betrag des Fehlers $T-\vartheta$ ist. Als Maß für den Verlust nimmt GAUSS nun das Quadrat $(T-\vartheta)^2$ und er verlangt von der Schätzung erstens, daß sie keinen systematischen Fehler hat, d.h. daß $\mathcal{E}T=\vartheta$ ist und zweitens daß $\mathcal{E}(T-\vartheta)^2$, die Varianz der Schätzung oder der Erwartungswert des Verlustes, möglichst klein sei. Er beweist dann, daß diese Minimumforderung genau zur Methode der Kleinsten Quadrate führt.

Haben die beobachteten Größen $x_1, \ldots, x_n$ verschiedene Streuungen $\sigma_1, \ldots, \sigma_n$, so tritt an die Stelle der Form (2) naturgemäß die Form

$$\sigma_1^{-2}(x_1-\xi_1)^2+\sigma_2^{-2}(x_2-\xi_2)^2+\cdots+\sigma_n^{-2}(x_n-\xi_n)^2. \tag{4}$$

oder, wenn man wie in § 26B „Gewichte“ $g_1, \ldots, g_n$ einführt, die zu den σ_i^2 umgekehrt proportional sind, die Form

$$Q=g_1(x_1-\xi_1)^2+\cdots+g_n(x_n-\xi_n)^2. \tag{5}$$

In den Anwendungen der Methode auf biologische und volkswirtschaftliche Probleme sind die $x_i-\xi_i$ nicht eigentlich Beobachtungsfehler, sondern zufällige Abweichungen der Größen x_i von ihren Erwartungswerten ξ_i. Die Größen x_i werden als unabhängige zufällige Größen angenommen. Ihre Erwartungswerte ξ_i mögen nach (1) von den unbekannten Parametern $\vartheta_1, \ldots, \vartheta_r$ abhängen. Als Schätzung für diese Parameter nimmt man diejenigen Parameterwerte, welche die Form (5) zum Minimum machen.

Zur Lösung dieses Minimumproblems macht man den Ansatz

$$\begin{cases} \vartheta_1=\vartheta_1^0+u \\ \vartheta_2=\vartheta_2^0+v, \\ \cdot\ \cdot\ \cdot\ \cdot\ \cdot\ \cdot \end{cases} \tag{6}$$

wobei die ϑ_i^0 vorläufige Näherungswerte und die $u, v, \ldots$ kleine Korrekturglieder sind. Man nimmt nun an, daß für kleine $u, v, \ldots$ die Funktionen (1) genügend genau durch lineare Funktionen angenähert werden können:

$$\xi_i=\xi_i^0+a_i u+b_i v+\cdots. \tag{7}$$

Dabei sind die ξ_i^0 die Näherungswerte der ξ_i, die der vorläufigen Näherung ϑ^0 entsprechen:

$$\xi_i^0=\varphi_i(\vartheta^0).$$

Die Koeffizienten $a_i, b_i, \ldots$ der linearen Näherung (7) können gleich den Ableitungen der exakten Funktionen an der Stelle ϑ^0 gewählt werden:

$$(8) \qquad a_i = \left(\frac{\partial \xi_i}{\partial \vartheta_1}\right)^0, \qquad b_i = \left(\frac{\partial \xi_i}{\partial \vartheta_2}\right)^0, \ldots .$$

Um die Rechnungen zu vereinfachen, denken wir uns den Koordinatenanfangspunkt im x-Raum zum Punkt ξ^0 verschoben. Wir führen also die beobachteten Abweichungen

$$(9) \qquad l_i = x_i - \xi_i^0$$

als neue Größen statt der x_i ein. Ihre Erwartungswerte sind

$$(10) \qquad \lambda_i = \xi_i - \xi_i^0 = a_i u + b_i v + \cdots .$$

Die Form Q schreibt sich jetzt so:

$$(11) \qquad Q = \sum g_i (l_i - \lambda_i)^2 = \sum g_i (l_i - a_i u - b_i v - \cdots)^2 .$$

Das Minimum dieser Form erhält man durch Nullsetzen der partiellen Ableitungen. Nach Division durch 2 erhält man

$$(12) \qquad \begin{cases} \sum g_i a_i (a_i u + b_i v + \cdots - l_i) = 0 \\ \sum g_i b_i (a_i u + b_i v + \cdots - l_i) = 0 \\ \cdots\cdots\cdots\cdots\cdots \end{cases}$$

Führt man nach GAUSS die Abkürzungen

$$\sum g_i a_i^2 = [g a a], \qquad \sum g_i a_i b_i = [g a b], \ldots$$

ein, so reduzieren sich die Gln. (12) schließlich auf die *Normalgleichungen*

$$(13) \qquad \begin{cases} [g a a]\, u + [g a b]\, v + \cdots = [g a l] \\ [g b a]\, u + [g b b]\, v + \cdots = [g b l] \\ \cdots\cdots\cdots\cdots\cdots \end{cases}$$

Die Anzahl der Normalgleichungen ist gleich der Anzahl der unbekannten Parameter $\vartheta_1, \ldots, \vartheta_r$. Haben alle Beobachtungen die gleiche Genauigkeit, so kann man die Gewichtsfaktoren $g_i = 1$ setzen und erhält einfach

$$(14) \qquad \begin{cases} [a a]\, u + [a b]\, v + \cdots = [a l] \\ [b a]\, u + [b b]\, v + \cdots = [b l] \\ \cdots\cdots\cdots\cdots\cdots \end{cases}$$

In der Schreibweise der Normalgleichungen habe ich mich möglichst eng an die von GAUSS ausgehende Tradition angeschlossen. Durch Einführung der Matrixbezeichnung kann man die Gleichungen etwas komprimieren, aber für die Anwendungen ist die altmodische Schreibweise (14) sehr bequem. Die $g_i, a_i, b_i, \ldots$ und l_i schreibt man je in eine Spalte und bildet dann die Koeffizienten $[aa]$ oder $[gaa]$, usw.

Das Gleichungssystem (13) oder (14) ist immer lösbar, denn ein positives quadratisches Polynom hat immer ein Minimum. Die Lösung braucht aber nicht eindeutig zu sein. Es kann sein, daß nur gewisse Linearkombinationen der Parameter $u, v, \ldots$ sich aus den Normalgleichungen auflösen lassen, andere nicht. Diese Linearkombinationen der Parameter heißen nach RAO *estimable*; wir werden sie *auswertbar* nennen[1].

Um genauer zu untersuchen, welche Funktionen der Parameter auswertbar sind, betrachten wir die Linearformen

$$\lambda_i = a_i u + b_i v + \cdots. \tag{15}$$

Unter ihnen mögen etwa p linear unabhängige $u_1, \ldots, u_p$ vorkommen. Durch diese kann man alle λ_i ausdrücken, also läßt sich (11) als quadratisches Polynom in $u_1, \ldots, u_p$ schreiben. Der quadratische Teil dieses Polynoms ist

$$\sum g_i \lambda_i^2 = \sum g_i (a_i u + b_i v + \cdots)^2.$$

Diese Form wird nur dann Null, wenn $u_1, \ldots, u_p$ alle Null werden. Schreibt man sie als Summe von Quadraten, so erhält man die Quadrate von p unabhängigen Linearformen $v_1^2 + \cdots + v_p^2$. Die Form Q selbst wird also

$$(v_1 - c_1)^2 + \cdots + (v_p - c_p)^2 + c_0.$$

Ihr Minimum wird für $v_1 = c_1, \ldots, v_p = c_p$ erreicht. Also sind $v_1, \ldots, v_p$ und daher auch $u_1, \ldots, u_p$ auswertbar. Daraus folgt:

Auswertbar sind genau diejenigen Linearformen der Parameter $u, v, \ldots$, die sich als Linearkombinationen der Formen (15) *schreiben lassen.*

Werden $u_1, \ldots, u_p$ als neue Parameter statt der ursprünglichen $u, v, \ldots$ eingeführt, so erhält man ein eindeutig lösbares System von Normalgleichungen. Wir nehmen daher von jetzt ab an, daß die Normalgleichungen eindeutig lösbar sind.

Die einfachste Lösungsmethode der Gln. (13) oder (14) ist die ganz primitive Schulmethode, die GAUSS schon angegeben hat. Man löst u aus der ersten Gleichung, setzt das Ergebnis in alle weiteren Gleichungen ein, usw. Zweckmäßig wird die Rechnung so eingerichtet, daß man für die Koeffizienten links in (13) oder (14) gleich ihre numerischen Werte einsetzt, die rechten Seiten aber zunächst unbestimmt läßt. Man erhält die Lösungen dann als lineare Funktionen der rechten Seiten folgendermaßen:

$$\left\{\begin{array}{l} u = h^{11}[g\,a\,l] + h^{12}[g\,b\,l] + \cdots \\ v = h^{21}[g\,a\,l] + h^{22}[g\,b\,l] + \cdots \\ \cdot\;\cdot\;\cdot\;\cdot\;\cdot\;\cdot\;\cdot\;\cdot\;\cdot\;\cdot\;\cdot\;\cdot \end{array}\right. \tag{16}$$

[1] C. R. RAO, Advanced Statist. Methods in Biometric Research, New York 1952.

Die h^{ik} bilden die inverse Matrix zur Koeffizientenmatrix des Systems (13).

Aus den $u, v, \ldots$ berechnet man die ϑ nach (6) und die λ nach (10). Da es sich nicht um die wahren ϑ und λ, sondern nur um Schätzwerte handelt, bezeichnen wir sie mit $\tilde{\vartheta}$ und $\tilde{\lambda}$. Aus den $\tilde{\lambda}$ ergeben sich die geschätzten ξ als

$$\tilde{\xi}_i = \xi_i^0 + \tilde{\lambda}_i$$

und die *geschätzten Korrekturen* k_i *zu den Beobachtungen*[1] als

$$k_i = \tilde{\xi}_i - x_i = \tilde{\lambda}_i - l_i. \tag{17}$$

Wenn die geschätzten $\tilde{\vartheta}$ stark von den Ausgangswerten ϑ^0 abweichen und wenn die Funktionen (1) nicht linear sind, muß man mit den neuen Ausgangswerten $\tilde{\vartheta}$ statt ϑ^0 die Rechnung noch einmal wiederholen.

Beim praktischen Rechnen sind Kontrollen unbedingt erforderlich. Eine Kontrolle besteht darin, daß die k_i nach (12) die Bedingungsgleichungen

$$\begin{cases} [g\,a\,k] = 0 \\ [g\,b\,k] = 0 \\ \cdot\ \cdot\ \cdot\ \cdot\ \cdot \end{cases} \tag{18}$$

erfüllen müssen.

Eine weitere Kontrolle ergibt sich bei der Berechnung des Minimums $\tilde{Q}$ der durch (11) definierten Form Q. Die Werte der λ_i, welche die Form Q zum Minimum machen, sind gerade die $\tilde{\lambda}_i$. Man erhält also

$$\tilde{Q} = \sum g_i (l_i - \tilde{\lambda}_i)^2 = \sum g_i k_i^2 = [g\,k\,k]. \tag{19}$$

Einen einfacheren Ausdruck für Q erhält man so:

$$\begin{aligned} \tilde{Q} &= \sum g_i (\tilde{\lambda}_i - l_i)(\tilde{\lambda}_i - l_i) \\ &= \sum g_i (-l_i + a_i u + b_i v + \cdots)\, k_i \\ &= -[g\,l\,k] + [g\,a\,k]\, u + [g\,b\,k]\, v + \cdots \\ &= -[g\,l\,k] \qquad \text{nach (18).} \end{aligned}$$

Setzt man hier für k_i wieder $\tilde{\lambda}_i - l_i$ ein, so erhält man

$$\tilde{Q} = [g\,l\,l] - [g\,a\,l]\, u - [g\,b\,l]\, v - \cdots. \tag{20}$$

Zur Berechnung von $\tilde{Q}$ dient (20), zur Kontrolle (19).

[1] Bei GAUSS heißen die geschätzten Korrekturen λ_i.

Nach (16) sind $u, v, \ldots$ lineare Funktionen der beobachteten Abweichungen $l_i = x_i - \xi_i^0$:

$$\text{(21)} \qquad \begin{cases} u = \alpha_1 l_1 + \cdots + \alpha_n l_n \\ v = \beta_1 l_1 + \cdots + \beta_n l_n \\ \ldots\ldots\ldots\ldots \end{cases}$$

Die Koeffizienten $\alpha_i, \beta_i, \ldots$ lassen sich nach (16) leicht berechnen:

$$\text{(22)} \qquad \alpha_i = g_i (h^{11} a_i + h^{12} b_r + \cdots).$$

Für die praktische Rechnung spielen die Formeln (21) und (22) keine Rolle; wir brauchen sie aber bei der Herleitung der Streuung im nächsten Paragraphen.

Beispiel 18 (aus F. R. Helmert, Die Ausgleichungsrechnung, Leipzig 1872). Auf dem Standpunkte D' seines Dreiecksnetzes bei Speyer hat Schwerd zwischen den Objekten $ABWHN$ als Mittel aus mehreren Messungen die folgenden Winkel gefunden:

BA	(90 Repetitionen)	$19^\circ 25' 59'',42$
BW	(80 Repetitionen)	$34^\circ 18' 43'',61$
AW	(70 Repetitionen)	$14^\circ 52' 44'',33$
HW	(20 Repetitionen)	$15^\circ 34' 58'',80$
BH	(20 Repetitionen)	$18^\circ 43' 45'',60$
NA	(40 Repetitionen)	$12^\circ 26' 24'',65$
BN	(60 Repetitionen)	$6^\circ 59' 34'',51$
NH	(20 Repetitionen)	$11^\circ 44' 11'',60.$

Durch das angewandte Repetitionsverfahren werden die Teilungsfehler des Instrumentes weitgehend ausgeglichen. Wir können also annehmen, daß die Beobachtungen keine systematischen Fehler haben und wir können die Gewichte g proportional den Repetitionszahlen setzen. Als Unbekannte ϑ_i nehmen wir vier Winkel BN, BH, BA und BW, durch die man alle anderen ausdrücken kann. Als vorläufige Ausgangswerte nehmen wir die gemessenen Werte dieser vier Winkel; wir setzen also

$$\begin{aligned} \vartheta_1 &= BN = 6^\circ 59' 34'',51 + u \\ \vartheta_2 &= BH = 18^\circ 43' 45'',60 + v \\ \vartheta_3 &= BA = 19^\circ 25' 59'',42 + w \\ \vartheta_4 &= BW = 34^\circ 18' 43'',61 + t. \end{aligned}$$

Die acht Winkel $\xi_1 = BA, \ldots, \xi_8 = NH$ drücken sich wie folgt durch die Unbekannten aus:

$$\begin{aligned} \xi_1 &= BA = 19^\circ 25' 59'',42 + w \\ \xi_2 &= BW = 34^\circ 18' 43'',61 + t \\ \xi_3 &= AW = 14^\circ 52' 44'',19 - w + t \\ &\ldots\ldots\ldots\ldots\ldots\ldots \\ \xi_8 &= NH = 11^\circ 44' 11'',09 - u + v. \end{aligned}$$

Die Gewichte g_i, die Koeffizienten a_i, b_i, c_i, d_i der eben angeschriebenen Ausdrücke und die Abweichungen l_i sind in folgender Tabelle angegeben.

g	a	b	c	d	l
9	0	0	+1	0	0
8	0	0	0	+1	0
7	0	0	−1	+1	+,14
2	0	−1	0	+1	+,79
2	0	+1	0	0	0
4	−1	0	+1	0	−,26
6	+1	0	0	0	0
2	−1	+1	0	0	+,51

Die Normalgleichungen lauten

$$(23)\quad \begin{cases} 12u - 2v - 4w = -\,,02 \\ -2u + 6v - 2t = +\,,56 \\ -4u + 20w - 7t = -2{,}02 \\ -2v - 7w + 17t = +2{,}56. \end{cases}$$

Wir lösen die Gleichungen „unbestimmt", d.h. wir ersetzen die rechten Seiten zunächst durch Unbestimmte A, B, C, D und lösen nach u, v, w, t auf:

$$(24)\quad \begin{cases} u = {,}00978A + {,}00375B + {,}00247C + {,}00146D \\ v = {,}00375A + {,}01890B + {,}00178C + {,}00296D \\ w = {,}00247A + {,}00178B + {,}00650C + {,}00289D \\ t = {,}00146A + {,}00296B + {,}00289C + {,}00742D. \end{cases}$$

Die Koeffizienten rechts sind die Elemente $h^{11}, \ldots, h^{44}$ der inversen Matrix. Setzt man in (24) für A, B, C, D die rechten Seiten der Gln. (23) ein, so erhält man

$$u = -\,{,}032 \qquad v = -\,{,}065 \qquad w = -\,{,}067 \qquad t = +\,{,}115.$$

Für die Korrekturen k_i findet man

$$k_1 = -\,{,}067 \qquad k_5 = -\,{,}065$$
$$k_2 = +\,{,}115 \qquad k_6 = +\,{,}225$$
$$k_3 = +\,{,}042 \qquad k_7 = -\,{,}032$$
$$k_4 = -\,{,}609 \qquad k_8 = -\,{,}543.$$

Jetzt kann man $\tilde{Q}$ nach (19) oder (20) berechnen. Man findet nach beiden Formeln übereinstimmend

$$\tilde{Q} = 1{,}71.$$

§31. Mittelwert und Streuungen der Schätzungen $\tilde{\vartheta}$

Die nach der Methode der kleinsten Quadrate gewonnenen Schätzungen $\tilde{\vartheta}$ sind lineare Funktionen der beobachteten Größen x_k, also wieder zufällige Größen. Wir wollen ihre Mittelwerte und Streuungen berechnen.

A. Mittelwerte

Die Normalgleichungen (13) § 30 seien eindeutig lösbar. Die Lösungen $u, v, \ldots$ nennen wir jetzt $u^1, \ldots, u^r$. Die Normalgleichungen selbst schreiben wir als

(1) $$\sum h_{jk} u^k = r_j .$$

Die Lösung heißt

(2) $$u^i = \sum h^{ij} r_j ,$$

wobei (h^{ij}) die inverse Matrix zu (h_{jk}) ist:

(3) $$\sum_j h^{ij} h_{jk} = \delta^i_k \qquad (= 1 \text{ für } i = k, \text{ sonst} = 0).$$

Die Schätzungen $\tilde{\vartheta}$ heißen jetzt

(4) $$\tilde{\vartheta}_k = \vartheta^0_k + u^k \qquad (k = 1, \ldots, r).$$

Um die Berechnung der Mittelwerte der $\tilde{\vartheta}_k$ zu vereinfachen, wählen wir die Näherungswerte ϑ^0_k gleich den wahren Parameterwerten ϑ_k. In der praktischen Rechnung kann man das natürlich nicht machen, weil die wahren Werte unbekannt sind, aber für die theoretische Berechnung der Mittelwerte und Streuungen macht es nichts aus. Wir schreiben also statt (4)

(5) $$\tilde{\vartheta}_k = \vartheta_k + u^k.$$

Werden die ϑ^0_k gleich den wahren ϑ_k gewählt, so werden die zugehörigen ξ^0_i gleich den ξ_i, den Erwartungswerten der x_i. Die Erwartungswerte der Differenzen

(6) $$l_i = x_i - \xi^0_i$$

werden dann also Null. Daraus folgt nach (21) § 30, daß auch die u^k den Erwartungswert Null haben. Somit ergibt (5):

Die Erwartungswerte der $\tilde{\vartheta}_k$ sind gleich den wahren Parameterwerten ϑ_k.

Man drückt dasselbe auch so aus:

Die Schätzungen $\tilde{\vartheta}_k$ haben keinen systematischen Fehler

oder:

Die Schätzungen $\tilde{\vartheta}_k$ sind frei von Bias.

B. Streuungen

Bei der Berechnung der Streuungen legen wir die Annahme zugrunde, daß die x_i unabhängige zufällige Größen mit festen, von den ϑ unabhängigen Streuungen σ_i sind. Die Gewichte g_i wurden in § 30 umgekehrt proportional zu den Varianzen σ_i^2 gewählt. Wir können also

$$g_i \sigma_i^2 = \sigma^2 \tag{7}$$

setzen. Das so definierte σ ist die Streuung, die eine Beobachtung vom Gewicht Eins haben würde. Man nennt σ wohl „Streuung der Gewichtseinheit".

Nach (5) ist die Varianz von $\tilde{\vartheta}_k$ gleich der Varianz von u^k. Bei der Berechnung gehen wir wieder von (21) § 30 aus. Für $k=1$ haben wir

$$u^1 = u = \alpha_1 l_1 + \cdots + \alpha_n l_n. \tag{8}$$

Da die l_i unabhängige Größen mit Varianzen σ_i^2 sind, ist die Varianz von u

$$\sigma_u^2 = \alpha_1^2 \sigma_1^2 + \cdots + \alpha_n^2 \sigma_n^2. \tag{9}$$

Nach (7) kann man dafür schreiben

$$\sigma_u^2 = \sum \alpha_i^2 g_i^{-1} \sigma^2$$

oder nach (22) § 30

$$\begin{aligned} \sigma_u^2 &= \sum g_i (h^{11} a_i + h^{12} b_i + \cdots)^2 \sigma^2 \\ &= (h^{11} h^{11} [g a a] + 2 h^{11} h^{12} [g a b] + h^{12} h^{12} [g b b] + \cdots) \sigma^2. \end{aligned}$$

Die $[g a a], \ldots$ sind die Koeffizienten der Normalgleichungen, die auch h_{jk} heißen. Also erhalten wir

$$\sigma_u^2 = \left(\sum_j \sum_k h^{1j} h_{jk} h^{1k}\right) \sigma^2 \tag{10}$$

oder wegen (3)

$$\sigma_u^2 = h^{11} \sigma^2. \tag{11}$$

Genau so erhält man für $k=2$

$$\sigma_v^2 = h^{22} \sigma^2 \tag{12}$$

usw.

C. Geometrische Veranschaulichung

Um die Methode der kleinsten Quadrate geometrisch zu illustrieren, nehmen wir nur einen unbekannten Parameter ($r=1$) und nur drei Beobachtungen von gleicher Genauigkeit an. Die beobachteten Werte x_1, x_2, x_3 können wir dann als Koordinaten eines Raumpunktes X, des *Beobachtungspunktes* auffassen.

Als Koordinatenanfangspunkt nehmen wir den Punkt ξ^0, der in § 30 als vorläufige Näherung zugrunde gelegt wurde. Die Annahme, daß ξ^0 mit dem wahren Punkt ξ zusammenfällt, lassen wir jetzt wieder fallen.

Die Gln. (7) § 30 definieren eine Gerade in Parameterdarstellung Da wir nur einen Parameter und $\xi_i^0 = 0$ angenommen haben, vereinfachen die Gleichungen sich zu

(13) $\xi_i = a_i u \qquad (i = 1, 2, 3)$.

Auf dieser Geraden G muß der „*wahre Punkt*" P, dessen Koordinaten die Erwartungswerte $\xi_i = \hat{x}_i$ der beobachteten Größen sind, liegen. Irgendwo in der Nähe von P liegt der Beobachtungspunkt X. Die Form

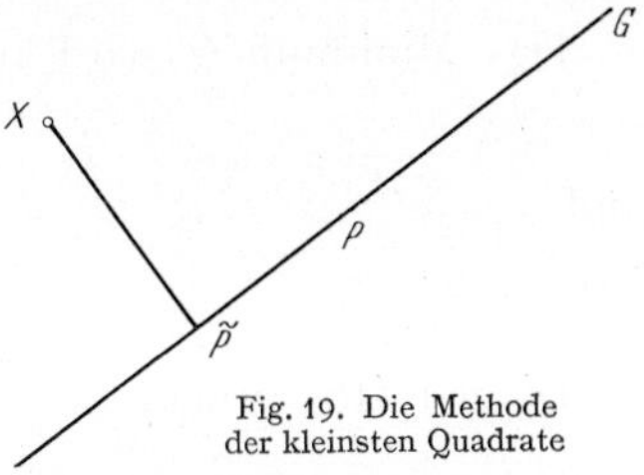

Fig. 19. Die Methode der kleinsten Quadrate

(14) $$Q = (x_1 - \xi_1)^2 + (x_2 - \xi_2)^2 + (x_3 - \xi_3)^2$$

stellt das Quadrat der Entfernung des Beobachtungspunktes X zu einem Punkt von G dar. Macht man Q zum Minimum, so bedeutet das, daß man denjenigen Punkt $\tilde{P}$ der Geraden G sucht, der die kleinste Entfernung zu X hat. $\tilde{P}$ ist also der Fußpunkt des Lotes aus X auf G.

Die Formeln zur Berechnung des Fußpunktes werden einfacher, wenn wir vorher eine orthogonale Koordinatentransformation durchführen. Wir wählen eine Koordinatenachse in G, die anderen senkrecht dazu. Die Parameterdarstellung von G lautet in den neuen Koordinaten

(15) $$\eta_1 = a u, \quad \eta_2 = 0, \quad \eta_3 = 0 \qquad (a^2 = a_1^2 + a_2^2 + a_3^2).$$

Im allgemeinen Fall (r Parameter, n Größen x_i) sei der Teilraum G durch die Parameterdarstellung

(16) $$\xi_i = a_i u + b_i v + \cdots$$

gegeben. Die orthogonale Transformation kann man so ansetzen:

(17) $$x_i = \sum e_{ik} y_k$$

Damit die ersten r Koordinatenrichtungen im Teilraum (15) liegen, müssen die ersten r Spalten der Matrix (e_{ik}) Linearkombinationen der Vektoren (a_i), (b_i), ... sein. Man setze nun als erste Spalte ein Vielfaches (λa_k) an, als zweite Spalte eine Linearkombination $(\mu a_i + \nu b_i)$, usw., und bestimme die Koeffizienten $\lambda, \mu, \nu, \ldots$ gemäß den Orthogonalitätsbedingungen.

Bildet man in (17) auf beiden Seiten die Erwartungswerte, so erhält man

$$\xi_i = \sum e_{ik} \eta_k.$$

Dabei sind $\eta_1, \ldots, \eta_r$ Linearkombinationen von $u, v, \ldots$ und $\eta_{r+1}, \ldots, \eta_n$ sind Null, wie in (15) für $r = 1$ und $n = 3$.

Die Form Q bleibt bei einer orthogonalen Transformation invariant; man hat also im Fall $n = 3$

$$Q = (y_1 - \eta_1)^2 + (y_2 - \eta_2)^2 + (y_3 - \eta_3)^2$$

oder nach (15)

(18) $$Q = (y_1 - \eta_1)^2 + y_2^2 + y_3^2.$$

Das Minimum $\tilde{Q}$ wird für $\eta_1 = y_1$ angenommen. Wir haben also

$$\tilde{\eta}_1 = y_1, \quad \tilde{\eta}_2 = \tilde{\eta}_3 = 0$$

und

(19) $$\tilde{Q} = y_2^2 + y_3^2.$$

Die Gl. (18) drückt den ,,Satz des Pythagoras" aus:

(20) $$PX^2 = P\tilde{P}^2 + X\tilde{P}^2.$$

Die linke Seite von (20) ist nämlich die Form Q, das erste Glied rechts ist $(y_1 - \eta_1)^2$ und das zweite ist $\tilde{Q} = y_2^2 + y_3^2$.

Die Verallgemeinerung von (18) und (19) auf r Parameter und n beobachtete Größen lautet

(21) $$Q = (y_1 - \eta_1)^2 + \cdots + (y_r - \eta_r)^2 + y_{r+1}^2 + \cdots + y_n^2,$$

(22) $$\tilde{Q} = y_{r+1}^2 + \cdots + y_n^2.$$

Auch in diesem allgemeinen Fall kann man $\tilde{Q}$ als Quadrat des Abstandes $X\tilde{P}$ im n-dimensionalen Raum deuten.

Der Fall von Beobachtungen ungleicher Genauigkeit kann durch die Substitution

$$x_i = x_i' \sigma_i$$

auf den hier betrachteten und geometrisch illustrierten Fall zurückgeführt werden.

D. Ein Satz von Gauss

Die zweite Begründung, die Gauss für die Methode der Kleinsten Quadrate gegeben hat, beruht auf dem folgenden Satz:

Unter allen biasfreien Schätzungen des Parameters ϑ_1, die lineare Funktionen der Beobachtungen x_i sind, hat die Schätzung $\tilde{\vartheta}$ die kleinste Varianz.

Einen sehr kurzen Beweis für diesen Satz von Gauss gab R. L. Plackett in Biometrika 36 (1949), p. 458. Hier soll der Beweis mittels der orthogonalen Transformation (17) geführt werden. Wir nehmen wieder $r = 1$, $n = 3$ an und überlassen die Verallgemeinerung auf beliebige r und n dem Leser.

Es sei T eine Schätzung für ϑ_1, die eine lineare Funktion der x_i, also auch der y_i ist:

(23) $$T = c_0 + c_1 y_1 + c_2 y_2 + c_3 y_3.$$

Wenn wir sagen, daß die Schätzung T keinen Bias hat, so meinen wir damit, daß der von den ϑ abhängige Erwartungswert von T identisch in den ϑ gleich ϑ_1 ist. Nun sind die Erwartungswerte von y_2 und y_3 Null und der von y_1 gleich η_1. Also ist

(24) $$\mathcal{E}\,T = c_0 + c_1\eta_1 = c_0 + c_1 a u.$$

Das muß identisch in u gleich

(25) $$\vartheta_1 = \vartheta_1^0 + u$$

sein, also muß

(26) $$c_0 = \vartheta_1^0 \quad \text{und} \quad c_1 = a^{-1}$$

sein.

Nunmehr folgt

(27) $$T - \mathcal{E}\,T = c_1(y_1 - \eta_1) + c_2 y_2 + c_3 y_3.$$

Um die Varianz von T zu berechnen, haben wir (27) zu quadrieren und den Erwartungswert zu bilden:

(28) $$\begin{cases} \sigma_T^2 = c_1^2\,\mathcal{E}\,(y_1-\eta_1)^2 + 2c_1c_2\,\mathcal{E}\,(y_1-\eta_1)\,y_2 + 2c_1c_3\,\mathcal{E}\,(y_1-\eta_1)\,y_3 \\ \qquad + c_2^2\,\mathcal{E}\,y_2^2 + 2c_2c_3\,\mathcal{E}\,y_2y_3 + c_3^2\,\mathcal{E}\,y_3^2. \end{cases}$$

Die einzelnen Erwartungswerte rechts in (28) sind leicht auszurechnen, z.B.:

$$\begin{aligned} \mathcal{E}\,(y_1-\eta_1)^2 &= \mathcal{E}\,[\textstyle\sum e_{i1}(x_i-\xi_i)]^2 \\ &= \sum_i\sum_j e_{i1}e_{j1}\,\mathcal{E}\,(x_i-\xi_i)\,(x_j-\xi_j) \\ &= \sum_i e_{i1}^2\sigma^2 = \sigma^2. \end{aligned}$$

Benutzt man in dieser Weise die Orthogonalitätseigenschaften der inversen Matrix (e_{ki}), so findet man für die Erwartungswerte der Quadrate und Produkte rechts in (28) immer σ^2 bzw. 0. Also erhält man

(29) $$\sigma_T^2 = (c_1^2 + c_2^2 + c_3^2)\,\sigma^2.$$

Dabei ist c_1 nach (26) fest gegeben. Das Minimum der Varianz (29) wird also für

$$c_2 = c_3 = 0$$

erreicht. Die Schätzung kleinster Varianz ist also

$$T = \vartheta_1^0 + a^{-1}y_1.$$

Genau diese Schätzung erhält man aber nach der Methode der Kleinsten Quadrate. Damit ist die Behauptung bewiesen.

Die geometrische Bedeutung dieses Satzes ist folgende. Eine beliebige lineare Schätzung ohne Bias erhält man, wenn man durch den Beobachtungspunkt eine Ebene parallel zu einer festen Ebene legt und mit G schneidet. Der Parameterwert des Schnittpunktes ist dann die Schätzung T. Wählt man die Ebene senkrecht G, so erhält man die Schätzung $\tilde{\vartheta}$ mit kleinster Varianz.

§32. Die Schätzung der Varianz σ^2

Das Minimum der quadratischen Form

$$(1) \qquad Q = \sum (x_i - \xi_i)^2$$

hatten wir $\tilde{Q}$ genannt. Durch die orthogonale Transformation (17) §31 wird die Form in

$$(2) \qquad Q = (y_1 - \eta_1)^2 + \cdots + (y_r - \eta_r)^2 + y_{r+1}^2 + \cdots + y_n^2$$

transformiert und ihr Minimum wird

$$(3) \qquad \tilde{Q} = y_{r+1}^2 + \cdots + y_n^2.$$

Das Minimum wird für $\tilde{\eta}_1 = y_1, \ldots, \tilde{\eta}_r = y_r$ angenommen.

Der Erwartungswert von $\tilde{Q}$ ist die Summe der Quadrate der Erwartungswerte der y_k^2. Diese werden wie in §31D berechnet. So erhält man

$$(4) \qquad \mathcal{E}\tilde{Q} = (n - r)\,\sigma^2.$$

Also kann man

$$(5) \qquad s^2 = \frac{\tilde{Q}}{n - r}$$

als Schätzung für σ^2 benutzen. Diese Schätzung hat keinen Bias.

Haben die Beobachtungen ungleiche Streuungen σ_i, so hat man statt (1) die Form

$$(6) \qquad Q = \sum g_i (x_i - \xi_i)^2$$

zu betrachten. Durch die Substitution

$$(7) \qquad x_i' = x_i \sqrt{g_i}$$

kann man diesen Fall aber auf den vorigen zurückführen. Für die Varianz einer Beobachtung vom Gewichte Eins erhält man wieder (5) als biasfreie Schätzung.

Es leuchtet ein, daß die Schätzung (5) für kleine $n - r$ sehr ungenau ist und erst für große $n - r$ etwas genauer wird. Um diese Aussage zu präzisieren, müssen wir die Verteilungsfunktion von $\tilde{Q}$ untersuchen.

Zu diesem Zweck machen wir die Annahme, daß $x_1, \ldots, x_n$ normal verteilt sind mit der gleichen Streuung σ. Die Wahrscheinlichkeitsdichte des Systems $(x_1, \ldots, x_n)$ ist dann

$$f(x_1, \ldots, x_n) = \sigma^{-n} \sqrt{2\pi}^{-n} \exp\left\{-\frac{1}{2\sigma^2} \sum (x_i - \xi_i)^2\right\}. \tag{8}$$

Führt man statt der x_i wieder durch orthogonale Transformation die y_i ein, so lautet die Wahrscheinlichkeitsdichte genau so:

$$f(y_1, \ldots, y_n) = \sigma^{-n} \sqrt{2\pi}^{-n} \exp\left\{-\frac{1}{2\sigma^2} \sum (y_i - \eta_i)^2\right\}. \tag{9}$$

Die y sind also unabhängige normal verteilte Größen mit Mittelwerten

$$\eta_1, \ldots, \eta_r, 0, \ldots, 0$$

und Streuung σ. Die Größen $\frac{y_{r+1}}{\sigma}, \ldots, \frac{y_n}{\sigma}$ haben Mittelwert Null und Streuung 1. *Also hat ihre Quadratsumme*

$$\chi^2 = \frac{\tilde{Q}}{\sigma^2} = \frac{y_{r+1}^2 + \cdots + y_n^2}{\sigma^2} \tag{10}$$

eine χ^2-Verteilung mit $n-r$ Freiheitsgraden.

Der Erwartungswert von χ^2 ist $n-r$, in Übereinstimmung mit (5). Für große $n-r$ ist χ^2 genähert normal verteilt mit Mittelwert $n-r$ und Streuung $\sqrt{2(n-r)}$. Also ist

$$\frac{\chi^2}{n-r} = \frac{\tilde{Q}}{(n-r)\,\sigma^2} = \frac{s^2}{\sigma^2}$$

genähert normal verteilt mit Mittelwert 1 und Streuung $\sqrt{\frac{2}{n-r}}$. Für große $n-r$ ist also s^2 eine gute Schätzung für σ^2, für kleine $n-r$ ist die Schätzung sehr ungenau. Vertrauensgrenzen für $\frac{s^2}{\sigma^2}$ kann man aus der Tafel für χ^2 (Tafel 6) erhalten.

Wie man $\tilde{Q}$ praktisch berechnet, haben wir in § 30, (19) und (20) gesehen. Aus $\tilde{Q}$ ergibt sich s^2 nach (5) und aus s^2 kann man nach (11) bis (12) § 31 wieder Näherungswerte für σ_u^2, σ_v^2, etc. finden:

$$\begin{cases} s_u^2 = h^{11} s^2 \\ s_v^2 = h^{22} s^2 \\ \cdot\ \cdot\ \cdot\ \cdot\ \cdot \end{cases} \tag{11}$$

Aus (10) folgt, daß

$$\frac{(n-r)\, s_u^2}{\sigma_u^2} = \frac{(n-r)\, s^2}{\sigma^2} = \frac{\tilde{Q}}{\sigma^2} = \chi^2$$

eine χ^2-Verteilung mit $n-r$ Freiheitsgraden hat. Ferner ist χ^2 von $y_1=\tilde{\eta}_1, y_2=\tilde{\eta}_2, \ldots, y_r=\tilde{\eta}_r$, also von $u, v, \ldots$ unabhängig. Daraus folgt, wie in § 28, daß

$$(12) \qquad t=\frac{\tilde{\vartheta}_1-\vartheta_1}{s_u}=\frac{u-\mathcal{E}u}{s_u}=\frac{u-\mathcal{E}u}{\sigma_u}\cdot\frac{\sigma_u}{s_u}=\frac{u-\mathcal{E}u}{\sigma_u}\,\frac{\sqrt{n-r}}{\chi}$$

eine t-Verteilung mit $n-r$ Freiheitsgraden hat. Das heißt:

Man kann bei der Methode der Kleinsten Quadrate auf jede einzelne Schätzung $\tilde{\vartheta}_1$ oder $\tilde{\vartheta}_2, \ldots$ Students *Test mit $n-r$ Freiheitsgraden anwenden, um Vertrauensgrenzen für den wahren Wert ϑ_1 oder $\vartheta_2, \ldots$ zu erhalten.*

Beispiel 19. In einer byzantinischen Sonnentafel[1] werden die Eintrittszeiten der Sonne in die 12 Tierkreiszeichen folgendermaßen angegeben:

Waage 23. September	Tag	12^h	Widder 20. März	Nacht	5^{20}
Skorpion 23. Oktober	Tag	3^{30}	Stier 21. April	Nacht	11^h
Schütze 21. November	Tag	10^{30}	Zwillinge 22. Mai	Nacht	1^{40}
Steinbock 20. Dezember	Nacht	3^{20}	Krebs 23. Juni	Tag	6^{31}
Wassermann 19. Januar	Tag	2^{20}	Löwe 24. Juli	Nacht	3^h
Fische 18. Februar	Tag	2^{20}	Jungfrau 24. August	Nacht	0^{30}

Die Tagstunden sind von 6^h morgens an gerechnet, die Nachtstunden von 6^h abends. Nimmt man den Eintritt in die Waage als Nullpunkt der Zeitzählung, so erhält man die Eintrittszeiten, die in der 2. Spalte der folgenden Tafel angegeben sind. Subtrahiert man dann die Zeit, die die mittlere Sonne zum Eintritt in das betreffende Zeichen brauchen würde, so erhält man die in der 4. Spalte angegebenen Korrekturen. Dabei ist das Jahr gleich $365^d 6^h$ angenommen, was wohl erlaubt ist, da die Zeiten im Text mit einer Ausnahme offensichtlich auf Vielfache von 10^m abgerundet sind.

Länge	Zeit t	mittlere Zeit	Differenz l
−180	0	0	0
−150	$29^d 15^h 30^m$	$30^d 10^h 30^m$	-19^h
−120	$58^d 22^h 30^m$	$60^d 21^h$	$-46^h 30^m$
−90	$88^d 3^h 20^m$	$91^d 7^h 30^m$	$-76^h 10^m$
−60	$117^d 14^h 20^m$	$121^d 18^h$	$-99^h 40^m$
−30	$147^d 14^h 20^m$	$152^d 4^h 30^m$	$-110^h 10^m$
0	$178^d 5^h 20^m$	$182^d 15^h$	$-105^h 40^m$
30	$209^d 11^h$	$213^d 1^h 30^m$	$-86^h 30^m$
60	$241^d 1^h 40^m$	$243^d 12^h$	$-58^h 20^m$
90	$272^d 18^h 30^m$	$273^d 22^h 30^m$	-28^h
120	$304^d 3^h$	$304^d 9^h$	-6^h
150	$335^d 0^h 30^m$	$334^d 19^h 30^m$	$+5^h$

Gewisse Symmetrien in den Zahlen (die allerdings nur genähert erfüllt sind) sowie verwandte Texte führten zur Vermutung, daß die Tafel nach der Exzentertheorie berechnet sein könnte. In dieser Theorie durchläuft die Sonne mit gleich-

[1] B. L. van der Waerden, Eine byzantinische Sonnentafel. Sitzungsber. Bayer. Akad. München (math.-nat.) 1954, p. 159.

mäßiger Geschwindigkeit einen exzentrischen Kreis um die Erde E (Fig. 20). Wir nehmen nun an, daß der Text auf Grund dieser Theorie mit gewissen zufälligen Fehlern berechnet ist und wollen versuchen, unter dieser Hypothese die Exzentrizität und das Apogeum möglichst genau zu bestimmen.

Es sei λ die Länge der Sonne beim Eintritt in ein Tierkreiszeichen, α die Länge des Apogeums. Die Differenz $x = \lambda - \alpha$ heißt *wahre Anomalie*. Die Bogenlänge vom Apogeum A des Exzenters zur Sonne S heißt *mittlere Anomalie*; wir bezeichnen sie mit $x + \omega$. Die Differenz $-\omega$ zwischen wahrer und mittlerer Anomalie heißt *Mittelpunktsgleichung*. Ist e die Exzentrizität, so besteht zwischen ω und x nach der Sinusregel der ebenen Trigonometrie die Gleichung

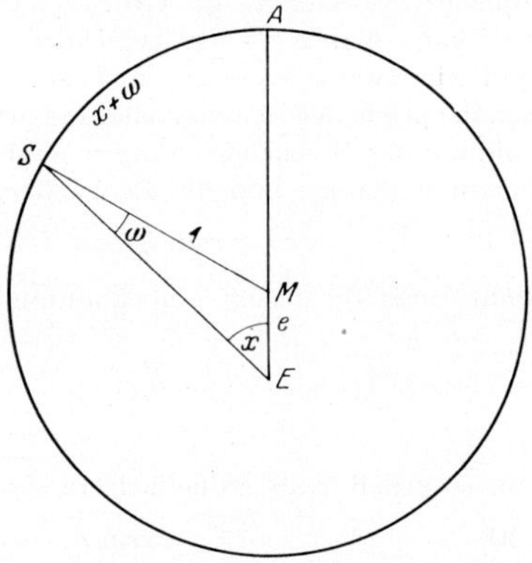

Fig. 20. Exzenterbewegung

(13) $$\sin\omega = e\sin x$$

oder

(14) $$\omega = \arc\sin(e\sin x)\,.$$

Da e klein ist, können wir den arc sin in eine Potenzreihe entwickeln, die beim zweiten Glied abgebrochen werden kann:

(15) $$\begin{cases} \omega = e\sin x + \frac{1}{6}e^3\sin^3 x \\ \quad = e\sin x + \frac{1}{24}e^3(3\sin x - \sin 3x) \\ \quad = (e + \frac{1}{8}e^3)\sin x - \frac{1}{24}e^3\sin 3x\,. \end{cases}$$

Die Zeit, die die Sonne braucht, um auf dem Exzenter den Bogen $x + \omega$ zurückzulegen, ist

$$t = \frac{T}{2\pi}(x + \omega)\,,$$

wobei $T = 365\frac{1}{4}^{\mathrm{d}}$ die Umlaufszeit ist. Bei mittlerer Bewegung wäre die Zeit

$$t_0 = \frac{T}{2\pi}x\,.$$

Die Differenzen

$$t - t_0 = \frac{T}{2\pi}\omega$$

müssen nach Addition einer unbekannten Konstanten d die l aus der letzten Spalte unserer Tabelle ergeben, vermehrt um eine noch unbekannte Korrektur k, die durch die Rechen- und Schreibfehler des Textes und durch die Abrundung bedingt ist:

(16) $$\frac{T}{2\pi}\omega + d = l + k\,.$$

Setzt man hier für ω den früher gefundenen Ausdruck (15) ein, so erhält man

(17) $$a\sin x + b\sin 3x + d = l + k$$

mit

$$a = \frac{T}{2\pi}\left(e + \frac{1}{8}e^3\right)$$

$$b = -\frac{T}{2\pi}\,\frac{1}{24}\,e^3 = -c\,e^3,$$

wobei c bekannt ist. Setzt man noch $x = \lambda - \alpha$ ein, so erhält man schließlich die *Bestimmungsgleichungen*

$$a \sin(\lambda - \alpha) + b \sin 3(\lambda - \alpha) + d = l + k. \tag{18}$$

Da die 12 Längen λ und die zugehörigen l aus der Tabelle bekannt sind, erhält man 12 „Beobachtungsgleichungen" (18) mit 3 Unbekannten e, α und d. Diese sind so zu bestimmen, daß die Quadratsumme $k_1^2 + \cdots + k_{12}^2$ möglichst klein wird.

Die Rechnung läßt sich sehr bequem ausführen, wenn das kleine Glied mit b zunächst vernachlässigt wird. Nachdem man so eine Näherung für e gefunden hat, kann man $b = -ce^3$ berechnen, das Glied mit b auf die rechte Seite bringen und eine zweite Näherung machen. Es zeigt sich, daß die zweite Näherung für a genau gleich der ersten Näherung wird, weil die Glieder mit $\sin 3x$ sich bei der Bildung der Normalgleichungen wegheben. Also kann man das b-Glied von vornherein weglassen und die Beobachtungsgleichungen so schreiben:

$$a \sin\lambda \cos\alpha - a \cos\lambda \sin\alpha + d = l + k. \tag{19}$$

Führt man die neuen Unbekannten

$$u = a \cos\alpha$$
$$v = -a \sin\alpha$$
$$w = d$$

ein, so erhält man schließlich 12 *lineare* Beobachtungsgleichungen

$$u \sin\lambda + v \cos\lambda + w = l + k. \tag{20}$$

Die Normalgleichungen lauten

$$\left\{\begin{aligned} [aa]\, u + [ab]\, v + [ac]\, w &= [al] \\ [ba]\, u + [bb]\, v + [bc]\, w &= [bl] \\ [ca]\, u + [cb]\, v + [cc]\, w &= [cl]. \end{aligned}\right. \tag{21}$$

Die Koeffizienten sind leicht zu berechnen

$$[aa] = \sum \sin^2\lambda = 6$$
$$[bb] = \sum \cos^2\lambda = 6$$
$$[cc] = \sum 1 = 12$$
$$[ab] = \sum \sin\lambda \cos\lambda = 0$$
$$[ac] = \sum \sin\lambda = 0$$
$$[bc] = \sum \cos\lambda = 0.$$

Die Normalgleichungen vereinfachen sich also zu

$$\left\{\begin{aligned} 6u &= \sum l \sin\lambda \\ 6v &= \sum l \cos\lambda \\ 12w &= \sum l. \end{aligned}\right. \tag{22}$$

Hat man u und v, so bestimmen sich a und α aus

$$\left\{\begin{aligned} a \cos\alpha &= u \\ a \sin\alpha &= -v \end{aligned}\right. \tag{23}$$

und schließlich e aus

$$e + \frac{1}{8} e^3 = \frac{2\pi}{T} a. \tag{24}$$

Man findet

$$e = 0{,}04157 \quad \text{und} \quad \alpha = 65°40'.$$

Hipparchos und Ptolemaios nehmen an

$$e = \tfrac{1}{24} = 0{,}04167 \qquad \text{und} \qquad \alpha = 65^\circ 30'.$$

Die Übereinstimmung ist ausgezeichnet. Die Tafel ist also nach dem Sonnenmodell des Hipparchos berechnet.

Berechnet man den mittleren Fehler s der einzelnen Eintrittszeiten nach der Formel (5) mit $n = 12$ und $r = 3$, so findet man ungefähr 20 min. Diese Schätzung ist aber sehr ungenau, weil der Nenner $n - r = 9$ nicht sehr groß ist. Außerdem ist es nicht sicher, ob die Einzelwerte unabhängig voneinander berechnet sind. Berechnet man die Einzelfehler, so sieht man, daß 6 von den 12 Eintrittszeiten genau richtig nach dem Modell des Hipparchos berechnet sind, während in den sechs übrigen grobe Fehler von 30 bis 50 min stecken. Zweimal weisen zwei aufeinanderfolgende Eintrittszeiten den gleichen Fehler von 50 bzw. 30 min auf. Es scheint also, daß die Einzelwerte nicht unabhängig voneinander berechnet wurden.

Im Endeffekt kommt die hier durchgeführte Rechnung auf eine FOURIER-Analyse der periodischen Funktion $l(\lambda)$, von der 12 Werte gegeben sind, hinaus. Die FOURIER-Analyse erweist sich als ein sehr zweckmäßiges Hilfsmittel für die Untersuchung von astronomischen Tafeln, deren Bildungsgesetz man nicht kennt. In verschiedenen Fällen hat die Methode zu einer vollständigen Klärung geführt[1].

§ 33. Regressionslinien

Es sei x eine unabhängige Veränderliche und y eine zufällige Größe, die von x, aber außerdem noch vom Zufall abhängt. In der Wirtschaftsstatistik ist x meistens die Zeit und y eine statistisch erfaßbare Größe, z.B. die Eisenproduktion, die einerseits einen bestimmten Gang mit der Zeit aufweist, andererseits aber auch von allerhand anderen Faktoren abhängt. Es können aber auch x und y beide zufällige Größen sein, die eine gewisse Abhängigkeit aufweisen, z.B. die Heiratsziffer in einem Jahr und die Geburtenzahl im darauffolgenden.

Beobachtet seien n Werte $x_1, \ldots, x_n$ und die dazu gehörigen $y_1, \ldots, y_n$. Wir wollen den Gang von y als Funktion von x untersuchen und machen zu dem Zweck einen Ansatz wie z.B. den der *linearen Regression*

$$y = \vartheta_0 + \vartheta_1 x + u, \tag{1}$$

wobei die Regressionslinie $y = \vartheta_0 + \vartheta_1 x$ sich möglichst nahe an den wirklichen Verlauf der y-Werte anpassen soll, so daß die „zufälligen Abweichungen“ möglichst klein ausfallen. Man kann auch andere Ansätze machen, z.B. ein Polynom zweiten Grades *(quadratische Regression)*, bei der die Regressionslinie eine Parabel ist, oder höheren Grades *(„Regression r-ter Ordnung“)*

$$y = \vartheta_0 + \vartheta_1 x + \cdots + \vartheta_r x^r + u, \tag{2}$$

[1] B. L. VAN DER WAERDEN, Die Bewegung der Sonne nach griechischen und indischen Tafeln. Sitzungsber. Bayer. Akad. (math.-nat.) 1952, p. 219. I. V. M. KRISHNA RAV, The Motion of the Moon in Tamil Astronomy, Centaurus 4 (1956).

oder bei zyklischen Schwankungen ein trigonometrisches Polynom wie

$$y = \vartheta_0 + \vartheta_1 \cos \omega x + \vartheta_2 \sin \omega x + u.$$

Die Forderung, daß der durch die Regression nicht erfaßbare Rest u möglichst klein ausfallen soll, wird wiederum präzisiert durch die *Methode der kleinsten Quadrate*. Man verlangt also, daß die Form

$$Q = \sum u_i^2 \tag{3}$$

zum Minimum gemacht werden soll und bestimmt daraus die Konstanten $\vartheta_0, \vartheta_1, \ldots$. Die Rechnung ist genau dieselbe wie in § 26. Im Fall der linearen Regression z.B. führt die Bedingung

$$\sum u_i^2 = \sum (y_i - \vartheta_0 - \vartheta_1 x_i)^2 = \min$$

durch Differentiation unmittelbar auf

$$\begin{cases} -\sum y_i + \vartheta_0 n + \vartheta_1 \sum x_i = 0 \\ -\sum y_i x_i + \vartheta_0 \sum x_i + \vartheta_1 \sum x_i^2 = 0 \end{cases}$$

oder mit den Bezeichnungen von Gauss (vgl. § 30)

$$\begin{cases} \vartheta_0 n + \vartheta_1 [x] = [y] \\ \vartheta_0 [x] + \vartheta_1 [xx] = [xy]. \end{cases} \tag{4}$$

Genau so erhält man bei einer Regressionslinie r-ter Ordnung die $(r+1)$ Bedingungsgleichungen

$$\begin{cases} \vartheta_0 n + \vartheta_1 [x] + \cdots + \vartheta_r [x^r] = [y] \\ \vartheta_0 [x] + \vartheta_2 [x^2] + \cdots + \vartheta_r [x^{r+1}] = [xy] \\ \cdots\cdots\cdots\cdots\cdots\cdots \\ \vartheta_0 [x^r] + \vartheta_1 [x^{r+1}] + \cdots + \vartheta_r [x^{2r}] = [x^r y]. \end{cases} \tag{5}$$

Die Auflösung der Gleichungen (5) ist recht mühsam. Mit viel weniger Rechnung kommt man zum Ziel, wenn man die Polynome 1, $x, x^2, \ldots, x^r$, nach denen y entwickelt werden soll, vorher *orthogonalisiert*. Zwei Funktionen $\varphi(x)$ und $\psi(x)$, die beide für die Werte $x_1, x_2, \ldots, x_n$ definiert sind, heißen orthogonal, wenn

$$\sum \varphi(x_i)\, \psi(x_i) = 0$$

ist. Sind nun m Funktionen $\varphi_1, \varphi_2, \ldots, \varphi_m$ gegeben, so kann man sie durch ein orthogonales System $\psi_1, \psi_2, \ldots, \psi_m$ ersetzen, das so definiert wird:

$$\begin{aligned} \psi_1 &= \varphi_1 \\ \psi_2 &= \varphi_2 - \alpha \psi_1 \\ \psi_3 &= \varphi_3 - \beta \psi_1 - \gamma \psi_2 \\ &\cdots\cdots\cdots \end{aligned}$$

Die Konstante α wird so bestimmt, daß ψ_2 zu ψ_1 orthogonal ist, sodann β und γ so, daß ψ_3 zu ψ_1 und ψ_2 orthogonal ist, usw.

Jede Linearkombination $\vartheta_1 \varphi_1 + \cdots + \vartheta_m \varphi_m$ läßt sich auch als $\mu_1 \psi_1 + \cdots + \mu_m \psi_m$ schreiben. Macht man nun zur Bestimmung der μ wieder den Ansatz der „kleinsten Quadrate", so kommt in jeder Normalgleichung nur noch eine Unbekannte μ_i vor und man kann die Lösung unmittelbar hinschreiben.

Im Fall der linearen Regression gestaltet sich die Rechnung so. Die ursprünglichen Funktionen in (1) sind 1 und x. Die orthogonalisierten Funktionen sind

$$\psi_0 = 1 \quad \text{und} \quad \psi_1 = x - \bar{x},$$

wobei $\bar{x}$ das Mittel aus den x_i ist.

Der Ansatz der „kleinsten Quadrate"

$$\sum (y - \mu_0 \psi_0 - \mu_1 \psi_1)^2 = \min$$

führt durch Differentiation auf

$$(6) \qquad \begin{cases} -\sum y \psi_0 + \mu_0 \sum \psi_0^2 = 0 \\ -\sum y \psi_1 + \mu_1 \sum \psi_1^2 = 0 \end{cases}$$

oder

$$(7) \qquad \begin{cases} \mu_0 n = \sum y \\ \mu_1 \sum (x - \bar{x})^2 = \sum y (x - \bar{x}). \end{cases}$$

Die Lösung heißt, wenn wir statt $\tilde{\mu}_0, \tilde{\mu}_1$ der Einfachheit halber lieber m_0, m_1 schreiben:

$$(8) \qquad m_0 = \bar{y} = \frac{1}{n} \sum y,$$

$$(9) \qquad m_1 = \frac{\sum (x - \bar{x})\, y}{\sum (x - \bar{x})^2} = \frac{\sum (x - \bar{x})(y - \bar{y})}{\sum (x - \bar{x})^2}.$$

Die Gleichung der *empirischen Regressionslinie* lautet also

$$(10) \qquad y - \bar{y} = m_1 (x - \bar{x}).$$

Die Steigung m_1 dieser Linie heißt der *empirische Regressionskoeffizient*. Sein Wert hängt natürlich vom Zufall ab. Nimmt man an, daß die x-Werte vom Zufall unabhängig sind (z.B. gegebene Zeitpunkte), die y-Werte dagegen zufällige Größen, so kann man Mittelwert und mittleren Fehler von m_1 nach § 30 bestimmen.

Ist x die Zeit, so nennt man die Regression auch *Trend*.

Beispiel 20. Die Roheisenerzeugung der Welt von 1865 bis 1910 wird nach CASSEL[1] durch Spalte 2 der folgenden Tabelle wiedergegeben. Wir wollen die Veränderungen, die die Erzeugung erlitten hat, so gut es geht, in Trend und Konjunkturschwankungen zerlegen.

[1] G. CASSEL, Theoret. Sozialökonomie, 3. Aufl. S. 587, Figur S. 532.

In der folgenden Tabelle ist t die Jahreszahl, x die Roheisenerzeugung in Millionen Tonnen, y deren Logarithmus mal 1000. Von den t-Werten wurde $a = 1890$, von den y-Werten $b = 1400$ subtrahiert, um bequeme kleine Zahlen zu erhalten.

t	x	y	$t-a$	$y-b$	$(t-a)^2$	$(t-a)(y-b)$
1865	9,10	959	−25	−441	625	+11025
1866	9,66	985	−24	−415	576	+9960
1867	10,06	1003	−23	−397	529	+9131
1868	10,71	1030	−22	−370	484	+8140
1869	11,95	1077	−21	−323	441	+6783
1870	12,26	1088	−20	−312	400	+6240
1871	12,85	1109	−19	−291	361	+5529
1872	14,84	1172	−18	−228	324	+4104
1873	15,12	1180	−17	−220	289	+3740
1874	13,92	1144	−16	−256	256	+4096
1875	14,12	1150	−15	−250	225	+3750
1876	13,96	1145	−14	−255	196	+3570
1877	14,19	1152	−13	−248	169	+3224
1878	14,54	1162	−12	−238	144	+2856
1879	14,41	1159	−11	−241	121	+2651
1880	18,58	1269	−10	−131	100	+1310
1881	19,82	1297	−9	−103	81	+927
1882	21,56	1334	−8	−66	64	+528
1883	21,76	1338	−7	−62	49	+434
1884	20,46	1311	−6	−89	36	+534
1885	19,84	1298	−5	−102	25	+510
1886	20,81	1318	−4	−82	16	+328
1887	22,82	1358	−3	−42	9	+126
1888	24,03	1381	−2	−19	4	+38
1889	25,88	1413	−1	+13	1	−13
1890	27,87	1445	0	45	0	0
1891	26,17	1418	1	18	1	18
1892	26,92	1430	2	30	4	60
1893	25,26	1402	3	2	9	6
1894	26,03	1416	4	16	16	64
1895	29,37	1468	5	68	25	340
1896	31,29	1495	6	95	36	570
1897	33,46	1525	7	125	49	875
1898	36,46	1562	8	162	64	1296
1899	40,87	1611	9	211	81	1899
1900	41,35	1616	10	216	100	2160
1901	41,14	1614	11	214	121	2354
1902	44,73	1651	12	251	144	3012
1903	46,82	1670	13	270	169	3510
1904	46,22	1665	14	265	196	3710
1905	54,79	1739	15	339	225	5085
1906	59,66	1776	16	376	256	6016
1907	61,30	1787	17	387	289	6579
1908	48,80	1688	18	288	324	5184
1909	60,60	1782	19	382	361	7258
1910	66,20	1821	20	421	400	8420
		63413	−115	−987	8395	147937

Wenn man nach den gegebenen Zahlen eine Kurve zeichnet und diese zunächst ganz roh glättet, so sieht man, daß ihre Steigung stark zunimmt und zwar mehr als linear. Die Kurve läßt sich also nicht gut durch eine Gerade oder Parabel darstellen. Dagegen scheint eine Exponentialkurve gut zu passen. Die Schwankungen werden ebenfalls mit der Zeit stärker. Es liegt also nahe, statt der absoluten Zahlen ihre Logarithmen aufzutragen und dann eine Gerade möglichst gut anzupassen.

Man findet

$$\bar{t} = 1890 - \frac{115}{46} = 1890 - 2{,}5 = 1887{,}5$$

$$m_0 = \bar{y} = 1400 - \frac{987}{46} = 1400 - 21 = 1379.$$

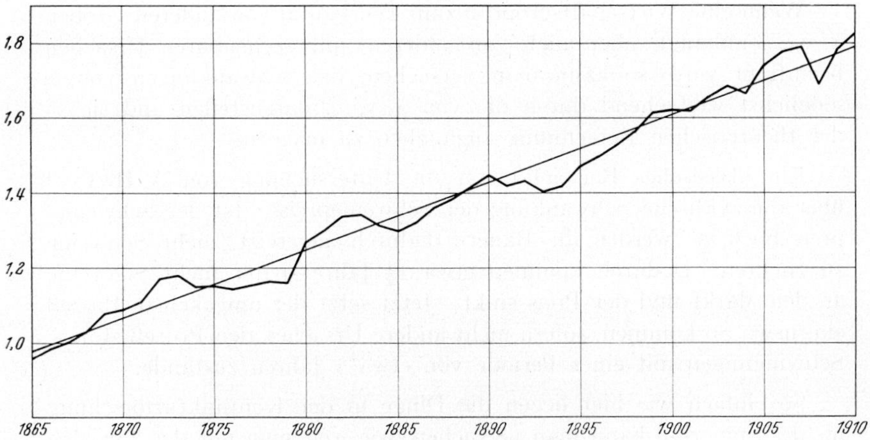

Fig. 21. Logarithmus der Roheisenerzeugung der Welt

Durch diesen Punkt geht die Regressionslinie. Ihre Steigung ist

$$m_1 = \frac{\sum (t-\bar{t})(y-\bar{y})}{\sum (t-\bar{t})^2} = \frac{147937 - 2{,}5 \cdot 987}{8395 - 46 \cdot 2{,}5^2} = \frac{145470}{8107{,}5} = 17{,}94.$$

Die Gleichung der Regressionslinie

$$y = m_0 + m_1(t-\bar{t}) = \bar{y} + m_1(t-\bar{t})$$

lautet also jetzt

$$y = 1379 + 17{,}94(t - 1887{,}5).$$

Die Regressionslinie paßt sich dem effektiven Verlauf sehr gut an (Fig. 21). Man könnte die Annäherung noch etwas verbessern, indem man noch ein quadratisches Glied $m_2\psi_2$ hinzufügt, wobei

$$\psi_2 = (t-\bar{t})^2 - \gamma$$

gesetzt werden kann. Die Konstante γ wird so bestimmt, daß ψ_2 zur Konstanten $\psi_0 = 1$ orthogonal wird:

$$\sum_t \psi_0(t)\,\psi_2(t) = 0.$$

Das führt zur Bedingung

$$\sum_t (t - \bar{t})^2 - 46\gamma = 0,$$

aus der man, da $\sum (t - \bar{t})^2 = 8107{,}5$ schon bekannt ist, γ ohne weiteres auflösen kann.

Die Orthogonalisierung hat den Vorteil, daß man die schon berechneten Koeffizienten m_0 und m_1 nicht neu zu berechnen braucht. Man berechnet einfach m_2 aus der dritten Normalgleichung und addiert das neue Glied $m_2\psi_2$ zur Gleichung der Regressionslinie. Die Ausführung möge dem Leser überlassen bleiben.

§ 34. Kausale Erklärung von Wirtschaftsgrößen

Wenn eine Wirtschaftsgröße w zum Teil kausal von anderen Größen $x, y, \ldots$ abhängt, aber auch von anderen, unberechenbaren Ursachen beeinflußt wird, so kann man versuchen, die Schwankungen von w möglichst weitgehend durch die von $x, y, \ldots$ darzustellen und sie so der theoretischen Berechnung zugänglich zu machen.

Ein klassisches Beispiel bietet die Untersuchung von A. HANAU[1] über die zyklische Schwankung der Schweinepreise. Ist der Schweinepreis hoch, so werden die Bauern dadurch angereizt, mehr Schweine zu züchten. Dadurch kommen etwa $1\frac{1}{2}$ Jahre später mehr Schweine an den Markt und der Preis sinkt. Jetzt setzt der umgekehrte Prozeß ein, usw. So kommen, sofern nicht andere Ursachen den Prozeß stören, Schwingungen mit einer Periode von etwa 3 Jahren zustande.

So einfach wie hier liegen die Dinge in der Konjunkturforschung nicht. Immerhin kann man versuchen, wie weit man mit der kausalen Erklärung kommt. Man geht von den beobachteten Werten von $x, y, \ldots$ und w während einer Reihe von Jahren aus, subtrahiert zunächst von jeder Größe ihr arithmetisches Mittel, so daß das Mittel Null wird, und bereinigt die Reihen vom zeitlichen Trend, indem man eine passende (meistens lineare) Funktion der Zeit abzieht, so daß nur die periodischen und unregelmäßigen Schwankungen übrig bleiben. Nun macht man, indem man die kausale Abhängigkeit zwischen den Schwankungen von $x, y, \ldots$ und denen von w durch eine lineare Abhängigkeit annähert, den Ansatz

$$w = \lambda x + \mu y + \cdots + u, \tag{1}$$

wobei u den unerklärten Rest darstellt, den man natürlich möglichst klein machen möchte. Die Koeffizienten $\lambda, \mu, \ldots$ bestimmt man demnach so, daß die Summe der Quadrate der u-Werte möglichst klein wird:

$$[uu] = \sum u_i^2 = \text{Minimum}. \tag{2}$$

[1] A. HANAU, Die Prognose der Schweinepreise, Sonderheft 18 der Vierteljahreshefte zur Konjunkturforschung, Berlin 1930.

Differenziert man $[uu]$ nach $\lambda, \mu, \ldots$ und setzt die Ableitungen Null, so erhält man wie in § 30 die Normalgleichungen

$$(3) \qquad \begin{cases} \lambda[xx] + \mu[xy] + \cdots = [xw] \\ \lambda[yx] + \mu[yy] + \cdots = [yw] \\ \ldots\ldots\ldots\ldots\ldots\ldots \end{cases}$$

aus denen die Koeffizienten $\lambda, \mu, \ldots$ bestimmt werden können.

Wenn die Vermutung theoretisch gerechtfertigt erscheint, daß eine Wirtschaftsgröße x mit einer gewissen Verzögerung auf die zu erklärende Größe w einwirkt (wie in dem obigen Beispiel der erhöhte Schweinepreis mit einer Verzögerung von $1\frac{1}{2}$ Jahren ein erhöhtes Angebot bewirkt), so wird man dieser Verzögerung durch eine zeitliche Verschiebung der x-Werte Rechnung tragen. Am einfachsten klärt man zunächst durch eine Voruntersuchung die Frage, welche zeitliche Verschiebung der x-Werte eine möglichst große Korrelation zwischen x und w ergibt. Man berechnet also zunächst den Korrelationskoeffizienten zwischen den x_i und w_i, dann zwischen den x_{i-1} und w_i, zwischen x_{i-2} und w_i, usw. (natürlich in mäßigen Grenzen, entsprechend vernünftigen theoretischen Überlegungen) und wählt diejenige zeitliche Verzögerung, die einen möglichst großen Korrelationskoeffizienten ergibt. Mit diesen bestmöglichen Verzögerungen macht man dann wieder den Ansatz (1). Man kann auch die Verzögerung so einrichten, daß die minimale Quadratsumme $[uu]$ möglichst klein wird, indem man verschiedene Werte der Verzögerung nacheinander durchprobiert und jedesmal die Normalgleichungen löst und $[uu]$ berechnet.

Beispiele für diese Methode findet man bei J. Tinbergen, Business Cycles in the United States, Publ. Völkerbund, Genf 1939. Seit Erscheinen dieser bahnbrechenden Abhandlung ist man jedoch bei der Anwendung der Methode viel vorsichtiger geworden. Man vergewissert sich zunächst mittels der „Büschelkarten" (bunch graphs) von R. Frisch, ob nicht eine zu starke Abhängigkeit zwischen den „unabhängigen Variablen" $x, y, \ldots$ vorhanden ist. Wir können auf diese feineren Methoden der Ökonometrie hier nicht eingehen, sondern verweisen auf:

G. Tintner, Econometrics, New York and London 1952.

L. R. Klein, A textbook of Econometrics, Evanston and New York 1953.

W. C. Hood and T. C. Koopmans, Studies in Econometric Method, Cowles Monograph No. 14, New York (Wiley) 1953.

Achtes Kapitel

Schätzung unbekannter Konstanten

Dieses Kapitel zerfällt in vier Teile. Im ersten Teil (§§ 35 bis 36) wird die Methode des Maximum Likelihood erklärt und an Beispielen erläutert. Dieser Teil ist in erster Linie für solche Leser bestimmt, die diese Methode noch nicht kennen. Wer bei der praktischen Anwendung der Methode auf komplizierte Gleichungen stößt, wird in § 36 eine Hilfe bei der Lösung finden.

Im zweiten Teil (§§ 37 bis 39) wird gezeigt, daß es bei der Schätzung unbekannter Parameter eine Genauigkeitsschranke gibt, die nicht unterschritten werden kann. In gewissen Fällen erweist die Methode des Maximum Likelihood sich als die beste, weil sie allein die Genauigkeitsschranke erreicht. Das Hilfsmittel in diesem zweiten Teil ist eine Ungleichung von Fréchet.

Zur Klärung der Problemlage ist dieser zweite Teil sehr gut geeignet, aber logisch ist er entbehrlich. Im dritten Teil (§§ 40 bis 44) wird nämlich eine Methode entwickelt, die mehr leistet als die erwähnte Ungleichung. Die Methode des dritten Teiles führt zur Auffindung einer genauesten Schätzung ohne Bias auch in solchen Fällen, wo die Methode des Maximum Likelihood versagt.

Der ganz kurze vierte Teil (§ 45) gibt eine Übersicht über die asymptotischen Eigenschaften der Maximum Likelihood Schätzung.

Die beobachteten Größen, von denen die Schätzung der unbekannten Parameter ihren Ausgang nimmt, sind in diesem Kapitel meistens stetige Veränderliche $x_1, \ldots, x_n$. Im nächsten Kap. 9 wird der Fall behandelt, daß die beobachteten Größen Häufigkeiten sind. Beispiele dieser Art werden allerdings auch schon in diesem Kapitel zur Sprache kommen (Beispiele 21, 28 und 31).

§ 35. R. A. Fishers Methode des Maximum Likelihood

Wie wir in § 30 gesehen haben, ging Gauss bei der Rechtfertigung der Methode der kleinsten Quadrate von dem Grundsatz aus, daß die besten Werte der unbekannten Parameter $\vartheta_1, \ldots, \vartheta_r$ diejenigen seien, welche dem beobachteten Ergebnis die größte Wahrscheinlichkeit verleihen. R. A. Fisher hat eben diesen Grundsatz zum Ausgangspunkt einer allgemeinen Methode gemacht, nach der die Werte irgendwelcher unbekannter Parameter $\vartheta_1, \ldots, \vartheta_r$ abgeschätzt werden können, wenn Zahlenwerte beobachtet sind, deren Wahrscheinlichkeitsgesetz von $\vartheta_1, \ldots, \vartheta_r$ abhängt.

Die beobachteten Größen $x_1, \ldots, x_n$ können diskrete oder stetig veränderliche Größen sein. Im diskreten Fall sei

$$g(t|\vartheta) = g(t_1, \ldots, t_n|\vartheta_1, \ldots, \vartheta_r)$$

die Wahrscheinlichkeit, daß die Größen $x_1, \ldots, x_n$ bestimmte Werte $t_1, \ldots, t_n$ annehmen. Im Fall stetig veränderlicher Größen sei $g(t|\vartheta) = g(t_1, \ldots, t_n|\vartheta_1, \ldots, \vartheta_r)$ die Wahrscheinlichkeitsdichte des Systems der Größen $x_1, \ldots, x_n$. In der Theorie der Kleinsten Quadrate war $g(t|\vartheta)$ wie erinnerlich, ein Produkt von GAUSSschen Fehlerfunktionen

$$(1) \qquad g(t|\vartheta) = \sigma^{-n} \sqrt{2\pi}^{\,-n} \exp\left\{-\frac{1}{2}\sum\frac{(t-\xi)^2}{\sigma^2}\right\},$$

wobei die „wahren Werte“ ξ_i gegebene Funktionen von den ϑ sind. Von dieser speziellen Annahme sehen wir hier ab: $g(t|\vartheta)$ möge irgendeine Funktion von ϑ und t sein.

FISHER setzt nun in $g(t|\vartheta)$ für die t_i die gerade beobachteten Werte x_i ein und nennt die so entstehende Funktion $g(x|\vartheta)$ von $\vartheta_1, \ldots, \vartheta_r$ die *Likelihood Funktion.* Diejenigen Parameterwerte ϑ, welche die Likelihood Funktion zum Maximum machen, d.h. also welche dem beobachteten Ereignis die größte Wahrscheinlichkeit verleihen, heißen *plausibelste Werte* der Parameter ϑ. Die *Maximum Likelihood Methode* besteht darin, daß man die plausibelsten Werte $\tilde{\vartheta}$ als Schätzung für die wahren Parameterwerte ϑ verwendet.

Der Logarithmus von $g(x|\vartheta)$ wird im folgenden mit $L(x|\vartheta)$ oder $L(\vartheta)$ bezeichnet.

Die Likelihood ist nicht mit einer Wahrscheinlichkeit zu verwechseln. Sie ist zwar als Wahrscheinlichkeit oder Wahrscheinlichkeitsdichte definiert, aber nicht als Wahrscheinlichkeitsdichte der unbekannten Parameter, sondern der beobachteten Größen. Die Parameter haben keine Wahrscheinlichkeitsdichte, da sie gar nicht vom Zufall abhängen. Wohl aber können einige Parameterwerte uns plausibel erscheinen, da sie dem beobachteten Ereignis eine beträchtliche Wahrscheinlichkeit verleihen, andere weniger plausibel, weil sie das beobachtete Ereignis als höchst unwahrscheinlich erscheinen lassen.

Im Fall stetiger Veränderlicher kann man an Stelle der t_i neue Veränderliche t_i' einführen. Die Wahrscheinlichkeitsdichte wird dann mit der Funktionaldeterminante multipliziert. Die Funktion $g(t|\vartheta)$ ist also nur bis auf einen von t allein abhängigen Faktor definiert. Auch wenn es sich um diskrete Größen handelt, werden wir uns das Recht nehmen, die Funktion $G(t|\vartheta)$ mit einem nur von den t abhängigen positiven Faktor zu multiplizieren, wenn sie dadurch vereinfacht wird. An dem Maximum von g als Funktion der ϑ wird dadurch offenbar nichts geändert.

Als Beispiele zur Maximalmethode können zunächst sämtliche Beispiele zur Methode der kleinsten Quadrate (Kap. 6) dienen.

Wir geben jetzt drei neue Beispiele, die prinzipielles Interesse besitzen.

Beispiel 21. Schätzung einer unbekannten Wahrscheinlichkeit.

Ein Ereignis mit der unbekannten Wahrscheinlichkeit p sei in n unabhängigen Versuchen x mal eingetreten. Was ist der plausibelste Wert von p?

Die Likelihood Funktion ist nach BERNOULLI (§ 5A)

$$\binom{n}{x} p^x (1-p)^{n-x}$$

oder nach Weglassung des nur von x abhängigen Binomialkoeffizienten

$$g(x|p) = p^x (1-p)^{n-x}. \tag{2}$$

Statt $g(x|p)$ zum Maximum zu machen, können wir ebensogut den Logarithmus

$$L(p) = x \ln p + (n-x) \ln(1-p)$$

zum Maximum machen. Differentiation nach p ergibt

$$L'(p) = \frac{x}{p} - \frac{n-x}{1-p} = \frac{x-np}{p(1-p)}.$$

Die Ableitung $L'(p)$ wird Null für $np = x$; für kleinere Werte von p ist sie positiv, für größere negativ. Das Maximum von $L(p)$ wird somit für $np = x$ erreicht. Der plausibelste Wert von p ist also

$$\tilde{p} = h = \frac{x}{n}. \tag{3}$$

Die Schätzung (3) hat *keinen Bias*: der Erwartungswert von h ist genau gleich dem wahren Wert p. Ferner ist die Schätzung (3) *konsistent*, d.h. für $n \to \infty$ konvergiert sie nach Wahrscheinlichkeit zum wahren Wert p. Dies ist das *Gesetz der großen Zahl* (§ 5 und § 33).

Beispiel 22. Eine Größe x habe eine normale Wahrscheinlichkeitsdichte

$$f(x) = \sigma^{-1}(2\pi)^{-\frac{1}{2}} \exp\left\{-\frac{1}{2}\left(\frac{x-\mu}{\sigma^2}\right)^2\right\}$$

mit unbekanntem Mittelwert μ und unbekannter Streuung σ. Beobachtet sind n unabhängige Werte $x_1, \ldots, x_n$ der Größe x. Was sind die plausibelsten Werte von μ und σ?

Die Likelihood Funktion ist, wenn man die Wahrscheinlichkeitsdichte mit dem unwesentlichen Faktor $(2\pi)^{n/2}$ multipliziert:

$$g(x_1, \ldots, x_n | \mu, \sigma) = \sigma^{-n} \exp\{-\tfrac{1}{2}\sigma^{-2} \textstyle\sum (x_i - \mu)^2\}$$

ihr Logarithmus

$$L(\mu, \sigma) = -n \ln \sigma - \tfrac{1}{2}\sigma^{-2} \textstyle\sum (x_i - \mu)^2. \tag{4}$$

Das zweite Glied ist ein negativ definites quadratisches Polynom in μ, dessen Maximum durch Differentiation nach μ gefunden wird:

$$\left\{\begin{aligned} &\textstyle\sum (x_i - \tilde{\mu}) = 0 \\ &\tilde{\mu} = \frac{1}{n} \textstyle\sum x_i = \bar{x}. \end{aligned}\right. \tag{5}$$

Der plausibelste Wert von μ ist also das arithmetische Mittel der beobachteten x-Werte. Dieses hat auch GAUSS nach der Methode der kleinsten Quadrate gefunden.

Setzt man diesen Wert $\tilde{\mu}$ in (4) ein und differenziert nach σ, so erhält man

$$\frac{d}{d\sigma} L(\tilde{\mu}, \sigma) = -\frac{n}{\sigma} + \frac{1}{\sigma^3} \sum (x_i - \bar{x})^2.$$

Die Ableitung wird Null für

$$n\sigma^2 = \sum (x_i - \bar{x})^2,$$

sie ist positiv für kleinere Werte von σ und negativ für größere Werte. Also ist der plausibelste Wert von σ durch

$$(6) \qquad \tilde{\sigma} = \frac{1}{n} (x_i - \bar{x})^2$$

gegeben.

Früher hatten wir statt dessen den Näherungswert

$$(7) \qquad s^2 = \frac{1}{n-1} \sum (x_i - \bar{x})^2,$$

wobei der Faktor $(n-1)$ so eingerichtet war, daß der Mittelwert von s^2 genau σ^2 ist. Der Erwartungswert von (6) ist offenbar etwas kleiner als der von (7). Die Maximum Likelihood Schätzung (6) hat also einen *Bias*: ihr Erwartungswert ist nicht gleich dem wahren Wert σ^2.

In diesem Beispiel ist der Bias der Schätzung $\tilde{\sigma}^2$ nur klein: er verschwindet für $n \to \infty$. Die Streuung der Schätzung $\tilde{\sigma}^2$ strebt ebenfalls nach Null für $n \to \infty$. Aus diesen zwei Eigenschaften folgt wegen der Ungleichung von TSCHEBYSCHEFF (§ 3C) die *Konsistenz* der Schätzung.

Beispiel 23. Im folgenden Beispiel führt die Maximum Likelihood Methode nicht zu einer konsistenten Schätzung.

In einem Laboratorium hat man n Konzentrationen gemessen, und zwar jede zweimal. Die Meßgenauigkeit ist jedesmal dieselbe, aber die wahren Werte können in allen n Fällen verschieden sein. Nimmt man für die $2n$ Messungsergebnisse $x_1, y_1; \ldots; x_n, y_n$ Unabhängigkeit und Normalverteilung an, so ist die Wahrscheinlichkeitsdichte

$$(8) \qquad g(x_i, y_i | \sigma, \mu_i) = \sigma^{-2n} (2\pi)^{-n} \exp\left\{-\sum \frac{(x_i - \mu_i)^2 + (y_i - \mu_i)^2}{2\sigma^2}\right\}.$$

Unbekannt sind die n Mittelwerte $\mu_1, \ldots, \mu_n$ und die Streuung σ. Der plausibelste Wert für μ_i ist natürlich wieder das arithmetische Mittel

$$\tilde{\mu}_i = \tfrac{1}{2}(x_i + y_i).$$

Setzt man das in (8) ein, so erhält man

$$(2\pi)^n g(x_i, y_i | \sigma, \tilde{\mu}_i) = \sigma^{-2n} \exp\left\{-\sum \frac{(x_i - y_i)^2}{4\sigma^2}\right\}.$$

Für das Maximum ergibt sich durch logarithmische Differentiation wie oben

$$(9) \qquad \tilde{\sigma}^2 = \frac{1}{4n} \sum (x_i - y_i)^2.$$

Der Erwartungswert von $\tilde{\sigma}^2$ ist

$$\mathcal{E}(\tilde{\sigma}^2) = \tfrac{1}{2}\sigma^2,$$

also viel zu klein. Die Maximum Likelihood Methode führt also in diesem Fall zu einer systematischen Unterschätzung der Varianz σ^2.

Eine Schätzung ohne Bias wäre

$$(10) \qquad s^2 = \frac{1}{2n} \sum (x_i - y_i)^2.$$

Die Differenz $x_i - y_i$ ist nämlich für jedes i normal verteilt mit Mittelwert Null und Varianz $2\sigma^2$, also hat $(x_i - y_i)^2$ den Erwartungswert $2\sigma^2$, also $\sum (x_i - y_i)^2$ den Erwartungswert $2n\sigma^2$.

Die Schätzung (10) ist auch konsistent. Wir werden später beweisen, daß sie unter allen Schätzungen ohne Bias die kleinste Varianz besitzt.

Wir sehen aus diesen Beispielen, daß die Methode des Maximum Likelihood in einigen Fällen eine gute Schätzung ohne Bias, in anderen Fällen wenigstens eine konsistente Schätzung für $n \to \infty$ liefert, aber daß sie in wieder anderen, ebenso vernünftigen Fällen zu keinem guten Ergebnis führt.

Es entsteht somit das Problem, zu untersuchen, in welchen Fällen die Methode des Maximum Likelihood gut ist und in welchen Fällen nicht. Eine erschöpfende Antwort auf diese Frage wird sich kaum finden lassen. Immerhin wird die Untersuchung doch zu einer gewissen Klärung der Sachlage führen. Im großen ganzen kann man folgendes sagen. Hat man viele unabhängige Beobachtungen $x_1, \ldots, x_n$ und nur einen Parameter oder nur eine beschränkte Zahl von Parametern $\vartheta_1, \ldots, \vartheta_r$, und erfüllen die Verteilungsfunktionen gewisse Regularitätsbedingungen, so erweist sich die Maximum Likelihood Methode als gut und wird für wachsende n immer besser. Ist aber n nicht groß oder wächst r gleichzeitig mit n an (wie in unserem letzten Beispiel), so kann man sich auf die Methode nicht verlassen. Es gibt in solchen Fällen andere Methoden, die beste Schätzung ohne Bias zu finden. In § 41 werden wir eine solche Methode kennenlernen.

Zunächst bleiben wir aber noch etwas bei der Maximum Likelihood Methode. Dabei nehmen wir zunächst nur *einen* unbekannten Parameter ϑ an.

§ 36. Die rechnerische Bestimmung des Maximums

Die praktische Rechnung nach der Maximum Likelihood Methode erfordert allererst die Lösung der *Likelihood Gleichung:*

$$(1) \qquad L'(x|\tilde{\vartheta}) = 0.$$

Dabei ist $L'(t|\vartheta)$ die logarithmische Ableitung der Wahrscheinlichkeitsdichte $g(t|\vartheta)$ nach ϑ. Somit haben wir

$$L'(x|\vartheta) = \frac{g'}{g}(x|\vartheta).$$

Mit $\tilde{\vartheta}$ bezeichnen wir die Maximum Likelihood Schätzung, die jedenfalls die Bedingung (1) zu erfüllen hat, mit ϑ_0 den (unbekannten) wahren Wert des Parameters ϑ. Der mittels $g(t|\vartheta_0)$ gebildete Erwartungswert einer Größe y heiße $\mathcal{E}_0 y$, der mittels $g(t|\vartheta)$ gebildete Erwartungswert heiße $\mathcal{E}_\vartheta y$. Strichelung bedeutet immer Differentiation nach ϑ.

Wir nehmen zunächst an, daß $x_1, \ldots, x_n$ unabhängige Beobachtungen sind, die alle dieselbe von ϑ abhängige Wahrscheinlichkeitsdichte $f(x|\vartheta)$ haben. Dann ist

$$g(x|\vartheta) = f(x_1|\vartheta) \ldots f(x_n|\vartheta),$$

also

(2) $$L'(x|\vartheta) = \sum \varphi(x_k|\vartheta),$$

wo $\varphi = \frac{f'}{f}$ die logarithmische Ableitung von f ist.

Es gibt Fälle, in denen die Gleichung (1) sich elementar lösen läßt; in § 35 haben wir solche Fälle kennengelernt. Meistens aber ist (1) eine komplizierte algebraische oder transzendente Gleichung, die man durch sukzessive Approximation lösen muß.

Das einfachste Verfahren ist das folgende. Man wählt zunächst einen Näherungswert ϑ_1 und berechnet $L'(x|\vartheta_1)$ als Summe der Beiträge (Scores) der einzelnen Beobachtungen x_k:

(3) $$L'(x|\vartheta_1) = \sum \varphi(x_k|\vartheta_1).$$

Nun setzt man eine verbesserte Näherung als

(4) $$\vartheta_2 = \vartheta_1 + h$$

an. Die Entwicklung von $L'(x|\vartheta_2)$ wird gemäß der Newtonschen Näherungsmethode bei den Gliedern erster Ordnung abgebrochen:

$$L'(x|\vartheta_2) \sim L'(x|\vartheta_1) + h\,L''(x|\vartheta_1).$$

Setzt man das Null, so erhält man

(5) $$h = \frac{L'(x|\vartheta_1)}{-L''(x|\vartheta_1)}.$$

Der Nenner ist

(6) $$-L''(x|\vartheta_1) = -\sum \varphi'(x_k|\vartheta_1).$$

Die Summe rechts ist n mal das arithmetische Mittel der φ'. Eine große Vereinfachung der Rechnung kann man aber erzielen, wenn das arithmetische Mittel durch den Erwartungswert ersetzt wird. Der Erwartungswert ist, wenn das Integral über den ganzen für x möglichen Bereich erstreckt wird,

$$\mathcal{E}_0\,\varphi'(x|\vartheta_1) = \int \varphi'(t|\vartheta_1)\,f(t|\vartheta_0)\,dt.$$

Nun ist ϑ_0 unbekannt. Da es sich aber nur um eine Näherung handelt, kann ϑ_0 ruhig durch ϑ_1 ersetzt werden. Wir ersetzen also in (5) den Nenner $-L''(x|\vartheta_1)$ durch $n\,j(\vartheta_1)$, wobei $j(\vartheta)$ durch

(7) $$j(\vartheta) = -\int \varphi'(t|\vartheta)\, f(t|\vartheta)\, dt$$

definiert ist. Wir nehmen also statt (5)

(8) $$h_1 = \frac{L'(x|\vartheta_1)}{n\,j(\vartheta_1)}.$$

Den Ausdruck $j(\vartheta)$ im Nenner von (8) können wir auch so darstellen:

(9) $$j(\vartheta) = -\int \left(\frac{f'}{f}\right)' f\, dt = \int \left(\frac{f'f'}{f} - f''\right) dt.$$

Nun ist aber

(10) $$\int f(t|\vartheta)\, dt = 1.$$

Wir nehmen an, daß es erlaubt ist, (10) zweimal unter dem Integralzeichen nach ϑ zu differenzieren. Man erhält

$$\int f''\, dt = 0.$$

Damit wird (9)

(11) $$j(\vartheta) = \int \left(\frac{f'}{f}\right)^2 f\, dt = \mathcal{E}_\vartheta \left(\frac{f'}{f}\right)^2.$$

Multipliziert man das mit n, so erhält man einen Ausdruck, den R. A. Fisher *Information in the sample* genannt hat:

(12) $$I(\vartheta) = n\,j(\vartheta) = n\,\mathcal{E}_\vartheta \left(\frac{f'}{f}\right)^2.$$

Als zweite Näherung für ϑ haben wir jetzt

(13) $$\vartheta_2 = \vartheta_1 + h_1$$

mit

(14) $$h_1 = \frac{L'(x|\vartheta_1)}{I(\vartheta_1)},$$

wobei $L'(x|\vartheta)$ nach (2) und $I(\vartheta)$ nach (12) berechnet wird.

Den Ausdruck $I(\vartheta)$ kann man auch dann bilden, wenn die x_k verschiedene Verteilungsfunktionen f_k haben. Man bildet dann

$$I(\vartheta) = \sum_k \mathcal{E}_\vartheta\, (f_k^{-1} f_k')^2.$$

Der allgemeinste Ausdruck für $I(\vartheta)$ lautet

(15) $$I(\vartheta) = \mathcal{E}_\vartheta\, L'(x|\vartheta)^2 = \int L'(t|\vartheta)^2\, g(t|\vartheta)\, dt,$$

integriert über den ganzen t-Raum.

Wenn zwei unabhängige Reihen $x_1, \ldots, x_m$ und $y_1, \ldots, y_n$ beobachtet sind, so setzt die Information I sich additiv aus den Beiträgen dieser Teilreihen zusammen:

(16) $$I(\vartheta) = I_1(\vartheta) + I_2(\vartheta).$$

$I(\vartheta)$ ist immer positiv oder Null. Wenn $g(x|\vartheta)$ nicht von ϑ abhängt, so daß die x-Werte gar keine Information über ϑ geben, ist $I(\vartheta)=0$. Diese Eigenschaften von $I(\vartheta)$ mögen den Gebrauch des Wortes „Information" begreiflich machen.

Beispiel 24. Auf einer Folie ist an einer unbekannten Stelle eine Strahlungsquelle, die nach allen Raumrichtungen gleichmäßig Strahlen aussendet. Wenn die Strahlen einen zur Folie parallelen Schirm treffen, verursachen sie Szintillationen, die beobachtet werden. Wie kann man aus den Stellen der Szintillationen die Lage der Strahlungsquelle finden?

Der Schirm möge als xy-Ebene gewählt werden, der Abstand zwischen Folie und Schirm als Längeneinheit. Die beiden parallelen Ebenen haben die Gleichungen $z=0$ und $z=1$. Die Koordinaten der Quelle seien $(\vartheta, \eta, 1)$.

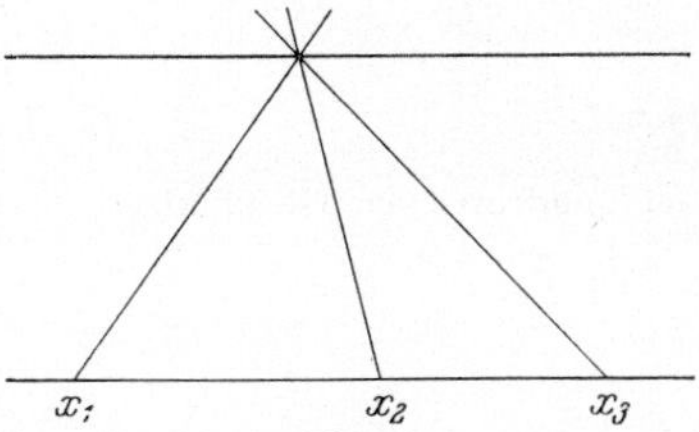

Fig. 22

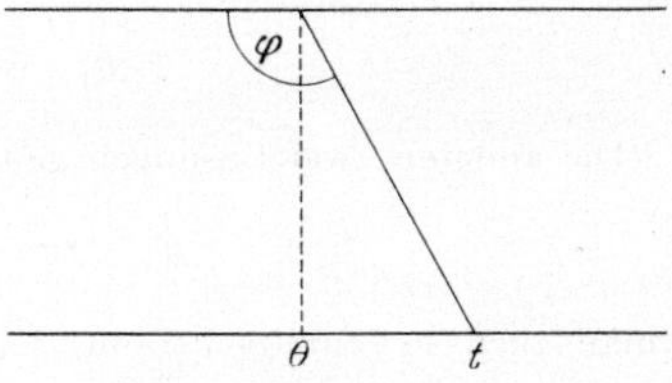

Fig. 23

Um das Problem zu vereinfachen, nehmen wir an, daß man sich nur für die x-Koordinate der Quelle, also für ϑ interessiert, und daß man dementsprechend auch nur die x-Koordinaten der Treffpunkte $x_1, \ldots, x_n$ gemessen hat. Wir können dann den ganzen Vorgang auf die xz-Ebene projizieren (Fig. 22).

Die Verteilungsfunktion $F(t)$ von x_1 ist die Wahrscheinlichkeit, daß ein Strahl in der Projektion links von der Stelle t auftrifft (Fig. 23). Diese Strahlen liegen in einem Winkelraum, der von zwei Ebenen begrenzt wird, die einen Winkel

$$\varphi = \frac{\pi}{2} + \operatorname{arc\,tg}(t-\vartheta) \tag{17}$$

einschließen. Alle Strahlen, die den Schirm überhaupt treffen, bilden einen Winkelraum mit Winkel π. Die gesuchte Wahrscheinlichkeit ist also

$$F(t) = \frac{\varphi}{\pi} = \frac{1}{2} + \frac{1}{\pi}\operatorname{arc\,tg}(t-\vartheta). \tag{18}$$

Es handelt sich wiederum um eine Verteilung von Cauchy. Die Wahrscheinlichkeitsdichte ist

$$f(t|\vartheta) = \frac{1}{\pi}\,\frac{1}{(t-\vartheta)^2+1}. \tag{19}$$

Die Likelihood Funktion ist

$$\begin{cases} g(x|\vartheta) = \pi^n f(x_1|\vartheta)\, f(x_2|\vartheta) \ldots f(x_n|\vartheta) \\ \qquad\quad = \prod_1^n \{x_k-\vartheta)^2+1\}^{-1}. \end{cases} \tag{20}$$

Der Logarithmus ist

$$L(x|\vartheta) = -\sum \ln\{(x_k-\vartheta)^2+1\}. \tag{21}$$

Für das Maximum ergibt sich durch Differentiation die Bedingung

$$\sum \frac{2(x_k - \vartheta)}{(x_k - \vartheta)^2 + 1} = 0. \tag{22}$$

Für $n = 1$ lautet die Lösung von (22) selbstverständlich

$$\vartheta = x_1.$$

Für $n = 2$ erhält man eine Gleichung dritten Grades

$$(x_1 - \vartheta)\{(x_2 - \vartheta)^2 + 1\} + (x_2 - \vartheta)\{(x_1 - \vartheta)^2 + 1\} = 0$$

oder

$$(x_1 + x_2 - 2\vartheta)\{(x_1 - \vartheta)(x_2 - \vartheta) + 1\} = 0,$$

die jedenfalls eine Lösung

$$\vartheta_1 = \bar{x} = \tfrac{1}{2}(x_1 + x_2) \tag{23}$$

hat. Die anderen zwei Lösungen genügen der quadratischen Gleichung

$$\vartheta^2 - 2\vartheta\bar{x} + x_1 x_2 + 1 = 0,$$

die man auch so schreiben kann

$$(\vartheta - \bar{x})^2 = \left(\frac{x_1 - x_2}{2}\right)^2 - 1. \tag{24}$$

Ist der Abstand zwischen den Treffpunkten x_1 und x_2 kleiner als 2, so hat die Gleichung (24) keine reellen Wurzeln und die Lösung (23) liefert das Maximum der Likelihood. Ist der Abstand genau 2, so fallen alle drei Wurzeln der Likelihood Gleichung in $\vartheta_1 = \bar{x}$ zusammen. Ist der Abstand aber größer, so liefert die Lösung (23) ein Minimum, und die Maxima werden durch die beiden reellen Lösungen der Gleichung (24) geliefert. Die eine Lösung liegt nahe bei x_1, die andere nahe bei x_2. Die Maximum Likelihood Methode liefert keine Vorschrift, welche von den beiden Lösungen man zu wählen hat. In der Praxis wird man wohl diejenige wählen, die am nächsten bei der Mitte der Folie liegt.

Für $n > 2$ wird man die Gleichung (22) durch sukzessive Näherungen lösen. Als erste Näherung ϑ_1 wählt man etwa den empirischen Zentralwert Z (d.h. für ungerade n den mittleren unter den n Punkten $x_1, \ldots, x_n$). Als verbesserte Näherung hat man dann $\vartheta_2 = \vartheta_1 + h_1$ mit

$$h_1 = \frac{L'(x|\vartheta_1)}{I(\vartheta_1)}. \tag{25}$$

Der Zähler ist die linke Seite von (22) für $\vartheta = \vartheta_1$. Der Nenner ist die Information $I(\vartheta_1) = n\,j(\vartheta_1)$, wobei $j(\vartheta)$ nach (11) zu berechnen ist:

$$i(\vartheta) = \int_{-\infty}^{\infty} \left(\frac{f'}{f}\right)^2 f\,dt = \frac{4}{\pi}\int_{-\infty}^{\infty}\left\{\frac{t-\vartheta}{(t-\vartheta)^2+1}\right\}^2 \frac{1}{(t-\vartheta)^2+1}\,dt = \frac{4}{\pi}\int_{-\infty}^{\infty}\frac{u^2\,du}{(u^2+1)^3} = \frac{1}{2}.$$

Demnach ist die Information

$$I(\vartheta) = n\,j(\vartheta) = \frac{n}{2} \tag{26}$$

von ϑ unabhängig, und (25) gibt

$$h_1 = \frac{2}{n} L'(x|\vartheta_1) = \frac{4}{n} \sum \frac{x_k - \vartheta_k}{(x_k - \vartheta_k)^2 + 1}. \tag{27}$$

Das Näherungsverfahren konvergiert sehr rasch. Die Varianz der so erhaltenen Schätzung ϑ ist asymptotisch für große n

$$I(\vartheta)^{-1} = \frac{2}{n}. \tag{28}$$

Der empirische Zentralwert hat nach § 20 asymptotisch die Varianz

$$\frac{1}{4n f(\vartheta)} = \frac{\pi^2}{2n}. \tag{29}$$

Der Vergleich von (28) mit (29) zeigt, daß die Maximum Likelihood Methode asymptotisch viel besser ist als die Schätzung durch den Zentralwert. Viel schlechter als der Zentralwert ist aber das arithmetische Mittel $\bar{x}$, denn die Varianz von $\bar{x}$ ist unendlich und die Verteilungsfunktion von $\bar{x}$ ist dieselbe wie die einer einzelnen Beobachtung x_k.

§ 37. Die Ungleichung von FRÉCHET

Von einer guten Schätzung T eines unbekannten Parameters ϑ wird man verlangen, daß die T-Werte sich möglichst eng um den wahren Wert ϑ zusammendrängen. Zwei Größen dienen hauptsächlich dazu, die Güte der Schätzung zu beurteilen: der Erwartungswert $\hat{T} = \mathcal{E}\, T$ und die Varianz

$$\sigma_T^2 = \mathcal{E}(T - \hat{T})^2.$$

Der Erwartungswert $\mathcal{E}\, T$ hängt von ϑ ab; wir schreiben daher wieder $\mathcal{E}_\vartheta T$ statt $\mathcal{E}\, T$. Von diesem Erwartungswert wird man verlangen, daß er gleich ϑ ist oder wenigstens nahe bei ϑ liegt. Die Differenz

$$\hat{T} - \vartheta = \mathcal{E}_\vartheta T - \vartheta = b(\vartheta) \tag{1}$$

heißt *Bias* oder *systematischer Fehler* der Schätzung. Von der Varianz σ_T^2 wird man verlangen, daß sie möglichst klein ist. Eine Schätzung ohne Bias mit möglichst kleiner Varianz heißt *Minimalschätzung ohne Bias.*

Es ist leicht, Schätzungen anzugeben, deren Varianz Null ist: man braucht nur T gleich einer beliebigen Konstanten T_0 zu setzen, unabhängig vom Beobachtungsergebnis. Dann muß man aber, wenn T_0 stark vom wahren Wert ϑ abweichen sollte, einen großen Bias $T_0 - \vartheta$ mit in den Kauf nehmen. Bias und Varianz bedingen sich also gegenseitig: man kann nicht beide Null machen (außer in trivialen Fällen, wo ϑ von vornherein bekannt ist oder mit 100% Wahrscheinlichkeit aus dem Beobachtungsergebnis abzulesen ist).

Diese vorläufige Betrachtung kann durch eine Ungleichung präzisiert werden, welche bei gegebenem Bias einen Mindestwert für die Varianz ergibt. Die Ungleichung wurde, unabhängig voneinander, von

FRÉCHET, RAO und CRAMÉR gefunden[1]. In der englischen Literatur heißt sie CRAMÉR-RAO inequality oder neuerdings *Information inequality*.

Sind $\boldsymbol{y}$ und $\boldsymbol{z}$ zufällige Größen und haben $\boldsymbol{y}^2$ und $\boldsymbol{z}^2$ endliche Mittelwerte, so gilt die SCHWARZ*sche Ungleichung:*

$$(\mathcal{E}\,\boldsymbol{y}\boldsymbol{z})^2 \leq (\mathcal{E}\,\boldsymbol{y}^2)\,(\mathcal{E}\,\boldsymbol{z}^2)\,. \tag{2}$$

Der Beweis ist sehr einfach. Zunächst nehmen wir an, daß beide Faktoren rechts endlich sind. Die quadratische Form

$$\mathcal{E}(\lambda\boldsymbol{y} + \mu\boldsymbol{z})^2 = \lambda^2\,\mathcal{E}\,\boldsymbol{y}^2 + 2\lambda\mu\,\mathcal{E}\,\boldsymbol{y}\boldsymbol{z} + \mu^2\,\mathcal{E}\,\boldsymbol{z}^2 \tag{3}$$

nimmt keine negativen Werte an, also ist ihre Diskriminante negativ oder Null:

$$(\mathcal{E}\,\boldsymbol{y}\boldsymbol{z})^2 - (\mathcal{E}\,\boldsymbol{y}^2)\,(\mathcal{E}\,\boldsymbol{z}^2) \leq 0\,. \tag{4}$$

Daraus folgt (2) unmittelbar. Ist aber einer der Faktoren rechts unendlich, so gilt (2) trivialerweise.

Nun seien $x_1, \ldots, x_n$ beobachtete Größen. Ihre Wahrscheinlichkeitsdichte[2]

$$g(x\,|\,\vartheta) = g(x_1, \ldots, x_n\,|\,\vartheta) \tag{5}$$

möge von einem einzigen unbekannten Parameter ϑ abhängen. $T = T(x)$ sei eine Schätzung dieses Parameters. Es soll eine Ungleichung für σ_T^2 hergeleitet werden.

Wenn $g(x\,|\,\vartheta)$ in einem Teil des x-Raumes Null ist, so kann dieser Teil bei der Bildung von Mittelwerten von der Integration ausgeschlossen werden. Es wird also nur integriert über den Teil des x-Raumes, in dem $g(x\,|\,\vartheta) \neq 0$ ist. Wir nehmen an, daß dieser Teil von ϑ unabhängig ist. Wir nehmen weiter an, daß $g(x\,|\,\vartheta)$ nach ϑ differenzierbar ist. Wird die Ableitung nach ϑ wieder durch Strichelung bezeichnet, so hat der Logarithmus

$$L(x\,|\,\vartheta) = \ln g(x\,|\,\vartheta)$$

die Ableitung

$$L'(x\,|\,\vartheta) = \frac{g'}{g}(x\,|\,\vartheta)\,.$$

Weiter gilt

$$\vartheta + b(\vartheta) = \mathcal{E}_\vartheta T = \int T\,g(x\,|\,\vartheta)\,dx \tag{6}$$

[1] M. FRÉCHET, Rev. Intern. de Stat. 1943, p. 182. C. R. RAO, Bull. Calcutta Math. Soc. 37, p. 81. H. CRAMÉR, Skandinavisk Aktuarie-tidskr. 29, p. 85, oder Math. Methods of Stat. p. 480. Ferner J. WOLFOWITZ, Ann. of Math. Stat. 18, p. 215. Für Anwendungen siehe HODGES and LEHMANN, Proc. Second Berkeley Symposium on Math. Stat., Berkeley 1951, p. 13.

[2] Die Unterscheidung zwischen beobachteten Größen $x_1, \ldots, x_n$ und Variablen $t_1, \ldots, t_n$ lassen wir von jetzt an fallen.

und

$$(7) \qquad 1 = \int g(x|\vartheta)\, dx.$$

Wir nehmen nun an, daß (6) und (7) unter dem Integralzeichen nach ϑ differenziert werden dürfen. Wird die Differentiation ausgeführt, so erhält man

$$(8) \qquad 1 + b'(\vartheta) = \int T g'\, dx = \mathcal{E}_\vartheta (T g' g^{-1}) = \mathcal{E}_\vartheta (T L'),$$

$$(9) \qquad 0 = \int g'\, dx = \mathcal{E}_\vartheta (g' g^{-1}) = \mathcal{E}_\vartheta L'.$$

Multipliziert man (9) mit $\hat{T}$ und subtrahiert von (8), so erhält man

$$(10) \qquad 1 + b'(\vartheta) = \mathcal{E}_\vartheta [(T - \hat{T})\, L'].$$

Rechts steht ein Erwartungswert eines Produktes. Darauf kann man die SCHWARZsche Ungleichung (2) anwenden und erhält

$$(11) \qquad (1 + b')^2 \leq \sigma_T^2 \cdot \mathcal{E}_\vartheta L'^2.$$

Nehmen wir nun an, daß $\mathcal{E}_\vartheta L'^2 \neq 0$ ist, so folgt aus (11), wenn $\mathcal{E}_\vartheta L'^2 = I(\vartheta)$ gesetzt wird,

$$(12) \qquad \sigma_T^2 \geq \frac{[1 + b'(\vartheta)]^2}{I(\vartheta)}.$$

Das ist die Ungleichung von FRÉCHET (information inequality). Ich wiederhole noch einmal die Voraussetzungen, unter denen sie hergeleitet wurde:

1. Der Teil des x-Raumes, in dem $g(x|\vartheta) \neq 0$ ist, ist von ϑ unabhängig.
2. (6) und (7) dürfen rechts unter dem Integralzeichen nach ϑ differenziert werden.
3. Der Nenner in (12) ist $\neq 0$.

Der Nenner in (12) ist das Integral

$$(13) \qquad I(\vartheta) = \mathcal{E}_\vartheta L'(x|\vartheta)^2 = \int (\ln g)'\, g'\, dx,$$

das wir schon früher — nach R. A. FISHER — „Information" genannt haben. Ein anderer Ausdruck für $I(\vartheta)$ ergibt sich durch partielle Integration

$$(14) \qquad I(\vartheta) = -\, \mathcal{E}_\vartheta L''(x|\vartheta).$$

Wenn die Schätzung T für alle ϑ in einer Umgebung des wahren ϑ-Wertes keinen Bias hat, so wird der Zähler in (12) gleich Eins und man erhält

$$(15) \qquad \sigma_T^2 \geq I(\vartheta)^{-1}.$$

Die rechte Seite hängt nicht von der Schätzung T ab. Es gibt also eine feste untere Schranke für die Varianz einer jeden Schätzung ohne Bias, nämlich die reziproke Information $I(\vartheta)^{-1}$.

Die Ungleichung von Fréchet und die daraus gezogenen Folgerungen gelten genau so, wenn $x_1, \ldots, x_n$ diskrete Größen sind. Man braucht nur in allen Formeln die Integrale durch Summen zu ersetzen. Dabei muß man voraussetzen, daß die Summen (6) und (7) gliedweise differenziert werden dürfen, was z.B. bei endlichen Summen immer der Fall ist.

§ 38. Erschöpfende Schätzungen und Minimalschätzungen

Wann gilt in den eben hergeleiteten Ungleichungen das Gleichheitszeichen?

In der Schwarzschen Ungleichung (2) § 37 gilt das Gleichheitszeichen offensichtlich nur dann, wenn die Form (3) ein reines Quadrat ist, also wenn es ein λ und ein μ gibt, die nicht beide Null sind, so daß $\lambda \boldsymbol{y} + \mu \boldsymbol{z}$ mit Wahrscheinlichkeit 1 nur den Wert 0 annimmt. Im Fall der Ungleichung (12) bedeutet das: entweder nimmt T mit Wahrscheinlichkeit 1 nur den konstanten Wert $T = \hat{T}$ an, oder es gilt mit Wahrscheinlichkeit 1

(1) $$L'(x|\vartheta) = K \cdot (T - \hat{T}),$$

wobei K nicht von x abhängt.

Den ersten Fall, daß man als Schätzung T einen konstanten Wert T_0 annimmt, unabhängig von der Beobachtung, können wir außer Betracht lassen. In diesem Fall ist $b(\vartheta) = T_0 - \vartheta$ sehr stark von ϑ abhängig. Es ist der Fall eines extremen „Bias" im wörtlichen Sinne einer vorgefaßten Meinung: man glaubt, den wahren Wert von ϑ von vornherein zu kennen und kümmert sich um die Beobachtung überhaupt nicht. Diese Haltung kann unter Umständen ganz vernünftig sein, nämlich dann, wenn die vorgefaßte Meinung gut begründet ist und durch die Beobachtung nicht überzeugend widerlegt wird. Ein Problem der „genauesten Schätzung auf Grund der Beobachtung" entsteht in diesem Fall gar nicht.

Es bleibt der Fall (1). Integration ergibt

$$L(x|\vartheta) = \ln g(x|\vartheta) = A(\vartheta) \cdot T + B(\vartheta) + C(x),$$

also

(2) $$g(x|\vartheta) = e^{AT+B}\, h(x),$$

wobei A und B nur von ϑ abhängen und h nur von x.

Damit also in der Ungleichung (12) § 36 das Gleichheitszeichen gilt, sind zwei Bedingungen erforderlich, nämlich:

a) *Die Likelihood Funktion $g(x|\vartheta)$ ist ein Produkt von zwei Faktoren*

(3) $$g(x|\vartheta) = e(T|\vartheta)\, h(x),$$

von denen der erste nur von ϑ und T abhängt und der zweite nur von x.

b) *Der erste Faktor hat die Gestalt*

$$e(T|\vartheta) = e^{AT+B}, \tag{4}$$

wobei A und B nur von ϑ *abhängen.*

Ist die Bedingung a) erfüllt, so heißt T eine *erschöpfende Schätzung* des Parameters ϑ (*sufficient estimate* oder *sufficient statistic* nach R. A. FISHER).

Wir beweisen nun:

Sind die Bedingungen 1 bis 3 (§ 37) und außerdem a) *und* b) *erfüllt, so hat die Schätzung T unter allen Schätzungen mit demselben Bias* $b(\vartheta)$ *die kleinste Varianz.*

Beweis. Aus (3) und (4) folgt zunächst

$$L'(x|\vartheta) = A'T + B'. \tag{5}$$

Aus (9) § 37 folgt sodann

$$A'\mathcal{E}T + B' = \mathcal{E}(A'T + B') = \mathcal{E}L' = 0,$$

also

$$B' = -A'\mathcal{E}T = -A'\hat{T}. \tag{6}$$

Setzt man (6) in (5) ein, so ergibt sich

$$L'(x|\vartheta) = A'(T - \hat{T}). \tag{7}$$

Da also L' und $T - \hat{T}$ proportional sind, gilt in der Ungleichung von FRÉCHET das Gleichheitszeichen:

$$\sigma_T^2 = \frac{[1 + b'(\vartheta)]^2}{I}.$$

Für jede andere Schätzung gilt aber das Zeichen $\geqq$. Also hat T unter allen Schätzungen mit dem Bias $b(\vartheta)$ die kleinste Varianz σ_T^2.

Um die Beziehung zur Maximum Likelihood Methode herzustellen, nehmen wir zu a) und b) eine weitere Voraussetzung hinzu, nämlich:

c) *Die Schätzung T hat keinen Bias.*

Voraussetzung c) besagt

$$b(\vartheta) = \hat{T} - \vartheta = 0$$

oder $\hat{T} = \vartheta$. Setzt man das in (7) ein, so erhält man

$$L'(x|\vartheta) = A'(T - \vartheta). \tag{8}$$

Die Gleichung (10) § 37 wird jetzt

$$\mathcal{E}_\vartheta[(T - \hat{T})L'] = 1.$$

Setzt man hier für L' den Ausdruck (7) ein, so erhält man

$$\mathcal{E}_\vartheta[A'(T-\hat{T})^2] = 1$$

oder

(9) $$A'\sigma_T^2 = 1.$$

Daraus folgt, daß A' immer positiv ist. Weiter folgt aus (7)

$$\begin{aligned} I &= \mathcal{E}\,L'(x|\vartheta)^2 \\ &= A'^2\,\mathcal{E}(T-\hat{T})^2 \\ &= A'^2\sigma_T^2, \end{aligned}$$

also nach (9)

(10) $$I = A',$$

in Worten: *Die Information I ist die Ableitung des in* (4) *auftretenden Koeffizienten A nach ϑ.*

Stellt man nun nach (8) die Likelihood Gleichung

(11) $$A'(T-\vartheta) = 0$$

auf, so findet man, da A' immer positiv ist, als einzige Lösung

$$\tilde{\vartheta} = T,$$

und zwar ist $L'(x|\vartheta)$ nach (8) für $\vartheta < T$ positiv, für $\vartheta > T$ negativ. Somit wird L maximal für $\vartheta = T$. Mit L wird auch die Likelihood Funktion

$$g(x|\vartheta) = \exp L(x|\vartheta)$$

maximal. Also:

Unter den Voraussetzungen a), b), c) *ergibt die Maximum Likelihood Methode eine Minimalschätzung ohne Bias.*

Läßt man die Voraussetzung c) fallen, so kann man

$$\mathcal{E}\,T = f(\vartheta)$$

setzen. T ist dann eine Minimalschätzung ohne Bias für $f(\vartheta)$.

§ 39. Beispiele

In einigen wichtigen Fällen sind alle Bedingungen 1 bis 3 (§ 37) und a) bis c) (§ 38) erfüllt. Der einfachste Fall ist der folgende.

Beispiel 25. Schätzung des Mittelwertes bei normaler Verteilung.

Die beobachteten Größen $x_1, \ldots, x_n$ mögen unabhängig normal verteilt sein, mit unbekanntem Mittel μ. Ob die Streuung σ bekannt ist oder nicht, spielt keine Rolle. Wir nehmen der Einfachheit halber $\sigma = 1$ an. Die Likelihood Funktion ist dann (vgl. § 35, Beispiel 22)

$$g(x|\mu) = \exp\{-\tfrac{1}{2}\sum(x-\mu)^2\}.$$

Dafür kann man schreiben

$$g(x|\mu) = \exp\left(-\frac{1}{2}\sum x^2 + \sum x\mu - \frac{n}{2}\mu^2\right).$$

Führt man das Mittel

$$M = \frac{1}{n}\sum x$$

ein, so kann man $g(x|\mu)$ als Produkt von zwei Faktoren schreiben

$$g(x|\mu) = \exp n(\mu M - \tfrac{1}{2}\mu^2) \cdot \exp(-\tfrac{1}{2}\sum x^2).$$

Der erste Faktor hängt nur von M und μ, der zweite nur von den x ab. Bedingung a) ist also erfüllt: *M ist eine erschöpfende Schätzung für μ.*

Bedingungen 1 bis 3 (§ 37) geben keine Schwierigkeit. Die Bedingungen b) und c) (§ 38) sind offensichtlich auch erfüllt. *Also ist das Mittel M eine Minimalschätzung ohne Bias für μ.*

Beispiel 26. Schätzung der Varianz bei normaler Verteilung mit bekanntem Mittelwert.

Wenn der Mittelwert μ bekannt ist, kann man den Nullpunkt verschieben und $\mu = 0$ annehmen. Die Wahrscheinlichkeitsdichte ist dann, von einem unwesentlichen konstanten Faktor abgesehen,

$$g(x|\sigma) = \sigma^{-n} \exp\left(-\frac{\sum x^2}{2\sigma^2}\right). \tag{1}$$

Gesucht wird eine Schätzung für $\vartheta = \sigma^{-2}$. Setzt man $\sum x^2 = n s^2$, so kann man für (1) auch schreiben

$$g(x|\sigma) = \exp\left(-n \ln\sigma - \frac{n}{2}\frac{s^2}{\sigma^2}\right). \tag{2}$$

Diese Funktion hat schon die Form $\exp(A s^2 + B)$. Die Schätzung $T = s^2$ erfüllt also die Bedingungen a) und b). Der Erwartungswert von s^2 ist σ^2, also ist Bedingung c) auch erfüllt. Die Bedingungen 1 bis 3 (§ 37) lassen sich leicht verifizieren. *Also ist $s^2 = \frac{1}{n}\sum x^2$ eine Minimalschätzung ohne Bias für σ^2.*

Beispiel 27. Die Methode der kleinsten Quadrate.

Die beobachteten Größen $x_1, \ldots, x_n$ seien normal verteilt mit bekannten Streuungen $\sigma_1, \ldots, \sigma_n$. Ihre Mittelwerte $\xi_1, \ldots, \xi_n$ wurden in § 26 als beliebige differenzierbare Funktionen der unbekannten Parameter $\vartheta_1, \vartheta_2, \ldots$ angenommen, die dann durch lineare Funktionen angenähert wurden. Wir wollen hier aber annehmen, daß die ξ_i *lineare* Funktionen eines *einzigen* unbekannten Parameters ϑ sind. Die Theorie läßt sich zwar auf mehrere Parameter übertragen, aber für nichtlineare Funktionen gilt sie nur genähert.

Durch die Substitution $x_i = \sigma_i x_i'$ kann der allgemeine Fall auf den Fall zurückgeführt werden, daß alle x die Streuung Eins haben. Die Wahrscheinlichkeitsdichte ist dann, von einem konstanten Faktor abgesehen,

$$g(x|\vartheta) = \exp\{-\tfrac{1}{2}\sum (x_i - \xi_i)^2\}. \tag{3}$$

Setzt man hier für ξ_i die linearen Ausdrücke in ϑ ein:

$$\xi_i = c_i + a_i\vartheta, \tag{4}$$

so nimmt $g(x|\vartheta)$ die Gestalt

$$g(x|\vartheta) = \exp\tfrac{1}{2}(-k\vartheta^2 + 2l\vartheta - m) \tag{5}$$

an, wobei $k = \sum a_i^2 = \sum a a$ eine Konstante, $l = \sum (x_i - c_i) a_i$ eine lineare und m eine quadratische Funktion von den x ist. Ist $k = 0$, so sind alle $a_i = 0$ und $g(\vartheta | x)$ hängt überhaupt nicht von ϑ ab; dann ist ϑ nicht auswertbar. Ist aber $k \neq 0$, so kann (5) so geschrieben werden:

$$g(x|\vartheta) = \exp\{-\tfrac{1}{2} k (\vartheta - T)^2 + h(x)\} \tag{6}$$

mit

$$T = \frac{\sum a x - \sum a c}{\sum a a}. \tag{7}$$

Es ist klar, daß der Ausdruck { } in (6) maximal wird für $\vartheta = T$. Der Ausdruck { } ist aber eben derselbe, der auch in (3) schon als Exponent vorkam, und der bei der Methode der kleinsten Quadrate zum Maximum gemacht wird. Die Methode der kleinsten Quadrate führt also gerade zur Schätzung T für ϑ. Berechnet man den Mittelwert von T, so findet man $\widehat{T} = \vartheta$. Die Schätzung T hat also keinen Bias. Die Bedingungen a) und b) sind erfüllt, ebenso 1 bis 3, und man erhält das Ergebnis:

T ist Minimalschätzung ohne Bias für ϑ.

Die Größe T ist normal verteilt mit Wahrscheinlichkeitsdichte

$$c \exp\{-\tfrac{1}{2} k (\vartheta - T)^2\}.$$

Ihre Varianz ist

$$\sigma_T^2 = \frac{1}{k} = \frac{1}{\sum a a}. \tag{8}$$

Die Konstante $k = \sum a a$ ist genau die Information I, denn in der Ungleichung von Fréchet gilt ja das Gleichheitszeichen.

Bedenkt man, daß wir durch die Transformation $x_i = \sigma_i x_i'$ die Streuungen der Beobachtungen alle gleich Eins gemacht haben und daß die Gewichte dementsprechend auch Eins geworden sind, so sieht man, daß (8) mit dem früheren Ergebnis

$$\sigma_u^2 = h^{11} \sigma^2 = \frac{\sigma^2}{[g a a]} \tag{9}$$

übereinstimmt.

Beispiel 28. Schätzung einer Wahrscheinlichkeit.

Ein Ereignis mit der unbekannten Wahrscheinlichkeit p sei in n Versuchen x mal eingetreten. Was ist die beste Schätzung für p?

In diesem Fall ist x eine diskrete Größe, aber das schadet nichts. Im ersten Beispiel von § 35 wurde die Likelihood Funktion schon unter Weglassung eines nur von x abhängigen Faktors berechnet:

$$g(x|p) = p^x (1 - p)^{n-x}. \tag{9}$$

Dafür kann man auch schreiben:

$$g(x|p) = \exp\{x \ln p + (n - x) \ln(1 - p)\}. \tag{10}$$

Führt man hier die Häufigkeit

$$h = \frac{x}{n}$$

ein, so wird

$$g(x|p) = \exp\{h n \ln p + (1 - h) n \ln(1 - p)\}. \tag{11}$$

Der Ausdruck hat genau die in a) und b) geforderte Form. Die Schätzung h hat, wie wir wissen, den Erwartungswert p. Bedingungen 1 bis 3 sind auch erfüllt. *Also ist die Häufigkeit h eine Minimalschätzung ohne Bias für die Wahrscheinlichkeit p, d.h. sie hat von allen Schätzungen ohne Bias die kleinste Varianz.*

In allen bisher betrachteten Fällen wurde die Minimaleigenschaft einer Schätzung ohne Bias dadurch bewiesen, daß für sie in der Ungleichung von Fréchet das Gleichheitszeichen gilt. Wenn aber die Eigenschaften a) und b) von § 38 nicht erfüllt sind, so kann das Gleichheitszeichen gar nicht gelten. Es gibt dann aber andere Methoden, Minimalschätzungen ohne Bias zu finden. Diese Methoden sind von Rao und unter allgemeineren Voraussetzungen von Lehmann und Scheffé[1] entwickelt worden. Als Vorbereitung für die Erörterung dieser Methoden behandeln wir zunächst nach Kolmogoroff den Begriff des bedingten Erwartungswertes.

§ 40. Bedingte Erwartungswerte

Die fetten Buchstaben $\boldsymbol{t}, \boldsymbol{u}, \boldsymbol{v}, \boldsymbol{x}, \ldots$ mögen zufällige Größen bedeuten. Dabei setzen wir voraus, daß $\boldsymbol{x}_1, \ldots, \boldsymbol{x}_n$ beobachtete Größen und alle übrigen Funktionen der $\boldsymbol{x}_k$ sind

$$\boldsymbol{t} = T(\boldsymbol{x}); \quad \boldsymbol{u} = U(\boldsymbol{x}); \quad \ldots.$$

Die Werte, die die Funktionen im Einzelfall annehmen, seien

$$t = T(x); \quad u = U(x); \quad \ldots.$$

Jetzt soll der Begriff *bedingter Erwartungswert von* $\boldsymbol{u}$ *für einen bestimmten Wert* t *von* $\boldsymbol{t}$ definiert werden.

Die Definition ist sehr einfach, wenn $\boldsymbol{t}$ und $\boldsymbol{u}$ beide nur endlich viele Werte annehmen. Ist dann t ein Wert, der von $\boldsymbol{t}$ mit einer Wahrscheinlichkeit $P(t) \neq 0$ angenommen wird, so kann man zunächst die bedingten Wahrscheinlichkeiten

$$(1) \qquad P_t(u_k) = \frac{P(u_k, t)}{P(t)} = \frac{\mathcal{P}(\boldsymbol{u} = u_k \,\&\, \boldsymbol{t} = t)}{\mathcal{P}(\boldsymbol{t} = t)}$$

für alle endlich vielen Werte $u_1, \ldots, u_n$ berechnen und dann den bedingten Mittelwert $\mathcal{E}_t \boldsymbol{u}$ definieren als Summe aller Werte u_k, multipliziert mit ihren bedingten Wahrscheinlichkeiten:

$$(2) \qquad \mathcal{E}_t \boldsymbol{u} = \sum u_k P_t(u_k).$$

Multipliziert man (2) mit $P(t)$ und summiert über alle diejenigen t-Werte, die einer Menge M angehören, so erhält man wegen (1)

$$(3) \qquad \sum_{t \text{ in } M} (\mathcal{E}_t \boldsymbol{u})\, P(t) = \sum u_k \mathcal{P}(\boldsymbol{u} = u_k \,\&\, t \text{ in } M).$$

Umgekehrt, wenn (3) für jede Menge M gilt, so gilt (3) auch für eine solche Menge, die nur einen Wert t enthält. Dividiert man dann wieder durch $P(t)$, so erhält man (2).

[1] E. L. Lehmann and H. Scheffé, Completeness, Similar Regions and Unbiased Estimation I, Sankhya (The Indian Journal of Stat.) 10 (1950) p. 305.

Die Voraussetzung, daß $\boldsymbol{u}$ nur endlich viele Werte annimmt, ist nicht wesentlich. Man kann ja die endlichen Summen rechts in (2) und (3) durch unendliche Summen oder Integrale ersetzen, wie wir es in § 3 bei der Definition des gewöhnlichen Erwartungswertes getan haben. Ist $F_t(u)$ die bedingte Verteilungsfunktion von $\boldsymbol{u}$, d.h. die bedingte Wahrscheinlichkeit des Ereignisses $\boldsymbol{u} < u$ unter der Bedingung $\boldsymbol{t} = t$, so kann man statt (2) schreiben

$$\mathcal{E}_t \boldsymbol{u} = \int_{-\infty}^{\infty} u \, d F_t(u) \tag{4}$$

und statt (3)

$$\sum_{t \text{ in } M} (\mathcal{E}_t \boldsymbol{u}) \, P(t) = \int_{M'} \boldsymbol{u} \, d \mathcal{P}(E), \tag{5}$$

wobei M' das Ereignis ist, das eintritt, wenn t zu M gehört. Das Integral rechts ist als LEBESGUE-Integral der Funktion $\boldsymbol{u}$ über die Menge M' mit der Maßfunktion $\mathcal{P}(A)$ zu deuten (§ 3 A).

Die linke Seite von (5) kann ebenfalls als LEBESGUE-Integral über die Menge M aufgefaßt werden. Man braucht nur die Verteilungsfunktion $H(t)$ der Größe $\boldsymbol{t}$ einzuführen und kann dann (5) so schreiben

$$\int_M (\mathcal{E}_t \boldsymbol{u}) \, d H(t) = \int_{M'} \boldsymbol{u} \, d \mathcal{P}(E). \tag{6}$$

Bisher haben wir als Verteilungsfunktion von t eine Treppenfunktion mit Stufen von endlicher, von Null verschiedener Höhe angenommen. Hat t eine stetige Verteilungsfunktion, so sind die Definitionen (1) und (2) nicht mehr anwendbar, weil in (1) der Nenner Null wird. Die Formel (6) bleibt aber immer sinnvoll und kann nach KOLMOGOROFF als Definition des bedingten Erwartungswertes $\mathcal{E}_t \boldsymbol{u}$ angenommen werden. KOLMOGOROFF beweist (Grundbegriffe der Wahrscheinlichkeitsrechnung V § 4) mit Hilfe eines Satzes von NIKODYM unter der alleinigen Voraussetzung der Existenz von $\mathcal{E} \boldsymbol{u}$, daß es immer eine meßbare Funktion $f(t) = \mathcal{E}_t \boldsymbol{u}$ gibt, derart, daß (6) für alle meßbaren Mengen M auf der t-Achse erfüllt ist. Die Funktion $f(t) = \mathcal{E}_t \boldsymbol{u}$ ist durch (6) zwar nicht eindeutig bestimmt, aber zwei Lösungen $f_1(t)$ und $f_2(t)$ von (6) unterscheiden sich voneinander nur auf einer Menge mit Wahrscheinlichkeit Null auf der t-Achse.

Haben $\boldsymbol{x}_1, \ldots, \boldsymbol{x}_n$ eine Wahrscheinlichkeitsdichte $g(x)$, so kann man für (6) schreiben

$$\int_M (\mathcal{E}_t \boldsymbol{u}) \, d H(t) = \int_{M'} U(x) \, g(x) \, d x. \tag{7}$$

Hat auch $\boldsymbol{t}$ eine Wahrscheinlichkeitsdichte $h(t)$, so kann man links in (7) das STIELTJES-Integral durch ein gewöhnliches ersetzen:

$$\int_M (\mathcal{E}_t \boldsymbol{u}) \, h(t) \, d t = \int_{M'} U(x) \, g(x) \, d x. \tag{8}$$

Gilt (8) für alle Intervalle von $-\infty$ bis b auf der t-Achse, so gilt (8) für jede meßbare Menge M. Man kann statt (8) also auch verlangen

$$\int_{-\infty}^{b} (\mathcal{E}_t \boldsymbol{u})\, h(t)\, dt = \int_{t<b} U(x)\, g(x)\, dx. \tag{9}$$

Die Funktion $\mathcal{E}_t \boldsymbol{u}$ kann überall dort, wo sie stetig und $h(t) \neq 0$ ist, aus (9) durch Differentiation nach der oberen Grenze b bestimmt werden.

Wir wollen nun in einigen einfachen Fällen zeigen, wie der bedingte Erwartungswert zu berechnen ist.

Zunächst sei $\boldsymbol{t} = \boldsymbol{x}_1$. Die Wahrscheinlichkeitsdichte $h(t)$ wird dann durch Integration der Wahrscheinlichkeitsdichte $g(t, x_2, \ldots, x_n)$ nach $x_2, \ldots, x_n$ gefunden:

$$h(t) = \int g(t, x_2, \ldots, x_n)\, dx_2 \ldots dx_n. \tag{10}$$

Setzt man nun

$$\mathcal{E}_t \boldsymbol{u} = \frac{\int U(t, x_2, \ldots, x_n)\, g(t, x_2, \ldots, x_n)\, dx_2 \ldots dx_n}{\int g(t, x_2, \ldots, x_n)\, dx_2 \ldots dx_n}, \tag{11}$$

wobei die Integration jeweils über den ganzen Raum der Variablen $x_2, \ldots, x_n$ erstreckt wird, so sieht man ohne weiteres, daß (9) erfüllt ist.

Sodann sei $\boldsymbol{t} = (\boldsymbol{x}_1^2 + \cdots + \boldsymbol{x}_n^2)^{\frac{1}{2}}$. Führt man Polarkoordinaten $r, \varphi_1, \ldots, \varphi_{n-1}$ ein, so kann man den Fall auf den vorigen zurückführen. Man erhält

$$\mathcal{E}_r \boldsymbol{u} = \frac{\int U(x)\, g(x)\, d\omega}{\int g(x)\, d\omega}, \tag{12}$$

wobei $d\omega$ das Oberflächenelement der Einheitskugel $r = 1$ ist und die Integration sich in Zähler und Nenner über eine Kugel vom Radius r erstreckt.

Der bedingte Erwartungswert hat, soweit er überhaupt bestimmt ist (d. h. außerhalb einer Menge mit Wahrscheinlichkeit Null auf der t-Achse) die folgenden Eigenschaften:

1. $\mathcal{E}_t(\boldsymbol{u} - \boldsymbol{v}) = \mathcal{E}_t \boldsymbol{u} - \mathcal{E}_t \boldsymbol{v}$.
2. Wenn $\boldsymbol{u}$ eine Konstante c ist, so ist $\mathcal{E}_t \boldsymbol{u} = c$.
3. Wenn $\mathcal{E}_t \boldsymbol{u}$ Null ist für alle t, so ist $\mathcal{E} \boldsymbol{u} = 0$.
4. Wenn $\boldsymbol{v} = \varphi(\boldsymbol{t})$ ist, so ist $\mathcal{E}_t(\boldsymbol{u}\boldsymbol{v}) = (\mathcal{E}_t \boldsymbol{u}) \cdot \varphi(t)$.

Die ersten drei Eigenschaften folgen unmittelbar aus der Definition. Die letzte hat Kolmogoroff (Grundbegriffe S. 50) bewiesen.

§ 41. Erschöpfende statistische Größen

Wir kehren nun zum Problem der Minimalschätzung eines unbekannten Parameters ϑ zurück. Wir nehmen wieder an, daß die Wahrscheinlichkeitsdichte der beobachteten Größen $\boldsymbol{x}_k$ die Form

$$g(x|\vartheta) = e(t|\vartheta)\, h(x) \tag{1}$$

hat, wobei t eine von ϑ unabhängige Funktion der x ist:

$$t = T(x). \tag{2}$$

Nach der früheren Bezeichnung wäre $\boldsymbol{t} = T(\boldsymbol{x})$ eine erschöpfende Schätzung für ϑ. Da aber $\boldsymbol{t}$ gar keine Schätzung für ϑ zu sein braucht, nennen wir $\boldsymbol{t}$ lieber eine *erschöpfende statistische Größe* (sufficient statistic). Wir werden auch sagen: $\boldsymbol{t} = T(\boldsymbol{x})$ ist *erschöpfend für* ϑ.

Der bedingte Erwartungswert $\mathcal{E}_t \boldsymbol{u}$ einer Größe $\boldsymbol{u} = U(\boldsymbol{x})$ wird wie in § 40 durch

$$\int_{M'} U(x)\, g(x|\vartheta)\, dx = \int_M (\mathcal{E}_t \boldsymbol{u})\, dH(t) \tag{3}$$

definiert, wobei $H(t)$ die Verteilungsfunktion der Größe $\boldsymbol{t}$ ist. Wir beweisen nun:

Wenn die Wahrscheinlichkeitsdichte $g(x|\vartheta)$ *die Form* (1) *hat, so kann man die Funktion* $\mathcal{E}_t \boldsymbol{u}$ *so bestimmen, daß sie von* ϑ *unabhängig ist.*

Wir führen den Beweis zunächst unter der Annahme, daß es ein ϑ gibt mit der Eigenschaft $e(t|\vartheta) \neq 0$ für alle t. Dann ist nach (1) für beliebige ϑ'

$$g(x|\vartheta') = \frac{e(t|\vartheta')}{e(t|\vartheta)}\, e(t|\vartheta)\, h(x) = \frac{e(t|\vartheta')}{e(t|\vartheta)}\, g(x|\vartheta)$$

oder, wenn der Bruch rechts $Q(t)$ genannt wird,

$$g(x|\vartheta') = Q(t)\, g(x|\vartheta). \tag{4}$$

Die für den Parameterwert ϑ gebildeten Erwartungswerte mögen mit $\mathcal{E}$ bezeichnet werden, die für ϑ' mit $\mathcal{E}'$. Nach (3) ist also

$$\int_{M'} U(x)\, g(x|\vartheta)\, dx = \int_M (\mathcal{E}_t \boldsymbol{u})\, dH(t) \tag{5}$$

und

$$\int_{M'} U(x)\, g(x|\vartheta')\, dx = \int_M (\mathcal{E}'_t \boldsymbol{u})\, dH'(t) \tag{6}$$

oder wegen (4)

$$\int_{M'} U(x)\, Q(t)\, g(x|\vartheta)\, dx = \int_M (\mathcal{E}'_t \boldsymbol{u})\, dH'(t). \tag{7}$$

Die Größe $Q(\boldsymbol{t})$, deren Wert jeweils gleich $Q(t)$ ist, nennen wir $V(\boldsymbol{x}) = \boldsymbol{v}$:

$$Q(\boldsymbol{t}) = Q\big(T(\boldsymbol{x})\big) = V(\boldsymbol{x}) = \boldsymbol{v}.$$

Wir wenden nun die Eigenschaft 4 (§ 40) auf das Produkt $\boldsymbol{uv} = UV$ an. Das ergibt

$$\mathcal{E}_t(\boldsymbol{uv}) = (\mathcal{E}_t \boldsymbol{u}) \cdot Q(t),$$

also nach der Definition von $\mathcal{E}_t(\boldsymbol{uv})$

(8) $$\int_{M'} U(x)\, V(x)\, g(x|\vartheta)\, dx = \int_M (\mathcal{E}_t \boldsymbol{u})\, Q(t)\, dH(t).$$

Da $Q(t) = V(x)$ nach Definition von V, stimmt die linke Seite von (8) mit der linken Seite von (7) überein. Somit ergibt sich

(9) $$\int_M (\mathcal{E}'_t \boldsymbol{u})\, dH'(t) = \int_M (\mathcal{E}_t \boldsymbol{u})\, Q(t)\, dH(t).$$

Wendet man (9) auf den speziellen Fall $\boldsymbol{u} = 1$ an, so folgt (für jede meßbare Menge M):

(10) $$\int_M dH'(t) = \int_M Q(t)\, dH(t).$$

Aus (10) folgt für jede stückweise konstante Funktion $f(t)$

(11) $$\int_M f(t)\, dH'(t) = \int_M f(t)\, Q(t)\, dH(t).$$

Der Beweis von (11) ergibt sich ohne weiteres durch Zerlegung der Menge M in Teilmengen, auf denen $f(t)$ konstant ist, und durch Anwendung von (10) auf diese Teilmengen.

Nun kann man aber jede meßbare Funktion durch stückweise konstante Funktionen so approximieren, daß ihr Integral sich nur beliebig wenig ändert. Also muß (11) für jede meßbare Funktion gelten, d.h. für jede Funktion $f(t)$, für welche die linke Seite überhaupt einen Sinn hat. Setzt man $f(t) = \mathcal{E}_t \boldsymbol{u}$ ein, so folgt

(12) $$\int_M (\mathcal{E}_t \boldsymbol{u})\, dH'(t) = \int_M (\mathcal{E}_t \boldsymbol{u})\, Q(t)\, dH(t).$$

Der Vergleich von (9) mit (12) ergibt

(13) $$\int_M (\mathcal{E}'_t \boldsymbol{u})\, dH'(t) = \int_M (\mathcal{E}_t \boldsymbol{u})\, dH'(t).$$

Somit kann man in (7) rechts $\mathcal{E}'_t \boldsymbol{u}$ durch $\mathcal{E}_t \boldsymbol{u}$ ersetzen, ohne daß die Gleichung falsch wird, d.h. $\mathcal{E}'_t \boldsymbol{u}$ kann für jedes ϑ' gleich $\mathcal{E}_t \boldsymbol{u}$ gewählt werden, was zu beweisen war.

Etwas schwieriger wird der Beweis, wenn $e(t|\vartheta)$ Null wird für gewisse Werte von t, die von ϑ abhängen.

Wir nehmen an, daß $e(t|\vartheta)$ stückweise stetig ist; das genügt für alle Anwendungen. An den Unstetigkeitsstellen können wir $e(t|\vartheta) = 0$ annehmen. Dann ist die Menge der Punkte auf der t-Achse, in denen $e(t|\vartheta) \neq 0$ ist, für jedes ϑ eine offene Menge.

Es kann Punkte t geben, in denen alle $e(t|\vartheta) = 0$ sind. Diese Punkte bilden eine Menge B_0, die für jedes ϑ eine Wahrscheinlichkeit Null besitzt. Auf der Menge B_0 kann man etwa $\mathcal{E}_t\boldsymbol{u} = 0$ setzen; es macht nichts aus. Worauf es ankommt, ist die Komplementärmenge C von B_0.

Zu jedem Punkt t von C gibt es ein ϑ, so daß $e(t|\vartheta) \neq 0$ ist. Es gibt dann auch eine Umgebung $B(t)$ des Punktes t, in der $e(t|\vartheta) \neq 0$ ist. Die offenen Mengen $B(t)$ überdecken die ganze Menge C, also werden abzählbar viele unter ihnen, etwa $B_1, B_2, \ldots$ bereits C überdecken. In B_1 sei etwa $e(t|\vartheta_1) \neq 0$, in B_2 sei $e(t|\vartheta_2) \neq 0$, usw.

Aus der Menge B_2 mögen alle Punkte, die bereits zu B_1 gehören, weggelassen werden, ebenso aus B_3 alle Punkte, die zu B_1 oder B_2 gehören, usw. Die so modifizierten Mengen $B_1, B_2, \ldots$ überdecken immer noch die ganze Menge C.

Auf Grund des früher Bewiesenen kann man in B_1 sämtliche $\mathcal{E}_t\boldsymbol{u}$ so modifizieren, daß sie mit der für $\vartheta = \vartheta_1$ definierten Funktion $\mathcal{E}_{1t}\boldsymbol{u}$ übereinstimmen. Ebenso kann man auf B_2 sämtliche $\mathcal{E}_t\boldsymbol{u}$ so modifizieren, daß sie mit $\mathcal{E}_{2t}\boldsymbol{u}$ übereinstimmen, usw. So erhält man schließlich eine Definition von $\mathcal{E}_t\boldsymbol{u}$, die von ϑ nicht mehr abhängt und für alle ϑ und M die Bedingung (3) erfüllt. Man kann nämlich jede Menge M in abzählbar viele Teile $M_0, M_1, M_2, \ldots$ zerlegen, die in $B_0, B_1, B_2, \ldots$ enthalten sind, und wenn (3) für diese Teile gilt, so gilt (3) auch für M.

Damit ist die Behauptung allgemein bewiesen.

§42. Anwendung auf das Problem der biasfreien Schätzung

A. Verbesserung einer Schätzung

Es seien wieder $x_1, \ldots, x_n$ beobachtete Größen mit einer von ϑ abhängigen Wahrscheinlichkeitsdichte $g(x|\vartheta)$, und es sei $\boldsymbol{t} = T(\boldsymbol{x})$ eine erschöpfende statistische Größe, also

$$g(x|\vartheta) = e(t|\vartheta)\, h(x). \tag{1}$$

Es sei $\boldsymbol{u} = U(\boldsymbol{x})$ eine Schätzung für ϑ, mit endlichem Erwartungswert $\hat{\boldsymbol{u}}$ und endlicher Varianz $\sigma_{\boldsymbol{u}}^2$. Ob diese Voraussetzungen nur für den wahren Wert von ϑ oder auch in einer gewissen Umgebung des wahren Wertes erfüllt sind, ist gleichgültig. Alle folgenden Behauptungen gelten jedenfalls für diejenigen Werte von ϑ, für welche der Erwartungswert und die Varianz von $\boldsymbol{u}$ endlich sind.

Nun wird eine *verbesserte Schätzung* $\boldsymbol{v}$ definiert, die nur von der erschöpfenden Größe $\boldsymbol{t}$ abhängt:

$$\boldsymbol{v} = F(\boldsymbol{t}), \tag{2}$$

und zwar soll der Wert v von $\boldsymbol{v}$ für jeden Wert t von $\boldsymbol{t}$ gleich dem bedingten Erwartungswert $\mathcal{E}_t \boldsymbol{u}$ sein:

$$v = F(t) = \mathcal{E}_t \boldsymbol{u}. \tag{3}$$

Kolmogoroff hat bewiesen, daß $\boldsymbol{v} = F(\boldsymbol{t})$ eine zufällige Größe ist. Nach § 41 hängt $F(t) = \mathcal{E}_t \boldsymbol{u}$ nicht von ϑ ab, sondern nur von t.

Wir beweisen nun: *$\boldsymbol{v}$ hat den gleichen Erwartungswert wie $\boldsymbol{u}$, und die Varianz von $\boldsymbol{v}$ ist höchstens gleich der Varianz von $\boldsymbol{u}$.*

Der Beweis beruht ausschließlich auf den Eigenschaften 1 bis 4 (§ 40). Aus 2 und 4 folgt zunächst

$$\mathcal{E}_t \boldsymbol{v} = \mathcal{E}_t (1 \cdot \boldsymbol{v}) = (\mathcal{E}_t 1) \cdot F(t) = F(t). \tag{4}$$

Aus 1 folgt weiter

$$\mathcal{E}_t (\boldsymbol{u} - \boldsymbol{v}) = \mathcal{E}_t \boldsymbol{u} - \mathcal{E}_t \boldsymbol{v} = F(t) - F(t) = 0. \tag{5}$$

Nach 3 ist somit

$$\mathcal{E} (\boldsymbol{u} - \boldsymbol{v}) = 0, \tag{6}$$

also $\mathcal{E}\boldsymbol{u} = \mathcal{E}\boldsymbol{v}$. Das ist die erste Behauptung.

Die Varianz von $\boldsymbol{u}$ ist

$$\left\{\begin{aligned} \sigma_{\boldsymbol{u}}^2 &= \mathcal{E} (\boldsymbol{u} - \hat{\boldsymbol{u}})^2 = \mathcal{E} (\boldsymbol{u} - \hat{\boldsymbol{v}})^2 \\ &= \mathcal{E} (\boldsymbol{u} - \boldsymbol{v} + \boldsymbol{v} - \hat{\boldsymbol{v}})^2 \\ &= \mathcal{E} (\boldsymbol{u} - \boldsymbol{v})^2 + 2\, \mathcal{E} (\boldsymbol{u} - \boldsymbol{v}) (\boldsymbol{v} - \hat{\boldsymbol{v}}) + \mathcal{E} (\boldsymbol{v} - \hat{\boldsymbol{v}})^2. \end{aligned}\right. \tag{7}$$

Nun ist $\boldsymbol{v} - \hat{\boldsymbol{v}}$ eine Funktion von $\boldsymbol{t}$ allein. Nennen wir diese Funktion $\varphi(\boldsymbol{t})$, so ist nach 4

$$\mathcal{E}_t (\boldsymbol{u} - \boldsymbol{v}) (\boldsymbol{v} - \hat{\boldsymbol{v}}) = \mathcal{E}_t (\boldsymbol{u} - \boldsymbol{v}) \cdot \varphi(t) = 0 \text{ nach (6)}, \tag{8}$$

also nach 3

$$\mathcal{E} (\boldsymbol{u} - \boldsymbol{v}) (\boldsymbol{v} - \hat{\boldsymbol{v}}) = 0. \tag{9}$$

Somit vereinfacht sich (7) zu

$$\sigma_{\boldsymbol{u}}^2 = \mathcal{E} (\boldsymbol{u} - \boldsymbol{v})^2 + \sigma_{\boldsymbol{v}}^2. \tag{10}$$

Daraus folgt unmittelbar die zweite Behauptung:

$$\sigma_{\boldsymbol{u}}^2 \geq \sigma_{\boldsymbol{v}}^2. \tag{11}$$

Wäre $\sigma_{\boldsymbol{v}}^2$ unendlich, so müßte nach (10) auch $\sigma_{\boldsymbol{u}}^2$ unendlich sein, entgegen der Voraussetzung. Also ist $\sigma_{\boldsymbol{v}}^2$ endlich und höchstens gleich $\sigma_{\boldsymbol{u}}^2$.

Das Gleichheitszeichen in (10) gilt nur dann, wenn $\boldsymbol{u} - \boldsymbol{v}$ nur auf einer Menge mit Wahrscheinlichkeit Null von Null verschieden ist.

Die Voraussetzung der Endlichkeit von $\sigma_{\boldsymbol{u}}^2$ kann übrigens auch fallen gelassen werden. Ist nämlich $\sigma_{\boldsymbol{u}}^2$ unendlich, so gilt (11) trivialerweise.

Es gibt also zu jeder Schätzung $\boldsymbol{u} = U(\boldsymbol{x})$ eine verbesserte Schätzung $\boldsymbol{v} = V(\boldsymbol{x})$, die genau den gleichen Bias und höchstens dieselbe Varianz hat wie $\boldsymbol{u}$ und die nur von der erschöpfenden Größe $\boldsymbol{t} = T(\boldsymbol{x})$ abhängt. Hat $\boldsymbol{u}$ keinen Bias, so hat $\boldsymbol{v}$ auch keinen.

Von jetzt an können wir die fetten Buchstaben wieder fallen lassen und die beobachteten Größen ebenso wie ihre Werte mit $x_1, \ldots, x_n$, die erschöpfende Größe mit $T = T(x)$ und die Schätzungen mit $U(x)$ und $V(x) = F(T)$ bezeichnen.

B. Die Integralgleichung für Schätzungen ohne Bias

Auf Grund des eben gewonnenen Ergebnisses können wir uns bei der Suche nach biasfreien Minimalschätzungen immer auf solche Schätzungen $V = F(T)$ beschränken, die nur von der erschöpfenden Größe T abhängen. Wir nehmen nun an, daß T eine Wahrscheinlichkeitsdichte $q(t|\vartheta)$ besitzt.

Wir verallgemeinern das Problem ein wenig, indem wir nicht für den Parameter ϑ selbst, sondern für eine Funktion $\varphi(\vartheta)$ eine Schätzung suchen. Die Bedingung, daß die Schätzung keinen Bias haben soll, führt unmittelbar auf die Integralgleichung

$$\int q(t|\vartheta)\, F(t)\, dt = \varphi(\vartheta)\,. \tag{12}$$

Integriert wird immer über den ganzen Bereich der möglichen Werte t der Schätzung T. Sind F und F_1 zwei Lösungen der Integralgleichung, so genügt ihre Differenz $D(t)$ der Integralgleichung

$$\int q(t|\vartheta)\, D(t)\, dt = 0\,. \tag{13}$$

Es kommt vor, daß die Funktionen $q(t|\vartheta)$ ein vollständiges Funktionensystem auf der t-Achse bilden, d.h. daß keine von Null verschiedene Funktion $D(t)$ zu allen diesen Funktionen orthogonal ist. In diesem Fall folgt aus (2)

$$D(t) = 0\,,$$

d.h. die Lösung von (1) ist eindeutig bestimmt. Somit haben wir den

Hauptsatz. *Wenn $T = T(x)$ eine erschöpfende Größe für ϑ ist und die $q(t|\vartheta)$ ein vollständiges Funktionensystem bilden, so ist jede nur von T abhängige Schätzung ohne Bias für $\varphi(\vartheta)$ eine Minimalschätzung.*

§ 43. Anwendungen

Die in § 42 erklärte Methode, Minimalschätzungen ohne Bias zu finden, gestattet viele Anwendungen. Zunächst können alle früheren Beispiele auch mit der jetzigen Methode behandelt werden. Wir geben jetzt einige neue Beispiele, von denen die ersten beiden dem Buche von Rao[1] entnommen sind.

[1] C. R. Rao, Adv. Stat. Meth. in Biom. Res., New York 1952.

Beispiel 29. χ^2-Verteilung mit Faktor α.

Man habe n unabhängige Größen $x_1, \ldots, x_n$ beobachtet, die alle eine Verteilung von der Art der χ^2-Verteilung haben, aber mit einem unbekannten Parameter α im Exponenten:

$$f(\alpha|x) = c\,\alpha^p\,e^{-\alpha x}\,x^{p-1} \qquad (x > 0) \tag{1}$$

mit $c = \Gamma(p)^{-1}$. Die Wahrscheinlichkeitsdichte von $x_1, \ldots, x_n$ ist, wenn $\sum x = T(x) = T$ gesetzt wird,

$$g(\alpha|x) = c^n\,\alpha^{np}\,e^{-\alpha T}(x_1 \ldots x_n)^{p-1}. \tag{2}$$

Aus der Form der Funktion g sieht man, daß T erschöpfend für α ist. Führt man durch

$$x_i = T\,y_i \tag{3}$$

neue Koordinaten T, y_i ein, so sind die y_i durch eine Nebenbedingung

$$\sum y_i = 1 \tag{4}$$

miteinander verknüpft, so daß nur T und $y_1, \ldots, y_{n-1}$ als unabhängig zu gelten haben. Integriert man nun nach $y_1, \ldots, y_{n-1}$ über das Gebiet

$$y_1 > 0, \ldots, y_n > 0, \quad \sum y_i = 1, \tag{5}$$

so erhält man für die Wahrscheinlichkeitsdichte von T

$$q(T|\alpha) = c'\,\alpha^{np}\,e^{-\alpha T}\,T^{np-1}. \tag{6}$$

Damit das Integral von 0 bis ∞ Eins wird, muß

$$c' = \Gamma(n\,p)^{-1}$$

sein. Der Mittelwert von T^{-1} wird

$$c'\,\alpha^{np}\int_0^\infty e^{-\alpha T}\,T^{np-2}\,dT = \frac{\alpha\,\Gamma(n\,p-1)}{\Gamma(np)} = \frac{\alpha}{np-1}.$$

Also ist

$$F(T) = (n\,p-1)\,T^{-1} \tag{7}$$

eine Schätzung ohne Bias für α.

Wenn es noch eine zweite, nur von T abhängige Schätzung gäbe, so müßte es eine Lösung der Integralgleichung

$$\int_0^\infty D(t)\,e^{-\alpha t}\,t^{np-1}\,dt = 0 \tag{8}$$

geben. Führt man $z = e^{-t}$ als neue Veränderliche ein und setzt $D(t)\,t^{np-1} = G(z)$, so folgt aus (8)

$$\int_0^\infty z^{\alpha-1}\,G(z)\,dz = 0 \qquad \text{für } \alpha = 1, 2, 3, \ldots. \tag{9}$$

Aber die Funktionen $1, z, z^2, \ldots$ bilden eine vollständiges Funktionensystem[1] auf dem Intervall von 0 bis 1. Aus (9) folgt also $G(z) = 0$, d.h. die Integralgleichung hat nur die Nullösung. *Die Schätzung* (7) *ist also minimal.*

Die Maximum Likelihood Schätzung

$$\tilde{\alpha} = n\,p\,T^{-1}$$

---

[1] Siehe etwa Courant-Hilbert, Methoden der mathematischen Physik I, Kap. 2, § 4.

hat einen kleinen Bias, stimmt aber asymptotisch für $n \to \infty$ mit der biasfreien Schätzung (7) überein.

Die Varianz von (7) ist

$$\sigma_F^2 = \frac{\alpha^2}{n p - 2} .$$

Für jede Schätzung ohne Bias gilt nach dem Obigen $\sigma^2 \geq \sigma_F^2$. Die Ungleichung von Fréchet würde nur

$$\sigma^2 \geq I^{-1} = \frac{\alpha^2}{n p}$$

ergeben. Die Integralgleichungsmethode leistet also mehr.

Beispiel 30. Rechteckige Verteilung.

Es seien $x_1, \ldots, x_n$ unabhängige Größen mit einer rechteckigen Verteilung im Bereich von 0 bis ϑ. Gesucht wird eine Schätzung für ϑ.

Die Wahrscheinlichkeit, daß alle $x_i < t$ ausfallen, ist

$$(t : \vartheta)^n = t^n \vartheta^{-n}.$$

Die Wahrscheinlichkeitsdichte der größten Wahrnehmung T ist also

$$(10) \qquad q(t|\vartheta) = n \vartheta^{-n} t^{n-1}.$$

Die übrigen Wahrnehmungen x_j seien (etwa nach aufsteigenden Nummern j geordnet) $y_1, \ldots, y_{n-1}$. Wir wollen die Wahrscheinlichkeitsdichte des Systems $T, y_1, \ldots, y_{n-1}$ bestimmen.

Es sei G ein Gebiet im Raum der Variablen $T, y_1, \ldots, y_{n-1}$. Wir können uns auf den Teil von G beschränken, der durch die Ungleichungen

$$y_1 < T, \ldots, y_{n-1} < T$$

definiert ist, denn $y_1 > T$ ist unmöglich und $y_1 = T$ hat Wahrscheinlichkeit Null. Einem Punkt P von G entsprechen n Punkte $P_1, \ldots, P_n$ im x-Raum, denn wenn T und $y_1, \ldots, y_{n-1}$ gegeben sind, so kann man entweder $x_1 = T$ und die übrigen x_j gleich $y_1, \ldots, y_{n-1}$ setzen, oder $x_2 = T, \ldots$ oder $x_n = T$. Dem Gebiet G entsprechen also n getrennte Gebiete $G_1, \ldots, G_n$ im x-Raum. Alle diese Gebiete haben, da sie durch Permutation der Variablen auseinander hervorgehen, gleiches Volumen V. Auch G hat das gleiche Volumen, da die Abbildung von G auf G_1 durch die Formeln

$$x_1 = T, \quad x_2 = y_1, \ldots, \quad x_n = y_{n-1}$$

definiert ist. Die Wahrscheinlichkeit, daß P zu G gehört, ist die Summe der Wahrscheinlichkeiten der Gebiete $G_1, \ldots, G_n$, also gleich n mal dem Volumen von G_1, dividiert durch ϑ^n:

$$\mathcal{P}(G) = n V \vartheta^{-n}.$$

Also ist die Wahrscheinlichkeitsdichte des ganzen Systems $T, y_1, \ldots, y_{n-1}$

$$(11) \qquad g(t, y|\vartheta) = n \vartheta^{-n} h(t, y),$$

wobei $h(t, y)$ gleich Eins ist im Gebiet $0 < y_i < t < \vartheta$ und Null außerhalb dieses Gebietes.

Aus der Form der Wahrscheinlichkeitsdichte (11) sieht man, daß T eine erschöpfende Schätzung für ϑ ist. Der Erwartungswert von T ist nach (10)

$$(12) \qquad \mathcal{E} T = n \vartheta^{-n} \int_0^{\vartheta} t^n \, dt = \frac{n}{n+1} \vartheta .$$

Somit ist

$$F = \frac{n+1}{n} T \tag{13}$$

eine Schätzung ohne Bias für ϑ. Die Varianz ist

$$\sigma^2 = \frac{\vartheta^2}{n(n+2)}.$$

Gäbe es noch eine andere nur von T abhängige Schätzung ohne Bias, so müßte es eine Lösung der Integralgleichung

$$\int_0^{\vartheta} D(t)\, n\, \vartheta^{-n} t^{n-1}\, dt = 0 \tag{14}$$

oder

$$\int_0^{\vartheta} D(t)\, t^{n-1}\, dt = 0 \tag{15}$$

geben. Wenn aber (15) für alle ϑ gilt, so muß $D(t) = 0$ sein. Also ist (13) die Minimalschätzung.

Die Maximum Likelihood Schätzung $\tilde{\vartheta} = T$ ergibt fast sicher einen zu kleinen Wert.

Das folgende Beispiel wurde mir freundlicherweise von E. L. LEHMANN zur Verfügung gestellt. Es ist deswegen besonders interessant, weil darin die in § 42A erklärte Methode der Verbesserung einer biasfreien Schätzung direkt angewandt wird.

Beispiel 31. Ein Fabrikant liefert ein Produkt in Kisten. Ein Abnehmer nimmt aus jeder Kiste eine Stichprobe zu n Stück und prüft sie. Wenn die Stichprobe mehr als zwei defekte Exemplare enthält, wird die Kiste abgelehnt, was einen gewissen Verlust für den Fabrikanten bedeutet. Die gefundenen Anzahlen fehlerhafter Stücke werden dem Fabrikanten jedesmal mitgeteilt. Der Fabrikant, der alle Stücke nach dem gleichen Verfahren herstellt, nimmt an, daß die Wahrscheinlichkeit eines Defektes für alle Stücke die gleiche ist, etwa gleich p. Die beobachteten Anzahlen fehlerhafter Stücke seien $x_1, \ldots, x_r$. Die Minimalschätzung ohne Bias für p ist selbstverständlich

$$h = \frac{x_1 + \cdots + x_r}{r\,n}.$$

Der Fabrikant wünscht aber eine Schätzung ohne Bias für den Erwartungswert seines Verlustes. Eine Verbesserung seines Produktes (etwa durch verschärfte Vorprüfung) kostet ja Geld, und er wird dieses Geld nur aufwenden, wenn es sich lohnt.

Die Wahrscheinlichkeit, daß eine Kiste nicht abgelehnt wird, ist

$$\vartheta = q^n + n\,p\,q^{n-1} + \binom{n}{2} p^2 q^{n-2}.$$

Der Erwartungswert des Verlustes ist proportional zu $1 - \vartheta$. Es gilt also, eine Schätzung ohne Bias für ϑ zu finden.

Die beobachteten $x_1, \ldots, x_r$ sind unabhängige Größen, von denen jede eine Binomialverteilung hat. Die Wahrscheinlichkeit, daß die Werte $x_1, \ldots, x_r$ herauskommen, ist

$$P(x) = \binom{n}{x_1} \cdots \binom{n}{x_r} p^{x_1} q^{n-x_1} \cdots p^{x_r} q^{n-x_r}.$$

Setzt man $x_1 + \cdots + x_r = T$, so kann man für $P(x)$ schreiben

$$P(x) = \binom{n}{x_1} \cdots \binom{n}{x_r} p^T q^{nr-T}.$$

Aus der Form dieser Funktion folgt sofort, daß T eine erschöpfende Größe für p oder ϑ ist. Eine Minimalschätzung ohne Bias wird also als Funktion von T allein angesetzt werden können. Wie findet man eine solche Funktion?

Eine schlechte, aber ganz einfache Schätzung ohne Bias ist

$U = 1$, wenn die erste Kiste angenommen wird,

$U = 0$, wenn sie abgelehnt wird.

Nun bilden wir den bedingten Erwartungswert dieser Größe U für $T = t$. Es gibt drei Fälle, in denen die erste Kiste angenommen wird, nämlich wenn sie 0, 1 oder 2 defekte Stücke enthält. Wir müssen also die bedingten Wahrscheinlichkeiten dieser drei Fälle unter der Annahme $T = t$ jeweils mit $U = 1$ multiplizieren und addieren. Das gibt

$$\mathcal{E}_t U = \frac{\mathcal{P}(x_1 = 0 \,\&\, x_2 + \cdots + x_r = t)}{\mathcal{P}(x_1 + \cdots + x_r = t)} + \frac{\mathcal{P}(x_1 = 1 \,\&\, x_2 + \cdots + x_r = t-1)}{\mathcal{P}(x_1 + \cdots + x_r = t)} + \\ + \frac{\mathcal{P}(x_1 = 2 \,\&\, x_2 + \cdots + x_r = t-2)}{\mathcal{P}(x_1 + \cdots + x_r = t)}.$$

Alle Wahrscheinlichkeiten im Zähler enthalten einen Faktor $p^t q^{rn-t}$, der auch im Nenner auftritt und sich weghebt. Man erhält also

$$\mathcal{E}_t U = \frac{\binom{rn-n}{t} + \binom{n}{1}\binom{rn-n}{t-1} + \binom{n}{2}\binom{rn-n}{t-2}}{\binom{rn}{t}}.$$

Somit erhalten wir für ϑ die verbesserte Schätzung

$$V = \binom{rn}{T}^{-1} \left[\binom{rn-n}{T} + \binom{n}{1}\binom{rn-n}{T-1} + \binom{n}{2}\binom{rn-n}{T-2}\right].$$

Um zu zeigen, daß es sich um die Minimalschätzung ohne Bias handelt, brauchen wir nur noch zu verifizieren, daß V die einzige nur von T abhängige biasfreie Schätzung ist, d.h. daß die Gleichung

$$\sum_{t=0}^{nr} \binom{nr}{t} p^t q^{nr-t} F(t) = \vartheta$$

nur eine Lösung $F(t)$ besitzt. Sind F und F_1 zwei Lösungen, so genügt ihre Differenz $D(t)$ der homogenen Gleichung

$$\sum \binom{nr}{t} p^t q^{nr-t} D(t) = 0.$$

Ein Polynom in p kann aber nur dann für $0 \leq p \leq 1$ Null sein, wenn alle seine Koeffizienten verschwinden. Also ist $D = 0$ die einzige Lösung.

§ 44. Schätzung der Varianz einer Normalverteilung

RAO sowie LEHMANN und SCHEFFÉ haben ihre Theorie der Minimalschätzung auf mehrere unbekannte Parameter übertragen. Wir gehen auf die allgemeine Theorie hier nicht ein, sondern beschränken uns auf ein Beispiel, das für die Anwendungen besonders wichtig ist.

Es seien $x_1, \ldots, x_n$ unabhängige normal verteilte Größen mit unbekannter Varianz ϑ und unbekanntem Mittelwert μ. Die Wahrscheinlichkeitsdichte ist also

$$(1)\quad \begin{cases} g(x_1, \ldots, x_n | \vartheta, \mu) = c\,\vartheta^{-\frac{n}{2}} \exp\left(-\dfrac{\sum (x-\mu)^2}{2\vartheta}\right) \\ \qquad = c\,\vartheta^{-\frac{n}{2}} \exp\left(-\dfrac{\sum x^2 - 2\mu \sum x + n\mu^2}{2\vartheta}\right). \end{cases}$$

Aus der Form dieser Funktion sieht man unmittelbar, daß $\sum x^2$ und $\sum x$ erschöpfend für ϑ und μ sind. Die Minimalschätzung für μ ist, wie wir schon wissen,

$$(2)\qquad \bar{x} = \frac{1}{n} \sum x.$$

Gesucht wird eine Minimalschätzung für ϑ. Sie soll keinen Bias haben, gleichgültig wie groß ϑ und μ sind.

Wir führen zunächst durch eine orthogonale Transformation neue Koordinaten $y_1, \ldots, y_n$ ein, wobei

$$(3)\qquad y_1 = \bar{x}\sqrt{n} = n^{-\frac{1}{2}}(x_1 + \cdots + x_n)$$

gesetzt werden kann.

Wegen der Orthogonalität der Transformation ist

$$\sum x^2 = \sum y^2,$$

also

$$\begin{aligned} \sum x^2 - 2\mu \sum x + n\mu^2 &= \sum y^2 - 2\mu\, y_1 \sqrt{n} + n\mu^2 \\ &= (y_1 - \mu\sqrt{n})^2 + y_2^2 + \cdots + y_n^2. \end{aligned}$$

Die Wahrscheinlichkeitsdichte wird somit

$$(4)\qquad f(y_1, \ldots, y_n | \vartheta, \mu) = c\,\vartheta^{-\frac{n}{2}} \exp\left\{-\frac{(y_1 - \mu\sqrt{n})^2 + y_2^2 + \cdots + y_n^2}{2\vartheta}\right\}.$$

Im Raum der $y_2, \ldots, y_n$ führen wir Polarkoordinaten $r, \varphi_1, \ldots, \varphi_{n-2}$ ein. Die Wahrscheinlichkeitsdichte wird

$$(5)\quad f(y_1, r, \varphi | \vartheta, \mu) = c\,\vartheta^{-\frac{n}{2}} \exp\left\{-\frac{(y_1 - \mu\sqrt{n})^2 + r^2}{2\vartheta}\right\} r^{n-2}\, h(\varphi_1, \ldots, \varphi_{n-2}).$$

Statt der früheren $\sum x^2$ und $\sum x$ treten in (5) die Größen r und y_1 auf, die natürlich ebenfalls erschöpfend für ϑ und μ sind.

Man kann nun wie in § 40 einen bedingten Erwartungswert $\mathcal{E}_{r,y_1}\boldsymbol{u}$ für jede Größe $\boldsymbol{u}$ definieren. Die allgemeine Theorie von KOLMOGOROFF ist nicht einmal nötig: der bedingte Erwartungswert kann einfach durch Integration nach den Winkelkoordinaten $\varphi_1, \ldots, \varphi_{n-2}$ definiert werden (vgl. § 40, Schluß).

Durch Bildung dieses bedingten Mittelwertes kann man nun, wie in § 42A, aus jeder Schätzung $\boldsymbol{u}$ für ϑ eine verbesserte Schätzung $\boldsymbol{v}$ herleiten, die den gleichen Bias und höchstens die gleiche Varianz hat und nur von r und y_1 abhängt. Man kann sich also auf Funktionen von r und y_1 beschränken.

Eine solche Funktion ist

$$s^2 = \frac{\sum (x - \bar{x})^2}{n - 1} = \frac{\sum x^2 - n\,\bar{x}^2}{n - 1} = \frac{\sum y^2 - y_1^2}{n - 1} = \frac{r^2}{n - 1}. \tag{6}$$

Wir wissen schon, daß s^2 eine Schätzung ohne Bias für $\sigma^2 = \vartheta$ ist. Gäbe es noch eine zweite Schätzung ohne Bias, so hätte die Integralgleichung

$$\iint D(y, r) \exp\left\{- \frac{(y - \mu\sqrt{n})^2 + r^2}{2\vartheta}\right\} r^{n-2}\, dr\, dy = 0 \tag{7}$$

eine von Null verschiedene Lösung.

Wir setzen nun

$$\int_0^\infty D(y, r) \exp\left(- \frac{r^2}{2\vartheta}\right) r^{n-2}\, dr = F(\vartheta | y) \tag{8}$$

und haben dann die Integralgleichung

$$\int_{-\infty}^{\infty} F(y|\vartheta) \exp\left(- \frac{y^2 - 2y\mu\sqrt{n} + \mu^2 n}{2\vartheta}\right) dy = 0$$

oder, wenn der konstante Faktor $\exp\frac{-\mu^2 n}{2\vartheta}$ vor das Integralzeichen gebracht und $\alpha = \frac{\mu\sqrt{n}}{\vartheta}$ gesetzt wird,

$$\int_{-\infty}^{\infty} F(y|\vartheta) \exp\left(- \frac{y^2}{2\vartheta}\right) e^{\alpha y}\, dy = 0. \tag{9}$$

Dies soll für beliebige α und ϑ gelten. Die linke Seite von (9) ist eine analytische Funktion von α, die für alle komplexen α definiert ist[1]. Wenn eine solche Funktion auch nur auf einer kleinen Teilstrecke

[1] Beweis. Man kann in (9) zunächst die Grenzen $-\infty$ und ∞ durch $-M$ und $+M$ ersetzen, so daß in einem beliebigen Kreis $|\alpha| < R$ der Fehler $< \varepsilon$ bleibt. Sodann kann man $e^{\alpha y}$ in eine Potenzreihe nach α entwickeln und gliedweise integrieren. So erhält man für das Integral von $-M$ bis M eine Potenzreihe in α. Jetzt kann man M gegen ∞ gehen lassen: der gleichmäßige Limes einer regulären Funktion ist wieder eine reguläre Funktion im Kreis $|\alpha| < R$.

der imaginären Achse Null ist, so ist sie identisch Null. Wir können daher in (9) α durch it ersetzen und erhalten eine FOURIER-Transformierte, die Null ist. Also ist die Funktion selber Null. Daraus folgt

$$F(y|\vartheta) = 0. \tag{10}$$

Setzt man das in (8) ein, so erhält man für $D(y, r)$ die Integralgleichung

$$\int_0^\infty D(y, r) \exp(-\beta r^2) r^{n-2} dr = 0. \tag{11}$$

Führt man r^2 als neue Veränderliche ein, so erhält man eine Integralgleichung von genau derselben Form wie (8) § 43. Also folgt, genau wie damals

$$D(y, r) = 0.$$

Für den obigen Beweis genügen ganz schwache Regularitätsannahmen über die Funktion $D(y, r)$. Es genügt z.B. vorauszusetzen, daß die Integrale (7) und (8) absolut konvergieren für alle μ und ϑ in einem endlichen Bereich

$$a < \mu < b$$

$$0 < \vartheta < c$$

und daß die Konvergenz in jedem abgeschlossenen Teilbereich gleichmäßig ist.

Mit genau derselben Beweismethode kann man auch den Fall behandeln, daß mehrere Reihen $x_1, \ldots, x_m$; $y_1, \ldots, y_n$; ... von normal verteilten Größen mit der gleichen Varianz ϑ, aber mit möglicherweise verschiedenen Mittelwerten $\mu, \nu, \ldots$ beobachtet sind. Das Ergebnis ist dasselbe: die empirische Varianz

$$s^2 = \frac{\sum (x - \bar{x})^2 + \sum (y - \bar{y})^2 + \cdots}{(m-1) + (n-1) + \cdots} \tag{12}$$

ist eine Minimalschätzung ohne Bias für ϑ.

Besteht jede Reihe nur aus zwei Beobachtungen, so erhält man als Spezialfall von (12) die Formel (10) § 35. Das dortige Beispiel 23 kann also als Beispiel für die praktische Anwendung der Formel (12) dienen.

§ 45. Asymptotische Eigenschaften

Alle bisher behandelten Sätze gelten für kleine Stichproben ebenso wie für große, was für die Anwendung besonders wichtig ist. Wir wollen nun zum Schluß in aller Kürze und ohne Beweise die wichtigsten asymptotischen Eigenschaften der Schätzungen für große Stichproben erörtern.

A. Konsistenz der Maximum Likelihood Schätzung

Wir kehren zum Fall eines Parameters ϑ zurück. Es seien etwa $x_1, \ldots, x_n$ unabhängige Größen, die alle dieselbe Wahrscheinlichkeitsdichte $f(x|\vartheta)$ haben. Die gesamte Wahrscheinlichkeitsdichte ist also

$$g(x|\vartheta) = f(x_1|\vartheta)\, f(x_2|\vartheta) \ldots f(x_n|\vartheta). \tag{1}$$

Eine Schätzung T für ϑ heißt *konsistent*, wenn für $n \to \infty$ die Wahrscheinlichkeit, daß $|T - \vartheta| < \varepsilon$ ist, gegen Eins strebt. Man kann nun zeigen, daß unter gewissen Regularitätsvoraussetzungen die Maximum Likelihood Methode zu einer konsistenten Schätzung für ϑ führt.

Der einfachste mir bekannte Beweis, unter recht schwachen Regularitätsvoraussetzungen, stammt von A. WALD und J. WOLFOWITZ. Wir werden den Beweis hier nicht reproduzieren, sondern verweisen den Leser auf die Originalarbeiten in Ann. of Math. Stat. 20 (1949) p. 595 und 601.

Wenn für $n \to \infty$ auch die Anzahl der unbekannten Parameter wächst, braucht der Konsistenzsatz nicht zu gelten. Ein Beispiel dafür ist uns in § 35 schon begegnet.

B. Asymptotische Normalität, Mittelwert und Varianz

Unter stärkeren Einschränkungen war die Konsistenz der Maximum Likelihood Schätzung $\tilde{\vartheta}$ schon früher von HOTELLING[1] und DOOB[2] bewiesen worden. Diese Autoren haben aber noch mehr bewiesen, nämlich, daß die Schätzung $\tilde{\vartheta}$ asymptotisch normal verteilt ist mit Mittelwert ϑ und Streuung $c/\sqrt{n}$. Das bedeutet: Wird

$$U = (\tilde{\vartheta} - \vartheta)\sqrt{n} \tag{2}$$

als neue Veränderliche eingeführt, so strebt die Verteilungsfunktion von U für $n \to \infty$ gegen eine Normalverteilung mit Mittelwert Null und Streuung c. Dabei ist c durch

$$\frac{1}{c^2} = \mathcal{E}\left(\frac{\partial \ln f}{\partial \vartheta}\right)^2 \tag{3}$$

definiert. Die rechte Seite dieser Definitionsgleichung haben wir in § 36 mit $j(\vartheta)$ bezeichnet. Multipliziert man sie mit n, so erhält man die damals schon eingeführte „Information" $I = I(\vartheta)$:

$$I = \frac{n}{c^2} = \mathcal{E}\left(\frac{\partial \ln g}{\partial \vartheta}\right)^2. \tag{4}$$

---

[1] H. HOTELLING, Trans. Amer. Math. Soc. 32, S. 847 (1930).

[2] J. L. DOOB, Trans. Amer. Math. Soc. 36, S. 766 und 39, S. 410.

Die Varianz der asymptotischen Normalverteilung ist also genau die inverse Information:

(5) $$\frac{c^2}{n} = I^{-1}.$$

Bei der Definition der Begriffe „asymptotischer Mittelwert" und „asymptotische Varianz" muß man sehr vorsichtig sein. Es kann nämlich sehr wohl vorkommen, daß die exakte Verteilung von $\tilde{\vartheta}$ für jedes n eine unendlich große Varianz hat. Trotzdem ist $\tilde{\vartheta}$ asymptotisch normal verteilt mit dem endlichen Mittelwert ϑ und der endlichen Varianz c^2/n. Man darf nicht zuerst die Varianz berechnen und dann den Grenzübergang $n \to \infty$ vornehmen, sondern man muß zuerst die Verteilung von U berechnen, dann den Grenzübergang $n \to \infty$ vornehmen und schließlich die Varianz berechnen. In diesem Sinne sind die Ausdrücke „asymptotischer Mittelwert" und „asymptotische Varianz" im folgenden immer zu verstehen.

Ist T eine Schätzung für ϑ und ist der asymptotische Mittelwert von $T - \vartheta$ im eben erklärten Sinn klein gegen $n^{-\frac{1}{2}}$, d.h. hat die Größe

(6) $$U = (T - \vartheta)\sqrt{n}$$

eine asymptotische Verteilung mit Mittelwert Null, so heißt die Schätzung T *asymptotisch frei von Bias*. Nach den erwähnten Sätzen von Hotelling und Doob trifft das für die Maximum Likelihood Schätzung $\tilde{\vartheta}$ immer zu.

C. Effizienz

R. A. Fisher hat vermutet, daß die Schätzung $\tilde{\vartheta}$ *asymptotisch effizient* ist in dem Sinne, daß sie unter allen asymptotisch biasfreien Schätzungen die kleinst mögliche asymptotische Varianz besitzt. Spätere Untersuchungen, über die Le Cam[1] zusammenfassend berichtet, haben jedoch ergeben, daß diese Vermutung nur dann zutrifft, wenn man die zulässigen Schätzungen durch starke Regularitätsbedingungen einschränkt. Läßt man beliebige Schätzungen zur Konkurrenz zu, so kann man „supereffiziente" Schätzungen konstruieren, die für gewisse Parameterwerte eine kleinere asymptotische Varianz besitzen als die Schätzung $\tilde{\vartheta}$ und trotzdem asymptotisch frei von Bias sind.

Ein Beispiel einer solchen Schätzung wurde von J. L. Hodges gegeben. Es sei $f(x|\vartheta)$ eine normale Wahrscheinlichkeitsdichte mit Streuung 1 und Mittelwert ϑ:

(7) $$f(x|\vartheta) = (2\pi)^{-\frac{1}{2}} e^{-\frac{1}{2}(x-\vartheta)^2}.$$

[1] L. Le Cam, On some asymptotic properties of Max. Likelihood Estimates, Univ. of Calif. Publ. in Stat. 1, no. 11 (1953), p. 277.

Verlangt wird eine Schätzung für den Mittelwert ϑ. Aus n Beobachtungen kann man zunächst das Mittel $\bar{x}$ bilden. Die Schätzung $\bar{x}$ hat Varianz n^{-1} und keinen Bias. Nun definiert man eine Schätzung T durch

$$T = \bar{x}, \quad \text{wenn} \quad |\bar{x}| \geq n^{-\frac{1}{4}}$$

$$T = \tfrac{1}{2}\bar{x}, \quad \text{wenn} \quad |\bar{x}| < n^{-\frac{1}{4}}$$

und beweist:

1. T ist asymptotisch normal für jedes ϑ;
2. T ist asymptotisch frei von Bias für jedes ϑ;
3. T hat die asymptotische Varianz n^{-1}, wenn $\vartheta \neq 0$, aber $\frac{1}{4}n^{-1}$, wenn $\vartheta = 0$ ist.

Beweis. Ist $\vartheta \neq 0$, so hat die Ungleichung $|\bar{x}| < n^{-\frac{1}{4}}$ für große n eine verschwindend kleine Wahrscheinlichkeit, also ist praktisch immer $T = \bar{x}$, daher hat T asymptotisch dieselbe Verteilung wie $\bar{x}$. Ist dagegen $\vartheta = 0$, so hat die Ungleichung $\bar{x} \geq n^{-\frac{1}{4}}$ eine verschwindend kleine Wahrscheinlichkeit und T hat asymptotisch dieselbe Verteilung wie $\frac{1}{2}\bar{x}$.

Für eine eingehendere Untersuchung der hier angeschnittenen Fragen möge auf die angeführte Arbeit von Le Cam verwiesen werden.

Neuntes Kapitel

Auswertung von beobachteten Häufigkeiten

Die Problemstellung ist in diesem Kapitel dieselbe wie im vorigen: es handelt sich um die Schätzung von Parametern ϑ auf Grund von Beobachtungen. In diesem Kapitel sind alle beobachteten Größen *Häufigkeiten* $h = x/n$. Dabei ist jeweils n die Zahl der Versuche und x gibt an, wie oft dabei ein bestimmtes Ereignis eingetreten ist. Eine solche Häufigkeit h ist eine zufällige Größe, die immer eine Binomialverteilung besitzt (§ 5). Die Binomialverteilung hängt, außer von der bekannten Anzahl n, dem *Umfang* der Stichprobe, nur von einem Parameter p ab: der *Wahrscheinlichkeit* p des Ereignisses. Hat man mehrere Häufigkeiten h_i beobachtet, so können die zugehörigen Wahrscheinlichkeiten p_i entweder sämtlich unbekannt sein oder Funktionen von unbekannten Parametern ϑ. Das Problem ist, die Unbekannten zu schätzen und die Zuverlässigkeit der Schätzung zu beurteilen.

Das Wichtigste aus Kap. 7 und 8 wird hier als bekannt vorausgesetzt.

§ 46. Die Maximum Likelihood Methode

Um die Gedanken zu bestimmen, nehmen wir an, daß n unabhängige Versuche gemacht worden sind und daß es für jeden Versuch drei mögliche Ergebnisse gibt, die sich gegenseitig ausschließen. Das erste Ergebnis sei x_1 mal eingetreten, das zweite x_2 mal, das dritte x_3 mal.

Dann ist also

$$x_1 + x_2 + x_3 = n.$$

Die beobachteten Häufigkeiten sind $h_i = x_i/n$ mit

$$h_1 + h_2 + h_3 = 1.$$

Die Wahrscheinlichkeiten seien p_1, p_2 und p_3 mit

$$p_1 + p_2 + p_3 = 1.$$

Der Erwartungswert von h_i ist p_i, der von x_i also $n h_i$. Wir berechnen für spätere Zwecke die Erwartungswerte von x_i^2 und $x_i x_k$ $(i \neq k)$.

Die Varianz von x_i ist $n p_i (1 - p_i)$. Also ist

$$(1) \quad \begin{cases} \mathcal{E} x_i^2 = (\mathcal{E} x_i)^2 + n p_i (1 - p_i) \\ \phantom{\mathcal{E} x_i^2} = n^2 p_i^2 + n p_i - n p_i^2 \\ \phantom{\mathcal{E} x_i^2} = n(n-1) p_i^2 + n p_i. \end{cases}$$

Dasselbe gilt für $x_i + x_k$:

$$\mathcal{E}(x_i + x_k)^2 = n(n-1)(p_i + p_k)^2 + n(p_i + p_k).$$

Subtrahiert man davon $\mathcal{E} x_i^2 + \mathcal{E} x_k^2$ und dividiert durch 2, so erhält man

$$(2) \quad \mathcal{E} x_i x_k = n(n-1) p_i p_k \qquad (i \neq k).$$

Nach diesen Vorbereitungen kommen wir zum eigentlichen Problem. Die Wahrscheinlichkeiten p_1, p_2, p_3 seien Funktionen eines unbekannten Parameters ϑ. Es gilt, eine *Schätzung* (an estimate) für diesen Parameter ϑ zu finden.

Die Wahrscheinlichkeit, daß in n Versuchen x_1 mal der erste, x_2 mal der zweite und x_3 mal der dritte mögliche Ausgang sich ergibt, ist

$$\frac{n!}{x_1!\, x_2!\, x_3!} p_1^{x_1} p_2^{x_2} p_3^{x_3}.$$

Die Maximum Likelihood Methode besteht darin, diese Wahrscheinlichkeit zum Maximum zu machen. Da die Zahlenfaktoren am Anfang nicht von ϑ abhängen, können wir sie weglassen und die Likelihood Funktion einfach so ansetzen:

$$g(x|\vartheta) = p_1^{x_1} p_2^{x_2} p_3^{x_3}.$$

Statt $g(x|\vartheta)$ können wir auch den Logarithmus

$$(3) \quad L(x|\vartheta) = x_1 \ln p_1 + x_2 \ln p_2 + x_3 \ln p_3$$

zum Maximum machen. Wenn das Maximum im Innern des zulässigen ϑ-Intervalles liegt, muß die Ableitung Null werden. Das ergibt die

Likelihood Gleichung

(4) $$L'(x|\vartheta) = 0.$$

In einfachen Fällen läßt sich die Likelihood Gleichung direkt lösen. In anderen Fällen wendet man die in § 36 erklärte Methode der sukzessiven Näherungen an.

Hat man nur eine Wahrscheinlichkeit p zu bestimmen, so führt die Methode, wie wir in § 35 gesehen haben, ohne weiteres zur Schätzung

$$\tilde{p} = h = \frac{x}{n},$$

die keinen Bias hat und konsistent ist. Nach § 39, Beispiel 8 ist diese Schätzung sogar eine Minimalschätzung ohne Bias.

Wir geben nun zwei weitere Beispiele. In Beispiel 32 führt die Methode zu einer sehr guten Schätzung. In Beispiel 33 wird sich zeigen, daß es auch Fälle gibt, wo die Maximum Likelihood Methode versagt.

Beispiel 32. Ein berühmtes Beispiel, das R. A. FISHER im 9. Kapitel seiner Statist. Methods ausführlich diskutiert hat.

W. A. CARVER hat das genetische Verhalten zweier Erbfaktoren in Mais untersucht. Wir wollen die englischen Namen der betreffenden Eigenschaften beibehalten: Starchy versus Sugary und Green versus White base leaf. Bei der Selbstbefruchtung von Heterozygoten fand CARVER in der nächsten Generation die folgenden Zahlen.

Starchy		Sugary		Total
Green	White	Green	White	
1997	906	904	32	3839

Insgesamt liegen die Verhältnisse Starchy: Sugary und Green: White ganz nahe bei 3:1, wie es nach den MENDELschen Gesetzen sein soll. Innerhalb der Sugary-Klasse ist aber das Verhältnis Green: White nicht entfernt 3:1. Die Abweichung liegt weit außerhalb der Zufallsgrenzen, wie man ohne Mühe feststellt. Die Erbfaktoren sind also gekoppelt.

Es sei $\frac{1}{2}p$ die Wahrscheinlichkeit der Bildung einer weiblichen Gamete mit den beiden rezessiven Erbfaktoren Sugary White, und $\frac{1}{2}p'$ dieselbe Wahrscheinlichkeit für die männlichen Gameten. Dann ist die Wahrscheinlichkeit der Bildung eines doppelt-rezessiven Exemplares Sugary White $\frac{1}{4}pp'$. Setzen wir nun $pp' = \vartheta$, so finden wir für die Wahrscheinlichkeiten der vier Phänotypen

$$p_1 = \tfrac{1}{4}(2+\vartheta), \quad p_2 = p_3 = \tfrac{1}{4}(1-\vartheta), \quad p_4 = \tfrac{1}{4}\vartheta.$$

Es ist klar, daß nur das Produkt $pp' = \vartheta$ aus den vorliegenden Beobachtungen geschätzt werden kann. Nimmt man $p = p'$ an, so kann man auch die „Rekombinationsrate" $p = \sqrt{\vartheta}$ schätzen. Zur Schätzung von ϑ soll die Methode des Maximum Likelihood angewandt werden.

Sind x_1, x_2, x_3, x_4 die vier beobachteten Anzahlen, so ist die Likelihood Funktion

$$g(x|\vartheta) = p_1^{x_1} p_2^{x_2} p_3^{x_3} p_4^{x_4} = \left(\frac{2+\vartheta}{4}\right)^{x_1} \left(\frac{1-\vartheta}{4}\right)^{x_2+x_3} \left(\frac{\vartheta}{4}\right)^{x_4}.$$

Der Logarithmus ist, wenn die Faktoren $\frac{1}{4}$ weggelassen werden,

$$L(x|\vartheta) = x_1 \ln (2+\vartheta) + (x_2 + x_3) \ln (1-\vartheta) + x_4 \ln \vartheta .$$

Die Likelihood Gleichung lautet somit

$$\frac{x_1}{2+\vartheta} - \frac{x_2+x_3}{1-\vartheta} + \frac{x_4}{\vartheta} = 0$$

oder

$$n\vartheta^2 - (x_1 - 2x_2 - 2x_3 - x_4)\,\vartheta - 2x_4 = 0. \tag{5}$$

Die positive Wurzel dieser Gleichung ist die *Maximum Likelihood Schätzung* $\tilde{\vartheta}$.

Es ist leicht, andere Schätzungen für ϑ zu finden, sogar Schätzungen ohne Bias. Zum Beispiel sind

$$T_0 = 4h_4 = \frac{4x_4}{n}$$

und

$$T_1 = h_1 - h_2 - h_3 + h_4 = \frac{x_1 - x_2 - x_3 + x_4}{n}$$

offensichtlich Schätzungen ohne Bias für ϑ. Untersucht man aber nicht nur den Bias, sondern auch die Varianz, so zeigt sich, daß die Maximum Likelihood Schätzung $\tilde{\vartheta}$ den andern weit überlegen ist. Der Bias von $\tilde{\vartheta}$ ist nur von der Größenordnung n^{-1} und die Varianz ist asymptotisch (für große n) gleich der kleinsten Varianz, die nach der Ungleichung von Fréchet für Schätzungen ohne Bias überhaupt möglich ist. Die Schätzungen T_0 und T_1 haben zwar keinen Bias, aber ihre Varianz ist erheblich größer als die von $\tilde{\vartheta}$, d.h. sie sind nicht effizient.

Fisher hat fünf verschiedene Schätzungen $T_1, \ldots, T_5$ miteinander verglichen. Fishers T_1 stimmt mit unserem T_1 und sein T_4 mit unserem $\tilde{\vartheta}$ überein. T_5 ist die Schätzung nach Minimum χ^2:

$$\chi^2 = \sum \frac{(x_j - n p_j)^2}{n p_j} = \text{Min}.$$

Fishers Untersuchung ergibt, daß nur die letzten drei Schätzungen T_3, T_4, T_5 effizient sind in dem Sinne, daß ihr Bias klein gegen $n^{-\frac{1}{2}}$ und ihre Varianz asymptotisch gleich der kleinsten Varianz

$$V_{\min} = \frac{1}{I(\vartheta)} = \frac{c}{n}$$

ist, die nach der Ungleichung von Fréchet für Schätzungen ohne Bias möglich ist.

Auf die Effizienz der Maximum Likelihood Schätzung kommen wir später noch zurück.

Beispiel 33. Man schießt mit einer Kanone n mal bei unveränderter Einstellung auf ein punktförmiges Ziel. k Schüsse gehen über das Ziel hinaus, die übrigen l fallen vor dem Ziel ($k+l=n$). Wenn im folgenden von der „Schußhöhe“ die Rede ist, so ist damit die Höhe des Einschußpunktes in einer durch das Ziel gelegten Vertikalebene senkrecht zur Zielrichtung gemeint. Die Streuung der Schußhöhen sei bekannt, die Verteilung der Schußhöhen sei normal. Wie groß ist die Korrektur, die man an der Einstellung anbringen muß, damit der Mittelwert der Schußhöhe möglichst mit dem Ziel zusammenfällt?

Die Wahrscheinlichkeitsdichte der Schußhöhen ist, wenn das Ziel selbst als Nullpunkt der Höhenmessung und die Streuung als Einheit gewählt wird,

$$g(x) = \frac{1}{\sqrt{2\pi}}\, e^{-\frac{1}{2}(x-\mu)^2}.$$

Der Mittelwert dieser Verteilung ist μ, die gesuchte Korrektur also $-\mu$. Die Wahrscheinlichkeit eines Schusses über das Ziel hinaus ist

$$\int_0^\infty g(x)\,dx = \Phi(\mu).$$

Die Wahrscheinlichkeit, k mal über das Ziel hinauszuschießen, ist

$$\binom{n}{k}\Phi(\mu)^k\,[1-\Phi(\mu)]^{n-k}.$$

Der Logarithmus der Likelihood Funktion

$$L(k\,|\,\mu) = k\ln\Phi(\mu) + (n-k)\ln[1-\Phi(\mu)]$$

wird zum Maximum, wenn

$$\Phi(\mu) = \frac{k}{n}$$

wird; der plausibelste Wert $\tilde{\mu}$ wird also durch die Umkehrfunktion gegeben:

$$\tilde{\mu} = \Psi\left(\frac{k}{n}\right).$$

Für $k=0$ wird $\tilde{\mu} = -\infty$, für $k=n$ wird $\tilde{\mu} = +\infty$. Somit hat $\tilde{\mu}$, streng genommen, weder einen endlichen Mittelwert noch eine endliche Streuung.

In der Praxis ist dieser Mangel natürlich leicht zu korrigieren, indem man in den beiden Extremfällen $k=0$ und $k=n$ die Schätzung $\tilde{\mu}$ durch einen vernünftig erscheinenden endlichen Wert ersetzt; man ist ja über die Lage des Zieles einigermaßen orientiert. Es bleibt aber die Tatsache bestehen, daß die wörtliche Anwendung der Maximalvorschrift auch für sehr große n zu einer Schätzung mit unendlich großer Streuung führt.

Die Schätzung $\tilde{\mu}$ ist jedoch konsistent: für $n\to\infty$ konvergiert sie nach Wahrscheinlichkeit zum wahren Wert μ.

§ 47. Konsistenz der Likelihood Schätzung für $n \to \infty$

Die Konsistenz der Maximum Likelihood Schätzung gilt unter recht allgemeinen Voraussetzungen. In § 45 haben wir für den allgemeinen Beweis auf Wald und Wolfowitz verwiesen. Wir wollen hier den Fall, daß die beobachteten Größen Häufigkeiten sind, näher betrachten.

Es seien wieder drei Häufigkeiten

$$h_i = \frac{x_i}{n} \qquad (i = 1, 2, 3)$$

beobachtet. Die Wahrscheinlichkeiten p_1, p_2, p_3 der drei sich ausschließenden Ereignisse seien Funktionen eines Parameters ϑ.

Wir nehmen nun an, daß die Beziehung zwischen ϑ und den p_i eineindeutig und beiderseits stetig ist, daß also zu verschiedenen ϑ auch verschiedene p_i und zu nahe benachbarten p_i auch nahe benachbarte ϑ gehören. Würde man diese Annahme nicht machen, so würde es unmöglich sein, aus einem Beobachtungsmaterial, das nur Häufigkeiten, also nur Näherungswerte für die Wahrscheinlichkeiten p_i liefert, Näherungswerte für ϑ zu erhalten.

Die Likelihood Funktion ist wie in § 46

$$g(x|\vartheta) = p_1^{x_1} p_2^{x_2} p_3^{x_3}.$$

Multipliziert man sie mit dem von ϑ unabhängigen Faktor

$$n^n x_1^{-x_1} x_2^{-x_2} x_3^{-x_3},$$

so erhält man die gleichwertige Funktion

$$G(x|\vartheta) = \left(\frac{n p_1}{x_1}\right)^{x_1} \left(\frac{n p_2}{x_2}\right)^{x_2} \left(\frac{n p_3}{x_3}\right)^{x_3} \tag{1}$$

mit dem Logarithmus

$$L(x|\vartheta) = x_1 \ln \frac{p_1 n}{x_1} + x_2 \ln \frac{p_2 n}{x_2} + x_3 \ln \frac{p_3 n}{x_3}. \tag{2}$$

Diese Formel gilt für alle ϑ, insbesondere für den (unbekannten) wahren Wert, den wir mit ϑ^* bezeichnen wollen. Wird dieser eingesetzt, so unterscheiden sich die Anzahlen x_i von ihren Erwartungswerten $p_i n$ nach § 5 nach Wahrscheinlichkeit höchstens um Glieder von der Größenordnung $\sqrt{p_i n}$, d.h. die Beträge der Differenzen

$$z_i = x_i - n p_i \tag{3}$$

sind mit beliebig großer Wahrscheinlichkeit nicht größer als eine Konstante mal $\sqrt{p_i n}$. Dabei ist

$$\sum z = z_1 + z_2 + z_3 = 0. \tag{4}$$

Drückt man in (2) die pn durch die x und z aus, so erhält man wegen (4)

$$\left\{\begin{aligned} L(x|\vartheta) &= \sum x \ln \frac{x-z}{x} = \sum z + \sum x \ln\left(1 - \frac{z}{x}\right) \\ &= \sum x \left[\frac{z}{x} + \ln\left(1 - \frac{z}{x}\right)\right] = \sum x\, \varphi\left(\frac{z}{x}\right). \end{aligned}\right. \tag{5}$$

Diese Formel gilt selbstverständlich allgemein, für beliebig viele gemessene Häufigkeiten und beliebig viele Parameter $\vartheta_1, \ldots, \vartheta_r$. Sie gilt nicht nur für die wahren ϑ^*, sondern identisch in den ϑ.

Die in (5) vorkommende Funktion

$$\varphi(t) = t + \ln(1 - t)$$

hat das Maximum $\varphi(0) = 0$ und nimmt nach beiden Seiten vom Maximum immer ab, denn die Ableitung

$$\varphi'(t) = 1 - \frac{1}{1-t}$$

ist positiv für negative t und negativ für positive t. In (5) sind also alle einzelnen Glieder rechts negativ oder Null.

Für $|t| < 1$ läßt $\varphi(t)$ sich in eine Potenzreihe entwickeln:

$$\varphi(t) = -\tfrac{1}{2}t^2 - \tfrac{1}{3}t^3 - \cdots. \tag{6}$$

Setzt man insbesondere $t = \frac{z}{x}$, und nimmt an, daß z höchstens die Größenordnung $\sqrt{pn}$ hat, so hat $t = \frac{z}{x} = \frac{z}{pn + z}$ höchstens die Größenordnung $\frac{1}{\sqrt{pn}}$ und $-\varphi(t)$ nach (6) höchstens die Größenordnung $\frac{1}{pn}$. Somit hat jedes Glied in (5) höchstens die Größenordnung 1, also die ganze Summe auch, d.h. es gilt bei passender Wahl von g mit beliebig großer Wahrscheinlichkeit die Ungleichung

$$L(x|\vartheta) \geqq -g. \tag{7}$$

Ist dagegen ein z groß gegen $\sqrt{x}$, so ist $t = \frac{z}{x}$ groß gegen $\frac{1}{\sqrt{x}}$, also $-\varphi(t)$ groß gegen $\frac{1}{x}$, also nach (5) $-L(x|\vartheta)$ groß gegen 1, somit gilt dann die zu (7) entgegengesetzte Ungleichung

$$L(x|\vartheta) < -g. \tag{8}$$

Für die wahren Werte ϑ^* und die dazu gehörigen wahren p^* gilt nach dem oben Gesagten mit großer Wahrscheinlichkeit die Ungleichung (7). Für die $\tilde{\vartheta}$, die $G(x|\vartheta)$ und folglich auch $L(x|\vartheta)$ zum Maximum machen, gilt (7) um so mehr. Also können die zugehörigen $\tilde{z} = x - \tilde{p}n$ nicht groß gegen $\sqrt{x}$ sein, d.h. sie haben höchstens die Größenordnung

$$\sqrt{x} \sim \sqrt{p^* n}.$$

Da auch die mit den wahren p^* gebildeten $z = x - p^*n$ nach Wahrscheinlichkeit höchstens die Größenordnung $\sqrt{p^*n}$ haben, so gilt dasselbe auch für die Differenzen $\tilde{p}n - p^*n$, d.h.:

Die Differenzen $\tilde{p} - p^*$ haben mit beliebig großer Wahrscheinlichkeit höchstens die Größenordnung $n^{-\frac{1}{2}}$.

Wegen der Stetigkeit der ϑ als Funktion der p sind nun auch die Differenzen $\tilde{\vartheta} - \vartheta^*$ klein. Damit ist die Konsistenz der Maximum Likelihood Schätzung bewiesen.

Im folgenden soll angenommen werden, daß die p_i sogar differenzierbare Funktion von den ϑ sind, und umgekehrt. Dann folgt:

Die Differenzen $\tilde{\vartheta} - \vartheta^*$ haben mit beliebig großer Wahrscheinlichkeit höchstens die Größenordnung $n^{-\frac{1}{2}}$.

Setzt man (6) in (5) ein, so erhält man eine sehr nützliche Reihenentwicklung für $L(x|\vartheta)$, nämlich

$$(9)\qquad \begin{cases} L(x|\vartheta) = -\frac{1}{2}\sum\frac{z^2}{x} - \frac{1}{3}\sum\frac{z^3}{x^2} - \cdots \\ = -\frac{1}{2}\sum\frac{(x-np)^2}{x} - \frac{1}{3}\sum\frac{(x-np)^3}{x^2} - \cdots. \end{cases}$$

Meistens begnügt man sich mit der Näherung

$$(10)\qquad L(x|\vartheta) \sim -\frac{1}{2}\sum\frac{(x-np)^2}{x}.$$

§ 48. Maximum Likelihood, Minimum χ^2 und Kleinste Quadrate

Die zuletzt gewonnene Näherung für die Likelihood Funktion ist sehr bequem, wenn man sich rasch und mit wenig Rechnung eine erste Näherung für die $\tilde{\vartheta}$ verschaffen will. Statt $L(x|\vartheta)$ zum Maximum zu machen, macht man die quadratische Form

$$(1)\qquad \chi_x^2 = \sum\frac{(x-np)^2}{x}$$

zum Minimum.

Die Form χ_x^2 unterscheidet sich nur wenig von dem bekannten Ausdruck

$$(2)\qquad \chi^2 = \sum\frac{(x-np)^2}{np}.$$

Auch die Bedingung $\chi^2 = \text{Min}$ kann zu einer Schätzung der ϑ benutzt werden. Diese Schätzungsmethode führt aber meistens zu komplizierten Rechnungen, weil der Nenner auch differenziert werden muß.

Besser ist es, die Nenner in (2) nicht zu differenzieren. Man kann z.B. so vorgehen, daß man im Nenner die p durch geschätzte Werte $p^{(0)}$ ersetzt und den Ausdruck

$$(3)\qquad \chi_0^2 = \sum\frac{(x-np)^2}{np^{(0)}}$$

zum Minimum macht.

Wir wollen nun die Berechnung dieser verschiedenen Schätzungen etwas näher untersuchen und nachweisen, daß sie sich untereinander nur in der Größenordnung n^{-1} unterscheiden. Wir beschränken uns dabei auf die folgenden drei Schätzungsmethoden:

A. Minimum χ_0^2,

B. Minimum χ_x^2,

C. Maximum Likelihood.

Zur Vereinfachung der Rechnungen nehmen wir weiter an, daß die p_i *lineare* Funktionen von den unbekannten Parametern ϑ sind. Die Ergebnisse können auf nicht lineare, aber differenzierbare Funktionen übertragen werden, indem man diese in der Umgebung der wahren p-Werte durch lineare Funktionen annähert. In den Beispielen sind die p_i oft nicht lineare Funktionen, aber die Theorie wird nur für lineare Funktionen entwickelt werden. Das gilt für das ganze Kapitel.

A. Minimum χ_0^2

Die quadratische Form

$$\chi_0^2 = \sum \frac{(x - x')^2}{n\,p^{(0)}} \tag{4}$$

definiert im X-Raum eine Euklidische Metrik: χ_0^2 ist das Quadrat der Entfernung zwischen den Punkten X und X'. Setzt man nun

$$x_i' = n\,p_i(\vartheta),$$

wobei die $p_i(\vartheta)$ nach Voraussetzung lineare Funktionen der Parameter ϑ_α sind, so durchläuft der Punkt X' einen linearen Teilraum G. Die Bedingung $\chi_0^2 = \text{Min}$ bedeutet, daß der Punkt X' in diesem Teilraum möglichst nahe beim Beobachtungspunkt X liegen soll. Man hat also von X ein Lot auf den Teilraum G zu fällen; der Fußpunkt dieses Lotes ist X'.

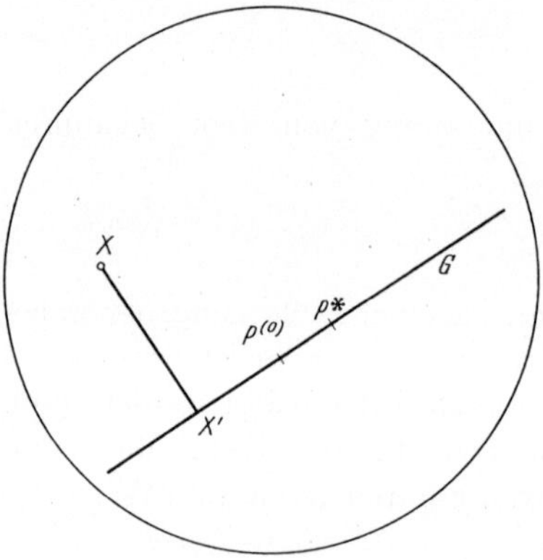

Fig. 24

Durch Rechnung erhält man dasselbe Ergebnis. Differenziert man (3) nach ϑ_α und setzt die Ableitung Null, so erhält man die Bedingung

$$\sum \frac{[x_i - n\,p_i(\vartheta)]\,q_{i\alpha}}{p_i^{(0)}} = 0 \tag{5}$$

mit

$$q_{i\alpha} = \frac{\partial p_i}{\partial \vartheta_\alpha}. \tag{6}$$

Die Gleichungen (5) *besagen, daß der Vektor, der vom Punkt X mit Koordinaten x_i/n zum Punkt X' mit Koordinaten $p_i(\vartheta)$ führt, auf allen Tangentialvektoren der Mannigfaltigkeit G im Punkte X' senkrecht steht.*

In dieser Formulierung gilt die Aussage auch dann noch, wenn G eine nicht lineare Teilmannigfaltigkeit des X-Raumes ist. Wir wollen aber an der Annahme festhalten, daß die $p_i(\vartheta)$ lineare Funktionen der Parameter ϑ_α sind. Die $q_{i\alpha}$ sind dann konstant und wir können setzen

$$p_i(\vartheta) = p_i(0) + \sum_\beta q_{i\beta}\,\vartheta_\beta. \tag{7}$$

Durch Verschiebung des Koordinatenanfangspunktes im Parameterraum kann man erreichen, daß für $\vartheta_\beta = 0$ gerade die in (3) gewählte Ausgangsnäherung $p^{(0)}$ herauskommt; dann wird also $p_i(0) = p_i^{(0)}$, was die Rechnungen etwas vereinfacht.

Setzt man (7) in (5) ein, so ergeben sich r lineare Gleichungen für die r Unbekannten $\vartheta_1, \ldots, \vartheta_r$:

$$\sum_\beta h_{\alpha\beta}\vartheta_\beta = \sum_i \frac{[x_i - n\,p_i(0)]\,q_{i\alpha}}{p_i^{(0)}} \tag{8}$$

mit

$$h_{\alpha\beta} = \sum_i \frac{n\,q_{i\alpha}\,q_{i\beta}}{p_i^{(0)}}. \tag{9}$$

Die Koeffizienten $h_{\alpha\beta}$ haben genau dieselbe Gestalt wie die Summen $[g a a]$, $[g a b]$, ... in der Theorie der kleinsten Quadrate. In der Tat ist das Problem, die Form χ_0^2 zum Minimum zu machen, genau dasselbe wie das Minimumproblem der kleinsten Quadrate. Die Gewichte g_i der beobachteten Häufigkeiten x_i/n sind $n/p_i^{(0)}$.

Wir sind jetzt so weit, daß wir untersuchen können, wie eine Änderung der willkürlich gewählten $p_i^{(0)}$ den Punkt X' beeinflußt.

Als Koordinaten von X nehmen wir nicht die x_i, sondern die Häufigkeiten $h_i = x_i/n$, und als Entfernungsdefinition

$$r^2 = \frac{1}{n}\chi_0^2 = \sum \frac{(h_i - h_i')^2}{p_i^{(0)}}. \tag{10}$$

Wir nehmen an, daß sowohl der Punkt X mit Koordinaten h_i als auch der Punkt P_0 mit Koordinaten $p_i^{(0)}$ beide in einer Umgebung von der Größenordnung $n^{-\frac{1}{2}}$ des „wahren Punktes“ P^* mit Koordinaten p_i^* liegen und daß in dieser Umgebung alle p_i nach unten beschränkt sind: $p_i \geq \delta > 0$.

Wird nun $p_i^{(0)}$ ersetzt durch $s_i^{(0)}$ in derselben Umgebung, so haben die Koordinatendifferenzen $p_i^{(0)} - s_i^{(0)}$ alle die Größenordnung $\varepsilon = n^{-\frac{1}{2}}$. Der Punkt X ändert sich nicht, der lineare Raum G auch nicht, sondern nur die durch (10) definierte Metrik, und diese auch nur um Beträge von der Größenordnung ε. Das Lot XX' kann seine Richtung ändern, aber der Winkel zwischen der neuen und der alten Richtung hat nur die Größenordnung ε. Da auch die Länge des Lotes nur die Größenordnung ε hat, so ändern sich die Koordinaten von X' nur in der Größenordnung $\varepsilon^2 = n^{-1}$.

Allgemeiner gilt: Wenn die Koordinatendifferenzen $p_i^{(0)} - s_i^{(0)}$ die Größenordnung η haben, so ändern sich die Koordinaten von X' nur in der Größenordnung $\varepsilon\eta$, oder genauer: Wenn alle $|p_i^{(0)} - s_i^{(0)}|$ kleiner als η sind, so sind die Koordinatendifferenzen der beiden zu $p_i^{(0)}$ und $s_i^{(0)}$ gehörigen Punkte X' alle kleiner als $c\varepsilon\eta$, mit einem festen Zahlenfaktor c.

Es hat wenig Wert, die Konstante c theoretisch abzuschätzen. Solche Abschätzungen sind ja viel zu grob: in der Praxis sind die auftretenden Differenzen meistens viel kleiner. Für praktische Zwecke genügt die Feststellung, daß der Punkt X' von der Wahl der Ausgangsnäherung $p_i^{(0)}$ nur sehr wenig abhängt.

B. Minimum χ_x^2

Wählt man die $p_i^{(0)}$ gleich den beobachteten Häufigkeiten $h_i = x_i/n$, so geht χ_0^2 in χ_x^2 über. Daraus folgt: *Das Minimum von χ_x^2 wird genau so berechnet wie das von χ_0^2, nämlich nach der Methode der kleinsten Quadrate, und der so gefundene Punkt P_x unterscheidet sich von dem früheren Punkt X' nach Wahrscheinlichkeit nur in der Größenordnung n^{-1}.*

C. Maximum Likelihood

Wenn der Logarithmus der Likelihood Funktion

$$L(x|\vartheta) = \sum x_i \ln p_i(\vartheta)$$

im Innern des zulässigen ϑ-Bereiches ein Maximum hat, so müssen die Ableitungen Null werden. Das ergibt die Bedingung

$$\sum_i \frac{x_i q_{i\alpha}}{p_i} = 0, \tag{11}$$

wobei die $q_{i\alpha}$ wieder die Ableitungen der p_i sind. Da die Summe aller p_i Eins ist, muß die Summe ihrer Ableitungen Null sein:

$$\sum_i q_{i\alpha} = 0. \tag{12}$$

Multipliziert man (12) mit n und subtrahiert von (11), so erhält man

$$\sum_i \frac{(x_i - n p_i)\, q_{i\alpha}}{p_i} = 0. \tag{13}$$

Dabei sind die p_i im Zähler und Nenner lineare Funktionen von den ϑ. Die Lösung von (13) ist die Maximum Likelihood Schätzung $\tilde{\vartheta}$. Man hat also, ausführlich geschrieben:

$$\sum_i \frac{[x_i - n p_i(\tilde{\vartheta})]\, q_{i\alpha}}{p_i(\tilde{\vartheta})} = 0. \tag{14}$$

Die Gleichungen (14) lassen sich durch ein Verfahren der sukzessiven Approximationen sehr leicht lösen. Man ersetzt im Nenner die ϑ zunächst durch irgendwelche Näherungswerte $\vartheta^{(0)}$. Die so erhaltenen Gleichungen

$$\sum_i \frac{[x_i - n p_i(\vartheta)]\, q_{i\alpha}}{p_i(\vartheta^{(0)})} = 0 \tag{15}$$

sind identisch mit den Gleichungen (5) der Minimum χ_0^2 Methode; sie können also nach der Methode der kleinsten Quadrate leicht gelöst werden. Setzt man die Lösung $\vartheta^{(1)}$ wieder im Nenner in (14) ein, so erhält man durch dasselbe Verfahren eine verbesserte Lösung $\vartheta^{(2)}$, usw.

Das Verfahren konvergiert und das Ergebnis ist von der Wahl der Ausgangsnäherung $p_i^{(0)} = p_i(\vartheta^{(0)})$ unabhängig. Sind nämlich $p_i^{(0)}$ und $s_i^{(0)}$ zwei verschiedene Ausgangsnäherungen, die sich nur in der Größenordnung $\varepsilon = n^{-\frac{1}{2}}$ unterscheiden, so unterscheiden sich die ersten Näherungen $p_i^{(1)}$ und $s_i^{(1)}$ nach dem früher Bewiesenen nur in der Größenordnung ε^2, die zweiten nur in der Größenordnung ε^3, usw. Wählt man nun für $s_i^{(0)}$ eine Lösung der Likelihood Gleichung, so ist $s_i^{(0)} = s_i^{(1)} = s_i^{(2)} = \cdots$, also konvergiert die Folge $p_i^{(0)} p_i^{(1)} p_i^{(2)} \ldots$ gegen eben diese Lösung $s_i^{(0)}$, gleichgültig wie $p_i^{(0)}$ in der ε-Umgebung von $s_i^{(0)}$ gewählt wird.

Beim obigen Beweis wurde vorausgesetzt, daß es überhaupt eine Lösung der Maximum Likelihood Gleichung gibt. Dies ist immer der Fall, sofern nur alle Anzahlen x_i positiv sind. Die Bedingungen $p_i \geq 0$ definieren nämlich einen abgeschlossenen beschränkten Bereich im p-Raum und der Teil des linearen Teilraumes G, der diesem Bereich angehört, ist ebenfalls abgeschlossen und beschränkt. Die Likelihood Funktion

$$g(x|\vartheta) = \prod_i p_i(\vartheta)^{x_i} \tag{16}$$

ist stetig, hat also in dem abgeschlossenen Bereich ein Maximum. Das Maximum kann nicht am Rande liegen, da die Funktion $g(x|\vartheta)$ dort Null ist.

Aus dem obigen Beweis folgt auch noch, daß es, sofern X_i in einer genügend kleinen Umgebung des Teilraumes G liegt, nur eine Lösung der Likelihood Gleichung geben kann. Wären nämlich $p_i^{(0)}$ und $s_i^{(0)}$ zwei verschiedene Lösungen, so wäre $p_i^{(0)} = p_i^{(1)} = p_i^{(2)} = \cdots$ und $s_i^{(0)} = s_i^{(1)} = \cdots$, aber die erstere Folge müßte gegen $s_i^{(0)}$ konvergieren, was nur möglich ist, wenn von vornherein $p_i^{(0)} = s_i^{(0)}$ ist.

Mit kleinen Modifikationen gelten diese Beweise auch dann, wenn die p_i keine linearen Funktionen sind, sofern nur die Mannigfaltigkeit $p_i = p_i(\vartheta)$ entweder geschlossen ist oder sich nach allen Seiten bis an den Rand des Bereiches $p_i = 0$ erstreckt. Hat die Mannigfaltigkeit einen Rand, so kann es dort Komplikationen geben.

Für die Anwendungen besonders wichtig ist, daß das Verfahren gut konvergiert: die Differenzen $p_i^{(k)} - s_i^{(0)}$ gehen nämlich wie die Potenzen ε^k gegen Null. Wenn die nullte Näherung $p^{(0)}$ nicht allzu schlecht gewählt ist, kann man sich ruhig mit der ersten Näherung $p^{(1)}$ begnügen. Alle höheren Näherungen unterscheiden sich von $p^{(1)}$ nur in der Größenordnung $\varepsilon^2 = n^{-1}$. Da die unvermeidlichen statistischen Schwankungen in den $\tilde{\vartheta}$ von der Größenordnung $\varepsilon = n^{-\frac{1}{2}}$ sind, hat es wenig Sinn, die Genauigkeit weiterzutreiben.

Aus dem Bewiesenen folgt ferner: *Die Schätzungen A und B unterscheiden sich von der Maximum Likelihood Schätzung C nur in der Größenordnung* n^{-1}.

Alle diese Überlegungen gelten genau so, wenn nicht eine, sondern mehrere Reihen von Häufigkeiten mit Summe Eins beobachtet sind, z.B.:

$$h_1 + h_2 = 1 \quad \text{oder} \quad x_1 + x_2 = n_1$$
$$h_3 + h_4 = 1 \quad \text{oder} \quad x_3 + x_4 = n_2$$

usw. Die Ausdrücke $\chi^2, \chi_0^2, \ldots$ bleiben ungeändert, nur muß man jedes p_i mit dem zugehörigen n_i multiplizieren, z.B.:

$$\chi^2 = \sum \frac{(x_i - n_i p_i)^2}{n_i p_i}.$$

§ 49. Asymptotische Verteilung von χ^2 und $\tilde{\vartheta}$ für $n \to \infty$

Wir beschränken uns der Einfachheit halber auf den Fall eines Parameters ϑ und fragen nach der Verteilungsfunktion der Schätzung $\tilde{\vartheta}$.

Bei der Methode der kleinsten Quadrate war $\tilde{\vartheta}$ eine lineare Funktion der beobachteten x_i und für die x_i waren normale Verteilungen angenommen; daher war auch $\tilde{\vartheta}$ normal verteilt. Jetzt sind aber die x_i diskrete Größen, nämlich Anzahlen, die nur genähert normal verteilt sind, und die ϑ sind auch nur genähert lineare Funktionen der x_i. Daher können wir nur asymptotisch für $n \to \infty$ eine Normalverteilung für $\tilde{\vartheta}$ erwarten.

Die Wahrscheinlichkeit, daß der Beobachtungspunkt X einem Bereich B im X-Raum angehört, ist die Summe aller Wahrscheinlichkeiten der einzelnen Punkte X in B:

$$\mathcal{P}(B) = \sum_{X \text{ in } B} \mathcal{P}(X) \tag{1}$$

mit

$$\mathcal{P}(X) = \frac{n!}{x_1! \ldots x_m!} p_1^{x_1} \ldots p_m^{x_m}. \tag{2}$$

Dabei sind $p_i = p_i(\vartheta)$ die *wahren* Wahrscheinlichkeiten $p_1^*, \ldots, p_m^*$. Das Sternchen lassen wir weg.

Für große n können wir (2) mittels der STIRLINGschen Formel umformen und erhalten

$$\mathcal{P}(X) \sim x_1^{-(x_1+\frac{1}{2})} \ldots x_m^{-(x_m+\frac{1}{2})} n^{n+\frac{1}{2}} (2\pi)^{\frac{1-m}{2}} p_1^{x_1} \ldots p_m^{x_m} \tag{3}$$

oder

$$\gamma \mathcal{P}(X) \sim \left(\frac{n p_1}{x_1}\right)^{x_1+\frac{1}{2}} \cdots \left(\frac{n p_m}{x_m}\right)^{x_m+\frac{1}{2}}$$

mit

(4) $$\gamma = [(2\pi n)^{m-1} p_1 \cdots p_m]^{\frac{1}{2}}.$$

Der Logarithmus von $\gamma \mathcal{P}(X)$ wird also

(5) $$\ln \gamma \mathcal{P}(X) = \sum \left(x + \frac{1}{2}\right) \ln \frac{n p}{x} + \cdots,$$

wobei die Glieder $+ \cdots$ nur die Größenordnung n^{-1} haben. Wir setzen wieder

(6) $$x_i = n p_i + z_i,$$

wo die z_i mit großer Wahrscheinlichkeit höchstens die Größenordnung $(n p_i)^{\frac{1}{2}}$ haben, und erhalten

$$\begin{aligned} \ln \gamma \mathcal{P}(X) &= -\sum \left(n p + z + \frac{1}{2}\right) \ln \frac{n p + z}{n p} + \cdots \\ &= -\sum \left(n p + z + \frac{1}{2}\right)\left(\frac{z}{n p} - \frac{z^2}{2 n^2 p^2} + \frac{z^3}{3 n^3 p^3}\right) + \cdots \\ &= -\frac{1}{2} \sum \frac{z^2}{n p} - \frac{1}{2} \sum \frac{z}{n p} + \frac{1}{6} \sum \frac{z^3}{n^2 p^2} + \cdots, \end{aligned}$$

wo die Glieder ... nach Wahrscheinlichkeit nur die Größenordnung n^{-1} haben. Setzen wir nun

$$\sum \frac{z^2}{n p} = \chi^2,$$

so erhalten wir

(7) $$\begin{cases} \gamma \mathcal{P}(X) \sim e^{-\frac{1}{2}\chi^2} \exp\left(-\frac{1}{2} \sum \frac{z}{n p} + \frac{1}{6} \sum \frac{z^3}{n^2 p^2}\right) \\ \qquad\quad \sim e^{-\frac{1}{2}\chi^2}\left(1 - \frac{1}{2} \sum \frac{z}{n p} + \frac{1}{6} \sum \frac{z^3}{n^2 p^2}\right). \end{cases}$$

Die letzten beiden Glieder von der Größenordnung $n^{-\frac{1}{2}}$ werden wir später berücksichtigen. Zunächst beschränken wir uns auf das Hauptglied

(8) $$\gamma \mathcal{P}(X) \sim e^{-\frac{1}{2}\chi^2}$$

mit

(9) $$\chi^2 = \sum \frac{(x - n p)^2}{n p}.$$

Die Formel (8) zeigt, daß die Wahrscheinlichkeiten der Punkte X um so kleiner werden, je weiter die x sich von ihren Erwartungswerten np entfernen, und zwar in dem Maße, wie die Funktion χ^2 anwächst.

Die Funktion χ^2 definiert, wie wir schon früher gesehen haben, eine Euklidische Metrik im X-Raum: sie stellt, bis auf einen Faktor n, das Quadrat der Entfernung des variablen Punktes X mit Koordinaten x_i/n vom festen Punkt P mit Koordinaten p_i dar. Je weiter X sich von P entfernt, um so kleiner wird nach (8) die Wahrscheinlichkeit des Punktes X. Die Flächen $\chi =$ konst. sind in dieser Metrik konzentrische Kugelflächen um den Punkt X. Schneidet man diese Kugelflächen (im Fall $m=3$) mit der Ebene $x_1 + x_2 + x_3 = n$, die durch den gemeinsamen Mittelpunkt P geht, so erhält man konzentrische Kreise um den Punkt P.

Da die $x - np$ mit großer Wahrscheinlichkeit nur die Größenordnung $\sqrt{n}$ haben, so hat χ^2 mit großer Wahrscheinlichkeit nur die Größenordnung 1, d.h. es gibt zu jedem η eine Schranke R^2, so daß mit einer Wahrscheinlichkeit $> 1 - \eta$ die Ungleichung $\chi^2 < R^2$ gilt. Daher kann man sich bei der asymptotischen Berechnung von Wahrscheinlichkeiten immer auf eine solche Umgebung $\chi^2 < R^2$ des Punktes P beschränken.

Wir wollen insbesondere die folgenden Wahrscheinlichkeiten berechnen:

a) Die Verteilungsfunktion von χ^2, d.h. die Wahrscheinlichkeit, daß $\chi^2 < u$ ausfällt,

b) die Verteilungsfunktion von $\tilde{\vartheta}$.

Wir führen in der Umgebung des Punktes P neue Koordinaten

(10) $$y_i = \frac{x_i - n p_i}{\sqrt{n p_i}}$$

ein, die die Größenordnung Eins haben. Die Abstandsfunktion $\chi^2 = PX^2$ wird dann einfach

(11) $$\chi^2 = \sum y^2.$$

Die y_i sind also gewöhnliche rechtwinklige Koordinaten in der durch χ^2 definierten Metrik.

Die Punkte X, die zu ganzzahligen x_i mit $\sum x_i = n$ gehören, definieren ein Gitter in der Hyperebene $\sum y_i \sqrt{n p_i} = 0$. Die Dimensionszahl dieser Hyperebene ist $m - 1$. Die Basisvektoren des Gitters haben in der durch (11) definierten Metrik alle die Größenordnung $n^{-\frac{1}{2}}$; das Gittervolumen hat also die Größenordnung $n^{-\frac{m-1}{2}}$. Die Wahrscheinlichkeit, daß der Punkt X irgendeinem Bereich B angehört, ist die Summe der Wahrscheinlichkeiten der Gitterpunkte innerhalb B.

Die asymptotische Auswertung dieser Wahrscheinlichkeiten ist am leichtesten im Fall a), wo der Bereich B durch $\chi^2 < u$ definiert ist. Der Bereich B ist in diesem Fall eine Kugel. Bereits K. Pearson, der die Form χ^2 in die mathematische Statistik eingeführt hat, hat die Summe (1) über die Gitterpunkte im Innern der Kugel ausgewertet. Die Methode ist diese:

Zunächst ersetzt man die Wahrscheinlichkeit $\mathcal{P}(X)$ nach (8) durch den Näherungsausdruck

$$\gamma^{-1} e^{-\frac{1}{2}\chi^2}. \tag{12}$$

Der Fehler dieser Näherung ist nur von der Größenordnung $n^{-\frac{1}{2}}$. Sodann ersetzt man die Summe über alle Gitterpunkte durch ein Integral über den Bereich B, dividiert durch das Gittervolumen. Dabei entstehen Fehler hauptsächlich am Rande. Die Größenordnung dieser Randfehler ist wieder höchstens $n^{-\frac{1}{2}}$. Das entstehende Integral ist

$$(2\pi)^{-\frac{m-1}{2}} \int \cdots \int e^{-\frac{1}{2}\chi^2}\, d V_{m-1}, \tag{13}$$

integriert über den Bereich $\chi^2 < u$. Die Auswertung des Integrals ergibt schließlich, wie wir in § 27 schon gesehen haben, die bekannte χ^2-Verteilung mit $m-1$ Freiheitsgraden. Für die Einzelheiten möge auf die Arbeit von PEARSON[1] verwiesen werden.

Wir haben bisher die beiden Korrekturglieder von der Größenordnung $n^{-\frac{1}{2}}$ in (7) vernachlässigt. Nimmt man sie aber mit, so zeigt sich, daß sie auf das Ergebnis gar keinen Einfluß haben. Die Funktion

$$e^{-\frac{1}{2}\chi^2}\left(-\frac{1}{2}\sum \frac{z}{n p} + \frac{1}{6}\sum \frac{z^3}{n^2 p^2}\right) \tag{14}$$

ist nämlich eine ungerade Funktion von $z_1, \ldots, z_m$: sie ändert ihr Vorzeichen, wenn alle y_i durch $-y_i$ ersetzt werden. Nun ergibt eine ungerade Funktion, integriert über das symmetrische Gebiet $\chi^2 < u$, Null. Die Unsymmetrie der Verteilung beeinflußt das Ergebnis also fast nicht. Der einzige Fehler, der unter Umständen die Größenordnung $n^{-\frac{1}{2}}$ erreicht, ist der vom Rande herrührende Fehler.

b) Wir untersuchen nun die Verteilung der Maximum Likelihood Schätzung $\tilde{\vartheta}$. Statt $\tilde{\vartheta}$ betrachten wir zunächst die durch Minimum χ_0^2 definierte Schätzung ϑ'. Dabei ist

$$\chi_0^2 = \sum \frac{[x_i - n p_i(\vartheta)]^2}{n p_i}. \tag{15}$$

Zum Unterschied von § 48 sind im Nenner die wahren Werte p_i eingesetzt. In der Praxis kennen wir die p_i zwar nicht, aber es handelt sich hier um eine rein theoretische Untersuchung der Verteilungsfunktion. Macht man χ_0^2 zum Minimum, so erhält man eine Größe ϑ', die sich von $\tilde{\vartheta}$ nach § 48 nur in der Größenordnung n^{-1} unterscheidet.

[1] K. PEARSON, On the criterion that a given system of deviations ... is such that it can be reasonably supposed to have arisen from random sampling. Philos. Mag. 50 (1900) p. 157.

Dieses ϑ' wird nach der Methode der kleinsten Quadrate erhalten, indem man vom Punkte X aus ein Lot auf den linearen Teilraum G fällt, der durch die Parameterdarstellung $p_i(\vartheta)$ gegeben ist. Ist X' der Fußpunkt des Lotes, so ist ϑ' der zu X' gehörige Parameterwert.

Die Gleichungen zur Berechnung von ϑ' sind, sogar im allgemeinen Fall von r Parametern $\vartheta_1, \ldots, \vartheta_r$, in § 48 schon angegeben worden. Wenn der Nullpunkt im Parameterraum so gewählt wird, daß die zugehörigen Wahrscheinlichkeiten $p_i(0)$ die wahren p_i sind, so lauten die Gleichungen für die ϑ' nach (8) § 48

$$(16) \qquad \sum_\beta h_{\alpha\beta}\vartheta'_\beta = \sum_i \frac{(x_i - n p_i)\, q_{i\alpha}}{p_i}$$

mit

$$(17) \qquad h_{\alpha\beta} = \sum_i \frac{n\, q_{i\alpha} q_{i\beta}}{p_i}.$$

Aus (16) ergibt sich zunächst, daß die ϑ'_β lineare Funktionen der beobachteten Häufigkeiten $h_i = x_i/n$ sind. Zweitens sind ihre Erwartungswerte Null, da die Erwartungswerte der $x_i - np_i$ Null sind. *Die Schätzungen ϑ'_β haben also keinen Bias.*

Weiter folgt, da die $x_i - np_i$ nach Wahrscheinlichkeit nur die Größenordnung $\sqrt{n}$ und die $h_{\alpha\beta}$ die Größenordnung n haben, daß die ϑ'_α nach Wahrscheinlichkeit höchstens die Größenordnung $n^{-\frac{1}{2}}$ haben.

Schließlich sind die x_i genähert normal verteilt, also ist zu erwarten, daß die ϑ' auch genähert normal verteilt sind. Beim Beweis beschränken wir uns wieder auf den Fall eines einzigen Parameters ϑ. Wir haben die Wahrscheinlichkeit, daß $\vartheta' < tn^{-\frac{1}{2}}$ ist, für $n \to \infty$ asymptotisch zu berechnen.

ϑ' war der Parameterwert des Punktes X', der Projektion des Beobachtungspunktes X auf die Gerade G (Fig. 24). Wenn diese Projektion auf der Geraden G links vom Punkt $P_t = P(tn^{-\frac{1}{2}})$ liegen soll, so muß X in einem Halbraum liegen, der von einer Hyperebene H_t begrenzt wird, die im Punkte P_t senkrecht auf G errichtet wird.

Die Rechnung wird am einfachsten, wenn die rechtwinkligen Koordinaten $y_1, \ldots, y_m$ orthogonal so transformiert werden, daß die y_1-Achse mit der Geraden G zusammenfällt. Der Punkt P_t erhält dann die Koordinate $y_1 = at$ und der von H_t begrenzte Halbraum wird durch $y_1 < at$ definiert.

Die gesuchte Wahrscheinlichkeit ist nun die Summe der Wahrscheinlichkeiten $\mathcal{P}(X)$ der Gitterpunkte im Halbraum. Die $\mathcal{P}(X)$ können wieder durch (8) oder (12) angenähert werden und die Summe durch ein Integral. So erhält man ein Integral über B von der Gestalt

$$(18) \quad (2\pi)^{-\frac{m-1}{2}} \int \cdots \int e^{-\frac{1}{2}\chi^2}\, dV_{m-1} = (2\pi)^{-\frac{m-1}{2}} \int \cdots \int e^{-\frac{1}{2}(y_1^2 + \cdots + y_m^2)}\, dV_{m-1},$$

integriert über den Teil der Hyperebene $\sum x_i = n$, der im Halbraum $y_1 < at$ liegt. Ob man dabei über den ganzen Raum integriert oder nur über den Teil des Raumes innerhalb der Kugel $\chi^2 < R^2$, das spielt keine Rolle, sofern R genügend groß gewählt wird. Die Integration nach $y_2, \ldots, y_{m-1}$ kann ausgeführt werden und es bleibt ein Integral

$$(19) \qquad (2\pi)^{-\frac{1}{2}} \int_{-\infty}^{at} e^{-\frac{1}{2}y_1^2}\, d y_1 = \Phi(at).$$

Die Verteilung von ϑ' ist also asymptotisch normal.

Um die Normalverteilung vollständig festzulegen, haben wir noch den Faktor a zu bestimmen. Der Betrag der Koordinate $y_1 = at$ ist, wie aus Fig. 24 hervorgeht, der Abstand PP_t in der durch χ^2 definierten Metrik. Die Ausrechnung ergibt

$$(20) \qquad a^2 = \sum_i \frac{q_{i1}^2}{p_i} = \frac{h_{11}}{n}.$$

Nun war (19) die Wahrscheinlichkeit für $\vartheta' < t n^{-\frac{1}{2}}$. Setzt man $t n^{-\frac{1}{2}} = t'$ und $a n^{\frac{1}{2}} = a'$, so wird $at = a't'$, und die asymptotische Verteilungsfunktion von ϑ' wird

$$\Phi(at) = \Phi(a't')$$

mit

$$(21) \qquad a' = a\sqrt{n} = \sqrt{h_{11}}.$$

Die asymptotische Streuung von ϑ' wird also

$$(22) \qquad \sigma_{\vartheta'} = \frac{1}{a'} = \sqrt{\frac{1}{h_{11}}} = \sqrt{h^{11}}.$$

Genau so ist bei r Parametern $\vartheta_1, \ldots, \vartheta_r$ die Streuung von ϑ'_α gleich

$$(23) \qquad \sigma_\alpha = \sqrt{h^{\alpha\alpha}},$$

wobei $(h^{\alpha\beta})$ die inverse Matrix zu $(h_{\alpha\beta})$ ist. Die Formeln sind völlig analog zu denen des § 31. Man beweist sie etwa, indem man die ϑ' aus (16) mittels der inversen Matrix löst, quadriert und den Mittelwert bildet. Rechts hängen nur die x_i vom Zufall ab; die Mittelwerte der x_i^2 und $x_i x_k$ sind aber exakt bekannt. Die Formeln (22) und (23) gelten also nicht nur asymptotisch für $n \to \infty$, sondern exakt. Es sei noch bemerkt, daß die $h_{\alpha\beta}$ nach (17) proportional zu n, die Elemente der inversen Matrix $h^{\alpha\beta}$ also proportional zu n^{-1} sind. Die nach (23) berechneten Streuungen sind somit von der Form $c n^{-\frac{1}{2}}$.

Jetzt ist der Übergang von ϑ' auf $\tilde{\vartheta}$ nicht mehr schwer. Setzen wir

$$(24) \qquad \tilde{\vartheta} = \vartheta' + \eta,$$

so hat η nach Wahrscheinlichkeit nur die Größenordnung n^{-1}. Multiplizieren wir beide Seiten von (24) mit $\sqrt{n}$, so erhalten wir

$$\tilde{\vartheta}\sqrt{n} = \vartheta'\sqrt{n} + \eta\sqrt{n}. \tag{25}$$

Das erste Glied rechts hat asymptotisch eine Normalverteilung mit Mittelwert Null und von n unabhängiger Streuung, das zweite aber strebt nach Wahrscheinlichkeit gegen Null für $n \to \infty$. Also können wir auf die Summe (25) den elementaren Grenzwertsatz § 24 G anwenden. *Somit ist auch $\tilde{\vartheta}$ asymptotisch normal verteilt mit dem gleichen Mittelwert und der gleichen Streuung wie ϑ'.*

Genau derselbe Schluß gilt für alle die Schätzungen, die sich von ϑ' oder $\tilde{\vartheta}$ nach Wahrscheinlichkeit nur in der Größenordnung n^{-1} unterscheiden, also z.B. für die Minimum χ_x^2 Schätzung und für alle Minimum χ_0^2 Schätzungen.

§ 50. Effizienz

Wir beschränken uns wieder auf einen Parameter ϑ. Die Varianz der asymptotischen Verteilung von $\tilde{\vartheta}$ ist, wie wir gesehen haben, durch

$$\tilde{\sigma}^2 = \frac{1}{h_{11}} = h^{11} = \frac{c^2}{n} \tag{1}$$

gegeben. Das bedeutet aber nicht, daß die Streuung von $\tilde{\vartheta}$ für $n \to \infty$ gegen Null strebt. Wie Beispiel 2 (§ 46) zeigt, kann es sogar vorkommen, daß die Streuung von $\tilde{\vartheta}$ für endliche n immer unendlich, der Limes der Streuung also auch unendlich ist. Die Formel (1) ist nicht eine asymptotische Formel für die exakte Streuung, sondern sie stellt die *asymptotische Streuung* der Schätzung $\tilde{\vartheta}$ im Sinne von § 45 B dar. Ferner ist $\tilde{\vartheta}$ *asymptotisch frei von Bias* im Sinne von § 45 B.

Wir vergleichen nun die asymptotische Streuung (1) mit der kleinsten Varianz, die eine biasfreie Schätzung nach der Ungleichung von Fréchet haben kann. Dazu müssen wir zunächst die „Information" $I(\vartheta)$ berechnen. Sie ist nach § 37 durch

$$I(\vartheta) = \mathcal{E}\{L'(x|\vartheta)^2\} \tag{2}$$

definiert. Dabei ist

$$L(x|\vartheta) = \sum x_i \ln p_i(\vartheta),$$

also, wenn die Ableitung von p_i (das frühere $q_{i\alpha}$) mit q_i bezeichnet wird,

$$L'(x|\vartheta) = \sum \frac{q_i}{p_i} x_i$$

und

$$(3)\qquad \begin{cases} I(\vartheta) = \mathcal{E}\left(\sum \frac{q_i}{p_i} x_i\right)^2 \\ \quad = \sum_i \sum_k \frac{q_i q_k}{p_i p_k} \mathcal{E}(x_i x_k). \end{cases}$$

Für die Erwartungswerte von $x_i x_k$ haben wir in § 46 gefunden:

$$(4)\qquad \mathcal{E}(x_i x_k) = n(n-1) p_i p_k \quad \text{für } i \neq k,$$

$$(5)\qquad \mathcal{E}(x_i^2) = n(n-1) p_i^2 + n p_i.$$

Somit wird

$$(6)\qquad I(\vartheta) = \sum \sum n(n-1) q_i q_k + \sum n \frac{q_i^2}{p_i}.$$

Das erste Glied ist Null, weil $(\sum q_i)^2 = 0$ ist. Das zweite Glied ist gerade h_{11}. Also wird, wie in der Theorie der kleinsten Quadrate,

$$(7)\qquad I(\vartheta) = h_{11}.$$

Die Ungleichung von Fréchet für Schätzungen ohne Bias lautet nun

$$(8)\qquad \sigma^2 \geq I(\vartheta)^{-1} = \frac{1}{h_{11}} = h^{11} = \frac{c^2}{n}.$$

Die Schätzung $\tilde{\vartheta}$, die asymptotisch frei von Bias ist, hat nun genau die asymptotische Varianz c^2/n, wie wir in (1) gesehen haben. In diesem Sinne ist sie also asymptotisch effizient.

Das bedeutet nun nicht, daß die Schätzung $\tilde{\vartheta}$ unter allen asymptotisch biasfreien Schätzungen die kleinste asymptotische Varianz hat. Man kann (ähnlich wie in § 45 D) Beispiele von Schätzungen konstruieren, die asymptotisch frei von Bias sind, aber für gewisse ϑ-Werte eine kleinere asymptotische Varianz haben. Eine Minimaleigenschaft für die Schätzung $\tilde{\vartheta}$ kann man nur beweisen, wenn man die zur Konkurrenz zugelassenen Schätzungen durch Regularitätsbedingungen einschränkt. Das soll jetzt näher ausgeführt werden.

Dividiert man die Likelihood Gleichung (14) § 48 durch n, so erhält man, wenn der Index α bei $q_{i\alpha}$ wieder weggelassen wird,

$$(9)\qquad \sum_i \frac{h_i - p_i(\tilde{\vartheta})\, q_i}{p_i(\tilde{\vartheta})} = 0.$$

Diese Gleichung enthält die x_i und n nicht mehr explizit, sondern nur mehr die Häufigkeiten h_i. Die Maximum Likelihood Schätzung $\tilde{\vartheta}$ ist also eine Funktion der h_i allein, und zwar, solange die h_i sich nicht unwahrscheinlich weit von p_i entfernen und nicht zu nahe bei Null kommen, eine *differenzierbare* Funktion von den h_i.

Wir lassen nun zur Konkurrenz nur solche Schätzungen T zu, die ebenfalls differenzierbare Funktionen der h_i sind. Solche Schätzungen mögen *regulär* heißen. Es sei also T eine reguläre Schätzung, die asymptotisch keinen Bias hat. Wir wollen die asymptotische Varianz von T mit der von $\tilde{\vartheta}$ vergleichen.

Wir wissen, daß die h_i mit großer Wahrscheinlichkeit in einer Umgebung der p_i liegen, deren Durchmesser klein gegen Eins ist. In einer solchen Umgebung kann man jede differenzierbare Funktion durch eine lineare Funktion approximieren. Eine brauchbare lineare Approximation für $\tilde{\vartheta}$ ist unser früher definiertes ϑ'; eine lineare Approximation für T sei

$$T' = \sum c_i h_i. \tag{10}$$

Ebenso wie $\tilde{\vartheta}$ asymptotisch dieselbe Verteilung wie ϑ' hat, so hat die differenzierbare Funktion T asymptotisch dieselbe Verteilung wie die lineare Funktion T'. Der Beweis verläuft genau so. Auch die asymptotische Auswertung der Verteilung von T' verläuft genau so wie bei ϑ'. Wir haben wieder die Wahrscheinlichkeit $\mathcal{P}(X)$ über alle Punkte eines Halbraumes zu summieren. Die Summation wird durch eine Integration ersetzt, die Wahrscheinlichkeit $\mathcal{P}(X)$ durch eine normale Wahrscheinlichkeitsdichte

$$C\, e^{-\frac{1}{2}\chi^2} \tag{11}$$

mit $\chi^2 = y_1^2 + \cdots + y_m^2$. Die Gitterpunkte, über die wir zu summieren hatten, liegen alle in einer Hyperebene $\sum h_i = 1$; die Integration erstreckt sich also nur über diese Hyperebene. Durch eine geeignete orthogonale Transformation der y können wir aber erreichen, daß diese Hyperebene die Gleichung $y_m = 0$ hat; die Wahrscheinlichkeitsdichte heißt dann nur noch

$$f(y_1, \ldots, y_{m-1}) = C \exp - \tfrac{1}{2}(y_1^2 + \cdots + y_{m-1}^2). \tag{12}$$

Diese Formel gilt, wenn man den Punkt $p_i(\vartheta)$ im Raum der h_i als Koordinatenanfangspunkt für die rechtwinkligen Koordinaten $y_1, \ldots, y_m$ wählt. Wählt man aber einen festen, von ϑ unabhängigen Anfangspunkt, so hat man (12) durch

$$f(y_1, \ldots, y_{m-1}) = C \exp - \tfrac{1}{2}[(y_1 - \hat{y}_1)^2 + \cdots + (y_m - \hat{y}_m)^2] \tag{13}$$

zu ersetzen, wobei die $\hat{y}$ die Erwartungswerte der y sind.

Nunmehr folgt, daß T' asymptotisch eine normale Verteilung besitzt. Der asymptotische Mittelwert und die asymptotische Varianz der Schätzung T' sind nach Definition gleich dem Mittelwert und der Varianz der asymptotischen Normalverteilung, d.h. gleich dem Mittelwert und der Varianz der linearen Funktion

$$T' = \sum c_i h_i = b_0 + \sum b_k y_k,$$

die sich aus der Normalverteilung (13) durch Integration ergeben. Dabei hängen die Koeffizienten c_i nicht von n ab; Mittelwert und Varianz von T' lassen sich exakt aus diesen Koeffizienten berechnen; zwischen Limes der Varianz und asymptotischer Varianz ist jetzt kein Unterschied mehr. Dasselbe gilt für ϑ'.

Wir haben jetzt die gleiche Situation wie in der Theorie der kleinsten Quadrate. $y_1, \ldots, y_{m-1}$ sind unabhängige normal verteilte Größen mit Streuung Eins, deren Erwartungswerte $\hat{y}_i$ lineare Funktionen eines Parameters ϑ sind. Die Methode der kleinsten Quadrate ergibt eine Minimalschätzung ohne Bias ϑ'. Die Schätzung T' hat ebenfalls keinen Bias, also ist ihre Varianz mindestens gleich der Varianz von ϑ'. Gleichheit der Varianzen besteht nur dann, wenn die Koeffizienten der linearen Funktion T' gleich den Koeffizienten von ϑ' sind. Also:

Unter allen regulären, asymptotisch biasfreien Schätzungen T hat die Maximum Likelihood Schätzung $\tilde{\vartheta}$ asymptotisch die kleinste Varianz. Wenn T und $\tilde{\vartheta}$ die gleiche Varianz haben und wenn beide in der Umgebung eines Punktes $h_i = p_i(\vartheta)$ nach Potenzen der $h_i - p_i$ entwickelt werden, so müssen sie wenigstens in den linearen Gliedern übereinstimmen; der Unterschied $T - \tilde{\vartheta}$ ist dann also nach Wahrscheinlichkeit klein gegen $n^{-\frac{1}{2}}$.

Um diesen Satz kürzer formulieren zu können, definieren wir:

Eine asymptotisch biasfreie, reguläre Schätzung T heißt *effizient*, wenn sie unter allen solchen Schätzungen asymptotisch die kleinste Varianz hat. Zwei Schätzungen T_1 und T_2 heißen *asymptotisch äquivalent*, wenn ihre Differenz $D = T_1 - T_2$ nach Wahrscheinlichkeit klein gegen $n^{-\frac{1}{2}}$ ist, d.h. wenn $D n^{\frac{1}{2}}$ nach Wahrscheinlichkeit beliebig klein wird.

Wir haben dann den Satz:

Die Maximum Likelihood Schätzung $\tilde{\vartheta}$ ist effizient und jede effiziente reguläre Schätzung ist zu ihr asymptotisch äquivalent. Die Varianz einer solchen Schätzung ist asymptotisch gleich der inversen Information $I(\vartheta)^{-1}$.

Unter allgemeineren Voraussetzungen, insbesondere ohne die Voraussetzung der Linearität der Funktionen $p_i(\vartheta)$ wurde dieser Satz von J. NEYMAN bewiesen[1].

Beispiel 34. Für die Blutgruppen 0, A, B und AB beim Menschen sind nach der Hypothese von BERNSTEIN[2], die heute allgemein angenommen wird, drei Gene A, B und 0 verantwortlich, wobei A und B über 0 dominant sind. Wenn ein

---

[1] J. NEYMAN, Contribution to the theory of the χ^2 test, Berkeley Sympos. on Math. Stat. 1949, p. 239.

[2] F. BERNSTEIN, Z. f. induktive Abstammungs- und Vererbungslehre 37 (1925) p. 236.

Individuum das Genpaar 00 hat, gehört es zur Blutgruppe 0. Die Genpaare A0 und AA führen zur Gruppe A, ebenso B0 und BB zu B, schließlich AB zur Blutgruppe AB. Die Häufigkeiten

$$h_1 = \frac{x_1}{n}, \ldots, h_4 = \frac{x_4}{n}$$

der Blutgruppen in einer Stichprobe von n Individuen seien gegeben. Verlangt wird eine effiziente Schätzung der Häufigkeiten p, q und der Gene A, B und 0 in der Bevölkerung.

Wir nehmen an, daß die Bevölkerung gut gemischt ist, d.h. daß sie nicht in fast abgeschlossene Gruppen mit verschiedenen Genhäufigkeiten zerfällt. Unter dieser Annahme ist die Wahrscheinlichkeit, daß zwei Gene 00 zusammenkommen, gleich r^2, ebenso die Wahrscheinlichkeit einer Genkombination A0 gleich pr, usw. Die Wahrscheinlichkeiten der vier Blutgruppen 0, A, B und AB werden also

$$(15) \qquad \begin{cases} p_1 = r^2 \\ p_2 = 2pr + p^2 = (p+r)^2 - r^2 \\ p_3 = 2qr + q^2 = (q+r)^2 - r^2 \\ p_4 = 2pq. \end{cases}$$

Aus diesen Gleichungen kann man p und q auflösen:

$$(16) \qquad \begin{cases} p = 1 - (q+r) = 1 - \sqrt{p_1 + p_3} \\ q = 1 - (p+r) = 1 - \sqrt{p_1 + p_2}. \end{cases}$$

Um eine vorläufige Schätzung für p und q zu erhalten, kann man in (16) die Wahrscheinlichkeiten p_1, p_2 und p_3 durch die beobachteten Häufigkeiten h_1, h_2 und h_3 ersetzen. So erhält man

$$(17) \qquad \begin{cases} p_0 = 1 - \sqrt{h_1 + h_3} \\ q_0 = 1 - \sqrt{h_1 + h_2}. \end{cases}$$

Daß diese Schätzung nicht effizient ist, kann man etwa so einsehen. Im Beobachtungsraum mögen h_1, h_2, h_3 als Koordinaten eingeführt werden, dazu $h_4 = 1 - h_1 - h_2 - h_3$ als überzählige Koordinate. Die Punkte H mit Koordinaten h_i, die zum gleichen Schätzwert führen, liegen nach (17) auf einer Geraden

$$(18) \qquad \begin{cases} h_1 + h_3 = (1 - p_0)^2 \\ h_1 + h_2 = (1 - q_0)^2. \end{cases}$$

Diese Gerade trifft die durch (15) dargestellte Fläche im Punkte P_0 mit Koordinaten $p_i(0)$, der zu den Parameterwerten (p_0, q_0) gehört. Wäre die Schätzung effizient, so müßte die Gerade (18) auf diese Fläche senkrecht (oder wenigstens für große n annähernd senkrecht) stehen in der Metrik, die durch die quadratische Form

$$(19) \qquad \chi_0^2 = \sum \frac{(h_i - p_i(0))^2}{p_i(0)}$$

definiert ist (§ 48). Die Orthogonalitätsbedingungen lauten

$$(20) \qquad \sum \frac{u_i v_i}{p_i(0)} = 0,$$

wobei $u = (1, -1, -1, 1)$ ein Vektor in der Richtung der Geraden (18) und v ein beliebiger Tangentialvektor der Fläche ist. Zwei solche Vektoren v und v' erhält man durch Differentiation von (15) nach p und q. Setzt man sie in (20) ein, so sieht man, daß die Orthogonalität nicht annähernd erfüllt ist.

Eine effiziente Schätzung kann man erhalten, indem man den Likelihood Logarithmus

$$(21) \qquad L(x|p, q) = x_1 \ln r^2 + x_2 \ln(2pr + p^2) + x_3 \ln(2qr + q^2) + x_4 \ln 2pq$$

zum Maximum macht. Differentiation von L nach p und q (wobei $r = 1 - p - q$ zu beachten ist) führt auf die Gleichungen

$$(22) \qquad \frac{x_2 + x_4}{p} + \frac{x_2}{2r + p} = \frac{x_3 + x_4}{q} + \frac{x_3}{2r + q} = \frac{2x_1}{r} + \frac{2x_2}{2r + p} + \frac{2x_3}{2r + q}.$$

Man löst sie etwa durch den Ansatz

$$(23) \qquad \begin{cases} p = p_0 + u \\ q = q_0 + v, \end{cases}$$

indem man die Brüche in (19) nach Potenzen von u und v entwickelt und nur die linearen Glieder beibehält. Man hat dann nur noch zwei lineare Gleichungen in u und v zu lösen.

Statt dessen kann man auch χ_0^2 oder χ_x^2 zum Minimum machen, wie das in § 48 näher ausgeführt ist.

§ 51. Der χ^2-Test

In § 49 haben wir die Verteilungsfunktion von

$$(1) \qquad \chi^2 = \sum \frac{(x - np)^2}{np}$$

unter der Annahme berechnet, daß die p_i die wahren Wahrscheinlichkeiten

$$(2) \qquad p_i^* = p_i(\vartheta^*)$$

sind. In der Praxis kennt man aber die wahren p^* nicht, sondern man ersetzt sie durch die geschätzten

$$(3) \qquad \tilde{p}_i = p_i(\tilde{\vartheta}).$$

Bildet man mit diesen $\tilde{p}_i$ den Ausdruck

$$(4) \qquad \tilde{\chi}^2 = \sum \frac{(x - n\tilde{p})^2}{n\tilde{p}},$$

so ist dieser im allgemeinen kleiner als χ^2 und hat auch eine andere Verteilungsfunktion. Während nämlich das durch (1) definierte χ^2 nach § 49 asymptotisch eine χ^2-Verteilung mit $n - 1$ Freiheitsgraden hat, werden wir sehen, daß $\tilde{\chi}^2$ asymptotisch eine χ^2-Verteilung mit $n - 1 - r$ Freiheitsgraden hat, wo r die Zahl der geschätzten Parameter $\vartheta_1, \ldots, \vartheta_r$ ist.

Zähler und Nenner in jedem Glied der Summe (4) haben die Größenordnung n. Im Nenner kann man die p durch die wahren p^* ersetzen, von denen sich die p nur in der Größenordnung $n^{-\frac{1}{2}}$ unterscheiden; dadurch ändert sich die Verteilungsfunktion von $\tilde{\chi}^2$ nur beliebig wenig. So erhält man einen modifizierten Ausdruck, dessen Verteilung etwas leichter zu bestimmen ist:

$$\chi_1^2 = \sum \frac{(x - n\tilde{p})^2}{n p^*}. \tag{5}$$

Jetzt ziehen wir die Theorie des § 48 heran, wobei wir die damals benutzte willkürliche Näherung $p^{(0)}$ gleich p^* wählen. Damals wurde

$$x_i' = n p_i(\vartheta') \tag{6}$$

durch das Minimum der Form

$$\chi_0^2 = \sum \frac{(x - x')^2}{n p^*} \tag{7}$$

definiert. Die so erhaltene Minimum χ_0^2-Schätzung

$$p_i' = p_i(\vartheta') = \frac{x_i'}{n}$$

unterscheidet sich, wie in § 48 bewiesen wurde, nur in der Größenordnung n^{-1} von der Maximum Likelihood Schätzung $\tilde{p}$. Wir können somit in (5) rechts die $n\tilde{p}$ durch die x' ersetzen, wodurch χ_1^2 in χ_0^2 übergeht, ohne daß die asymptotische Verteilung sich ändert.

Es bleibt also nur noch das Problem, die asymptotische Verteilung von χ_0^2 zu bestimmen. Die Wahrscheinlichkeit des Ereignisses $\chi_0^2 < u$ ist wieder eine Summe von Wahrscheinlichkeiten $\mathcal{P}(X)$, summiert über alle Punkte X im Bereich $\chi_0^2 < u$. Wie in § 49 kann die Summe durch ein Integral ersetzt werden. So erhält man die gesuchte asymptotische Verteilungsfunktion

$$F(u) = (2\pi)^{-\frac{m-1}{2}} \int \cdots \int e^{-\frac{1}{2}\chi^2} d V_{m-1}, \tag{8}$$

wobei das Integral sich über den Bereich $\chi_0^2 < u$ erstreckt.

Wir führen wie in (11) § 49 rechtwinklige Koordinaten $y_1, \ldots, y_m$ ein, so daß

$$\chi^2 = y_1^2 + \cdots + y_m^2$$

wird. Wir können die Koordinaten orthogonal so transformieren, daß die Hyperebene $\sum x_i = n$ die Gleichung $y_m = 0$ erhält; die Integrationsveränderlichen sind dann $y_1, \ldots, y_{m-1}$ und wir haben

$$F(u) = (2\pi)^{-\frac{m-1}{2}} \int \cdots \int e^{-\frac{1}{2}(y_1^2 + \cdots + y_{m-1}^2)} d y_1 \ldots d y_{m-1}. \tag{9}$$

Jetzt können wir noch einmal orthogonal so transformieren, daß die y_1- bis y_r-Achsen in dem durch die Parameterdarstellung $p_i = p_i(\vartheta)$ definierten linearen Raum G liegen; die übrigen Achsen sind dann senkrecht dazu. In diesen neuen Koordinaten ist der Punkt, der durch das Minimum der Form (7) definiert war, besonders leicht zu berechnen. Der Punkt X' liegt nämlich in G, also können nur $y_1', \ldots, y_r'$ von Null verschieden sein; die übrigen $y_{r+1}', \ldots, y_{m-1}'$ sind Null. Die Form χ_0^2 drückt sich in den neuen Koordinaten als

$$\chi_0^2 = (y_1 - y_1')^2 + \cdots + (y_r - y_r')^2 + y_{r+1}^2 + \cdots + y_{m-1}^2 \tag{10}$$

aus. Ihr Minimum erreicht sie, wenn $y_1 - y_1', \ldots, y_r - y_r'$ alle Null werden. Die ersten r Glieder rechts in (10) fallen dann weg und man hat

$$\chi_0^2 = y_{r+1}^2 + \cdots + y_{m-1}^2. \tag{11}$$

Die Integrationsbedingung $\chi_0^2 < u$ bezieht sich also nur auf $y_{r+1}, \ldots, y_{m-1}$. Die Integration nach $y_1, \ldots, y_r$ kann ausgeführt werden und man erhält

$$F(u) = (2\pi)^{-\frac{m-r-1}{2}} \int \ldots \int e^{-\frac{1}{2}(y_{r+1}^2 + \cdots + y_{m-1}^2)} \, d\,y_{r+1} \ldots d\,y_{m-1} \tag{12}$$

ntegriert über den Bereich

$$y_{r+1}^2 + \cdots + y_{m-1}^2 < u. \tag{13}$$

Das ergibt in der Tat eine χ^2-Verteilung mit $m-1-r$ Freiheitsgraden.

Den *allgemeinen* χ^2-*Test* kann man nun so formulieren:

Sobald der Ausdruck $\tilde{\chi}^2$ die nach Tafel 6 für $m-1-r$ Freiheitsgrade berechnete Schranke überschreitet, wird die Hypothese, daß die wahren p^* sich als $p(\vartheta)$ mit irgendwelchen ϑ darstellen lassen, verworfen.

Die Schlange über $\tilde{\chi}^2$ wurde nur eingeführt, um $\tilde{\chi}^2$ deutlich vom wahren χ^2 zu unterscheiden. In den Anwendungen läßt man sie meistens weg.

Sehr wichtig für die Anwendungen ist die Frage, ob man in (4) rechts statt $\tilde{p} = p(\tilde{\vartheta})$ auch eine andere Schätzung $p(T)$ benutzen kann. Die Antwort lautet:

Wenn T eine effiziente Schätzung ist (§ 50, Schluß) und daher $|T - \tilde{\vartheta}|$ nach Wahrscheinlichkeit eine kleinere Größenordnung als $n^{-\frac{1}{2}}$ hat, so kann man rechts in (4) $\tilde{p}$ durch $p(T)$ ersetzen und den χ^2-Test anwenden.

Der Beweis ist klar. Wenn die $n\tilde{p}$ im Zähler von (4) nur um Zusatzglieder von kleinerer Größenordnung als $n^{\frac{1}{2}}$ geändert werden, so ändert χ^2 sich nur beliebig wenig und die asymptotische Verteilung bleibt ungeändert.

Ändert man aber die $\tilde{p}$ um Glieder von der Größenordnung $n^{-\frac{1}{2}}$, so kann es leicht geschehen, daß man ein viel zu großes χ^2 erhält. *Wir sehen daraus, wie wichtig es ist, nur effiziente Schätzungen zu benutzen.*

Beispiel 35. Will man die in Beispiel 34 (§ 50) erklärte Hypothese von BERNSTEIN über die Blutgruppen 0, A, B, AB prüfen, so kann man zunächst wie damals nach der Maximum Likelihood Methode die Parameter p, q und $r = 1 - p - q$ schätzen und sodann mit

$$(14)\qquad \begin{cases} p_1 = r^2 \\ p_2 = 2pr + p^2 \\ p_3 = 2qr + q^2 \\ p_4 = 2pq \end{cases}$$

die Größe χ^2 berechnen:

$$(15)\qquad \chi^2 = \frac{(x_1 - p_1 n)^2}{p_1 n} + \frac{(x_2 - p_2 n)^2}{p_2 n} + \frac{(x_3 - p_3 n)^2}{p_3 n} + \frac{(x_4 - p_4 n)^2}{p_4 n}.$$

Die Zahl der Freiheitsgrade ist, weil man zwei Parameter p und q geschätzt hat,

$$f = 4 - 1 - 2 = 1.$$

Die Schätzung der Parameter p und q ist recht umständlich. Es gibt eine einfachere Testmethode, die praktisch dasselbe Ergebnis liefert. Man kommt darauf, indem man beachtet, daß durch (14) eine Fläche F im Beobachtungsraum definiert ist und daß der Punkt $\tilde{P}$ derjenige Punkt der Fläche ist, der vom Beobachtungspunkt H den kleinsten Abstand im Sinne der durch χ^2 definierten Metrik hat. χ^2 ist also das Quadrat des Abstandes von H zur Fläche F.

Nun kann man die Fläche (14), statt durch ihre Parameterdarstellung, auch durch ihre Gleichung darstellen. Die Gleichung lautet[1]

$$(16)\qquad \sqrt{p_1 + p_2} + \sqrt{p_1 + p_3} - \sqrt{p_1} - 1 = 0.$$

Liegt der Punkt H nicht auf der Fläche, so ist sein Abstand zur Fläche proportional zum Betrag von

$$(17)\qquad D = \sqrt{h_1 + h_2} + \sqrt{h_1 + h_3} - \sqrt{h_1} - 1.$$

Die Größe D kann in der Umgebung eines Flächenpunktes P durch eine lineare Funktion der Koordinaten h_1, h_2 und h_3 approximiert werden.

Setzt man $h_i = p_i + u_i$, so findet man nach einer kleinen Rechnung

$$(18)\qquad D \sim \frac{1}{2}\frac{u_1 + u_2}{\sqrt{p_1 + p_2}} + \frac{1}{2}\frac{u_1 + u_3}{\sqrt{p_1 + p_3}} - \frac{1}{2}\frac{u_1}{\sqrt{p_1}} = a_1 u_1 + a_2 u_2 + a_3 u_3.$$

Die $u_i = h_i - p_i$ sind genähert normal verteilt mit Mittelwert 0 und Varianz

$$(19)\qquad \mathcal{E}\, u_i^2 = n\, p_i (1 - p_i).$$

Auch die Erwartungswerte von $u_i u_k$ sind aus (4) § 50 bekannt:

$$(20)\qquad \mathcal{E}\, u_i u_k = -n\, p_i p_k.$$

[1] F. BERNSTEIN, Z. ind. Abstammungs- u. Vererbungslehre 37, S. 245.

Also ist auch die Summe $a_1 u_1 + a_2 u_2 + a_3 u_3$ und damit D genähert normal verteilt mit Mittelwert Null und Varianz

$$(21)\quad \sigma^2 = a_1^2 \mathcal{E} u_1^2 + a_2^2 \mathcal{E} u_2^2 + a_3^2 \mathcal{E} u_3^2 + 2a_1 a_2 \mathcal{E} u_1 u_2 + 2a_1 a_3 \mathcal{E} u_1 u_3 + 2a_2 a_3 \mathcal{E} u_2 u_3 .$$

Folglich hat die Größe

$$(22)\qquad \chi_D^2 = \frac{D^2}{\sigma^2}$$

genähert eine χ^2-Verteilung mit einem Freiheitsgrad. Dieses χ_D^2 ist nahezu gleich dem früheren χ^2 und kann als Testgröße benutzt werden.

Bei der Berechnung von σ^2 kann man die p_i, die in (18) bis (20) vorkommen, durch ihre Näherungswerte h_i ersetzen. Bei den großen Zahlen n, die in solchen Untersuchungen meistens zur Verwendung kommen, ist diese Näherung ganz unbedenklich, zumal χ^2 sich bei Variation der p_i nicht sehr stark ändert.

Zehntes Kapitel

Bio-Auswertung

Dieses Kapitel handelt von der biologischen Auswertung von Giften und anderen Wirkstoffen (bio-assay).

Hat man ein Gift, das Versuchstieren in verschiedener Dosierung verabreicht wird, so beobachtet man bei jeder Dosis eine gewisse Mortalität. Die Dosis-Mortalität-Kurve heißt *Wirkungskurve.* Die verschiedenen Auswertungsmethoden der beobachteten Wirkungskurven sollen hier besprochen werden. Dabei wird in der Hauptsache nur der Inhalt der Kap. 1 und 2 als bekannt vorausgesetzt.

§ 52. Wirkungskurve und logarithmische Wirkungskurve

Es gibt Stoffe, deren Wirkung nur dadurch bestimmt werden kann, daß man sie in verschiedener Dosierung einer Anzahl von Versuchstieren verabreicht und feststellt, wieviele von ihnen in bestimmter Weise reagieren, z.B. sterben. Für jede Dosis gibt es eine gewisse Wahrscheinlichkeit des Reagierens, die durch die empirische Häufigkeit angenähert werden kann. Mit wachsender Dosis wächst im allgemeinen auch die Wahrscheinlichkeit p. Trägt man sie als Funktion der Dosis ab, so erhält man die *Wirkungskurve* des Präparates.

Sehr oft trägt man als Abszisse nicht die Dosis selbst, sondern den Logarithmus l der Dosis ab. Das so erhaltene $p - l$-Diagramm heißt *logarithmische Wirkungskurve.* Die Verwendung der Logarithmen hat unter anderem den Vorteil, daß die Wirkungskurven zweier Präparate, die sich nur durch die Konzentration des Wirkstoffes voneinander unterscheiden, durch Parallelverschiebung auseinander hervorgehen. Die Größe der Parallelverschiebung ist offenbar gleich dem Logarithmus des Verhältnisses der Konzentrationen.

Auch wenn verschiedene Präparate mit ähnlicher Wirkung miteinander verglichen werden sollen, nimmt man meistens an, daß ihre logarithmischen Wirkungskurven durch Verschiebung auseinander hervorgehen. Nur unter dieser Voraussetzung hat es einen Sinn, von dem Verhältnis der Wirksamkeit zu sprechen. Der Logarithmus dieses Verhältnisses ist wieder gleich der Größe der Parallelverschiebung.

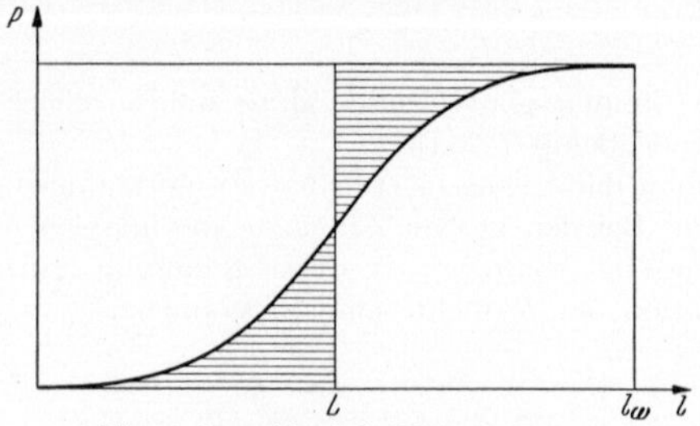

Fig. 25. Logarithmische Wirkungskurve

In der Praxis vergleicht man meistens jedes Präparat mit einem Standardpräparat und setzt sich das Ziel, das Wirksamkeitsverhältnis eines beliebigen Präparates zum Standardpräparat zu schätzen.

Viele Wirkungskurven steigen von 0 bis 1 an. Das bedeutet, daß bei sehr starken Dosen alle Versuchstiere reagieren. Es gibt aber auch Fälle, in denen ein gewisser Prozentsatz der Versuchstiere gegen den Wirkstoff unempfindlich ist und auch die größten Dosen verträgt. Die Kurve steigt dann nur bis zu einem Endwert $p_\infty < 1$ an. Bei Kurven dieser Art ist die Auswertung viel schwieriger.

Wir werden uns hier in der Hauptsache auf Kurven von der erstgenannten Art beschränken, die von Null bis Eins ansteigen.

Die in der Natur beobachteten logarithmischen Wirkungskurven haben sehr häufig die Gestalt einer normalen Verteilungsfunktion:

$$(1) \qquad p = \Phi\left(\frac{l-L}{\sigma}\right).$$

Dabei ist l der Logarithmus der Dosis, L der Logarithmus der 50%-Dosis, σ die Streuung der normalen Verteilung und wie immer in diesem Buch

$$(2) \qquad \Phi(u) = \frac{1}{\sqrt{2\pi}} \int_{-\infty}^{u} e^{-\frac{1}{2}t^2}\, dt.$$

Es gibt Auswertungsmethoden, die ganz auf der Annahme einer solchen „normalen“ Wirkungskurve aufgebaut sind. Man nennt sie „Probit-Methoden“. Es gibt aber nur sehr wenig Fälle, in denen diese Annahme an einem genügend großen Beobachtungsmaterial geprüft ist. Aus diesem Grunde soll hier zunächst ein solches Verfahren behandelt werden, das von der Annahme einer normalen Wirkungskurve unabhängig ist und nur die schwächere Annahme benutzt, daß die Wahrscheinlichkeit p bei steigender Dosis von Null bis Eins anwächst.

Des einfachen Ausdrucks halber nennen wir die Wahrscheinlichkeit p im folgenden immer „Mortalität". Die Methoden lassen sich aber nicht nur auf tödliche Gifte, sondern auf beliebige biologische Wirkstoffe anwenden. Auch werden wir häufig „Dosis l" sagen, wenn wir die Dosis mit Logarithmus l meinen. Der Buchstabe l oder L weist deutlich genug auf den Logarithmus hin.

§ 53. Die Flächenmethode von BEHRENS und KÄRBER[1]

Diese Methode beruht auf dem Begriff der *mittleren tödlichen Dosis.* Denkt man sich in der Fig. 25 eine senkrechte Gerade so gezogen, daß die beiden von ihr und der Wirkungskurve begrenzten schraffierten Flächenstücke inhaltsgleich werden, so ist die zugehörige Ordinate L der Logarithmus der mittleren tödlichen Dosis. Bei symmetrischen Wirkungskurven, die bei einer Umdrehung um den 50%-Punkt in sich selbst übergehen, ist die mittlere tödliche Dosis gleich der 50%-Dosis.

Der Ausdruck „mittlere tödliche Dosis" erklärt sich so: Nimmt man an, daß jedes Versuchstier bei einer bestimmten Dosis gerade sterben würde, so ist der Logarithmus dieser tödlichen Dosis von dem zufällig ausgewählten Versuchstier abhängig, also eine zufällige Größe im Sinne von § 2. Die Verteilungsfunktion $F(l)$ dieser zufälligen Größe $\boldsymbol{x}$ ist die Wahrscheinlichkeit, daß ein Tier an der Dosis l stirbt, also die Mortalität p zur Dosis l. (Mit „Dosis" ist hier immer der Logarithmus der Dosis gemeint.) Die graphische Darstellung dieser Verteilungsfunktion ist also gerade unsere logarithmische Wirkungskurve. Der Mittelwert von $\boldsymbol{x}$ ist nun nach § 3 das Integral

$$\mathcal{E}\boldsymbol{x} = \int_{-\infty}^{\infty} l\, dF(l).$$

Führt man in dieses Integral $p = F(l)$ als neue Veränderliche ein, so erhält man

$$\mathcal{E}\boldsymbol{x} = \int_{0}^{1} l\, dp = L. \tag{1}$$

Also ist L gerade der Mittelwert der Logarithmen der individuell tödlichen Dosen der Versuchstiere.

Die Streuung σ von $\boldsymbol{x}$ wird ebenso durch

$$\sigma^2 = \mathcal{E}(\boldsymbol{x} - L)^2 = \int_{-\infty}^{\infty} (l - L)^2\, dF(l) = \int_{0}^{1} (l - L)^2\, dp \tag{2}$$

definiert.

[1] E. KÄRBER, Archiv exp. Path. 162 (1931) p. 480. BEHRENS und KÄRBER, Archiv exp. Path. 177 (1935) p. 637.

Man kann die Dosis L auch so definieren. Zieht man in der Fig. 25 eine Gerade $l=l_0$ so weit links, daß die zugehörige Mortalität p_0 praktisch Null ist und eine zweite Gerade $l=l_\omega$ so weit rechts, daß die zugehörige Mortalität p_ω praktisch Eins ist, so wird die Fläche des Rechtecks zwischen L und l_ω bis auf einen ganz kleinen Fehler gleich der Fläche unterhalb der Kurve

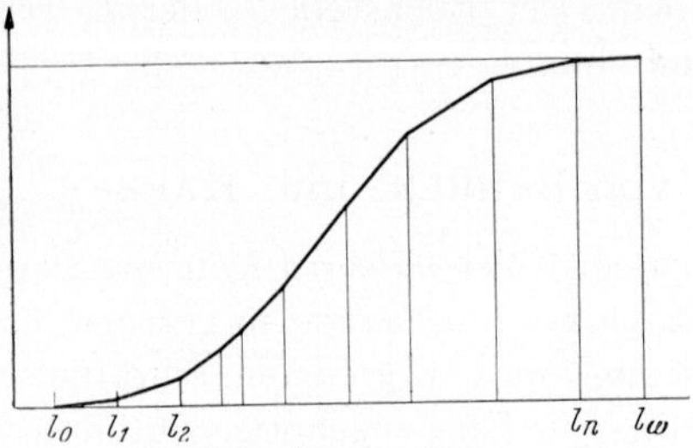

Fig. 26. Die Trapezannäherung

$$l_\omega - L = \int_{l_0}^{l_\omega} p\, dl.$$

Daraus kann man L auflösen:

$$L = l_\omega - \int_{l_0}^{l_\omega} p\, dl. \tag{3}$$

Teilt man das Intervall von l_0 bis l_ω durch Teilpunkte $l_1, l_2, \ldots, l_n$ in $n+1$ Teilintervalle und setzt $l_{n+1}=l_\omega$, so kann man das Integral in (3) näherungsweise durch eine Summe von Trapezflächen ersetzen, indem man die Kurvenstücke zwischen den Teilpunkten durch Geradenstücke ersetzt:

$$L \sim l_\omega - \tfrac{1}{2}\{(p_0+p_1)(l_1-l_0)+(p_1+p_2)(l_2-l_1)+\cdots+(p_n+p_\omega)(l_{n+1}-l_n)\}. \tag{4}$$

Ordnet man die rechte Seite nach $p_0, p_1, \ldots, p_n, p_\omega$ und berücksichtigt $p_0=0$, $p_\omega=1$ sowie $l_\omega=l_{n+1}$, so erhält man

$$L \sim \tfrac{1}{2}(l_n+l_{n+1}) - \tfrac{1}{2}\{p_1(l_2-l_0)+p_2(l_3-l_1)+\cdots+p_n(l_{n+1}-l_{n-1})\}. \tag{5}$$

Dieser Ausdruck dient als Ausgangspunkt für die empirische Bestimmung von L nach der Flächenmethode.

Man verabreicht die Dosen $l_1, l_2, \ldots, l_n$ je einer Anzahl von Versuchstieren und beobachtet die Todeshäufigkeiten $h_1, h_2, \ldots, h_n$. Dabei brauchen die Tierzahlen je Dosis nicht gleich groß zu sein, aber *die Dosen müssen in genügend kleinen Stufen anwachsen*, damit die Ersetzung des Integrales durch eine Summe erlaubt ist, und *an den beiden Enden der Reihe müssen die Häufigkeiten so nahe bei* 0 *bzw.* 1 *liegen, daß man praktisch sicher ist, daß bei der nächstkleineren Dosis l_0 die Mortalität fast Null und bei der nächstgrößeren Dosis $l_{n+1}=l_\omega$ die Mortalität fast* 1 *ist.*

Die Reihe muß also nach beiden Seiten hin genügend weit fortgesetzt werden. Meistens verlangt man, daß die erste Häufigkeit $h_1=0$ und die letzte $h_n=1$ ist, aber es genügt auch, wenn z.B. h_1 und h_2 beide nahe bei 0 liegen. Der Experimentator wird nach Gefühl und Erfahrung beurteilen können, ob p_0 fast $=0$ und p_{n+1} fast $=1$ ist, wenn er den Verlauf der Häufigkeiten $h_1, \ldots, h_n$ beobachtet.

Man erhält nun einen Näherungswert für L, indem man in (5) die Wahrscheinlichkeiten $p_1, \ldots, p_n$ durch die entsprechenden Häufigkeiten ersetzt:

$$(6)\quad M = \tfrac{1}{2}(l_n + l_{n+1}) - \tfrac{1}{2}\{h_1(l_2 - l_0) + h_2(l_3 - l_1) + \cdots + h_n(l_{n+1} - l_{n-1})\}.$$

Nach dieser Formel wird in der Praxis die mittlere tödliche Dosis berechnet.

Es ist nicht notwendig, daß die Tierzahlen $N_1, \ldots, N_n$, denen die Dosen verabreicht werden, einander gleich sind. Die Genauigkeit wird sogar erhöht, wenn die Anzahlen in der Mitte größer gewählt werden als an den Enden der Reihe. Das starke Heranziehen der starken Dosen, bei denen fast alle Tiere sterben, und der schwachen Dosen, bei denen fast keines stirbt, ist Verschwendung von Zeit und Tiermaterial; darauf hat schon GADDUM[1] hingewiesen.

Die Größe M hängt vom Zufall ab: ihr Mittelwert ist L. Ihre Streuung σ_M wird so berechnet: M ist nach (6) die Summe aus einem konstanten Glied, das zur Streuung keinen Beitrag gibt, und n weiteren unabhängigen Gliedern. Also ist nach (15) § 3

$$\sigma_M^2 = \sigma_1^2 + \sigma_2^2 + \cdots + \sigma_n^2,$$

wo σ_1 z.B. die Streuung des Gliedes $-\tfrac{1}{2}h_1(l_2 - l_0)$ ist:

$$\sigma_1^2 = \frac{p_1(1-p_1)}{4N_1}(l_2 - l_0)^2.$$

Somit ist

$$(7)\quad \sigma_M^2 = \sum_{k=1}^{n} \frac{p_k(1-p_k)}{4N_k}(l_{k+1} - l_{k-1})^2.$$

Die p_k sind aber unbekannt; daher ersetzt man nach einem bekannten Rezept (§ 5, Schluß) die p_k durch h_k und die Nenner N durch $N - 1$. So erhält man den genäherten mittleren Fehler m:

$$(8)\quad s_M^2 = \sum_{k=1}^{n} \frac{h_k(1-h_k)}{4(N_k - 1)}(l_{k+1} - l_{k-1})^2.$$

Der Mittelwert von s_M^2 ist σ_M^2, und für große Tierzahlen ist s_M^2 von σ_M^2 nicht sehr verschieden. Die Genauigkeit von M kann also nach dem Wert von s_M beurteilt werden.

Beispiel 36. CHEN, ANDERSON und ROBBINS[2] beobachteten für salzsaures Gelsemicin bei je zehn roten Kaninchen die folgenden Todeshäufigkeiten:

Dosis	6	7	8	9	10	11	12	13
Todeshäufigkeit	0	0,1	0,3	0,6	0,8	0,5	0,9	1,0

[1] J. H. GADDUM, Med. Res. Council Rep. on Biol. Standards 3 (1933) p. 27.
[2] Quarterly Journal Pharmacy and Pharmacol. 11, p. 84 (1938).

Bei der Rechnung nach Formel (6) benutzt man dreistellige Logarithmen:

$$l_1 = \log 6 = 0{,}778, \quad \text{usw.}$$

Nach dem Verlauf der Zahlen ist zu erwarten, daß bei der nächstkleineren Dosis (etwa $l_0 = \log 5$) die Mortalität praktisch Null und bei der nächstgrößeren (etwa $l_{n+1} = \log 15$) die Mortalität praktisch Eins sein wird. Die Wahl von l_0 und l_{n+1} ist übrigens gleichgültig, denn in unserem Fall ist $h_1 = 0$ und $h_n = 1$, daher fallen l_0 und l_{n+1} aus den Formeln (6) und (8) heraus.

Die Formeln (6) und (8) ergeben[1]

$$M = 0{,}957,$$

$$m = 0{,}016.$$

Der Logarithmus der mittleren tödlichen Dosis ist also

$$L = 0{,}957 \pm 0{,}016.$$

Aus dem Ergebnis sieht man, daß es keinen Sinn hat, mit mehr als dreistelligen Logarithmen zu arbeiten. Sogar die zweite Dezimalstelle in M verdient kein Vertrauen, da der mittlere Fehler größer ist als eine Einheit der zweiten Dezimalstelle.

Bliss[2] fand aus demselben experimentellen Material mit einer anderen Methode, die viel mehr Rechnung erfordert:

$$L = 0{,}961 \pm 0{,}0166.$$

Man sieht daraus, daß die Flächenmethode den komplizierteren Rechenverfahren, die auf der Annahme der Normalkurve beruhen, an Genauigkeit fast nicht nachsteht. Eine genauere Untersuchung am Schlusse meiner unter[1] zitierten Arbeit ergab, daß der mittlere Fehler der Flächenmethode im Falle gleicher Tierzahlen nur um 1% größer ist als der mittlere Fehler der Maximum Likelihood Methode unter Annahme einer normalen Wirkungskurve.

§ 54. Die auf der Normalkurve beruhenden Methoden

Legt man die Annahme zugrunde, daß die logarithmische Wirkungskurve die Gestalt einer normalen Verteilungsfunktion hat, so steht eine ganze Reihe von Auswertungsmethoden zur Verfügung.

A. Graphische Auswertung

Die graphische Methode beruht darauf, daß man die Wirkungskurve durch eine Transformation der p-Achse in eine Gerade verwandelt.

Für die Ordinate $l = \log$ Dosis schreiben wir jetzt lieber x. Die normale Wirkungskurve ist dann nach (1) § 52 durch

$$p = \Phi\left(\frac{x-L}{\sigma}\right) \tag{1}$$

gegeben. Jetzt wird durch

$$p = \Phi(y) \quad \text{oder} \quad y = \Psi(p) \tag{2}$$

[1] van der Waerden, Archiv f. exp. Pathol. 195, p. 389 (1940).

[2] C. I. Bliss, Quarterly Journal Pharmacy and Pharmacol. 11, p. 202 (1938).

eine neue abhängige Variable y eingeführt. Die Gleichung der Wirkungskurve wird in den neuen Koordinaten x und y durch

$$y = \frac{x - L}{\sigma} \tag{3}$$

gegeben. Diese Gleichung stellt eine Gerade dar.

Um nicht mit negativen Zahlen rechnen zu müssen, addiert man manchmal 5 zu den y-Werten und nennt sie dann *Probits*. Wir rechnen

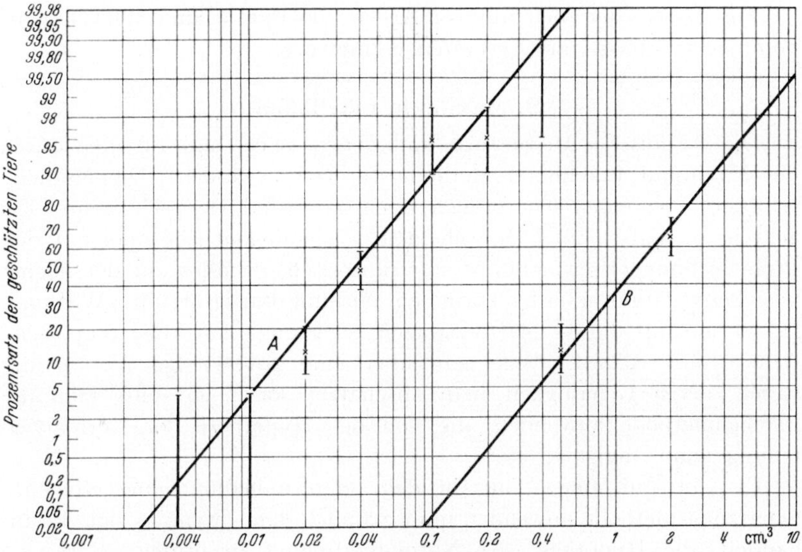

Fig. 27. Graphische Bestimmung von zwei parallelen Wirkungskurven nach PRIGGE und SCHÄFER

aber hier, um die Formeln einfach zu halten, mit y selbst und nicht mit $y+5$.

Um σ und L zu schätzen, trägt man auf der x-Achse die Logarithmen der verabreichten Dosen ab, auf der y-Achse die zu den Häufigkeiten h gehörigen Probits $y = \Psi(h)$. Durch die so erhaltenen Punkte zieht man, so gut es geht, eine Gerade. Es gibt Millimeterpapier, das so eingeteilt ist, daß man die Logarithmen und die Probits gar nicht erst zu berechnen braucht.

Eine Schwierigkeit ist, daß für $h=0$ oder $h=1$ das Probit y den Wert $-\infty$ oder $+\infty$ annimmt. Man vermeidet diese Schwierigkeit, indem man nach PRIGGE und SCHÄFER[1] zu den beobachteten Häufigkeiten h zunächst die Vertrauensgrenzen p_1 und p_2 berechnet, wobei man in den Formeln des § 6 zweckmäßig $g=1$ wählt, damit die Grenzen

[1] R. PRIGGE und W. SCHÄFER, Arch. exp. Path. 191 (1939) p. 303.

nicht zu weit werden. Zu diesen p_1 und p_2 bildet man dann die Probitgrenzen y_1 und y_2 nach (2). So erhält man zu jeder Dosis eine Strecke parallel zur y-Achse, die von y_1 bis y_2 reicht. Ist $h=0$ oder $h=1$, so reicht die Strecke nach unten oder nach oben ins Unendliche. Nun zieht man die mutmaßliche Wirkungsgerade so, daß sie alle oder wenigstens die meisten von diesen Strecken trifft. Wenn das in mehreren Weisen möglich ist, wählt man die Gerade so, daß sie möglichst nahe bei den Punkten $y=\Psi(h)$ vorbeigeht, die zu den beobachteten Häufigkeiten h gehören, soweit diese nicht Null oder Eins sind.

Fig. 27, die der eben zitierten Arbeit von PRIGGE und SCHÄFER entnommen ist, möge das Verfahren erläutern.

B. Maximum Likelihood

Die graphische Auswertung kann nach BLISS und FISHER[1] durch die Maximum Likelihood Methode verbessert werden. Die Methode erfordert aber einen sehr großen Rechenaufwand, der sich meines Erachtens niemals lohnt. Die scheinbare Genauigkeit, die man mit den Probitrechnungen erreicht, ist nur illusorisch, da alles auf der höchst unsicheren Hypothese der normalen Wirkungskurve beruht. Will man sich schon auf dieses Glatteis wagen, so genügt eine rohe graphische Auswertung vollauf. Will man aber eine zuverlässige Auswertung haben, deren Genauigkeit man abschätzen kann, so sollte man die Flächenmethode anwenden, die von der Hypothese der Normalverteilung unabhängig ist.

Es gibt nur einen Fall, in dem man unbedingt eine effiziente Schätzungsmethode anwenden muß, nämlich dann, wenn es sich darum handelt, die Hypothese der Normalverteilung zu prüfen. Man verwendet dann den χ^2-Test (§ 51). In χ^2 kommen die geschätzten Erwartungswerte $n\tilde{p}$ vor, die nach einer *effizienten* Schätzung berechnet werden müssen, damit χ^2 nicht zu groß wird. Eine solche effiziente Schätzung erhält man nach § 50 nach der Methode des Maximum Likelihood. Etwas bequemer ist die ebenfalls effiziente Methode des Minimum χ_0^2 (§ 48), wobei man die $np^{(0)}$ im Nenner etwa nach der graphischen Methode ermitteln kann.

C. Die Zweipunktmethode

Die Zweipunktmethode besteht darin, daß man nur zwei Dosen anwendet und durch die so erhaltenen Punkte auf dem Wahrscheinlichkeitspapier eine Gerade zieht. Der Schnittpunkt mit der x-Achse ergibt die 50%-Dosis.

[1] C. I. BLISS, Annals of Applied Biol. 22 (1935) p. 134, mit einem Beitrag von R. A. FISHER p. 149. Die Methode ist ausführlich dargestellt in dem Buch von D. J. FINNEY, Probit Analysis, Cambridge Univ. Press 1947.

Die Methode kann nur bei großen Tierzahlen angewandt werden und auch nur dann, wenn die Lage und Steigung der Wirkungskurve von vornherein genähert bekannt sind. Die eine Dosis muß beträchtlich kleiner sein als die 50%-Dosis, die andere beträchtlich größer, damit die beiden Punkte mit großer Wahrscheinlichkeit auf verschiedenen Seiten der 50%-Geraden liegen. Andererseits dürfen die Dosen sich nicht allzu weit von der 50%-Dosis entfernen, denn wenn die empirische Mortalität 0 oder 100% wird, kann man keinen Punkt einzeichnen. Zu allen diesen Nachteilen[1] kommt noch, daß die Methode ganz wesentlich die Normalverteilung voraussetzt und daß ihre Genauigkeit sich nur sehr schwer, wenn überhaupt, abschätzen läßt. Weit besser scheint es mir, das Experiment so einzurichten, daß man die Flächenmethode anwenden kann.

D. Die Einpunktmethode

Ist die Steigung der Geraden aus anderen Experimenten genähert bekannt, so ist die genaueste Auswertungsmethode die *Einpunktmethode*, bei der nur *eine* Dosis möglichst nahe bei der Mitteldosis verwendet wird. Durch den so erhaltenen Punkt (x, y) zieht man eine Gerade mit der bekannten Steigung σ und erhält als Schnittpunkt mit der x-Achse die Mitteldosis

$$M = x - \sigma y. \tag{4}$$

In der Praxis wird σ natürlich durch eine Schätzung s ersetzt. Die Methode ist nur dann zuverlässig, wenn die angewandte Dosis nahe bei der mittleren tödlichen Dosis L liegt. Man muß also durch Vorversuche (z.B. nach der Flächenmethode) zuerst die ungefähre Lage der mittleren tödlichen Dosis bestimmen.

Für die Berechnung des mittleren Fehlers von M siehe meine früher zitierte Arbeit im Archiv exp. Path. 195.

Die Einpunktmethode benutzt nur den mittleren, steilsten Teil der Wirkungskurve. Sie ist also von der Annahme der normalen Wirkungskurve weitgehend unabhängig.

E. Die logistische Kurve

Statt eine normale Wirkungskurve anzunehmen, kann man nach Berkson[2] auch die logistische Kurve

$$p = \frac{1}{e^{-z} + 1} \tag{5}$$

zugrunde legen, wobei z eine lineare Funktion von x ist. Die Funktion (5) geht, genau wie die Φ-Funktion, von 0 über $\frac{1}{2}$ nach 1, wenn z

[1] Siehe dazu Behrens und Kärber, Archiv exp. Path. 177, p. 637 (1935).

[2] J. Berkson, Journal Amer. Statist. Assoc. Vol. 39, 41 und 48.

von $-\infty$ über 0 nach $+\infty$ geht. Die Funktion (5) unterscheidet sich nur sehr wenig von einer normalen Verteilungsfunktion. Die Kurve (5) ist auch symmetrisch in bezug auf den Punkt $z=0$, $p=\frac{1}{2}$:

$$p(z)+p(-z)=1.$$

Die Gleichung (5) läßt sich leicht nach z auflösen

$$z=-\ln\left(\frac{1}{p}-1\right). \tag{6}$$

Durch (6) sind die *Logits* z definiert, mit denen es sich leichter rechnet als mit den früheren Probits $y=\Psi(p)$. Alle Probitmethoden (graphische Methode, Maximum Likelihood, Zweipunkt- und Einpunktmethode) lassen sich ebensogut oder noch besser auf die Logits anwenden.

§ 55. „Auf und Ab" Methoden

A. Die Methode von Dixon und Mood

Dixon und Mood[1] haben eine Methode angegeben, die mit weniger Tiermaterial eine ebenso genaue Schätzung ergibt wie die bisher besprochenen Methoden. Sie wählen zunächst eine Ausgangsdosis mit Logarithmus l und behandeln damit ein Tier. Je nachdem, ob das Tier in bestimmter Weise reagiert (z.B. stirbt) oder nicht, wird der Logarithmus um d erniedrigt oder erhöht und die neue Dosis wird einem zweiten Versuchstier verabreicht. Und so weiter, immer auf und ab. Andere Dosen als die mit Logarithmen $l, l\pm d, l\pm 2d, \ldots$ werden nicht benutzt.

Bei diesem Verfahren bleibt man automatisch die meiste Zeit auf dem steilsten Stück der Wirkungskurve, denn sobald die Mortalität nahe bei Eins kommt, wird die Dosis wahrscheinlich wieder herabgesetzt und ebenso nahe bei Null heraufgesetzt. Das ist sehr günstig, denn um den Teil der Kurve in der Nähe von 50% Mortalität ist es gerade zu tun. Die Differenz d soll möglichst zwischen $\frac{1}{2}\sigma$ und 2σ gewählt werden, damit die Methode richtig funktioniert. Eine grobe Schätzung für σ muß also vorher bekannt sein.

Zur Auswertung könnte man die Flächenmethode verwenden. Dixon und Mood benutzen ein anderes, äußerst einfaches Verfahren. Sie zählen zunächst die Gesamtzahl der „Erfolge" (wo die Reaktion eintrat) und der „Mißerfolge", und sie nennen die kleinere der beiden Zahlen N. Die zu diesem weniger häufigen Ereignis (Erfolg oder Mißerfolg) gehörigen Dosen seien von der kleinsten an $l_0, l_1, l_2, \ldots$, und das Ereignis sei bei diesen Dosen $n_0, n_1, n_2, \ldots$ mal eingetreten. Dann

[1] W. J. Dixon and A. M. Mood, Journ. Amer. Statist. Assoc. 43 (1948) p. 109.

wird gebildet

$$A = \sum k n_k$$
$$B = \sum k^2 n_k.$$

Für L, den Logarithmus der 50%-Dosis, hat man dann die folgende Schätzung:

$$M = l_0 + d\left(\frac{A}{N} \pm \frac{1}{2}\right). \tag{1}$$

Das Zeichen + gilt, wenn in der Rechnung die Mißerfolge, und −, wenn die Erfolge benutzt worden sind. Für σ hat man weiter die Schätzung

$$s = 1{,}62\left(\frac{NB - A^2}{N^2} + 0{,}03\right). \tag{2}$$

Für die Begründung dieser Formeln mit der Methode des Maximum Likelihood möge auf die Originalarbeit verwiesen werden. Brownlee, Hodges und Rosenblatt haben (J. Amer. Stat. Assoc. 48, p. 262) nachgewiesen, daß auch für kleine Anzahlen die Formeln sehr gut brauchbar sind, und sie haben einige Modifikationen vorgeschlagen, die dazu dienen, die Methode noch effizienter zu machen.

Bei der Begründung von (1) und (2) wurde die Normalkurve vorausgesetzt, aber die Voraussetzung ist nicht sehr wesentlich. Es genügt, wenn der Teil der Kurve in der Nähe der mittleren tödlichen Dosis ungefähr mit einer Normalkurve übereinstimmt. Auf die Ausläufer in der Nähe der Geraden $p = 0$ und $p = 1$ kommt es wenig an, denn die Methode selbst führt dazu, daß die sehr großen und sehr kleinen Dosen nur selten zur Anwendung kommen und daher zu Mittelwert und Streuung von m fast keinen Beitrag geben.

Ein Nachteil der Methode ist, daß man beim nächsten Versuch immer den Erfolg oder Mißerfolg des vorigen abwarten muß. Dieser Nachteil kann auf einen Bruchteil reduziert werden, indem man etwa vier Versuchsreihen gleichzeitig in Bewegung setzt.

B. Die Methode der stochastischen Approximation

Die „Auf und Ab“ Methode kann nach Robbins und Monro[1] noch weiter verbessert werden, indem man mit den Dosen nicht um ein festes Stück d auf oder ab geht, sondern um ein variables, immer kleiner werdendes Stück. Man wählt von vornherein eine abnehmende Folge von positiven Zahlen $a_1, a_2, \ldots$ und eine Anfangsdosis l_1. Ist nun bei der Dosis l_n eine Reaktion eingetreten, so wählt man als nächste Dosis

$$l_{n+1} = l_n - \tfrac{1}{2} a_n, \tag{3}$$

[1] H. Robbins and S. Monro, A stochastic approximation method, Ann. Math. Stat. 22 (1951) p. 400.

ist aber keine Reaktion eingetreten, so wählt man

$$l_{n+1} = l_n + \tfrac{1}{2} a_n. \tag{4}$$

Man kann auch jeweils mehrere Tiere gleichzeitig behandeln. Ist h_n die Häufigkeit der Erfolge beim n-ten Versuch, so setze man

$$l_{n+1} = l_n + (\tfrac{1}{2} - h_n)\, a_n. \tag{5}$$

Als Schätzung für die 50%-Dosis nimmt man die zuletzt berechnete Dosis l_{N+1}. ROBBINS und MONRO haben unter gewissen einschränkenden Voraussetzungen bewiesen, daß die Schätzung l_{N+1} für $N \to \infty$ nach Wahrscheinlichkeit gegen die 50%-Dosis L konvergiert, d.h. daß für genügend große N mit beliebig großer Wahrscheinlichkeit

$$|l_{n+1} - L| < \varepsilon$$

gilt.

Über die asymptotische Verteilung der Schätzung l_{N+1} siehe vor allem K. L. CHUNG, On a stochastic approximation method, Ann. of Math. Stat. 25 (1954) p. 463.

Was ist nun die beste Wahl der Koeffizienten a_n? Jedenfalls müssen sie gegen Null konvergieren, weil sonst nach (3) und (4) die Folge der l_n unmöglich gegen L streben könnte. Würde man andererseits die a_n so schnell gegen Null gehen lassen, daß die Reihe $\sum a_n$ konvergiert, so würden von einer gewissen Nummer n an die Erfolge oder Mißerfolge fast keinen Einfluß auf die Wahl der Dosen $l_{n+1}, l_{n+2}, \ldots$ haben, da die Korrekturglieder $\pm \frac{1}{2} a_n \pm \frac{1}{2} a_{n+1} \ldots$ alle zusammen nur weniger als ε ausmachen. Man wird daher die a_n so wählen, daß die Reihe $\sum a_n$ divergiert.

CHUNG empfiehlt die Wahl

$$a_n = c\, n^{-1+\varepsilon} \qquad (0 < \varepsilon < \tfrac{1}{2}). \tag{6}$$

ROBBINS und MONRO dagegen wählen

$$a_n = \frac{c}{n}. \tag{7}$$

Die Koeffizienten (6) gehen so langsam nach Null, daß dadurch die Konsistenz des Verfahrens unter ziemlich allgemeinen Voraussetzungen über die Gestalt der Wirkungskurve gesichert ist. Bei der Wahl (7) muß man vorsichtiger sein. Ist a die Steigung der Wirkungskurve in der Nähe der 50%-Dosis L, so muß man die Konstante c in (7) größer als $\frac{1}{2a}$ wählen. Ersetzt man die Wirkungskurve in der Nähe der 50%-Dosis durch eine Gerade, so wird nach CHUNG unter gewissen zusätzlichen Voraussetzungen die Streuung der Schätzung l_{N+1}

asymptotisch gleich

$$\frac{c}{\sqrt{2ac-1}}\,\frac{\sigma_h}{\sqrt{N}}, \tag{8}$$

wobei σ_h die Streuung der Häufigkeiten h für Dosen in der Nähe von L ist. Ist n' die Zahl der Tiere bei jedem Versuch, so ist

$$\sigma_h^2 = \frac{pq}{n'} \sim \frac{1}{4n'}. \tag{9}$$

Der Ausdruck (8) wird möglichst klein, wenn

$$c = \frac{1}{a} \tag{10}$$

gewählt wird. Kennt man aber die Steigung a nicht genau, so tut man gut daran, c etwas größer zu wählen. Auf die Streuung (8) hat das nur wenig Einfluß, da die Funktion (8) in der Nähe ihres Minimums nur langsam zunimmt. Auf alle Fälle muß man, wie gesagt, c größer als $\frac{1}{2a}$ wählen. Kommt c in die Nähe von $\frac{1}{2a}$, so wird der Ausdruck (8) sehr groß.

Elftes Kapitel

Prüfung von Hypothesen durch Tests

Tests sind in allen Anwendungen von der größten Wichtigkeit. Im folgenden sollen zunächst einige von den wichtigsten Tests zusammengestellt werden, wobei auch viele früher schon behandelte Tests nochmals Erwähnung finden werden. Sodann werden die Grundgedanken der allgemeinen Theorie nach J. Neyman und E. S. Pearson erörtert.

An Hand der Beispiele wird man, wie ich hoffe, die grundlegenden Prinzipien, von denen die Auswahl eines jeweils passenden Testes abhängt, verstehen können, auch wenn man nicht alle vorangehenden Kapitel dieses Buches studiert hat. Voraussetzung ist selbstverständlich eine Vertrautheit mit den Grundbegriffen der Kap. 1 und 2. Für die Beweise wird allerdings manchmal auch auf spätere Kapitel (namentlich 8 und 9) sowie auf die Literatur verwiesen werden.

§ 56. Anwendungen des χ^2-Tests

In dem allgemeinen χ^2-Test, den wir in § 51 hergeleitet haben, sind verschiedene Spezialfälle enthalten, von denen einige schon früher behandelt wurden. Immer handelt es sich dabei um die Prüfung einer Hypothese über Wahrscheinlichkeiten an Hand von beobachteten Häufigkeiten.

A. Prüfung einer angenommenen Wahrscheinlichkeit

Ist ein Ereignis in n unabhängigen Versuchen x_1 mal eingetreten und x_2 mal nicht eingetreten ($x_1 + x_2 = n$) und will man prüfen ob eine angenommene Zahl p die Wahrscheinlichkeit des Ereignisses sein kann, so schließt man so. Man setzt $q = 1 - p$. Die Erwartungswerte von x_1 und x_2 sind pn und qn. Man bildet also

$$\chi^2 = \frac{(x_1 - p\,n)^2}{p\,n} + \frac{(x_2 - q\,n)^2}{q\,n} \tag{1}$$

und verwirft die angenommene Wahrscheinlichkeit p, wenn χ^2 größer ausfällt als eine Schranke, die man aus Tafel 6 entnimmt. Die Zahl der Freiheitsgrade ist, da zwei Anzahlen x_1 und x_2 beobachtet sind, zwischen denen eine lineare Gleichung $x_1 + x_2 = n$ besteht,

$$f = 2 - 1 = 1.$$

Nun ist aber

$$(x_1 - p\,n) + (x_2 - q\,n) = 0,$$

also

$$(x_1 - p\,n)^2 = (x_2 - q\,n)^2.$$

Man kann (1) somit einfacher schreiben:

$$\chi^2 = \frac{(x_1 - p\,n)^2\,(q + p)}{p\,q\,n} = \frac{(x_1 - p\,n)^2}{p\,q\,n}. \tag{2}$$

Dies ist genau der früher benutzte Ausdruck.

B. Mehrere angenommene Wahrscheinlichkeiten

Man habe eine Stichprobe von n Objekten nach gewissen Merkmalen in m Klassen eingeteilt. Die beobachteten Anzahlen in den Klassen seien $x_1, \ldots, x_m$ mit $x_1 + \cdots + x_m = n$. Man will eine Hypothese prüfen, die zu ganz bestimmten Wahrscheinlichkeiten $p_1, \ldots, p_m$ für die m Klassen führt (z. B. $\frac{1}{16}, \frac{3}{16}, \frac{3}{16}, \frac{9}{16}$ bei zwei nicht gekoppelten Erbfaktoren). Man bildet

$$\chi^2 = \sum \frac{(x_i - n\,p_i)^2}{n\,p_i} \qquad (m - 1 \text{ Freiheitsgrade}) \tag{3}$$

und verwirft die Hypothese, wenn χ^2 die nach Tafel 6 berechnete Schranke überschreitet.

Streng genommen, gilt die χ^2-Verteilung nur asymptotisch für $n \to \infty$. Die exakte Verteilung der Größe χ^2 ist eine diskrete Verteilung, da χ^2 bei gegebenen n und p_i nur endlich viele Werte annehmen kann.

Um zu prüfen, wie genau die Annäherung der exakten Verteilung durch die stetige χ^2-Verteilung ist, habe ich für den Fall

$$n = 10; \quad p_1 = 0{,}5; \quad p_2 = 0{,}3; \quad p_3 = 0{,}2$$

die exakte Verteilung der Größe

$$Y = 1 - e^{-\frac{1}{2}\chi^2} \tag{4}$$

ausgerechnet und mit der asymptotischen Verteilung verglichen. Man hat in diesem Fall

$$\chi^2 = \frac{(x_1 - 5)^2}{5} + \frac{(x_2 - 3)^2}{3} + \frac{(x_3 - 2)^2}{2}. \tag{5}$$

Es gibt 66 mögliche Zahlentripel (x_1, x_2, x_3) mit $x_1 + x_2 + x_3 = 10$. Die Wahrscheinlichkeit eines Tripels ist

$$\frac{10!}{x_1!\,x_2!\,x_3!}\,0{,}5^{x_1}\cdot 0{,}3^{x_2}\cdot 0{,}2^{x_3}. \tag{6}$$

Jedes Tripel führt nach (4) und (5) zu einem bestimmten Wert von Y. Diese Werte und ihre Wahrscheinlichkeiten (6) definieren eine Treppenfunktion (Fig. 28) als Verteilungsfunktion von Y.

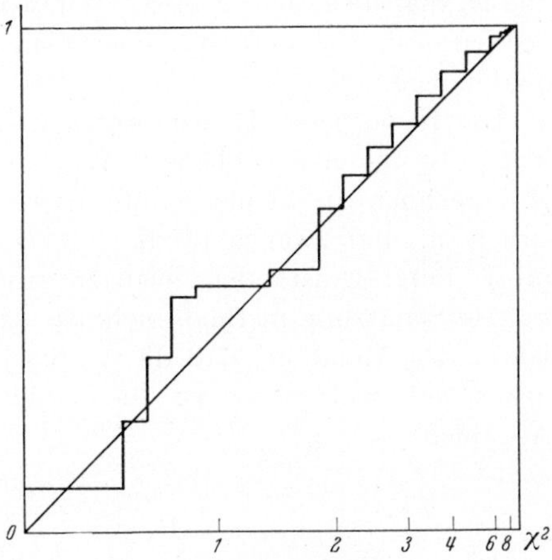

Fig. 28. Exakte und asymptotische Verteilung von Y bei zwei Freiheitsgraden, Wahrscheinlichkeiten 50%, 30% und 20% und $n = 10$

Die asymptotische Verteilungsfunktion von χ^2 bei zwei Freiheitsgraden ist

$$G(u) = \int_0^u e^{-t}\,dt = 1 - e^{-u}.$$

Daraus erhält man als asymptotische Verteilungsfunktion für Y eine Gerade

$$F(v) = v, \tag{7}$$

die in Fig. 28 ebenfalls dargestellt ist. Wie man sieht, sind die Abweichungen zwischen den beiden Kurven nur klein, besonders im Bereich zwischen 0,95 und 1, der für die Anwendung am wichtigsten ist. Die Wahrscheinlichkeit, daß $\chi^2 > 9{,}21$ wird, die nach der asymptotischen Verteilung 0,01 sein sollte, ist in Wirklichkeit 0,0096. Die Wahrscheinlichkeit für $\chi^2 > 5{,}99$, die 0,05 sein sollte, ist 0,0502. Die Irrtumswahrscheinlichkeit bei der Anwendung des χ^2-Kriteriums ist in den meisten Fällen sogar kleiner, als nach der asymptotischen Formel zu erwarten war, d.h. man bleibt, wenn man die asymptotische Verteilung anwendet, auf der sicheren Seite.

Man findet oft in der Literatur die Bemerkung, daß die beobachteten x_i oder ihre Erwartungswerte np_i nicht zu klein sein dürfen, damit die asymptotische χ^2-Verteilung angewandt werden darf. *Das hier* *behandelte Beispiel zeigt, daß man mit den Erwartungswerten np_i bis 2 oder 3 heruntergehen und trotzdem noch die asymptotische Verteilung anwenden darf.* Andere Beispiele bestätigen dies. *Hat man viele Klassen, so dürfen die Erwartungswerte np_i in einzelnen Klassen sogar bis Eins heruntergehen.* Ich habe einmal ein Beispiel mit 10 Klassen und

$$np_1 = np_2 = \cdots = np_{10} = 1 \qquad (n = 10)$$

durchgerechnet und immer noch eine befriedigende Übereinstimmung mit der asymptotischen χ^2-Verteilung gefunden. Allzu vorsichtig braucht man also nicht zu sein.

C. Vergleich zweier Wahrscheinlichkeiten

Ein Ereignis sei in n_1 Fällen x_1 mal eingetreten und y_1 mal nicht eingetreten. In n_2 neuen Fällen sei das Ereignis x_2 mal eingetreten und y_2 mal nicht eingetreten. Wir wollen prüfen, ob die Wahrscheinlichkeit sich geändert hat oder nicht. Alle Fälle seien voneinander unabhängig.

Die Hypothese, die wir prüfen wollen, lautet: die Wahrscheinlichkeit p ist dieselbe geblieben. Wir kennen den Wert von p nicht. Um χ^2 berechnen zu können, müssen wir für p einen geschätzten Wert einsetzen, und zwar muß die Schätzung effizient sein, da wir sonst für χ^2 unter Umständen einen zu großen Wert erhalten (§ 51).

Als Schätzungsmethode nehmen wir die des Maximum Likelihood. Unter der Annahme, daß die Wahrscheinlichkeit des einzelnen Ergebnisses jedesmal p ist, ist die Wahrscheinlichkeit der beobachteten Anzahlen

$$\frac{n_1!}{x_1!\,y_1!}\,\frac{n_2!}{x_2!\,y_2!}\,p^{x_1+x_2}q^{y_1+y_2}.$$

Bei der Bestimmung des Maximums braucht man auf die Zahlenfaktoren nicht zu achten. Das Maximum liegt bei

$$\tilde{p} = \frac{x_1 + x_2}{n_1 + n_2}. \tag{8}$$

Mit diesem Wert $\tilde{p}$ bildet man nun $\tilde{q} = 1 - \tilde{p}$ und

$$\chi^2 = \frac{(x_1 - n_1\tilde{p})^2}{n_1\tilde{p}} + \frac{(y_1 - n_1\tilde{q})^2}{n_1\tilde{q}} + \frac{(x_2 - n_2\tilde{p})^2}{n_2\tilde{p}} + \frac{(y_2 - n_2\tilde{q})^2}{n_2\tilde{q}} \tag{9}$$

oder kürzer

$$\chi^2 = \frac{(x_1 - n_1\tilde{p})^2}{n_1\tilde{p}\tilde{q}} + \frac{(x_2 - n_2\tilde{p})^2}{n_2\tilde{p}\tilde{q}}. \tag{10}$$

Nun ist aber

$$(x_1 - n_1\tilde{p}) + (x_2 - n_2\tilde{p}) = 0,$$

also kann man χ^2 noch kürzer schreiben.

$$(11) \qquad \chi^2 = \frac{(x_1 - n_1\tilde{p})^2 (n_1 + n_2)}{n_1 n_2 \tilde{p}\tilde{q}}.$$

Früher haben wir gesehen, daß man bei kleinen Zahlen n_1 und n_2 gut daran tut, den Faktor $N = n_1 + n_2$ im Zähler von (11) durch $N-1$ zu ersetzen, damit die Irrtumswahrscheinlichkeit nicht oder nur unerheblich größer wird als zulässig (siehe § 9). Statt χ^2 nimmt man also

$$(12) \qquad \chi_1^2 = \frac{(x_1 - n_1\tilde{p})^2 (n_1 + n_2 - 1)}{n_1 n_2 \tilde{p}\tilde{q}} = \frac{(x_1 n_2 - x_2 n_1)^2 (n_1 + n_2 - 1)}{n_1 n_2 (x_1 + x_2)(y_1 + y_2)}$$

als Testgröße.

Die Zahl der Freiheitsgrade ist

$$f = 4 - 2 - 1 = 1.$$

Man hat nämlich vier Anzahlen x_1, y_1, x_2, y_2 beobachtet, die durch zwei lineare Gleichungen verknüpft sind, und man hat einen unbekannten Parameter p nach (8) geschätzt.

D. Prüfung der Unabhängigkeit von zwei Wahrscheinlichkeiten

Man habe N Objekte nach zwei Merkmalpaaren klassifiziert, wodurch sich vier Klassen ergeben (sog. *Vierfeldertafel*). Die Anzahlen der Objekte in den vier Klassen seien $x_{11}, x_{12}, x_{21}, x_{22}$. Man will prüfen, ob die Wahrscheinlichkeiten der beiden Merkmalpaare voneinander unabhängig sind. Die Wahrscheinlichkeiten des einen Merkmalpaares seien p_1 und p_2 mit $p_1 + p_2 = 1$. Die Wahrscheinlichkeiten des anderen Paares seien q_1 und q_2 mit $q_1 + q_2 = 1$. Wenn Unabhängigkeit stattfindet, sind die Wahrscheinlichkeiten der vier Klassen $p_1 q_1, p_1 q_2, p_2 q_1, p_2 q_2$.

Die p_i und q_k sind unbekannt. Wendet man zu ihrer Bestimmung wieder die Methode des Maximum Likelihood an, so findet man die Schätzungen

$$(13) \qquad \begin{cases} \tilde{p}_i = \dfrac{x_{i1} + x_{i2}}{N} & (i = 1, 2) \\[2ex] \tilde{q}_k = \dfrac{x_{1k} + x_{2k}}{N} & (k = 1, 2). \end{cases}$$

Mit diesen p_i und q_k kann man nun

$$(14) \quad \chi^2 = \frac{(x_{11} - N\tilde{p}_1\tilde{q}_1)^2}{N\tilde{p}_1\tilde{q}_1} + \frac{(x_{12} - N\tilde{p}_1\tilde{q}_2)^2}{N\tilde{p}_1\tilde{q}_2} + \frac{(x_{21} - N\tilde{p}_2\tilde{q}_1)^2}{N\tilde{p}_2\tilde{q}_1} + \frac{(x_{22} - N\tilde{p}_2\tilde{q}_2)^2}{N\tilde{p}_2\tilde{q}_2}$$

bilden. Ersetzt man in Zähler und Nenner $N\tilde{p}_i$ durch $n_i = x_{i1} + x_{i2}$, so erhält man denselben Ausdruck wie in (9), der dann zu (10) oder

(11) oder

$$\chi^2 = \frac{(x_{11}\,x_{22} - x_{12}\,x_{21})^2\,N}{(x_{11} + x_{12})\,(x_{21} + x_{22})\,(x_{11} + x_{21})\,(x_{12} + x_{22})} \tag{15}$$

umgeformt werden kann. Die Zahl der Freiheitsgrade ist

$$f = 4 - 1 - 2 = 1,$$

denn man hat vier Anzahlen beobachtet, zwischen denen eine lineare Relation

$$x_{11} + x_{12} + x_{21} + x_{22} = N$$

besteht und man hat zwei Parameter p_1 und q_1 nach (13) den Beobachtungen angepaßt.

Bei kleinem N tut man wieder gut daran, den Zähler N in (15) durch $N - 1$ zu ersetzen.

Die Frage, ob man bei der Unabhängigkeitsprüfung auf Grund der Vierfeldertafel mit einem oder mit drei Freiheitsgraden rechnen soll, hat zu einer großen Diskussion zwischen den englischen Statistikern geführt. Karl Pearson hatte zuerst das χ^2-Kriterium nur für den Fall hergeleitet, daß die Wahrscheinlichkeiten p_i und q_k fest gegeben sind. Unter dieser Annahme hat man asymptotisch für große N eine χ^2-Verteilung mit $4-1=3$ Freiheitsgraden. Ersetzt man nun die wahren p_i und q_k durch die Näherungswerte (13), so kann χ^2 nur kleiner werden. Über den wahren Wert von χ^2 weiß man somit, daß er mindestens gleich dem Näherungswert (15) ist. Wenn also der Näherungswert (15) die Schranke u übersteigt, so wird das wahre χ^2 sicher die Schranke u übersteigen. Die Wahrscheinlichkeit, daß das wahre $\chi^2 > u$ ausfällt, ist β ($=0{,}01$ oder $0{,}05$), wenn u aus der Tafel für drei Freiheitsgrade entnommen ist. Um sicher zu sein, daß die Irrtumswahrscheinlichkeit bei der Anwendung des χ^2-Tests höchstens β beträgt, muß man also die Tafel für drei Freiheitsgrade benutzen, so schließt Pearson.

Fisher dagegen argumentiert so: das nach (15) berechnete χ^2, nennen wir es $\tilde{\chi}^2$, ist meistens kleiner als das wahre χ^2. Die Wahrscheinlichkeit, daß $\tilde{\chi}^2 > u$ ist, ist also beträchtlich kleiner als die Wahrscheinlichkeit, daß $\chi^2 > u$ ist. Die Irrtumswahrscheinlichkeit bei Anwendung des χ^2-Tests mit drei Freiheitsgraden ist also beträchtlich kleiner als β, d.h. sie ist unnötig klein. Nimmt man aber $f=1$, so wird die Irrtumswahrscheinlichkeit gerade β.

Da Fisher nur heuristische Gründe für seine Ansicht anführte, sie aber nicht exakt beweisen konnte, haben Yule und Brownlee durch umfangreiche Zufallsexperimente festzustellen versucht, ob die Verteilungsfunktion von $\tilde{\chi}^2$ eine χ^2-Verteilung mit $f=3$ oder $f=1$ sei. Die Versuche schienen Fisher recht zu geben, aber von der Gegenseite wurde die Beweiskraft der Versuchsanordnung kritisiert. Endlich haben J. NEYMAN und E. S. PEARSON die Sache endgültig durch einen mathematischen Beweis entschieden[1], und zwar zeigte es sich, daß FISHER intuitiv das Richtige getroffen hatte.

E. Vergleich von mehr als zwei Wahrscheinlichkeiten

Ein Ereignis sei in n_1 Fällen x_1 mal eingetreten und y_1 mal nicht eingetreten, sodann in n_2 Fällen x_2 mal eingetreten und y_2 mal nicht eingetreten, usw. Wir wollen prüfen, ob die Wahrscheinlichkeiten sich geändert haben oder nicht.

Noch allgemeiner ist der folgende Fall. n_1 Objekte seien nach irgendeinem Merkmal in h Klassen eingeteilt. Die Anzahlen in den Klassen seien $x_1, y_1, \ldots, z_1$. Bei n_2 weiteren Objekten ergeben sich ebenso die Anzahlen $x_2, y_2, \ldots, z_2$, usw. bis $x_k, y_k, \ldots, z_k$. Man hat also hk Zahlen beobachtet, die sich in einem rechteckigen Schema anordnen lassen

$$\begin{array}{cccc|c} x_1 & y_1 & \cdots & z_1 & n_1 \\ x_2 & y_2 & \cdots & z_2 & n_2 \\ \vdots & \vdots & & \vdots & \vdots \\ x_k & y_k & \cdots & z_k & n_k \\ \hline \sum x & \sum y & \cdots & \sum z & \end{array}$$

Rechts sind die Zeilensummen angegeben, unten die Spaltensummen und schließlich die Gesamtsumme N.

Nun will man prüfen, ob es möglich ist, daß die Wahrscheinlichkeiten $p, q, \ldots, r$ der h Klassen in allen Zeilen dieselben sind. Die besten Schätzungen für $p, q, \ldots, r$ sind die Gesamthäufigkeiten der Klassen

$$(16) \qquad \tilde{p} = \frac{\sum x}{N}; \quad \tilde{q} = \frac{\sum y}{N}; \quad \ldots; \quad \tilde{r} = \frac{\sum z}{N}.$$

Mit diesen Schätzungen bildet man nun die Erwartungswerte

$$\tilde{p}\, n_i, \quad \tilde{q}\, n_i, \quad \ldots, \quad \tilde{r}\, n_i$$

und subtrahiert sie von den beobachteten Anzahlen $x_i, y_i, \ldots, z_i$. Die Differenzen bilden wieder ein rechteckiges Schema

$$\begin{array}{cccc} x_1 - \tilde{p}\, n_1 & y_1 - \tilde{q}\, n_1 & \cdots & z_1 - \tilde{r}\, n_1 \\ x_2 - \tilde{p}\, n_2 & y_2 - \tilde{q}\, n_2 & \cdots & z_2 - \tilde{r}\, n_2 \\ \cdot\;\cdot\;\cdot & \cdot\;\cdot\;\cdot & \cdot\;\cdot\;\cdot & \cdot\;\cdot\;\cdot \end{array}$$

[1] J. NEYMAN and E. S. PEARSON, On the use and interpretation of test criteria, Biometrika 20A, p. 175 und 263.

Die Zeilensummen und Spaltensummen in diesem Schema müssen Null sein. Wenn diese Kontrolle stimmt, so sind $\tilde{p}, \tilde{q}, \ldots, \tilde{r}$ richtig berechnet.

Dividiert man nun die Quadrate dieser hk Differenzen durch die Erwartungswerte und summiert, so erhält man

$$\chi^2 = \sum \frac{(x - \tilde{p}\, n_i)^2}{\tilde{p}\, n_i} + \sum \frac{(y_i - \tilde{q}\, n_i)^2}{\tilde{q}\, n_i} + \cdots. \tag{17}$$

Die Zahl der Freiheitsgrade ist

$$f = hk - k - (h-1) = (h-1)(k-1). \tag{18}$$

Man hat nämlich hk Anzahlen beobachtet, zwischen denen k lineare Gleichungen

$$x_i + y_i + \cdots + z_i = n_i$$

bestehen. Weiter hat man h Parameter $p, q, \ldots, r$ nach (16) auf Grund der Beobachtungen geschätzt, aber zwischen diesen Parametern besteht eine lineare Gleichung

$$p + q + \cdots + r = 1.$$

Alle Wahrscheinlichkeiten sind also durch $h-1$ unabhängige Parameter bereits bestimmt; daher wurde in (18) nur $h-1$ subtrahiert.

F. Seltene Ereignisse

Von einem seltenen Ereignis spricht man, wie schon früher erwähnt, wenn die Wahrscheinlichkeit p eines Ereignisses so klein ist, daß man in allen Formeln $q = 1 - p$ durch 1 ersetzen kann. Die BERNOULLI-Verteilung geht dann in eine POISSON-Verteilung über: die Wahrscheinlichkeit, daß das Ereignis in n Versuchen x mal eintritt ist

$$W_x = \frac{(pn)^x}{x!} e^{-pn} = \frac{\lambda^x}{x!} e^{-\lambda}. \tag{19}$$

In dieser Formel kommen p und n nicht mehr einzeln vor, sondern nur noch $\lambda = pn$, der Erwartungswert von x. Entsprechend vereinfacht sich auch die Formel für χ^2. Die Glieder mit qn im Nenner können vernachlässigt werden im Vergleich zu denen mit pn im Nenner. So wird Formel (1)

$$\chi^2 = \frac{(x - pn)^2}{pn} = \frac{(x-\lambda)^2}{\lambda}. \tag{20}$$

Eine Hypothese, die zu einem bestimmten Wert von λ führt, kann verworfen werden, sobald der Ausdruck (20) die Schranke für χ^2 für einen Freiheitsgrad übertrifft. Ebenso kann bei zwei unabhängigen seltenen Ereignissen, von denen das erste x mal, das zweite y mal eingetreten ist, eine Hypothese, die zu bestimmten Werten λ und μ für die Erwartungswerte von x und y führt, verworfen werden, sobald der Ausdruck

(21) $$\chi^2 = \frac{(x-\lambda)^2}{\lambda} + \frac{(y-\mu)^2}{\mu}$$

die Schranke für zwei Freiheitsgrade überschreitet.

G. Vergleich von zwei seltenen Ereignissen

Dieses Problem wurde früher (§ 10B) schon ausführlich behandelt. Wir wollen jetzt nur kurz zeigen, daß der damals gefundene Test ohne weiteres aus dem allgemeinen χ^2-Test erhalten werden kann.

Ein seltenes Ereignis sei in der Zeit t_1 x_1 mal beobachtet, ein anderes während der Zeit t_2 x_2 mal. Die Erwartungswerte von x_1 und x_2 seien

$$\lambda_1 = \vartheta_1 t_1, \quad \lambda_2 = \vartheta_2 t_2.$$

Man will die Hypothese $\vartheta_1 = \vartheta_2$ prüfen. Nimmt man $\vartheta_1 = \vartheta_2 = \vartheta$ an, so wird

(22) $$\lambda_1 = \vartheta t_1, \quad \lambda_2 = \vartheta t_2.$$

Um χ^2 bilden zu können, braucht man eine Schätzung für ϑ. Aus der Poisson-Verteilung (19) ergibt sich die Likelihood Funktion

$$(\vartheta t_1)^{x_1} e^{-\vartheta t_1} (\vartheta t_2)^{x_2} e^{-\vartheta t_2}.$$

Läßt man die von ϑ unabhängigen Faktoren weg und bildet den Logarithmus, so erhält man

(23) $$L(x_1|\vartheta) = (x_1 + x_2) \ln \vartheta - (t_1 + t_2)\,\vartheta.$$

Das Maximum von (23) liegt bei

(24) $$\tilde{\vartheta} = \frac{x_1 + x_2}{t_1 + t_2}.$$

Man hat also

(25) $$\chi^2 = \frac{(x_1 - \tilde{\vartheta} t_1)^2}{\tilde{\vartheta} t_1} + \frac{(x_2 - \tilde{\vartheta} t_2)^2}{\tilde{\vartheta} t_2}$$

zu bilden. Die Zahl der Freiheitsgrade ist, da man zwei Anzahlen x_1, x_2 beobachtet und einen Parameter ϑ nach (24) geschätzt hat

(26) $$f = 2 - 1 = 1.$$

H. Prüfung der Normalität einer Verteilung

Man habe die unabhängigen reellen Größen $z_1, \ldots, z_n$ beobachtet. Man will prüfen, ob es möglich ist, daß sie alle dieselbe Normalverteilung haben.

Zu diesem Zwecke kann man die empirische Verteilungsfunktion berechnen und den Test von Kolmogoroff (§ 16) anwenden. Wir haben aber damals schon bemerkt, daß in diesem Test die „Schwänze" der Verteilung, d.h. die sehr großen und sehr kleinen z-Werte, relativ wenig ins Gewicht fallen. Gerade die Schwänze können unter Umständen für die Beurteilung einer Abweichung von der Normalität entscheidend sein.

Eine Schwierigkeit bei der Anwendung von KOLMOGOROFFs Test ist ferner, daß Erwartungswert und Varianz der Normalverteilung nicht von vornherein bekannt sind.

Eine gute Methode, bei der die Schwänze etwas stärker ins Gewicht fallen, ist die *Momentenmethode*. Wir geben hier nur einen kurzen Überblick und verweisen für die Begründung auf CRAMÉR, Math. Methods of Statist. 27.1 bis 28.4 und 29.3.

Die *zentralen Momente* der empirischen Verteilung werden durch

$$m_k = \frac{1}{n} \sum (z - \bar{z})^k \qquad (k = 1, 2, \ldots)$$

definiert. Das erste Moment m_1 ist Null nach Definition. Aus m_2, m_3 und m_4 berechnet man *Schiefe* und *Exzeß*

$$g_1 = m_3 m_2^{-\frac{3}{2}},$$
$$g_2 = m_4 m_2^{-2} - 3.$$

Für große n sind alle m_k sowie g_1 und g_2 asymptotisch normal verteilt. Man kann sie als Schätzung für die wahren Momente μ_k sowie für Schiefe und Exzeß der wahren Verteilung

$$\gamma_1 = \mu_3 \mu_2^{-\frac{3}{2}}$$
$$\gamma_2 = \mu_4 \mu_2^{-2} - 3$$

verwenden. Für die Normalverteilung sind γ_1 und γ_2 Null.

Für endliche n ersetzt man g_1 und g_2 zweckmäßig durch

$$G_1 = \frac{\sqrt{n(n-1)}}{n-2} g_1$$

und

$$G_2 = \frac{n-1}{(n-2)(n-3)} [(n+1) g_2 + 6].$$

Unter Annahme der Normalverteilung sind die Erwartungswerte von G_1 und G_2 exakt Null. Ihre Varianzen sind

$$\sigma_1^2 = \frac{6n(n-1)}{(n-2)(n+1)(n+3)}$$

$$\sigma_2^2 = \frac{24n(n-1)^2}{(n-3)(n-2)(n+3)(n+5)}.$$

Man kann also G_1/σ_1 oder G_2/σ_2 als Testgröße für Normalität verwenden. Beide Größen sind asymptotisch normal verteilt mit Mittelwert Null und Streuung Eins.

Bei der χ^2-*Methode*, die auch bei anderen Verteilungen als der normalen angewandt werden kann, zerlegt man das gesamte z-Intervall durch $r-1$ Teilpunkte $t_1, \ldots, t_{r-1}$ in r Teile und zählt die Anzahlen der z_j in jedem Teilintervall. Es seien $x_1, \ldots, x_r$ diese Anzahlen.

Um χ^2 berechnen zu können, muß man die Erwartungswerte $p_i n$ kennen. Dazu müssen aber Schätzwerte m und s für Mittelwert und Streuung der Normalverteilung bekannt sein, damit man

$$p_i = \Phi\left(\frac{t_i - m}{s}\right) - \Phi\left(\frac{t_{i-1} - m}{s}\right) \tag{27}$$

ansetzen kann.

Will man die Theorie des § 51 anwenden, so muß man für m und s effiziente Schätzungen nehmen, die nur von den Anzahlen x_i abhängen. Als erste Näherung kann man die bekannten Schätzungen

$$m_0 = \frac{1}{n} \sum z\,, \tag{28}$$

$$s_0^2 = \frac{1}{n-1} \sum (z - m_0)^2 \tag{29}$$

zugrunde legen. Diese erfüllen aber nicht die Bedingung, nur von den Anzahlen x_i abzuhängen. Mit Hilfe von m_0 und s_0 bildet man nun

$$p_{i0} = \Phi\left(\frac{t_i - m_0}{s_0}\right) - \Phi\left(\frac{t_{i-1} - m_0}{s_0}\right). \tag{30}$$

Die Schätzungen m und s werden dann nach der Methode der kleinsten Quadrate so bestimmt, daß der Ausdruck

$$\chi_0^2 = \sum \frac{(x_i - n p_i)^2}{n p_{i0}} \tag{31}$$

zum Minimum gemacht wird. In (31) sind die p_i durch lineare Funktionen von m und s zu ersetzen:

$$p_i = p_{i0} + (m - m_0)\, q_i + (s - s_0)\, r_i\,, \tag{32}$$

wobei die q_i und r_i durch Differentiation aus (27) zu bestimmen sind:

$$q_i = \frac{\partial p_i}{\partial m}(m_0, s_0); \qquad r_i = \frac{\partial p_i}{\partial s}(m_0, s_0). \tag{33}$$

Die Methode der kleinsten Quadrate führt dann in bekannter Weise auf zwei lineare Gleichungen für $m - m_0$ und $s - s_0$, aus denen man m und s bestimmen kann.

Diese Rechenmethode ist recht kompliziert. Es fragt sich, ob es nicht eine einfache Näherung gibt.

Cramér empfiehlt, m und s^2 aus den gruppierten z-Werten zu berechnen, mit Sheppards Korrektur für s^2. Das heißt, man denkt sich alle z zwischen t_{i-1} und t_i in der Intervallmitte $\frac{1}{2}(t_{i-1} + t_i)$ konzentriert und berechnet aus diesen modifizierten z-Werten das Mittel m und die Streuung s. Da Sheppards Korrektur angewandt werden soll, muß man voraussetzen, daß die Intervalle alle die gleiche Länge h haben. Die so gefundenen m und s hängen jedenfalls nur von den Anzahlen x_i ab. Ob die Schätzung effizient ist, ist meines Wissens noch nicht untersucht.

Hat man sehr viele Klassen mit eng zusammenliegenden Klassenmitten, so sind die Unterschiede zwischen den verschiedenen Schätzungen für Mittelwert und Streuung so geringfügig, daß es nicht darauf ankommt, welche Schätzung man zugrunde legt.

Bei einer groben Rechnung mit nur wenig Intervallen empfiehlt es sich, m_0 und s_0 als Schätzwerte beizubehalten und mit $r-1$ Freiheitsgraden zu rechnen. Streng genommen würde die χ^2-Verteilung mit $r-1$ Freiheitsgraden nur dann gelten, wenn man

$$\chi^2 = \sum \frac{(x_i - n p_i)^2}{n p_i} \tag{34}$$

mit den *wahren* $p_i = p_i(\mu, \sigma)$ bilden würde. Diese wahren Werte kennt man nicht, aber die beste Annäherung an die wahren μ und σ wird durch m_0 und s_0 geliefert. Das mit dieser Näherung gebildete $\chi^2(m_0, s_0)$ ist in der Regel etwas kleiner als das wahre χ^2, aber nicht um soviel kleiner, daß man mit $r-3$ Freiheitsgraden rechnen könnte. Rechnet man mit $r-1$ Freiheitsgraden, so bleibt man jedenfalls auf der sicheren Seite.

Über die beste Wahl der Klassenzahl r und der Teilpunkte $t_1, \ldots, t_r$ liegen insbesondere von MANN und WALD[1] Untersuchungen vor, welche die Frage zwar nicht restlos lösen, aber doch nützliche Hinweise geben. Bei $n = 200$ oder 400 oder 1000 sollte man nach diesen Untersuchungen die Klassen so bilden, daß in jede Klasse etwa 12 bzw. 20 bzw. 30 Werte hineinfallen. Die Klassen wären demnach erheblich kleiner zu wählen als bisher üblich war; die Rechenarbeit wird entsprechend größer.

J. Prüfung der Normalität einer Wirkungskurve

Gibt man $n_1, n_2, \ldots, n_r$ Versuchstieren Dosen mit Logarithmen $l_1, l_2, \ldots, l_r$ und reagieren darauf jeweils $x_1, x_2, \ldots, x_r$ Tiere, so kann man nach den Methoden des § 54 eine normale Wirkungskurve den beobachteten Häufigkeiten $h_i = x_i/n_i$ anpassen. Will man nun prüfen, ob diese Wirkungskurve sich mit den Beobachtungen verträgt, so berechnet man aus ihr die Wahrscheinlichkeiten $p_1, \ldots, p_r$ sowie die komplementären $q_i = n_i - p_i$ und bildet

$$\chi^2 = \sum \frac{(x_i - p_i n_i)^2}{p_i n_i} + \sum \frac{(y_i - q_i n_i)^2}{q_i n_i}. \tag{36}$$

[1] Einen sehr guten zusammenfassenden Bericht gab W. G. COCHRAN: The χ^2 test of goodness of fit, Ann. Math. Stat. 23, p. 315.

Dabei sind $y_i = n_i - x_i$ die Anzahlen von Tieren, die nicht reagiert haben. Nun ist aber wieder

$$(x_i - p_i n_i) + (y_i - q_i n_i) = 0,$$

also kann man χ^2 kürzer schreiben als

$$\chi^2 = \sum \frac{(x_i - p_i n_i)^2}{p_i q_i n_i}. \tag{37}$$

Dabei müssen die Konstanten L und s, welche Lage und Steigung der Wirkungskurve bestimmen, nach einer *effizienten* Methode berechnet werden, z.B. nach der Probitmethode oder nach der Minimum χ^2 Methode (§ 51). Eine graphische Bestimmung der Wirkungsgeraden genügt in diesem Fall nicht, da χ^2 dann größer ausfallen kann.

Die Zahl der Freiheitsgrade berechnet man so. Es sind $2r$ Anzahlen $x_1, \ldots, x_r$ und $y_1, \ldots, y_r$ beobachtet, zwischen denen r lineare Gleichungen

$$x_i + y_i = n_i$$

bestehen. Zwei Parameter L und s sind den Beobachtungen angepaßt. Die Zahl der Freiheitsgrade ist also

$$f = 2r - r - 2 = r - 2.$$

Hat man für den gleichen Wirkstoff mehrere empirische Wirkungskurven, so kann man für jede ein χ^2 berechnen und diese χ_k^2 addieren. Die Summe aus einem χ_1^2 mit f_1 Freiheitsgraden und einem χ_2^2 mit f_2 Freiheitsgraden hat nach § 23 eine χ^2-Verteilung mit $f_1 + f_2$ Freiheitsgraden.

Je größer die Zahl der Summanden, aus denen sich das gesamte χ^2 zusammensetzt, desto besser kann man sich auf die asymptotische χ^2-Verteilung verlassen; das folgt aus dem zentralen Grenzwertsatz (§ 24D).

Wenn nun die gefundenen χ^2 sowie ihre Summen unterhalb der Verwerfungsschranke bleiben, so ist trotzdem noch Skepsis in bezug auf die Hypothese der Normalität geboten. Erst dann, wenn an einem umfangreichen Material sich zeigt, daß die χ^2 immer wieder um ihre Mittelwerte f (= Zahl der Freiheitsgrade) herum schwanken, wenn also die Summe aller χ^2 in der Nähe der Summe aller f bleibt, erst dann wird man etwas mehr Vertrauen zur normalen Wirkungskurve fassen können.

K. Wie groß müssen die Erwartungswerte np sein, damit man die χ^2-Verteilung anwenden darf?

Man findet in der Literatur oft Bemerkungen von der Art, die Erwartungswerte np sollten mindestens 5 oder 10 betragen, damit die Anwendung der χ^2-Verteilung erlaubt ist. Diese Bemerkung scheint nur durch die Vorsicht der Autoren diktiert zu sein. COCHRAN und andere, die die Frage genauer geprüft haben, kommen zu viel optimistischeren Schlußfolgerungen[1].

COCHRAN versteht unter X^2 eine diskrete Größe von der Art, wie sie beim χ^2-Test effektiv angewandt wird:

$$X^2 = \sum \frac{(x - n p)^2}{n p}$$

und unter χ^2 eine stetige Größe, die eine χ^2-Verteilung besitzt, mit der gleichen Zahl von Freiheitsgraden f. Er vergleicht nun ebenso wie wir es in § 56B getan haben, die X^2-Verteilung mit der χ^2-Verteilung, insbesondere in der Gegend, wo die Überschreitungswahrscheinlichkeit P zwischen 5% und 1% liegt. Es zeigt sich, daß die Übereinstimmung recht gut ist, besonders wenn die Zahl der Freiheitsgrade nicht allzu klein ist. Ist sie größer als 6, so darf einer der Erwartungswerte np sogar auf $\frac{1}{2}$ heruntergehen oder zwei Erwartungswerte auf 1; die Übereinstimmung bleibt recht gut. Bei mehr als 60 Freiheitsgraden und kleinen Erwartungswerten ist die exakte Überschreitungswahrscheinlichkeit sogar erheblich kleiner als nach der χ^2-Verteilung, weil χ^2 eine größere Varianz hat als X^2. Man bleibt also, wenn man die χ^2-Verteilung anwendet, auf der sichern Seite. Man kann die Näherung verbessern, indem man statt der χ^2-Verteilung eine Normalverteilung mit der exakten von HALDANE[2] berechneten Varianz nimmt.

Bei zwei Freiheitsgraden zeigt das in § 56B behandelte Beispiel, daß ein Erwartungswert bis auf 2 hinuntergehen kann.

Nur bei einem Freiheitsgrad muß man vorsichtiger sein und entweder verlangen, daß die Erwartungswerte mindestens 4 betragen, oder noch besser χ^2 mit $\frac{N-1}{N}$ multiplizieren, wo N die Gesamtzahl der Beobachtungen ist (siehe § 9).

L. Beispiele zum χ^2-Test

Beispiel 37. Dreifach heterozygote Primeln wurden mit dem dreifach rezessiven Stamm rückgekreuzt[3]. Die Erbfaktorenpaare waren:

Ch—ch: Sinensis flower — stellata flower
G—g : Green stigma — red stigma
W—w : White eye — yellow eye.

---

[1] W. G. COCHRAN, The χ^2 test, Ann. Math. Stat. 23, p. 328.

[2] J. B. S. HALDANE, Biometrika 29, p. 133 und 31, p. 346.

[3] GREGORY, DE WINTON and BATESON, Genetics of Primula Sinensis, J. of Genetics 13 (1923) p. 236. Statistische Analyse nach R. A. FISHER, Statist. Methods for Research Workers, 11th ed., Ex. 15, p. 101.

Für die 8 Phänotypen ergaben sich in 12 Familien[1] die folgenden Anzahlen:

Type	Familie Nr.												Total
	107	110	119	121	122	127	129	131	132	133	135	178	
ChGW	12	17	9	10	24	9	3	16	20	9	11	10	150
ChGw	20	16	10	7	23	3	6	24	18	2	13	12	154
ChgW	14	10	6	8	19	5	5	23	18	10	7	12	137
Chgw	13	13	9	8	9	6	3	12	18	1	9	12	113
chGW	5	5	16	2	30	3	8	21	19	4	9	12	134
chGw	12	6	14	3	16	5	7	13	14	4	13	10	117
chgW	7	3	18	2	11	5	4	14	23	4	6	13	110
chgw	10	8	10	4	23	5	4	22	23	7	8	16	140
Total	93	78	92	44	155	41	40	145	153	41	76	97	1055
$\chi^2 =$	12,6	19,2	10,1	12,4	18,1	4,9	4,8	9,2	3,2	14,2	5,0	2,0	115,7

Wenn die drei Erbfaktoren nicht gekoppelt sind und wenn Letalfaktoren und Unverträglichkeitsfaktoren keine Rolle spielen, so müßte man in jeder Klasse die Häufigkeit $\frac{1}{8}$ erwarten, also wären z.B. in Familie 107 die Erwartungswerte alle $\frac{93}{8}$. Die Quadratsumme der Abweichungen von den Erwartungswerten beträgt für alle Familien zusammen $\chi^2 = 115{,}7$. In jeder Familie hat man sieben Freiheitsgrade, insgesamt also 84. Die 5%-Schranke für 84 Freiheitsgrade ist 106,4, wird also überschritten. Die 5%-Schranke für sieben Freiheitsgrade, nämlich 14,1 wird in drei Familien überschritten. Die Familie Nr. 110 überschreitet sogar die 1%-Schranke 18,5. Die beobachteten Häufigkeiten weichen also erheblich vom MENDELschen Gesetz ab.

Um zu untersuchen, welcher von den Erbfaktoren sich unregelmäßig verhält und ob Koppelung vorliegt, wollen wir das gesamte χ^2 nach FISHER in Bestandteile zerlegen, die den einzelnen Erbfaktoren und Faktorpaaren zugeordnet sind. Es wird sich dann zeigen, welche Bestandteile besonders groß sind.

Die Anzahlen in einer Familie seien $x_1, \ldots, x_8$ mit $\sum x = n$. Dann ist das χ^2 dieser Familie

$$\chi^2 = \sum \frac{(x - \frac{1}{8}n)^2}{\frac{1}{8}n} = \frac{8}{n}\left(\sum x^2 - \frac{n^2}{8}\right).$$

Wir führen nun statt $x_1, \ldots, x_8$ durch eine orthogonale Transformation neue Variablen $y_1, \ldots, y_8$ ein. Dabei soll y_1 dem Erbfaktor Ch in der Weise zugeordnet sein, daß $y_1\sqrt{8}$ der Überschuß von Ch über ch ist:

$$\text{(Ch)} \qquad y_1\sqrt{8} = z_1 = x_1 + x_2 + x_3 + x_4 - x_5 - x_6 - x_7 - x_8.$$

Ebenso sind y_2 und y_3 den Erbfaktoren G und W zugeordnet:

$$\text{(G)} \qquad y_2\sqrt{8} = z_2 = x_1 + x_2 - x_3 - x_4 + x_5 + x_6 - x_7 - x_8,$$

$$\text{(W)} \qquad y_3\sqrt{8} = z_3 = x_1 - x_2 + x_3 - x_4 + x_5 - x_6 + x_7 - x_8.$$

Die nächste Variable y_4 entspricht der Koppelung GW:

$$\text{(GW)} \qquad y_4\sqrt{8} = z_4 = x_1 - x_2 - x_3 + x_4 + x_5 - x_6 - x_7 + x_8.$$

[1] Die Familien 54, 55, 58 und 59 wurden weggelassen, weil die bei FISHER mitgeteilten Zahlen nicht mit denen aus dem J. of Genetics 13 übereinstimmen.

Wenn die Erbfaktoren G und W nicht gekoppelt sind, ist der Erwartungswert von z_4 Null. Entsprechend werden z_5 und z_6 definiert:

$$\text{(ChW)} \qquad y_5\sqrt{8} = z_5 = x_1 - x_2 + x_3 - x_4 - x_5 + x_6 - x_7 + x_8,$$

$$\text{(ChG)} \qquad y_6\sqrt{8} = z_6 = x_1 + x_2 - x_3 - x_4 - x_5 - x_6 + x_7 + x_8.$$

Um die orthogonale Transformation vollständig zu machen, brauchen wir noch zwei Variablen:

$$y_7\sqrt{8} = z_7 = x_1 - x_2 - x_3 + x_4 - x_5 + x_6 + x_7 - x_8$$

$$y_8\sqrt{8} = z_8 = x_1 + x_2 + x_3 + x_4 + x_5 + x_6 + x_7 + x_8.$$

z_7 hat keine einfache biologische Bedeutung. $z_8 = n$ ist einfach die Anzahl der Pflanzen in der Familie.

In der Praxis rechnet man natürlich, um die Division durch $\sqrt{8}$ zu vermeiden, nicht mit den y, sondern mit den z. Unser χ_1^2 drückt sich durch die z so aus:

$$\chi_1^2 = \frac{8}{n}\left(\sum y^2 - \frac{n^2}{8}\right) = \frac{1}{n}\left(\sum z^2 - z_8^2\right)$$

$$= \frac{1}{n} z_1^2 + \cdots + \frac{1}{n} z_7^2.$$

Damit haben wir χ_1^2, wie angekündigt, in Bestandteile zerlegt. Jedes z_k ist genähert normal verteilt mit Erwartungswert Null und Varianz n. Jedes Glied $\frac{1}{n} z_k^2$ hat also genähert eine χ^2-Verteilung mit einem Freiheitsgrad. Die Rechnung ergibt für diese Glieder die folgenden Werte

Familie	(Ch)	(G)	(W)	(GW)	(ChW)	(ChG)	(z_7)	Total
107	**6,72**	0,27	3,11	1,82	0,10	0,27	0,27	12,56
110	**14,82**	1,28	0,82	0,82	0,20	1,28	0	19,22
119	**6,26**	0,39	0,39	0,17	2,13	0,04	0,70	10,08
121	**11,00**	0	0	0,36	0,82	0,09	0,09	12,36
122	0,16	**6,20**	1,09	1,86	0,52	0,32	**7,90**	18,05
127	0,61	0,02	0,22	0,61	1,20	0,22	1,98	4,86
129	0,90	1,60	0	0,40	0,10	0,90	0,90	4,80
131	0,17	0,06	0,06	0,06	0,06	0,34	**8,45**	9,20
132	0,16	0,79	0,32	0,32	0,06	1,47	0,06	3,18
133	0,22	0,22	**4,12**	0,02	**8,80**	0,22	0,61	14,21
135	0,21	3,37	1,32	0,05	0,05	0	0,05	5,05
178	0,26	0,84	0,09	0,09	0,01	0,26	0,50	2,05
Total	**41,49**	15,04	11,54	6,58	14,05	5,41	**21,51**	**115,62**

Die 1%-Schranke für die Einzelwerte ist 6,6 (ein Freiheitsgrad), für die Spaltensummen 26,2 (12 Freiheitsgrade). Die 5%-Schranken sind 3,8 und 21,0. Die Zahlen, welche die 5%-Schranke überschreiten, sind fett gedruckt. Die fetten Zahlen 6,26 in der Spalte (Ch), 6,20 in der Spalte (G) und 4,12 in der Spalte (W) besagen nichts, denn unter 84 Zahlen müssen durchschnittlich 4 die 5%-Schranke überschreiten, auch wenn alles in Ordnung ist. Die übrigen Überschreitungen finden alle in den Spalten (Ch), (ChW) und (z_7) statt. In diesen Spalten wird die 1%-Schranke sechsmal überschritten; die Summe der Spalte (Ch) überschreitet sogar die 1‰-Schranke 32,9. Der Faktor (Ch) benimmt sich also sicher nicht normal und der größte Teil der Abweichungen ist diesem Faktor zuzuschreiben. Möglicherweise ist der Faktor Ch mit einem rezessiven Letalfaktor oder Unverträglichkeitsfaktor gekoppelt.

Koppelung zwischen zwei von den drei Genen Ch, G und W ist anscheinend nicht vorhanden, denn die Summen der Spalten (GW), (ChW) und (ChG) sind nicht besonders groß.

Beispiel 38 (aus CRAMÉR, Math. Methods of Statistics, p. 440). JOHANNSEN hat die Breite von 12000 Bohnen gemessen. Die Breiten wurden in 16 Klassen eingeteilt. Die erste Klasse umfaßte die Breite unter 7 mm, die zweite die von 7 bis 7,25 mm, usw. immer mit 0,25 mm aufsteigend. Die Anzahlen $x_1, x_2, \ldots, x_{16}$ in den Klassen sind in Spalte 2 der folgenden Tabelle angegeben. Um zu prüfen, ob die Breiten normal verteilt sind, wurden zunächst m und s aus aus den gruppierten Zahlen berechnet, mit SHEPPARDs Korrektur. Bei dieser Rechnung wurden die Endbereiche (bis 7,00 und über 8,50) zunächst in Teilintervalle der Länge 0,25 unterteilt. Die Rechnung ergab die Schätzwerte

$$m = 8{,}512, \qquad s = 0{,}6163.$$

Aus der mit diesem m und s gebildeten Normalverteilung wurden die Erwartungswerte np_i berechnet (Spalte 3). Die Differenzen $x_i - np_i$ sind in Spalte 4 angegeben. Für χ^2 wurde 196,5 gefunden. Die 1‰-Schranke für 13 Freiheitsgrade ist 34,5. Die Verteilung ist also ganz sicher nicht normal. Ein Blick auf die Differenzen $x - np$ lehrt uns, daß die Verteilung beträchtlich schief ist: es gibt mehr sehr große und weniger sehr kleine Bohnen, als es nach der Normalverteilung geben dürfte.

Klassen	Anzahlen x	Normal np	$x-np$
bis 7,00	32	68	− 36
7,00 − 7,25	103	132	− 29
7,25 − 7,50	239	310	− 71
7,50 − 7,75	624	617	+ 7
7,75 − 8,00	1187	1046	+ 141
8,00 − 8,25	1650	1506	+ 144
8,25 − 8,50	1883	1842	+ 41
8,50 − 8,75	1930	1920	+ 10
8,75 − 9,00	1638	1698	− 60
9,00 − 9,25	1130	1277	− 147
9,25 − 9,50	737	817	− 80
9,50 − 9,75	427	444	− 17
9,75 − 10,00	221	205	+ 16
10,00 − 10,25	110	81	+ 29
10,25 − 10,50	57	27	+ 30
über 10,50	32	10	+ 22
Total	12000	12000	0

§ 57. Der Varianz-Quotiententest (F-Test)

Es sei s_1^2 und s_2^2 zwei unabhängige Schätzungen für zwei Varianzen σ_1^2 und σ_2^2. Wie prüft man die Hypothese $\sigma_1 = \sigma_2$?

Wenn s_1^2 nach der bekannten Formel aus n_1 Beobachtungen gewonnen wurde und wenn die einzelnen Beobachtungen normal verteilt sind, so hat die Größe

$$(1)\qquad \chi_1^2 = \frac{(n_1 - 1)\, s_1^2}{\sigma_1^2}$$

eine χ^2-Verteilung mit $f_1 = n_1 - 1$ Freiheitsgraden und

$$(2)\qquad \chi_2^2 = \frac{(n_2 - 1)\, s_2^2}{\sigma_2^2}$$

eine mit $f_2 = n_2 - 1$ Freiheitsgraden. Nimmt man nun $\sigma_1 = \sigma_2$ an, so ist

$$(3)\qquad \frac{\chi_1^2}{\chi_2^2} = \frac{f_1 s_1^2}{f_2 s_2^2}.$$

Zur Prüfung der Hypothese $\sigma_1 = \sigma_2$ bildet man als Testgröße den Varianz-Quotienten (variance ratio)

$$(4)\qquad F = \frac{s_1^2}{s_2^2}.$$

Sobald der Quotient F eine Schranke F_β überschreitet, wird die Hypothese $\sigma_1 = \sigma_2$ verworfen. Das ist der F-Test[1]. Die Schranke wird so gewählt, daß die Wahrscheinlichkeit des Ereignisses $F > F_\beta$ unter der Hypothese $\sigma_1 = \sigma_2$ genau β beträgt, wo β eine vorgegebene Irrtumswahrscheinlichkeit ist.

Um F_β zu berechnen, müssen wir die Verteilungsfunktion von F unter der Hypothese $\sigma_1 = \sigma_2$ untersuchen. Diese ist bekannt, sobald die Verteilungsfunktion $H(w)$ des Quotienten

$$(5)\qquad \frac{\chi_1^2}{\chi_2^2} = \frac{f_1 s_1^2}{f_2 s_2^2} = \frac{f_1}{f_2} F$$

bekannt ist.

Die Wahrscheinlichkeitsdichte von χ_1^2 ist

$$g_1(t) = \alpha_1 t^{\frac{1}{2} f_1 - 1} e^{-\frac{1}{2} t} \quad \text{mit} \quad \alpha_1 = \Gamma(\tfrac{1}{2} f_1)^{-1}\, 2^{-\frac{1}{2} f_1}.$$

Analog für χ_2^2. Die Wahrscheinlichkeit, daß der Quotient (5) kleiner als w ausfällt, ist also

$$(6)\qquad H(w) = \alpha_1 \alpha_2 \iint t^{\frac{1}{2} f_1 - 1} e^{-\frac{1}{2} t} u^{\frac{1}{2} f_2 - 1} e^{-\frac{1}{2} u}\, dt\, du,$$

integriert über das Gebiet

$$t > 0, \quad u > 0, \quad \frac{t}{u} < w.$$

Die Integrationen können sukzessiv ausgeführt werden.

$$(7)\qquad H(w) = \alpha_1 \alpha_2 \int_0^\infty du \int_0^{uw} t^{\frac{1}{2} f_1 - 1} u^{\frac{1}{2} f_2 - 1} e^{-\frac{1}{2} t - \frac{1}{2} u}\, dt.$$

---

[1] R. A. Fisher benutzt $z = \frac{1}{2} \ln F$ als Testgröße.

Führt man durch $t = uy$ eine neue Integrationsvariable y ein, so erhält man, wenn noch $f_1 + f_2 = f$ gesetzt wird,

$$H(w) = \alpha_1 \alpha_2 \int_0^\infty du \int_0^w u^{\frac{1}{2}f-1} \cdot y^{\frac{1}{2}f_1-1} \cdot e^{-\frac{1}{2}uy-\frac{1}{2}u} \, dy. \tag{8}$$

Vertauschung der Integrationen ergibt

$$H(w) = \alpha_1 \alpha_2 \int_0^w y^{\frac{1}{2}f_1-1} \, dy \int_0^\infty u^{\frac{1}{2}f-1} e^{-\frac{y+1}{2}u} \, du. \tag{9}$$

Das Integral nach u ist eine Gammafunktion

$$\int_0^\infty u^{\frac{1}{2}f-1} e^{-\frac{y+1}{2}u} \, du = \left(\frac{2}{y+1}\right)^{\frac{1}{2}f} \Gamma\left(\frac{1}{2} f\right). \tag{10}$$

So erhält man

$$H(w) = C \int_0^w y^{\frac{1}{2}f_1-1} (y+1)^{-\frac{1}{2}f} \, dy \tag{11}$$

mit

$$C = \Gamma(\tfrac{1}{2}f_1)^{-1} \, \Gamma(\tfrac{1}{2}f_2)^{-1} \, \Gamma(\tfrac{1}{2}f). \tag{12}$$

Das Integral (11) ist eine unvollständige Betafunktion. Offenbar läßt sich das Integral für ganzzahlige f_1 und f elementar berechnen. Die Verteilungsfunktion $H(w)$ ist also bekannt.

Durch die Substitution

$$w = \frac{f_1}{f_2} w' \tag{13}$$

erhält man aus $H(w)$ die Verteilungsfunktion $G(w')$ des Quotienten F. Durch

$$G(w') = 1 - \beta \tag{14}$$

ist dann die gesuchte Schranke $w' = F_\beta$ bestimmt. Sie hängt außer von β, auch von f_1 und f_2 ab. In den Tafeln 8A und 8B sind die Schranken F_β für $\beta = 0{,}05$ und 0,01 tabuliert.

Beispiel 39. In USA wurden in 30 Laboratorien Gasanalysen ausgeführt. In jedem Laboratorium wurden mehrere (meistens 10) Analysen gemacht. Die Einzelergebnisse der Analysen sind von M. SHEPHERD[1] veröffentlicht.

Wenn man aus diesen Ergebnissen die Streuung innerhalb der Laboratorien berechnen will, so stößt man auf die Schwierigkeit, daß die Varianz s^2 innerhalb der einzelnen Laboratorien ganz verschieden ist. Es gibt eben gute und weniger gute Laboratorien. Will man eine mittlere Varianz s^2 für die guten und durchschnittlichen Laboratorien berechnen, die nachher als Maßstab für alle gelten kann, so muß man die ganz schlechten von der Mittelung ausschließen. Diejenigen s^2 aber, die rein zufällig etwas größer als die anderen ausfallen, darf man nicht ausschließen, da sonst das Mittel systematisch zu klein ausfallen würde.

[1] M. SHEPHERD, J. Res. Nat. Bureau of Standards **38**, p. 19 (1947).

Als Kriterium für die Verwerfung der großen s^2 soll hier der F-Test angewandt werden. Als Beispiel für die Methode wählen wir die Methanbestimmung nach der ,,Verbrennungsmethode A'', die von den meisten Laboratorien angewandt wurde.

In einigen Laboratorien wurden die Analysen von zwei verschiedenen Untersuchern durchgeführt. Dabei zeigte sich, daß die Streuung zwischen den beiden Untersuchern meistens etwas größer ist als die Streuung der Ergebnisse eines einzelnen Untersuchers. Um die Streuungen der einzelnen Untersucher rein zu erhalten, muß man daher die Ergebnisse der verschiedenen Untersucher voneinander trennen und für jeden einzelnen eine Varianz s^2 berechnen, nach der Formel

$$s^2 = \frac{Q}{n-1} \quad \text{mit} \quad Q = \sum (x - \bar{x})^2$$

(x = Methangehalt in %). Die Ergebnisse waren, nach aufsteigender Größe der Varianz s^2 geordnet:

Nr.	Q : $n-1$ = s^2	Nr.	Q : $n-1$ = s^2
1	0,0 : 1 = 0,00	16	3,6 : 5 = 0,72
2	0,6 : 9 = 0,07	17	6,7 : 9 = 0,74
3	0,8 : 9 = 0,09	18	7,3 : 9 = 0,81
4	0,4 : 4 = 0,10	19	4,0 : 4 = 1,00
5	1,3 : 9 = 0,14	20	8,3 : 8 = 1,04
6	0,6 : 4 = 0,15	21	9,1 : 8 = 1,14
7	0,6 : 4 = 0,15	22	18,1 : 15 = 1,20
8	1,5 : 9 = 0,17	23	5,9 : 4 = 1,47
9	1,8 : 9 = 0,20	24	13,8 : 9 = 1,53
10	2,2 : 10 = 0,22	25	10,2 : 6 = 1,70
11	0,9 : 4 = 0,23	26	21,1 : 9 = 2,34
12	3,5 : 9 = 0,39	27	28,5 : 9 = 3,17
13	3,8 : 9 = 0,42	28	29,9 : 9 = 3,32
14	= 0,60	29	16,9 : 4 = 4,23
15	= 0,65	30	43,4 : 9 = 4,82
		31	15,2 : 2 = 7,60

Wie man sieht, hat Untersucher 31 eine viel größere Varianz als alle übrigen. Um zu prüfen, ob das auf Zufall beruhen kann, dividieren wir die Varianz $s^2 = 7{,}60$ durch die mittlere Varianz aller übrigen, berechnet nach der Formel

$$s_2^2 = \frac{\sum Q}{\sum (n-1)}.$$

Man erhält so $s_2^2 = \frac{239{,}9}{215} = 1{,}116$ und

$$F_{31} = \frac{s_1^2}{s_2^2} = \frac{7{,}60}{1{,}116} = 6{,}81.$$

In derselben Weise könnte man $F_1, F_2, \ldots, F_{30}$ berechnen: jeder der 31 Untersucher hat, verglichen mit den andern, sein eigenes F_j. Das größte aller dieser F_j ist unser F_{31}.

Daß dieses F_{31} die 5%-Schranke 3,04 überschreitet, besagt nicht viel. Die Wahrscheinlichkeit, daß ein bestimmtes einzelnes F_j die Schranke F_β überschreitet, ist zwar nur 5%, aber wir haben für F_{31} gerade das größte F genommen, und daß unter 31 Quotienten F einer die Schranke F überschreitet, ist gar nicht unwahrscheinlich. Wenn die σ^2 in Wahrheit alle gleich sind, so ist die Wahrscheinlichkeit, daß alle F_j kleiner als F_β ausfallen, $0{,}95^{31} = 0{,}20$, also die Wahrscheinlichkeit, daß einer größer als F_β ausfällt,

$$1 - 0{,}20 = 0{,}80.$$

Daß F_{31} die 1%-Schranke überschreitet, besagt auch noch nicht viel, denn die Wahrscheinlichkeit, daß das durch Zufall geschieht, ist immer noch

$$1 - 0{,}99^{31} = 0{,}27.$$

Würde F_{31} die 1‰-Schranke überschreiten, so wäre das ein Beweis, aber die Schranke 7,15 wird eben noch nicht überschritten.

Günstiger liegt die Sache bei F_{30}, weil die Anzahl der Freiheitsgrade hier größer ist. Man findet

$$F_{30} = \frac{4{,}82}{1{,}066} = 4{,}53.$$

Die 1‰-Schranke 3,26 wird weit überschritten. Die Wahrscheinlichkeit, daß das durch Zufall geschieht, ist nur $1 - 0{,}999^{31} = 0{,}03$. Die Hypothese, daß Untersucher 30 die gleiche Varianz σ^2 hat wie die übrigen, ist also zu verwerfen.

Nachdem Untersucher 30 ausgeschlossen ist, kann man nun von neuem 31 mit den übrigen (1 bis 29) vergleichen. Man findet jetzt

$$F'_{31} = \frac{7{,}60}{1{,}00} = 7{,}60.$$

Die 1‰-Schranke 7,15 wird nunmehr überschritten, also ist 31 ebenfalls auszuschließen.

Nachdem so 30 und 31 ausgeschlossen sind, kann man nacheinander mit derselben Methode die Untersucher 28, 27, 29 und 26 ausschließen. Die Irrtumswahrscheinlichkeit ist jedesmal kleiner als 3%, also insgesamt (da sechs Schlüsse nacheinander ausgeführt wurden) kleiner als 18%.

Ein Schluß mit einer Irrtumswahrscheinlichkeit von 18% könnte auf den ersten Blick gefährlich erscheinen. Jedoch zeigt sich bei näherer Betrachtung, daß die meisten Schlüsse auch auf dem $\frac{1}{2}$‰-Niveau noch möglich sind: dadurch wird die Irrtumswahrscheinlichkeit bereits auf die Hälfte herabgedrückt. Sodann zeigt es sich, daß die Untersucher 29 und 30 als Mittel ihrer Methanbestimmungen einen viel zu großen und 31 einen viel zu kleinen Wert erhalten haben. Die Ausscheidung der Nummern 29, 30 und 31 war also kein Irrtum. Bei der Ausscheidung der drei übrigen ist die Irrtumswahrscheinlichkeit jeweils kleiner als 1,4%, insgesamt also kleiner als 4,2%. Läßt man eine gesamte Irrtumswahrscheinlichkeit von 5% zu, so erscheint das Ausschließen dieser sechs Untersucher wohl gerechtfertigt.

Für die übrigen (1 bis 25) ergibt sich als mittlere Varianz eines jeden Untersuchers

$$s^2 = \frac{\sum Q}{\sum (n-1)} = \frac{110{,}1}{175} = 0{,}63.$$

Man kann dieses s^2, das sich auf die einzelnen Untersucher bezieht und ihre Abweichungen untereinander nicht berücksichtigt, die *Wiederholbarkeitsvarianz* (repeatability variance) nennen. Für s ergibt sich 0,8 (% Methan).

Es sei noch erwähnt, daß die Abweichungen der verschiedenen Laboratorien untereinander fast doppelt so groß sind als s, auch wenn die am stärksten abweichenden Untersucher ausgeschlossen werden. Für die Streuung zwischen den Laboratorien ergab sich $S = 1{,}4$. Für den systematischen Fehler der Verbrennungsmethode fand man durch Vergleich mit genaueren Messungen den erschreckend großen Wert 2,6. Die Verbrennungsmethode A ist also nicht sehr zuverlässig.

§58. Varianzanalyse

A. Varianz in und zwischen Klassen

Es seien $x_1, \ldots, x_n$ unabhängige, normal verteilte Größen, ebenso $y_1, \ldots, y_n$ und $z_1, \ldots, z_n$. Die x_i seien unter denselben Versuchsbedingungen beobachtet, so daß man annehmen kann, daß sie alle denselben Mittelwert und dieselbe Streuung haben; ebenso die y_j sowie die z_k. Es möge weiter angenommen werden, daß die x_i, y_j und z_k alle dieselbe Streuung σ haben. (Diese Hypothese kann mittels des F-Tests geprüft werden.) Es soll geprüft werden, ob sie auch denselben Mittelwert haben.

Diesem Zweck dient das Verfahren der Varianzanalyse. Der Grundgedanke ist der, daß die gesamte Quadratsumme

$$Q = \sum (x - M)^2 + \sum (y - M)^2 + \sum (z - M)^2, \tag{1}$$

in der M das Gesamtmittel aller x, y und z ist, in zwei Bestandteile zerlegt wird, von denen der erste von der Streuung *innerhalb der drei Klassen* und der zweite von der Streuung *zwischen den Klassen* herrührt. Diese zwei Bestandteile werden dann mittels des F-Tests miteinander verglichen.

Das mathematische Hilfsmittel, das zu dieser Zerlegung führt, ist die orthogonale Transformation. Statt $x_1, \ldots, x_n$ führt man durch eine orthogonale Transformation neue Veränderliche $u_1, \ldots, u_n$ ein, von denen die erste

$$u_1 = \frac{x_1 + \cdots + x_n}{\sqrt{n}} = \bar{x}\sqrt{n} \tag{2}$$

proportional zum arithmetischen Mittel $\bar{x}$ ist. Man hat dann wegen der Orthogonalität

$$\sum x^2 = \sum u^2 = u_1^2 + \cdots + u_n^2, \tag{3}$$

also

$$u_2^2 + \cdots + u_n^2 = \sum x^2 - u_1^2 = \sum x^2 - n\,\bar{x}^2 = \sum (x - \bar{x})^2. \tag{4}$$

Dieser Teil der Quadratsumme entspricht also der Streuung zwischen den x.

Genau so führt man statt $y_1, \ldots, y_n$ neue Veränderliche $v_1, \ldots, v_n$ und statt der $z_1, \ldots, z_n$ neue $w_1, \ldots, w_n$ ein. Man hat dann

$$v_2^2 + \cdots + v_n^2 = \sum (y - \bar{y})^2, \tag{5}$$

$$w_2^2 + \cdots + w_n^2 = \sum (z - \bar{z})^2. \tag{6}$$

Addition von (4), (5), (6) ergibt

$$\left\{\begin{aligned} Q_2 &= (u_2^2 + \cdots + u_n^2) + (v_2^2 + \cdots + v_n^2) + (w_2^2 + \cdots + w_n^2) \\ &= \sum (x - \bar{x})^2 + \sum (y - \bar{y})^2 + \sum (z - \bar{z})^2. \end{aligned}\right. \tag{7}$$

Diese Quadratsumme dient zur Schätzung der *Varianz innerhalb der Klassen.* Als Schätzung für diese Varianz hat man wie immer

(8) $$s_2^2 = \frac{Q_2}{3(n-1)}.$$

Enthalten die drei Klassen verschiedene Anzahlen n_1, n_2, n_3 von Beobachtungen, so hat man statt (8) die Formel

$$s_2^2 = \frac{Q_2}{(n_1-1)+(n_2-1)+(n_3-1)}$$

oder, wenn $N = n_1 + n_2 + n_3$ gesetzt wird,

(9) $$s_2^2 = \frac{Q_2}{N-3}.$$

Um die „Varianz zwischen den Klassen" zu erhalten, übt man auf u_1, v_1, w_1 eine zweite orthogonale Transformation aus, die sie in u', v', w' überführt. Dabei soll u' proportional zum Gesamtmittel M aller x_i, y_j und z_k sein:

(10) $$u' = M\sqrt{N} = \frac{\sum x + \sum y + \sum z}{\sqrt{N}} = \frac{u_1\sqrt{n_1} + v_1\sqrt{n_2} + w_1\sqrt{n_3}}{\sqrt{N}}.$$

Eine solche Transformation ist nach § 13 möglich, weil die Quadratsumme der Koeffizienten rechts in (10) Eins ist:

$$\frac{n_1}{N} + \frac{n_2}{N} + \frac{n_3}{N} = 1.$$

Aus der Orthogonalität der Transformation folgt

(11) $$u_1^2 + v_1^2 + w_1^2 = u'^2 + v'^2 + w'^2,$$

also, wenn $v'^2 + w'^2 = Q_1$ gesetzt wird,

(12) $$Q_1 = u_1^2 + v_1^2 + w_1^2 - u'^2 = u_1^2 + v_1^2 + w_1^2 - N M^2.$$

Addiert man dazu das früher erhaltene

$$Q_2 = (u_2^2 + \cdots + u_n^2) + (v_2^2 + \cdots + v_n^2) + (w_2^2 + \cdots + w_n^2),$$

so erhält man

(13) $$\begin{cases} Q_1 + Q_2 = \sum u_i^2 + \sum v_j^2 + \sum w_k^2 - N M^2 \\ \qquad\quad\;\; = \sum x_i^2 + \sum y_j^2 + \sum z_k^2 - N M^2 \\ \qquad\quad\;\; = \sum (x-M)^2 + \sum (y-M)^2 + \sum (z-M)^2. \end{cases}$$

Die rechte Seite haben wir schon früher Q genannt. Damit ist die angekündigte Zerlegung

(14) $$Q = Q_1 + Q_2$$

gefunden.

Der zweite Bestandteil Q_2 bestimmt nach (9) die Streuung innerhalb der Klassen. Der erste Bestandteil

$$Q_1 = v'^2 + w'^2 \tag{15}$$

hängt nur von den Differenzen zwischen den Klassenmitteln $\bar{x}, \bar{y}$ und $\bar{z}$ ab. Man hat nämlich

$$\begin{cases} Q_1 = u_1^2 + v_1^2 + w_1^2 - N M^2 \\ \quad\; = n_1 \bar{x}^2 + n_2 \bar{y}^2 + n_3 \bar{z}^2 - N M^2. \end{cases} \tag{16}$$

Dabei ist M das gewogene Mittel aus $\bar{x}, \bar{y}$ und $\bar{z}$ mit den Gewichten n_1, n_2, n_3:

$$M = \frac{n_1 \bar{x} + n_2 \bar{y} + n_3 \bar{z}}{N}. \tag{17}$$

Daher kann man statt (16) auch schreiben

$$Q_1 = n_1 (\bar{x} - M)^2 + n_2 (\bar{y} - M)^2 + n_3 (\bar{z} - M)^2. \tag{18}$$

Auf den gleichen Ausdruck (18) kommt man, wenn man $\bar{x}, \bar{y}$ und $\bar{z}$ als Schätzungen verschiedener Genauigkeit für einen unbekannten wahren Wert ϑ behandelt und die Theorie der kleinsten Quadrate anwendet. Da $\bar{x}, \bar{y}$ und $\bar{z}$ Mittel aus n_1, n_2 und n_3 Beobachtungen sind, muß man sie mit Gewichten n_1, n_2 und n_3 versehen und das gewogene Mittel nach (17) berechnen. Die „Streuung einer Beobachtung vom Gewichte Eins" wird nun nach der Theorie der kleinsten Quadrate so berechnet:

$$s_1^2 = \frac{n_1 (\bar{x} - M)^2 + n_2 (\bar{y} - M)^2 + n_3 (\bar{z} - M)^2}{3 - 1} = \frac{Q_1}{r - 1}.$$

Im Nenner steht die um 1 verminderte Zahl der Klassen, also $r - 1$, wenn es r Klassen gibt.

Nimmt man an, daß nicht nur die Streuungen, sondern auch die Erwartungswerte der x, y und z in allen drei Klassen gleich sind, so ist nach der Theorie der kleinsten Quadrate

$$s_1^2 = \frac{Q_1}{r - 1} \tag{19}$$

eine Schätzung ohne Bias für die gemeinsame Varianz σ^2.

Wir zeigen nun von neuem, unabhängig von der Theorie der kleinsten Quadrate, daß die Schätzung (19) keinen Bias hat, d.h. daß der Mittelwert von Q_1 gleich $(r-1)\sigma^2$, oder in unserem Fall gleich $2\sigma^2$ ist.

Es sei ϑ der gemeinsame Mittelwert der x, y und z. Indem man $x - \vartheta$, $y - \vartheta$ und $z - \vartheta$ als neue Veränderliche einführt, kann man erreichen, daß der gemeinsame Mittelwert Null ist. Die Mittelwerte von

x_i^2, y_j^2 und z_k^2 sind dann gleich σ^2 und die Mittelwerte aller übrigen Produkte $x_i x_j$, $x_i y_j$, usw. sind Null. Diese Eigenschaften der Mittelwerte der Quadrate und Produkte bleiben bei einer orthogonalen Transformation erhalten, also sind die Mittelwerte der u_i^2, v_j^2, w_k^2 und von u'^2, v'^2, w'^2 ebenfalls gleich σ^2. Folglich ist der Mittelwert von (15) gleich $2\sigma^2$, Q. E. D.

Genau so zeigt man aus (7) und (8), daß der Mittelwert von s_2^2 gleich σ^2 ist. Das gilt selbstverständlich auch dann, wenn die Erwartungswerte der x, y und z verschieden sind; denn eine Parallelverschiebung

$$x_i' = x_i - a, \qquad y_j' = y_j - b, \qquad z_k' = z_k - c$$

hat auf s_2^2 keinen Einfluß.

Die einfachsten Formeln zur Berechnung von Q_1 und Q_2 sind (18) und (7). Zur Kontrolle kann (13) oder auch

$$(20) \qquad Q_1 + Q_2 = Q = \sum (x-a)^2 + \sum (y-a)^2 + \sum (z-a)^2 - N(M-a)^2$$

mit beliebigem a dienen.

Hat man einmal Q_1 und Q_2, so braucht man nur noch durch die jeweilige „Zahl der Freiheitsgrade" zu dividieren, um s_1^2 und s_2^2 zu erhalten:

$$(21) \qquad s_1^2 = \frac{Q_1}{r-1}, \qquad s_2^2 = \frac{Q_2}{N-r}.$$

B. Der F-Test

Ist s_1^2 kleiner oder nur wenig größer als s_2^2, so hat man keinen Grund, eine wirkliche Verschiedenheit zwischen den Mittelwerten der Klassen anzunehmen. Ist aber s_1^2 erheblich größer als s_2^2, so entsteht der Verdacht, daß die wahren Mittelwerte in den drei Klassen verschieden sind. Zur Untersuchung, ob dieser Verdacht begründet ist, bildet man den Quotienten

$$(22) \qquad F = \frac{s_1^2}{s_2^2} = \frac{Q_1 : (r-1)}{Q_2 : (N-r)}$$

und wendet den F-Test an.

Zur exakten Bestimmung der Verteilungsfunktion des Quotienten F muß man allerdings eine weitere Annahme machen, nämlich, daß die x_i, y_j und z_k alle normal verteilt sind. Ist das der Fall, so sind u', v', w' und $u_2, v_2, w_2, \ldots, u_n, v_n, w_n$ ebenfalls unabhängig normal verteilt mit der gleichen Streuung σ, denn eine orthogonale Transformation führt die Wahrscheinlichkeitsdichte

$$C \cdot \exp\left[-\frac{\sum (x-\vartheta)^2 + \sum (y-\vartheta)^2 + \sum (z-\vartheta)^2}{2\sigma^2}\right]$$

in eine Wahrscheinlichkeitsdichte von der gleichen Gestalt

$$(23)\qquad C\cdot\exp\left[-\frac{(u'-\vartheta\sqrt{N})^2+v'^2+w'^2+u_2^2+v_2^2+\cdots+w_n^2}{2\sigma^2}\right]$$

über. Folglich hat

$$(24)\qquad \frac{Q_1}{\sigma^2}=\frac{v'^2+w'^2}{\sigma^2}$$

eine χ^2-Verteilung mit

$$(25)\qquad f_1=2 \quad (\text{allgemein } f_1=r-1)$$

Freiheitsgraden und ebenso

$$(26)\qquad \frac{Q_2}{\sigma^2}=\frac{u_2^2+v_2^2+w_2^2+\cdots+u_n^2+v_n^2+w_n^2}{\sigma^2}$$

eine χ^2-Verteilung mit

$$f_2=N-3 \qquad (\text{allgemein } f_2=N-r)$$

Freiheitsgraden. Die beiden Quotienten (24) und (26) sind unabhängig, denn die Wahrscheinlichkeitsdichte (23) ist ein Produkt von zwei Faktoren, von denen der erste nur von u', v', w' und der zweite nur von $u_2, v_2, \ldots, w_n$ abhängt. Daraus folgt:

Der Quotient (22) hat, unter der Annahme, daß alle x_i, y_j und z_k unabhängig normal verteilt sind mit dem gleichen Mittelwert ϑ und der gleichen Streuung σ, eine F-Verteilung. Man kann also den F-Test anwenden. Die Freiheitsgrade für Zähler und Nenner sind $r-1$ und $N-r$.

Für die Anwendung macht man zweckmäßig ein Schema folgender Art:

	Quadratsumme	Freiheitsgrade	Varianz
Varianz zwischen den Klassen .	Q_1	$f_1=r-1$	$Q_1:f_1=s_1^2$
Varianz in den Klassen	Q_2	$f_2=N-r$	$Q_2:f_2=s_2^2$
Alle Beobachtungen	Q	$N-1$	$Q:(N-1)=s^2$

C. Nicht normale Verteilungen

Es fragt sich nun, ob der F-Test auch dann angewandt werden kann, wenn die x, y und z nicht normal verteilt sind. Bei der Untersuchung dieser Frage nehmen wir an, daß die Anzahl n der Größen in jeder Klasse nicht allzu klein ist, sagen wir etwa $n\geq 4$. Unter dieser Annahme ist $f_1=r-1$ erheblich kleiner als $f_2=(n-1)r$. Daraus folgt, daß s_1^2 prozentual erheblich größere zufällige Schwankungen aufweist als s_2^2. Die Verteilungsfunktion des Quotienten F hängt also hauptsächlich von der des Zählers ab. Der Zähler wurde nach (19) und (18) aus $\bar{x}$, $\bar{y}$ und $\bar{z}$ definiert. Diese drei sind Mittel aus je mindestens vier

Größen x_i, y_k oder z_l. Nach dem zentralen Grenzwertsatz haben solche Mittel genähert eine Normalverteilung, auch wenn die einzelnen Verteilungen stark von der Normalverteilung abweichen. Bildet man nun die zwei Linearkombinationen v' und w' und addiert ihre Quadrate, so werden die Abweichungen von der Normalverteilung noch weiter ausgeglichen. Die Quotientenbildung (22) macht die Näherung nicht erheblich schlechter.

Für kleine n ist die Situation etwas weniger günstig. Immerhin werden sogar im Fall $n=2$ bei der Bildung der Summen und Differenzen

$$u_1 = \frac{x_1 + x_2}{\sqrt{2}}, \qquad u_2 = \frac{x_1 - x_2}{\sqrt{2}},$$

und bei der nachfolgenden Addition der Quadrate (Bildung von $u_1^2 + v_1^2 + w_1^2$ und $u_2^2 + v_2^2 + w_2^2$) die Abweichungen von der Normalität zu einem großen Teil ausgeglichen. An durchgerechneten Beispielen sieht man das besser als auf Grund von allgemeinen theoretischen Überlegungen.

Zusammenfassend können wir sagen: *Der F-Test kann ohne große Fehler auch dann angewandt werden, wenn über die Normalität der Verteilungen der beobachteten Größen nichts bekannt ist.*

Beispiel 40 (nach R. A. Fisher, Stat. Meth., 11th ed. Ex. 38). In einem Experiment über die Genauigkeit von Zählungen von Bakterien im Boden wurde ein Stück Erde in vier Teilstücke zerlegt und von jedem Teilstück wurden sieben Platten inokuliert. Die Anzahl der Kolonien auf den 28 Platten war:

Platte	Bodenprobe			
	I	II	III	IV
1	72	74	78	69
2	69	72	74	67
3	63	70	70	66
4	59	69	58	64
5	59	66	58	62
6	53	58	56	58
7	51	52	56	54
Total	426	461	450	440
Mittel	60,9	65,9	64,3	62,9

Um zu prüfen, ob die Ergebnisse der vier Stichproben in den Grenzen des Zufalls übereinstimmen oder nicht, wurde die Methode der Varianzanalyse angewandt. Man erhält

	Quadratsumme	Freiheitsgrade	Varianz
Zwischen den Klassen . . .	$Q_1 = 95$	$f_1 = 3$	$s_1^2 = 32$
Innerhalb der Klassen . . .	$Q_2 = 1446$	$f_2 = 24$	$s_2^2 = 60$
Total	$Q = 1541$	$N - 1 = 27$	$s^2 = 57$

Die Varianz in den Klassen ist hier sogar größer als die zwischen den Klassen. Daraus folgt schon, daß die Differenzen zwischen den Plattenmitteln nicht signifikant sind: man braucht $F = 32/60$ gar nicht zu berechnen. Die 28 Platten können als Stichproben aus einem homogenen Material behandelt werden. Das Gesamtmittel ist 63,5 und die beste Schätzung für die Varianz σ^2 ist

$$s^2 = \frac{1541}{27} = 57,1.$$

Wäre die Verteilung der einzelnen beobachteten Zahlen eine Poisson-Verteilung mit Erwartungswert 63,5, so wäre der wahre Wert der Varianz $\sigma^2 = 63,5$ (§ 10A). Um zu prüfen, ob das möglich ist, berechnen wir den Quotienten

$$\chi^2 = \frac{27 s^2}{\sigma^2} = \frac{1541}{63,5} = 24,3.$$

Wären die beobachteten Werte normal verteilt, so hätte dieses χ^2 eine χ^2-Verteilung mit 27 Freiheitsgraden. Die Poisson-Verteilung mit dem großen Erwartungswert 63,5 weicht nur ganz wenig von einer Normalverteilung ab. Wir müssen also für χ^2 nach § 23, Formeln (9) und (10) einen Mittelwert 27 und eine Streuung $\sqrt{54} = 7,4$ erwarten:

$$\chi^2 = 27 \pm 7,4.$$

Der gefundene Wert 24,3 liegt innerhalb der Zufallsgrenzen. Die — an sich plausible — Annahme einer Poisson-Verteilung wird also durch das Experiment nicht widerlegt. Die beste Schätzung für den Mittelwert ϑ der Poisson-Verteilung ist $\tilde{\vartheta} = 63,5$. Die Varianz der Poisson-Verteilung ist gleich dem Mittelwert.

D. Beziehung zum *t*-Test

Hat man nur zwei Veränderlichenreihen beobachtet, so wird

$$\begin{aligned} s_1^2 = Q_1 &= n_1(\bar{x} - M)^2 + n_2(\bar{y} - M)^2 \\ &= n_1\left[\bar{x} - \frac{n_1\bar{x} + n_2\bar{y}}{n_1 + n_2}\right]^2 + n_2\left[\bar{y} - \frac{n_1\bar{x} + n_2\bar{y}}{n_1 + n_2}\right]^2 \\ &= \frac{n_1 n_2}{n_1 + n_2}(\bar{x} - \bar{y})^2 \end{aligned}$$

und

$$s_2^2 = \frac{Q_2}{N - 2} = \frac{\sum(x - \bar{x})^2 + \sum(y - \bar{y})^2}{n_1 + n_2 - 2},$$

also

$$F = \frac{s_1^2}{s_2^2} = \frac{(\bar{x} - \bar{y})^2}{\left(\frac{1}{n_1} + \frac{1}{n_2}\right) s_2^2}. \tag{27}$$

Der Ausdruck rechts ist das Quadrat der in Students Test gebrauchten Größe t. Das heißt: *Bei zwei Klassen geht der F-Test in den zweiseitigen t-Test über.*

Folglich kann der zweiseitige t-Test auch dann angewandt werden, wenn die Verteilungen der x und y nicht normal sind, sofern nur n_1 und n_2 nicht allzu klein sind (etwa beide ≥ 4).

E. Paarkorrelation

Wenn jede Klasse nur zwei Beobachtungen enthält, so hat man eine Reihe von r Paaren (x, x'). Zur Berechnung von Q_1 und Q_2 bildet man für jedes Paar Mittel und Differenz

$$\bar{x} = \frac{x + x'}{2} \quad \text{und} \quad d = x - x'.$$

Ist dann M das Gesamtmittel der $\bar{x}$, so hat man nach (18)

(28) $$Q_1 = 2 \sum (\bar{x} - M)^2$$

und nach (7)

(29) $$Q_2 = \tfrac{1}{2} \sum d^2.$$

Zur Kontrolle dient die Formel

(30) $$Q_1 + Q_2 = Q = \sum \{(x - M)^2 + (x' - M)^2\}.$$

Ferner wird nach (21)

(31) $$s_1^2 = \frac{Q_1}{r - 1}, \quad s_2^2 = \frac{Q_2}{r}$$

und schließlich, wie immer,

(32) $$s^2 = \frac{Q}{N - 1} = \frac{Q_1 + Q_2}{2r - 1}.$$

Die *Paarkorrelation* (intraclass correlation) r^* wird so definiert:

(33) $$r^* = \frac{2 \sum (x - M)(x' - M)}{\sum \{(x - M)^2 + (x' - M)^2\}}.$$

Der Ausdruck (33) ist ähnlich gebaut wie ein Korrelationskoeffizient (§ 66B). Man findet durch eine leichte Rechnung

(34) $$r^* = \frac{Q_1 - Q_2}{Q_1 + Q_2}.$$

Die Paarkorrelation ist $+1$, wenn die Varianz innerhalb der Klassen Null ist. Sie ist -1, wenn die Varianz zwischen den Klassen Null ist, was aber praktisch nie vorkommt. Sind beide Varianzen ungefähr gleich, so liegt r^* nahe bei Null.

Beispiel 41. Hadorn, Bertani und Gallera[1] haben die männliche Genital-Imaginalscheibe von Drosophila melanogaster sagittal geteilt und die Teilstücke in einen Wirt derselben Art implantiert. Aus den beiden Teilstücken der Embryonalanlage entwickelte sich je eine Samenpumpe von ungefähr normaler Größe. Die Größe variiert aber von Fall zu Fall sehr stark. Es soll nun geprüft werden, ob diese Variation davon herrührt, daß die beiden implantierten Hälften des Anlagesystems häufig ungleich groß sind. In diesem Fall müßte man erwarten, daß neben

[1] E. Hadorn, G. Bertani und J. Gallera, Regulationsfähigkeit und Feldorganisation der männlichen Genital-Imaginalscheibe von Drosophila, Wilhelm Roux' Archiv für Entwicklungsmechanik der Organismen 114, p. 31 (1949).

einer besonders großen Pumpe eines Implantationspaares jeweils eine extrem kleine entstehen würde, d.h. die Varianz innerhalb der Paare müßte größer sein als die Varianz zwischen den Paaren. Die Rechnung lehrt, daß die Varianz innerhalb der Paare im Gegenteil kleiner ist als zwischen den Paaren. Die Längen x, x' der Samenpumpen sind in folgender Tabelle dargestellt, wobei die größere der beiden Längen immer vorangestellt wurde.

x	x'	$\bar{x}$	$(\bar{x}-M)^2$	d	d^2
394	328	361	2256	66	4356
382	344	363	2450	38	1444
375	328	351,5	1444	47	2209
369	319	344	930	50	2500
369	319	344	930	50	2500
369	293	331	306	76	5776
363	350	356,5	1849	13	169
357	325	341	756	32	1024
357	300	328,5	225	57	3249
356	331	343,5	900	25	625
353	347	350	1332	6	36
350	297	323,5	100	53	2809
347	325	336	506	22	484
344	313	328,5	225	31	961
335	319	327	182	16	256
331	319	325	132	12	144
328	269	298,5	225	59	3481
325	300	312,5	1	25	625
322	300	311	6	22	484
319	313	316	6	6	36
319	306	312,5	1	13	169
319	303	311	6	16	256
316	303	309,5	16	13	169
313	272	292,5	441	41	1681
313	234	273,5	1600	79	6241
309	300	304,5	81	9	81
309	294	301,5	144	15	225
306	300	303	110	6	36
297	287	292	462	10	100
297	253	275	1482	44	1936
294	281	287,5	676	13	169
287	253	270	1892	34	1156
281	272	276,5	1369	9	81
281	269	275	1482	12	144
275	263	269	1980	12	144
250	234	242	5112	16	256
11811	10763	11287	31611	1048	46012

Man findet

$$M = \frac{1}{36} \sum \bar{x} = 313,5$$

$$Q_1 = 2 \sum (\bar{x} - M)^2 = 63222,$$

$$Q_2 = \tfrac{1}{2} \sum d^2 = 23006.$$

Die Paarkorrelation wird

$$r^* = \frac{Q_1 - Q_2}{Q_1 + Q_2} = \frac{40216}{86228} = 0,47.$$

Die Varianzen werden durch das Schema gegeben:

	Quadratsumme	Freiheitsgrade	Varianz
Zwischen den Paaren . .	$Q_1 = 63222$	$f_1 = 35$	$s_1^2 = 1806$
Innerhalb der Paare . . .	$Q_2 = 23006$	$f_2 = 36$	$s_2^2 = 639$
	$Q = 86228$	$f = 71$	$s^2 = 1214$

Schließlich wird

$$F = \frac{1806}{639} = 2{,}83 .$$

Die Unterschiede zwischen den Klassen sind also erheblich größer als die innerhalb der Klassen. Die 1%-Grenze für F ist 2,21. Die Unterschiede in den Längen rühren also nicht von der verschiedenen Größe der beiden Teilstücke her.

F. Weitere Anwendungen

Die Methode der Streuungszerlegung wird auch in komplizierteren Fällen angewandt. Es kann z.B. vorkommen, daß $n \cdot r$ beobachtete Größen x_{ik} nicht nur zeilenweise, sondern auch spaltenweise in Klassen eingeteilt sind und man nicht nur wissen will, ob wesentliche Unterschiede zwischen den Zeilen, sondern auch, ob wesentliche Unterschiede zwischen den Spalten vorhanden sind. In solchen Fällen muß man aber, um den F-Test anwenden zu können, über die Verteilung der x_{ik} zusätzliche Annahmen machen, so in unserem Fall die Annahme, daß die zufälligen Größen x_{ik} sich als Summen

$$x_{ik} = a_i + b_k + z_{ik}$$

darstellen lassen, wobei die z_{ik} unabhängig normal verteilt sind mit Mittelwert Null und mit der gleichen Streuung.

Für die weitere Ausführung der hier nur angedeuteten Gedankengänge muß auf die einschlägige Literatur verwiesen werden. Siehe etwa R. A. Fisher, The Design of Experiments (Oliver & Boyd 1935) oder O. Kempthorne, The Design and Analysis of Experiments (John Wiley & Sons 1952).

§ 59. Allgemeine Prinzipien. Möglichst mächtige Tests

A. Grundbegriffe

J. Neyman und E. S. Pearson haben die Frage der Prüfung von Hypothesen von einem allgemeinen Gesichtspunkt aus betrachtet[1]. Wir wollen hier wenigstens die Grundgedanken ihrer Untersuchung erörtern.

Die möglichen Ergebnisse eines Experimentes mögen durch Punkte X eines Raumes E dargestellt werden. Dabei ist es gleichgültig, ob nur

[1] Siehe vor allem J. Neyman and E. S. Pearson, Phil. Trans. Roy. Soc. London A 231, p. 332 (1932).

einzelne (z.B. ganzzahlige) Punkte möglich sind oder ob die möglichen Punkte einen ganzen Raumbereich ausfüllen. Das Experiment diene zur Prüfung einer Hypothese H.

Unter der Hypothese H habe jeder meßbare Bereich B im Raum eine gewisse Wahrscheinlichkeit $\mathcal{P}B = \mathcal{P}(B|H)$. Diese Wahrscheinlichkeit kann durch Summation der Wahrscheinlichkeiten der einzelnen Punkte von B oder durch Integration einer Wahrscheinlichkeitsdichte über B erhalten werden.

Alle Tests beruhen darauf, daß die Hypothese H verworfen wird, sobald der Beobachtungspunkt einem gewissen *kritischen Bereich* oder *Verwerfungsbereich* V angehört. Der Bereich V wird so bestimmt, daß er, wenn die Hypothese H richtig ist, nur eine kleine Wahrscheinlichkeit hat. Es soll also gelten

$$\mathcal{P}(V|H) \leqq \beta,$$

wobei β eine vorgegebene zulässige Irrtumswahrscheinlichkeit ist (z.B. 5% oder 1%).

Es fragt sich nun, nach welchem Gesichtspunkt der Bereich V auszuwählen ist. Es kann ja ganz verschiedene Bereiche mit Wahrscheinlichkeiten $\leqq \beta$ geben. Um diese Frage zu beantworten, werden die Begriffe Fehler 1. und 2. Art eingeführt.

Ein *Fehler 1. Art* ist das *Verwerfen einer richtigen Hypothese.* Die Wahrscheinlichkeit eines Fehlers 1. Art ist nach dem Gesagten $\leqq \beta$. Würde man nur auf die Fehler 1. Art Rücksicht nehmen müssen, so wäre die Wahl von V weitgehend willkürlich. Man könnte sogar auf den Gedanken kommen, den Bereich V als die leere Menge anzunehmen; dann wäre die Irrtumswahrscheinlichkeit sogar Null! Warum tut man das nicht? Weil man noch auf eine zweite Art Fehler Rücksicht zu nehmen hat.

Ein *Fehler 2. Art* ist das *Nichtverwerfen einer falschen Hypothese.* Wenn die Hypothese H falsch ist, so kann es sehr leicht vorkommen, daß der Beobachtungspunkt nicht in den Bereich V hineinfällt und die Hypothese H also nicht verworfen wird. Dies möchte man aber nach Möglichkeit vermeiden. Der Zweck des Experimentes ist doch, nach Möglichkeit über die Richtigkeit oder Falschheit der Hypothese H zu entscheiden, also sie möglichst nicht zu verwerfen, wenn sie richtig, aber sie zu verwerfen, wenn sie falsch ist. Man wird also bestrebt sein, die *Wahrscheinlichkeit eines Fehlers 2. Art möglichst klein zu machen.*

Nun tritt aber eine Schwierigkeit auf. Die Wahrscheinlichkeit eines Fehlers 2. Art läßt sich nicht ohne weiteres angeben. Sie hängt davon ab, welche richtige Hypothese H' an die Stelle der falschen Hypothese H tritt.

Wir nehmen zunächst an, daß nur *eine* alternative Hypothese H' in Betracht gezogen wird. Unter der *Macht* (power) P' eines bestimmten Testes in bezug auf die Hypothese H' versteht man die Wahrscheinlichkeit, daß der Test zur Verwerfung der Hypothese H führt, unter der Annahme, daß H' richtig ist:

$$P' = \mathcal{P}' V = \mathcal{P}(V \mid H').$$

Die Wahrscheinlichkeit, daß, wenn H' richtig ist, H nicht verworfen wird, also die Wahrscheinlichkeit eines Fehlers 2. Art, ist nun $1 - P'$.

Diese Wahrscheinlichkeit soll möglichst klein, also die Macht P' möglichst groß gemacht werden. Ist P' möglichst groß, immer unter der Nebenbedingung $\mathcal{P} V \leq \beta$, so heißt der Test *möglichst mächtig* (most powerful) in bezug auf die alternative Hypothese H'.

Das Problem stellt sich nun so. In einem Raum E seien zwei Mengenfunktionen $\mathcal{P} B = \mathcal{P}(B \mid H)$ und $\mathcal{P}' B = \mathcal{P}(B \mid H')$ gegeben, welche beide den Axiomen der Wahrscheinlichkeitsrechnung genügen. Die Aufgabe ist, einen Bereich V so zu bestimmen, daß $\mathcal{P}' V$ möglichst groß wird unter der Nebenbedingung

(1) $$\mathcal{P} V \leq \beta.$$

Der stetige und der diskrete Fall erfordern eine getrennte Behandlung.

B. Der Fall der stetigen Veränderlichen

Es sei E der Raum der stetigen Veränderlichen $x_1, \ldots, x_n$ oder ein Stück dieses Raumes. Wir nehmen an, daß die beiden Mengenfunktionen $\mathcal{P}$ und $\mathcal{P}'$ durch stetige Wahrscheinlichkeitsdichten

$$f(X) = f(x_1, \ldots, x_n) \quad \text{und} \quad g(X) = g(x_1, \ldots, x_n)$$

definiert sind.

Wenn f in einem Teil T des Raumes E Null ist, so können wir diesen Teil T mit V vereinigen, ohne die Nebenbedingung (1) zu verletzen. Durch diese Vergrößerung von V kann $\mathcal{P}' V$ nur größer werden. Wir brauchen uns also nur mit dem Rest $E - T$ des Raumes zu befassen.

Im Bereich $E - T$ ist $f \neq 0$, also ist

(2) $$U = U(X) = \frac{g}{f}$$

eine stetige Funktion von X. Für jedes positive v hat das Ereignis $U < v$ eine bestimmte Wahrscheinlichkeit im $\mathcal{P}$-Feld

(3) $$G(v) = \mathcal{P}(U < v) = \mathcal{P}(g < v f).$$

Wir nehmen nun zunächst an, daß die Verteilungsfunktion $G(v)$ den Wert $1-\beta$ tatsächlich annimmt, daß also für ein positives v

$$\mathcal{P}(g < v f) = 1 - \beta,$$

also

$$\mathcal{P}(g \geqq v f) = \beta \tag{4}$$

gilt. Dann wird behauptet, daß der Bereich V, der durch

$$g \geqq v f \quad \text{oder} \quad \frac{g}{f} \geqq v$$

definiert ist, die gewünschte Maximaleigenschaft hat.

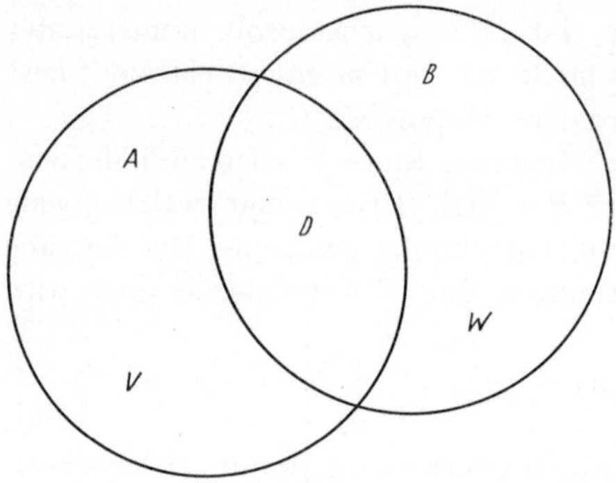

Fig. 29

In der Tat ist für diesen Bereich die Nebenbedingung (1) erfüllt; das wird gerade durch die Gleichung (4) ausgedrückt. Ist nun W ein anderer Bereich, der ebenfalls die Nebenbedingung (1) erfüllt, so haben wir zu zeigen, daß $\mathcal{P}' W \leqq \mathcal{P}' V$ ist.

Der Durchschnitt von V und W sei D und es sei

$$V = D + A$$
$$W = D + B.$$

A ist also der Teil von V, der nicht zu W gehört, und B ist der Teil von W, der nicht zu V gehört. Es gilt zunächst

$$\mathcal{P}V = \mathcal{P}D + \mathcal{P}A = \beta$$

und

$$\mathcal{P}W = \mathcal{P}D + \mathcal{P}B \leqq \beta,$$

also

$$\mathcal{P}A \geqq \mathcal{P}B$$

oder, was dasselbe ist,

$$\int_A f\, dX \geqq \int_B f\, dX. \tag{5}$$

In A ist $g \geqq v f$, da A zu V gehört. Also ist

$$\begin{aligned}\mathcal{P}' V &= \mathcal{P}' D + \mathcal{P}' A = \mathcal{P}' D + \int_A g\, dX \\ &\geqq \mathcal{P}' D + \int_A v f\, dX \\ &\geqq \mathcal{P}' D + \int_B v f\, dX \quad \text{nach (5)} \\ &\geqq \mathcal{P}' D + \int_B g\, dX = \mathcal{P}' D + \mathcal{P}' B = \mathcal{P}' W.\end{aligned}$$

Damit ist die Maximaleigenschaft des Bereiches V bewiesen.

Wenn $G(t)$ den Wert β nicht annimmt, sondern von einem Wert $<\beta$ auf einen Wert $>\beta$ springt, so bildet man V folgendermaßen: Man nimmt zuerst das ganze Gebiet $g>vf$ in V auf und fügt dann noch einen solchen Teil des Bereiches $g=vf$ hinzu, daß die gesamte Wahrscheinlichkeit $\mathcal{P}V=\beta$ wird. Dieser Teil kann übrigens beliebig gewählt werden. Der Beweis bleibt derselbe. Von diesem Fall, der in den Anwendungen kaum vorkommt, wollen wir künftig absehen.

Die Wahrscheinlichkeitsdichte $f(X)$ heißt auch *Likelihood* der Hypothese H und ebenso $g(X)$ Likelihood der Hypothese H'. Der Quotient (2) heißt deshalb *Likelihood Quotient* (Likelihood ratio).

Der in bezug auf die Alternative H' möglichst scharfe Test, den wir eben gefunden haben, kann nun so formuliert werden:

Die Hypothese H wird verworfen, wenn der Likelihood Quotient (2) *größer oder gleich v ausfällt. Dabei ist der kritische Wert v so zu bestimmen, daß die Wahrscheinlichkeit eines Fehlers 1. Art, also $\mathcal{P}(U\geqq v)$, gleich β wird.*

Dieser Test heißt *Likelihood Ratio Test.* Er ist möglichst mächtig in bezug auf die Hypothese H', kann also immer dann angewandt werden, wenn man stark mit der Möglichkeit rechnet, daß H' richtig sein könnte.

C. Der Fall der diskreten Veränderlichen

Der Fall, daß der Raum E aus abzählbar vielen diskreten Punkten X besteht und die Wahrscheinlichkeit einer Punktmenge gleich der Summe der Wahrscheinlichkeiten der einzelnen Punkte ist, kann genau so behandelt werden. An Stelle der Wahrscheinlichkeitsdichten $f(X)$ und $g(X)$ treten die Wahrscheinlichkeiten der einzelnen Punkte $\mathcal{P}X$ und $\mathcal{P}'X$. Wir nennen sie wieder $f(X)$ und $g(X)$.

Wenn einige Punkte von E unter der Hypothese H eine Wahrscheinlichkeit Null haben, wird man diese Punkte auf alle Fälle in den Verwerfungsbereich V hineinnehmen. In den übrigen Punkten ist $f(X)\neq 0$; man kann also die zufällige Größe

$$U=\frac{g(X)}{f(X)}=\frac{\mathcal{P}'X}{\mathcal{P}X}$$

bilden.

Nehmen wir zunächst wieder an, daß die Verteilungsfunktion $G(v)$ von U den Wert $1-\beta$ annimmt, daß also für ein bestimmtes v

$$\mathcal{P}(g\geqq vf)=\beta$$

gilt. Dann kann man für V den Bereich $g\geqq vf$ nehmen und wie oben schließen, nur mit einer Summation statt einer Integration. Man setzt wieder, wenn W ein anderer Bereich mit $\mathcal{P}(W) \leq \beta$ ist,

$$V = D + A$$
$$W = D + B$$

und hat dann wie oben

$$\mathcal{P}(A) \geq \mathcal{P}(B)$$

oder

$$\sum_A f(X) \geq \sum_B f(X).$$

In A ist $g \geq v f$ und in B ist $g < v f$. Daher hat man

$$\begin{aligned}
\mathcal{P}' V = \mathcal{P}' D + \mathcal{P}' A &= \mathcal{P}' D + \sum_A g(X) \\
&\geq \mathcal{P}' D + \sum_A v f(X) \\
&\geq \mathcal{P}' D + \sum_B v f(X) \\
&\geq \mathcal{P}' D + \sum_B g\, dX = \mathcal{P}' D + \mathcal{P}' B = \mathcal{P}' W.
\end{aligned}$$

Damit ist die Minimaleigenschaft des Bereiches V bewiesen.

Wenn $G(v)$ den Wert β nicht annimmt, sondern von einem Wert $<\beta$ auf einen Wert $>\beta$ springt, so nimmt man zuerst das ganze Gebiet $g > v f$ in V auf und fügt dann, wenn möglich, noch soviele Punkte X mit $g = v f$ hinzu, daß die gesamte Wahrscheinlichkeit $\mathcal{P}(V) = \beta$ wird. Der Beweis verläuft dann wie oben.

Wenn es nicht möglich ist, solche Punkte X zu finden, daß $\mathcal{P}(V)$ genau gleich β wird, so nimmt man zunächst soviele Punkte in V auf, daß $\mathcal{P}(V)$ möglichst nahe an β herankommt. Es sei dann etwa $\mathcal{P} V = \beta - \varepsilon$. Nimmt man noch einen Punkt X mit $g(X) = v f(X)$ hinzu, so wird $\mathcal{P}(V + X) = \beta + \delta$, d.h. $V + X$ ist schon zu groß. Man müßte also den Punkt X aufspalten in zwei Punkte X_1 und X_2 mit Wahrscheinlichkeiten $\mathcal{P} X_1 = \varepsilon$ und $\mathcal{P} X_2 = \delta$ und dann den Teilpunkt X_1 noch in den Bereich V aufnehmen.

Um diese Aufspaltung zu erreichen, verwendet man folgenden Kunstgriff. Man spielt ein Glücksspiel, bei dem die Wahrscheinlichkeit zu gewinnen gerade

$$p = \frac{\varepsilon}{\varepsilon + \delta}$$

ist. Hat nun das Experiment das Ereignis X ergeben und gewinnt man das Glücksspiel, so wird die Hypothese H verworfen. Verliert man, so wird H nicht verworfen. Das Glücksspiel soll natürlich unabhängig vom Ergebnis X des Testversuches sein.

Man schließt nun so. Die Wahrscheinlichkeit des Punktes X war $\varepsilon + \delta$. Das Ereignis X_1 besteht darin, daß X eintritt und man das Glücksspiel gewinnt. Die Wahrscheinlichkeit von X_1 ist also

$$(\varepsilon + \delta)\, p = \varepsilon .$$

Die Wahrscheinlichkeit von $V + X_1$ ist somit

$$(\beta - \varepsilon) + \varepsilon = \beta .$$

$V + X_1$ ist der gewünschte Maximalbereich.

In der Praxis wird man wohl kaum ein solches Glücksspiel, das gar keinen Aufschluß über die Richtigkeit oder Falschheit der Hypothese H gibt, spielen, sondern man wird V ohne X_1 als Verwerfungsbereich wählen. Man hat dann zwar eine etwas größere Wahrscheinlichkeit eines Fehlers 2. Art, aber dafür hat man eine kleinere Wahrscheinlichkeit eines Fehlers 1. Art, nämlich $\beta - \varepsilon$ statt β. Nimmt man $\beta - \varepsilon$ als zulässige Irrtumswahrscheinlichkeit statt β, so ist V ein Maximalbereich, d.h. der zu V gehörige Test ist möglichst mächtig auf dem „Niveau" $\beta - \varepsilon$.

D. Beispiele

Beispiel 42. E sei der Raum der Variablen $x_1, \ldots, x_n$. Unter der Hypothese H seien die Größen $x_1, \ldots, x_n$ unabhängig normal verteilt mit Mittelwert 0 und Streuung 1. Die Wahrscheinlichkeitsdichte ist dann

$$f(X) = (2\pi)^{-\frac{n}{2}} e^{-\frac{1}{2}(x_1^2 + x_2^2 + \cdots + x_n^2)} .$$

Unter der Hypothese H' seien $x_1, \ldots, x_n$ ebenfalls unabhängig und normal verteilt mit der gleichen Streuung, aber mit einem größeren Mittelwert a für alle x_j:

$$g(X) = (2\pi)^{-\frac{n}{2}} e^{-\frac{1}{2}[(x_1 - a)^2 + \cdots + (x_n - a)^2]} \qquad (a > 0) .$$

Der Likelihood Quotient ist

$$U = \frac{g}{f} = e^{a \sum x - \frac{1}{2} n a^2} .$$

Das ist eine wachsende Funktion von

$$\bar{x} = \frac{1}{n} \sum x .$$

Die Hypothese H ist also zu verwerfen, wenn das Mittel $\bar{x}$ einen kritischen Wert c überschreitet. Dieser kritische Wert c ist so zu bestimmen, daß die Wahrscheinlichkeit, ihn zu überschreiten, unter der Hypothese H gleich β wird. Nun ist $\bar{x}$ unter der Hypothese H normal verteilt mit Mittelwert Null und Streuung $1 : \sqrt{n}$. Also muß man

$$c = \frac{\sigma}{\sqrt{n}} \Psi(1 - \beta) \tag{6}$$

setzen, wo Ψ die Umkehrfunktion der normalen Verteilungsfunktion Φ ist. In unserem Fall war $\sigma = 1$ angenommen, aber die Formel (6) gilt allgemein.

Bemerkenswert ist in diesem Beispiel, daß der Test, der schließlich herauskommt, von dem Wert von a nicht abhängt, solange nur a positiv ist. Der einseitige Test, der alle Werte $\bar{x} > c$ verwirft, ist also *gleichmäßig der mächtigste (uniformly most powerful)* in bezug auf alle Hypothesen H' mit $a > 0$. Würde man als Hypothese H' eine Normalverteilung mit negativem a zugrunde legen, so müßte man alle Werte $\bar{x} < -c$ verwerfen.

Beispiel 43. Ein Ereignis habe nach der Hypothese H die Wahrscheinlichkeit p, nach der alternativen Hypothese H' aber eine größere Wahrscheinlichkeit p'. In n unabhängigen Versuchen sei das Ereignis x mal eingetreten. Wann ist die Hypothese H zu verwerfen?

Unter der Hypothese H ist die Wahrscheinlichkeit des x-maligen Eintreffens

$$f(x) = \binom{n}{x} p^x (1-p)^{n-x}.$$

Unter der Hypothese H' ist die Wahrscheinlichkeit

$$g(x) = \binom{n}{x} p'^x (1-p')^{n-x}.$$

Der Likelihood Quotient ist

$$u = \frac{g}{f} = \left(\frac{p'}{p}\right)^x \left(\frac{1-p'}{1-p}\right)^{n-x}.$$

Da u eine wachsende Funktion von x ist, haben wir die Werte $x > c$ zu verwerfen. Dabei ist die Schranke c so zu bestimmen, daß die Summe der Wahrchein lichkeiten der verworfenen x-Werte gerade noch $\leq \beta$ bleibt:

$$\binom{n}{c+1} p^{c+1} q^{n-c-1} + \binom{n}{c+2} p^{c+2} q^{n-c-2} + \cdots + q^n \leq \beta. \tag{7}$$

Die linke Seite von (7) ist eine wachsende Funktion von p, denn die Ableitung

$$(c+1)\binom{n}{c+1} p^c q^{n-c-1}$$

ist immer positiv. Da die linke Seite von (7) für $p = 0$ Null und für $p = 1$ Eins wird, so gibt es genau einen Wert p_β, für den die linke Seite genau gleich β wird. Für $p \leq p_\beta$ ist die Ungleichung (7) erfüllt, für größere p nicht mehr. *Die Hypothesen H mit $p \leq p_\beta$ sind also auf Grund unseres Testes zu verwerfen, die $p > p_\beta$ nicht.*

Die Schranke p_β ist genau die einseitige Vertrauensgrenze für p nach Clopper und Pearson (vgl. § 7). So ordnet sich die früher schon entwickelte Theorie der Vertrauensgrenzen den jetzigen allgemeinen Gesichtspunkten unter.

§ 60. Zusammengesetzte Hypothesen

Eine *einfache Hypothese* ist eine solche, die jedem Ereignis des Raumes E eine bestimmte Wahrscheinlichkeit erteilt. Hängen aber die Wahrscheinlichkeiten noch von Parametern ab, so hat man eine *zusammengesetzte Hypothese.* Die einfachen Hypothesen, aus denen sie zusammengesetzt ist, erhält man, indem man den Parametern bestimmte Werte erteilt. Man kann auch so definieren: *Eine zusammengesetzte Hypothese ist eine Menge von einfachen Hypothesen.*

Wenn man eine einfache Hypothese H prüfen will und wenn auch die Alternative H' einfach ist, so gibt es, wie wir in § 59 gesehen haben, immer einen möglichst mächtigen Test für H in bezug auf die Alternative H'. Ist aber H' zusammengesetzt, so können zwei Fälle eintreten: entweder es gibt einen *gleichmäßig mächtigsten Test* in bezug auf alle in H' enthaltenen Einzelhypothesen, oder es gibt keinen solchen Test.

Beispiel 42 (§ 59) kann zur Illustration beider Fälle dienen. Die Hypothese H ist in diesem Beispiel einfach und besagt, daß alle x_i normal verteilt sind mit Mittelwert 0 und Streuung 1. Die alternative Hypothese H' hängt von einem Parameter a ab und ist daher zusammengesetzt: sie besagt, daß die x_i normal verteilt sind mit Mittelwert a und Streuung 1. Läßt man nur positive Werte von a zu, so gibt es einen gleichmäßig mächtigen Test: die Hypothese H wird verworfen, sobald $\bar{x}$ größer als $c n^{-\frac{1}{2}}$ ausfällt. Läßt man aber auch negative Werte von a zu, so gibt es keinen solchen Test. Ein Test, der die großen $\bar{x}$-Werte verwirft, verliert seine Macht, wenn a negativ ist, und ein Test, der die kleinen $\bar{x}$-Werte verwirft, ist nicht mehr der mächtigste für positive a.

Um in solchen Fällen trotzdem die guten von den weniger guten Tests zu unterscheiden, hat man den Begriff *frei von Bias* eingeführt. Ein Test zur Prüfung der einfachen Hypothese H heißt *frei von Bias* oder *unbiased*, wenn die Wahrscheinlichkeit, H zu verwerfen, wenn H richtig ist, höchstens gleich der Wahrscheinlichkeit ist, H zu verwerfen, wenn eine der Hypothesen H' richtig ist, in Formeln

$$(1) \qquad \mathcal{P}(V \mid H) \leqq \mathcal{P}(V \mid H') \qquad \text{für alle } H'.$$

Anders ausgedrückt: die Wahrscheinlichkeit, die Hypothese H zu verwerfen, wenn sie richtig ist, soll nicht größer sein als die Wahrscheinlichkeit, sie zu verwerfen, wenn sie falsch ist. Sicherlich eine vernünftige Forderung.

Läßt man in Beispiel 42 alle positiven und negativen Mittelwerte a in der Hypothese H' zu, so sind die einseitigen Tests, welche die Hypothese H verwerfen, sobald $\bar{x}$ größer ist als $c n^{-\frac{1}{2}}$, oder sobald $\bar{x}$ kleiner ist als $-c n^{-\frac{1}{2}}$ ist, nicht frei von Bias. Einen biasfreien Test erhält man, wenn man die Hypothese H verwirft, sobald der absolute Betrag $|\bar{x}|$ größer als $c' n^{-\frac{1}{2}}$ wird. Bestimmt man c' so, daß die Wahrscheinlichkeit, die Hypothese H, wenn sie richtig ist, zu verwerfen, genau β beträgt, so ist dieser Test ein *mächtigster biasfreier Test* (most powerful unbiased test) in bezug auf alle Alternativen H'. Für den Beweis möge auf die Arbeit von NEYMAN und PEARSON On the problem of the most efficient tests of statistical hypotheses, Philos. Trans. Royal Soc. London A 231 (1933) verwiesen werden.

Noch komplizierter wird das Problem, wenn auch für H eine zusammengesetzte Hypothese genommen wird. Es sei z.B. H die Hypothese, daß $x_1, \ldots, x_n$ unabhängige normal verteilte Größen mit Mittelwert Null und beliebiger (nicht gegebener) Streuung σ sind. Unter der Hypothese H ist die Wahrscheinlichkeitsdichte der Größen $x_1, \ldots, x_n$

$$(2) \qquad f(x \mid \sigma) = (2\pi\sigma)^{-\frac{n}{2}} \exp\left(-\frac{x_1^2 + \cdots + x_n^2}{2\sigma^2}\right).$$

Wenn nun ein kritischer Bereich V angenommen wird, d.h. wenn man beschließt, die Hypothese H zu verwerfen, sobald der Beobachtungspunkt X in V liegt, so ist die Wahrscheinlichkeit eines Fehlers 1. Art

$$\mathcal{P}(V\,|\,\sigma) = \int_V f(x\,|\,\sigma)\,dV \tag{3}$$

im allgemeinen von σ abhängig. Ist $\mathcal{P}(V\,|\,\sigma) \leq \beta$ für alle σ, so sagt man, der Test oder der Bereich V sei *höchstens zum Niveau β gehörig.* Ist sogar

$$\mathcal{P}(V\,|\,\sigma) = \beta$$

für alle σ, so heißt der Test oder der Bereich V *genau zum Niveau β gehörig.* NEYMAN und PEARSON nennen V in diesem Fall *similar to the sample space.*

NEYMAN, SCHEFFÉ und LEHMANN[1] haben allgemeine Methoden entwickelt, die zur Aufstellung solcher genau zum Niveau β gehörigen Bereiche V führen. Wir wollen an Hand des oben genannten Beispiels die Methode erläutern, für die Beweise aber auf die Literatur verweisen.

Aus der Form der Wahrscheinlichkeitsdichte (2) sieht man unmittelbar, daß

$$Q = x_1^2 + \cdots + x_n^2 \tag{4}$$

eine erschöpfende Schätzung für $n\sigma^2$ ist. Die Wahrscheinlichkeitsdichte von Q ist

$$f(u\,|\,\sigma) = C\sigma^{-n} u^{\frac{n}{2}-1} \exp\left(-\frac{1}{2}u\sigma^{-2}\right) \quad \text{mit} \quad C = \Gamma\left(\frac{n}{2}\right) 2^{-\frac{n}{2}}. \tag{5}$$

Die Wahrscheinlichkeitsdichten $f(u\,|\,\sigma)$ bilden ein *beschränkt vollständiges System* im Sinne von LEHMANN und SCHEFFÉ, d.h. wenn eine beschränkte integrierbare Funktion $\varphi(t)$ die Integralgleichung

$$\int_0^\infty \varphi(u)\, f(u\,|\,\sigma)\, du = 0 \qquad \text{für alle } \sigma > 0 \tag{6}$$

erfüllt, so ist $\varphi(t) = 0$. Diese Vollständigkeit wird sofort klar, wenn man die Integralgleichung (6) unter Weglassung der Faktoren $C\sigma^{-n}$ so schreibt:

$$\int_0^\infty u^{\frac{n}{2}-1} \varphi(u)\, e^{-\lambda u}\, du = 0 \qquad \text{für alle } \lambda > 0. \tag{7}$$

Nun haben LEHMANN und SCHEFFÉ bewiesen: Wenn die Wahrscheinlichkeitsdichten ein beschränkt-vollständiges System bilden, so können alle genau zum Niveau β gehörigen Bereiche V nach einer

[1] Siehe vor allem LEHMANN und SCHEFFÉ, Completenes, Similar Regions and Unbiased Estimation, Sankhya 10, p. 305 (1950) und 15 (1956) p. 219. Dort weitere Literatur.

Methode von NEYMAN gebildet werden. Die Methode besteht darin, daß man für jeden einzelnen Wert u der erschöpfenden Größe Q einen Bereich V_u sucht, dessen bedingte Wahrscheinlichkeit für $Q = u$ den Wert β hat, und dann die Vereinigungsmenge aller dieser V_u bildet. Ist die Vereinigung V meßbar, so gehört sie genau zum Niveau β.

In unserem Fall ist V_u ein Bereich auf der Sphäre

$$x_1^2 + \cdots + x_n^2 = u. \tag{8}$$

Die bedingte Wahrscheinlichkeitsdichte von $x_1, \ldots, x_n$ auf dieser Sphäre ist

$$\frac{f(x|\sigma)}{\int f(x|\sigma)\, d\omega_{n-1}}, \tag{9}$$

wobei im Nenner über die Sphäre (8) zu integrieren ist. Der Bereich V_u ist auf der Sphäre so zu wählen, daß das Integral von (9) über V_u genau gleich β wird. Nun ist aber $f(x|\sigma)$ auf der ganzen Sphäre konstant; der Faktor $f(x|\sigma)$ hebt sich also in Zähler und Nenner heraus und das Integral wird einfach der Flächeninhalt von V_u, dividiert durch den Flächeninhalt der ganzen Sphäre. Man muß also den Flächeninhalt von V_u gleich β mal Flächeninhalt der Sphäre machen. Sonst kann man V_u beliebig wählen (nur nicht zu wild, damit die Vereinigungsmenge V meßbar bleibt).

Welchen Bereich V_u man wählt, hängt weitgehend davon ab, welche alternative Hypothese H' man in Betracht zieht. Wir nehmen als Alternative H' die zusammengesetzte Hypothese, daß die x_i unabhängig normal verteilt sind mit beliebiger Streuung σ und *positivem* Mittelwert a. Die Wahrscheinlichkeitsdichte wird dann

$$f_a(u|\sigma) = (2\pi\sigma)^{-\frac{n}{2}} \exp\left(-\frac{(x_1 - a)^2 + \cdots + x_n - a)^2}{2\sigma^2}\right). \tag{10}$$

Die Bestimmung eines mächtigen Testes in bezug auf diese alternative Hypothese H' ist leicht. Man wählt einen Wert von σ und bestimmt zunächst einen Bereich V_u, der in bezug auf die Einzelhypothese H'_σ möglichst mächtig ist. Da das Integral von (9) von σ unabhängig ist, kann man den gleichen Wert σ auch in (9) nehmen. Die Methode von § 59 führt dann ganz von selbst auf den Likelihood-Quotiententest

$$\frac{f(u|\sigma)}{f_a(u|\sigma)} \geq v, \tag{11}$$

also in unserem Fall auf

$$\exp\left(\frac{(x_1 + \cdots + x_n)\, a}{\sigma^2} - \frac{n a^2}{2\sigma^2}\right) \geq v.$$

Man muß also die Hypothese H verwerfen, sobald das Mittel

$$\bar{x} = \frac{1}{n}(x_1 + \cdots + x_n)$$

einen kritischen Wert w überschreitet, der folgendermaßen bestimmt wird. Die Ebene $\bar{x} = w$ zerlegt die Sphäre (8) in zwei Kugelkappen. Nun wird w so gewählt, daß der Flächeninhalt der Kugelkappe $\bar{x} > w$ gerade β mal Flächeninhalt der Kugel wird.

Das führt aber genau auf den einseitigen t-Test.

Der einseitige t-Test ist also unter allen genau zum Niveau β gehörigen Tests der mächtigste in bezug auf alle Alternativen H' mit $a > 0$.

Mit derselben Methode kann man auch beweisen, daß der einseitige t-Test zum Vergleich zweier Mittel aus normal verteilten, unabhängigen Größen $x_1, \ldots, x_m$ und $y_1, \ldots, y_n$ mit Mittelwerten μ und ν unter allen genau zum Niveau β gehörigen Tests zur Prüfung der Hypothese $\mu = \nu$ der mächtigste ist in bezug auf alle Alternativen mit $\mu > \nu$.

Man kann die Frage aufwerfen, ob STUDENTs Test auch unter allen höchstens zum Niveau β gehörigen Tests gleichmäßig der mächtigste ist. Die Antwort ist leider nein[1].

Zwölftes Kapitel

Anordnungstests

Anordnungstests sind solche Tests, die nicht die genauen Werte der beobachteten Größen verwenden, sondern nur ihre Anordnung, d.h. die Relationen $x < y$ und $x > y$ zwischen gemessenen x und y. Solche Tests setzen keine bestimmte Verteilungsfunktion der Größe x und y voraus und heißen daher auch *verteilungsfrei* (distributionfree).

Die Theorie der Anordnungstests erfordert nicht viele Vorkenntnisse. Nur Kap. 1 und 2 müssen als bekannt vorausgesetzt werden.

§ 61. Der Zeichentest

A. Das Prinzip

Wenn man bei 10 Versuchstieren nach einer gewissen Behandlung in allen 10 Fällen eine Erhöhung des Blutdruckes feststellt, so sagt man rein gefühlsmäßig: Das kann kein Zufall sein! Zur Begründung dieses sich spontan einstellenden Eindrucks kann man folgendes anführen. Wären die beobachteten Änderungen des Blutdruckes rein zufällige

[1] E. L. LEHMANN und C. STEIN, Most powerful tests of composite hypotheses I, Ann. of Math. Stat. 19 (1948) p. 495.

Schwankungen, so müßte nach Wahrscheinlichkeit etwa die Hälfte der Differenzen positiv und die Hälfte negativ sein. Die Wahrscheinlichkeit einer positiven Differenz wäre bei jedem einzelnen Tier $\frac{1}{2}$. Die Wahrscheinlichkeit, daß alle Differenzen positiv ausfallen, wäre also $(\frac{1}{2})^{10}=\frac{1}{1024}$. Mit so unwahrscheinlichen Ereignissen braucht man nicht zu rechnen, also ist anzunehmen, daß der gefundene Effekt real ist.

Diese ganz einfache Schlußweise kann zu einem exakten Anordnungstest mit zulässiger Irrtumswahrscheinlichkeit β ausgestaltet werden, wobei das *Niveau* (the level) β beliebig gewählt werden kann.

Man habe n Differenzen $x_i - y_i$ beobachtet $(i=1, 2, \ldots, n)$, von denen k positiv und $n-k$ negativ ausgefallen sind. Die Möglichkeit $x_i = y_i$ schließen wir vorläufig aus. Die Hypothese H, die man prüfen will, besagt, daß für jedes i die beiden beobachteten x_i und y_i unabhängige zufällige Größen mit *derselben* Verteilungsfunktion sind. Unter dieser Hypothese ist die Wahrscheinlichkeit einer positiven Differenz $x_i - y_i$ genau gleich groß wie die einer negativen Differenz. Wenn der Fall $x_i = y_i$ die Wahrscheinlichkeit Null hat, so folgt, daß die Wahrscheinlichkeiten für positive und negative Differenzen gleich $\frac{1}{2}$ sein müssen. Diese Folgerung ist es, die durch den Zeichentest geprüft werden soll.

Man kann auch $z_i = x_i - y_i$ setzen; die Differenzen $z_1, \ldots, z_n$ sind dann unabhängige Größen. Die zu prüfende Hypothese H impliziert dann, daß für jedes i *die positiven und negativen* z_i *gleich wahrscheinlich sind:*

$$\mathcal{P}(z_i > 0) = \mathcal{P}(z_i < 0). \tag{1}$$

Auch wenn die z keine Differenzen sind, kann man den Zeichentest zur Prüfung der Hypothese (1) benutzen.

Wenn der Fall $z_i = 0$ die Wahrscheinlichkeit Null hat, so folgt aus (1)

$$\mathcal{P}(z_i > 0) = \tfrac{1}{2}. \tag{2}$$

Unter dieser Annahme ist die Wahrscheinlichkeit, daß mehr als m von den z_i positiv ausfallen

$$\left[\binom{n}{m+1} + \binom{n}{m+2} + \cdots + \binom{n}{n}\right] \cdot \left(\frac{1}{2}\right)^n. \tag{3}$$

Bestimmt man nun m als die kleinste Zahl, für welche der Ausdruck (2) noch $\leqq \beta$ bleibt, so kann man den Zeichentest so formulieren:

Sobald k, die Anzahl der positiven z_i, größer als m ausfällt, wird die Hypothese H verworfen.

Die Irrtumswahrscheinlichkeit dieses Testes, d.h. die Wahrscheinlichkeit, die Hypothese H, wenn sie richtig ist, trotzdem zu verwerfen, ist offensichtlich $\leqq \beta$. So ist der Test ja gerade eingerichtet.

Dies ist der *einseitige Zeichentest.* Der *zweiseitige* Test besteht darin, daß die Hypothese H nicht nur dann verworfen wird, wenn die Anzahl k der positiven z, sondern auch dann, wenn die Anzahl $n-k$ der negativen z die Schranke m überschreitet. Bei ungeänderter Schranke m ist die Irrtumswahrscheinlichkeit des zweiseitigen Tests doppelt so groß als die des einseitigen, also $\leq 2\beta$.

Tafel 9 gibt die Schranken m für $n \leq 50$ und für die üblichsten Niveaus, nämlich

$$\text{zweiseitig } 2\beta = 5\%, \quad 2\%, \; 1\%,$$
$$\text{einseitig } \quad \beta = 2\tfrac{1}{2}\%, \; 1\%, \; \tfrac{1}{2}\%.$$

B. Bindungen

Es fragt sich nun, wie man zu verfahren hat, wenn „*Bindungen*" (ties) vorhanden sind, d.h. wenn einige Differenzen $x_i - y_i = z_i$ Null sind. Man könnte etwa die Hälfte der Bindungen positiv rechnen, und die andere Hälfte negativ. Man kann auch für jede Bindung eine Münze aufwerfen und, wenn Kopf fällt, die Differenz z_i positiv rechnen. *Das beste ist aber, die Bindungen einfach wegzulassen*[1]. Die Anzahl der positiven Differenzen z_i sei k, die Anzahl der negativen l, die Summe $k+l=n$. Mit diesem n wende man den Zeichentest an, dann ist die Irrtumswahrscheinlichkeit garantiert $\leq \beta$ (bzw. 2β bei zweiseitiger Anwendung).

Beweis. Die Hypothese (1) möge als richtig angenommen werden. Die Gesamtzahl der Beobachtungen sei N. Die Wahrscheinlichkeit, daß n Differenzen von Null verschieden sind, sei p_n. Die Summe aller p_n ist selbstverständlich Eins:

$$\sum_0^N p_n = 1. \tag{4}$$

Wenn die Anzahl der von Null verschiedenen Differenzen n ist, so ist die bedingte Wahrscheinlichkeit, daß $k > m$ ausfällt, wobei m die jeweils zur Zahl n gehörige Schranke ist, höchstens gleich β. Diese bedingte Wahrscheinlichkeit nennen wir P_n. Dann ist also

$$P_n \leq \beta. \tag{5}$$

Die gesamte Wahrscheinlichkeit, daß der Test zum Verwerfen der Hypothese H führt, ist nach dem Satz von der totalen Wahrscheinlichkeit

$$P = \sum p_n P_n \leq \sum p_n \beta = \beta. \tag{6}$$

Damit ist alles bewiesen.

---

[1] J. Hemelryk, A theorem on the sign test when ties are present, Proc. Kon. Ned. Akad. section of sciences A 55, p. 322.

Beispiel 44. In Versuchen von H. FRITZ-NIGGLI[1] wurden Drosophila-Eier mit weicher und harter Strahlung ($18 \cdot 10^4$ und $31 \cdot 10^6$ eV) bestrahlt. Aus den Häufigkeiten der Letalen in verschiedenen Tiergruppen, die dieselbe Strahlungsdosis erhalten hatten, wurden zunächst Mittel gebildet. Sodann wurde jedesmal die Differenz d der Mittel für weiche und harte Strahlung gebildet und mittels STUDENTs Test geprüft. Die Zeichen der Differenzen d waren für verschiedene Lebensalter der Eier und für verschiedene Strahlungsdosen:

Alter	1 Stunde	$++++-++-$	(8 Fälle)
	$1\frac{3}{4}$ Stunden	$+++---+$	(7 Fälle)
	3 Stunden	$+++++$	(5 Fälle)
	4 Stunden	$+++++$	(5 Fälle)
	$5\frac{1}{2}$ Stunden	$++$	(2 Fälle)
	7 Stunden	$++++$	(4 Fälle)

Bei den Altersgruppen von 1 bis 3 Stunden ergab STUDENTs Test nur in einem einzigen Fall, und zwar bei $1\frac{3}{4}$ Stunden-Eiern eine Entscheidung auf dem 5%-Niveau und in keinem Fall eine Entscheidung auf dem 1%-Niveau. Bei den Altersgruppen von 4 bis 7 Stunden dagegen führte STUDENTs Test in 7 von den 11 Fällen zu einer Entscheidung auf dem 5%-Niveau und in 5 von diesen 7 Fällen sogar zu einer Entscheidung auf dem 1%-Niveau. Es steht also praktisch fest, daß (zumindest auf den höheren Altersstufen) die weichen Strahlen bei gleicher Dosierung stärker letal wirken als die harten.

STUDENTs Test erfordert sehr viel Rechnung und setzt außerdem die Normalität der Verteilung voraus. Man kann daher die Frage stellen, ob man nicht durch bloße Betrachtung der Zeichen + und − schon Schlüsse ziehen kann.

Nehmen wir die Altersstufen von 4 bis 7 Stunden zusammen, so finden wir in 11 von 11 Fällen das Zeichen +. Tafel 9 gibt als zweiseitige Schranken auf dem 1%-Niveau 1 und 10. Da 11 außerhalb der Schranken liegt, ist der Effekt „stark gesichert", d.h. auf dem 1%-Niveau gesichert.

In den Altersstufen von 1 bis 3 Stunden finden wir in 15 von 20 Fällen das Zeichen +. Die zweiseitigen Schranken auf dem 5%-Niveau sind 6 und 14. Da 15 außerhalb der Schranken liegt, ist der Effekt „schwach gesichert", d.h. mit einer Irrtumswahrscheinlichkeit 5% gesichert.

Der Zeichentest gestattet also fast ohne Rechnung die Schlußfolgerung, daß die weicheren Strahlen in den höheren Altersstufen sicher und in den unteren Altersstufen wahrscheinlich stärker wirken.

C. Symmetrie einer Verteilung

Die Verteilung einer Größe z heißt *symmetrisch um Null*, wenn

$$\mathcal{P}(z > u) = \mathcal{P}(z < -u) \tag{7}$$

für alle u gilt. Hat die Verteilung eine Wahrscheinlichkeitsdichte $g(u)$, so bedeutet (7), daß $g(u)$ eine gerade Funktion ist:

$$g(u) = g(-u). \tag{8}$$

[1] H. FRITZ-NIGGLI, Vergleichende Analyse der Strahlenschädigung von Drosophila-Eiern, Fortschr. auf dem Geb. d. Röntgenstrahlen 83, S. 178 (1955).

Aus (7) folgt insbesondere (1). Man kann also den Zeichentest zur Prüfung der Symmetrie einer Verteilung benutzen. Andere Symmetrietests hat HEMELRYK[1] untersucht.

D. Vertrauensgrenzen für den Zentralwert

Beschränkt man sich auf *stetige* Verteilungsfunktionen $F(u)$, so ist (1) gleichbedeutend mit

(9) $$\mathcal{P}(z < 0) = \mathcal{P}(z > 0) = \tfrac{1}{2}.$$

Bedingung (9) besagt, daß Null der (wahre) *Zentralwert* der Verteilung ist (vgl. § 17). Der Zeichentest kann somit als Test für die Hypothese, daß eine Verteilung den Zentralwert Null hat, benutzt werden.

Will man die Hypothese prüfen, daß ζ der Zentralwert ist, so kann man $z-\zeta$ als neue Veränderliche einführen und den Zeichentest benutzen. Nach dem einseitigen Test wird der Wert ζ als Zentralwert verworfen, wenn in einer Stichprobe $(z_1, \ldots, z_n)$ mehr als m Differenzen $z_i-\zeta$ positiv sind.

Das kann man noch etwas anders formulieren. Die $z_1, \ldots, z_n$ mögen nach aufsteigender Größe geordnet $z^{(1)}, \ldots, z^{(n)}$ heißen. Diese $z^{(i)}$ sind die früher schon erwähnten *Ranggrößen (order statistics)*. Aus diesen $z^{(i)}$ greift man diejenige mit der Nummer $n-m$, also $z^{(n-m)}$ heraus. Ist dann $\zeta < z^{(n-m)}$, so sind mehr als m Differenzen $z^{(i)}-\zeta$ positiv, also sind alle $\zeta < z^{(n-m)}$ als Zentralwerte zu verwerfen. Nach dem zweiseitigen Zeichentest sind auch alle $\zeta > z^{(m+1)}$ als Zentralwerte zu verwerfen. *So erhält man $z^{(n-m)}$ und $z^{(m+1)}$ als zweiseitige Vertrauensgrenzen für den Zentralwert ζ.*

Als Vertrauensbereich erhält man

(10) $$z^{(n-m)} \leqq \zeta \leqq z^{(m+1)}.$$

Die Aussage (10) hat eine Wahrscheinlichkeit $\geqq 1-2\beta$. So formuliert, gilt das Ergebnis auch für unstetige Verteilungen, wie man sich leicht überlegt.

§ 62. Das Problem der zwei Stichproben

A. Problemstellung

Es seien $n=g+h$ unabhängige zufällige Größen

$$x_1, \ldots, x_g; \qquad y_1, \ldots, y_h$$

beobachtet. Die x seien unter den gleichen Versuchsbedingungen beobachtet, so daß man annehmen kann, daß sie alle dieselbe Verteilungs-

[1] J. HEMELRYK, A family of parameterfree tests for symmetry, Proc. Kon. Ned. Akad. (section of sciences) 53, p. 945 und 1186.

funktion haben. Das gleiche gelte von den y. Man habe gewisse Unterschiede in der empirischen Verteilung der x und y beobachtet, z.B. daß die x im allgemeinen größer sind als die y oder daß sie über einen weiteren Bereich streuen. Die Frage ist: Sind diese Unterschiede reell oder können sie auch zufällig sein?

Die Nullhypothese H_0, die man prüfen will, besagt, daß die x und y alle dieselbe Verteilungsfunktion haben, daß also die beobachteten Unterschiede rein zufällig sind. Dabei sollen aber keine speziellen Annahmen über die Verteilungsfunktion der x und y gemacht werden.

Zwei Tests, die wir schon früher besprochen haben, nämlich STUDENTs Test und der Streuungsquotiententest, beruhen beide auf der Annahme der Normalverteilung; daher scheiden diese Tests von vornherein aus. Zwar sind beide Tests in einer gewissen Näherung auch für nicht normale Verteilungen brauchbar, aber es ist uns hier um exakte Tests zu tun, die nur die Anordnungsrelationen $x<y$ und $x>y$ benutzen. Es wird sich zeigen, daß diese Anordnungstests unter Umständen sogar mächtiger sind als STUDENTs Test, d.h. daß sie zu einer Entscheidung führen in Fällen, wo STUDENTs Test nicht zu einer Entscheidung, d.h. nicht zum Verwerfen der Hypothese H_0 führt.

Wir nehmen an, daß die Verteilungsfunktion $F(t)$, die nach der Hypothese H_0 für die x_i und y_k dieselbe ist, stetig ist. Daraus folgt, daß Ereignisse wie $x_i=x_j$ oder $x_i=y_k$ die Wahrscheinlichkeit Null haben.

Diese Stetigkeitsannahme ist, streng genommen, in der Praxis nie erfüllt, da alle Meßergebnisse abgerundete Zahlen sind. Es kommt in den Anwendungen recht häufig vor, daß z.B. ein x_i gleich einem y_k ist. Solche „Bindungen" führen bei der Anwendung von Anordnungstests zu kleinen Schwierigkeiten. Wie diese zu beheben sind, werden wir später untersuchen.

Die Transformation

$$t'=F(t)$$

führt die Größen x_i und y_k in neue Größen x_i' und y_k' über, deren Verteilungsfunktion eine „rechteckige" ist:

$$F'(t')=t' \qquad \text{für } 0\leqq t'\leqq 1\,.$$

Die Anordnung der x' und y' ist genau dieselbe wie der x und y. Es macht also für die Anordnungstests nichts aus, ob man mit den x und y oder mit den x' und y' operiert. Wenn es die Berechnung der Wahrscheinlichkeiten erleichtert, können wir daher immer für die x und y eine rechteckige Verteilung annehmen. Wenn wir wollen, können wir auch irgendeine andere stetige Verteilung zugrunde legen, z.B. eine Normalverteilung mit Mittelwert Null und Streuung Eins.

Unter der Nullhypothese H_0 sind alle Anordnungen der $n=g+h$ Größen $x_1, \ldots, x_g, y_1, \ldots, y_h$ gleich wahrscheinlich. Es gibt $n!$ solche Anordnungen; jede hat also die Wahrscheinlichkeit $1/n!$.

Ein Test der Hypothese H_0 besteht in der Angabe eines *kritischen Bereiches* V, bestehend aus einigen von den $n!$ Anordnungen. Wenn die beobachtete Anordnung zum Bereich V gehört, wird die Hypothese H verworfen. Damit die Irrtumswahrscheinlichkeit des Tests $\leqq \beta$ ist, darf der Bereich V nur $\beta n!$ Anordnungen umfassen.

B. Der Test von Smirnoff

Smirnoffs Test ist ganz analog dem von Kolmogoroff (§ 16). Im Test von Kolmogoroff wurde eine empirische Verteilungsfunktion mit einer theoretisch angenommenen verglichen. Im Test von Smirnoff werden zwei empirische Verteilungsfunktionen miteinander verglichen.

Es sei $F_g(t)$ die empirische Verteilungsfunktion von $x_1, \ldots, x_g$. Ist $k(t)$ die Anzahl der $x_i < t$, so ist

$$F_g(t) = \frac{k(t)}{g}.$$

Ebenso sei $G_h(t)$ die empirische Verteilungsfunktion von $y_1, \ldots, y_h$. Die obere Grenze der Differenz $|F_g - G_h|$ sei D. Nun schreibt Smirnoffs Test vor, die Hypothese H_0 zu verwerfen, wenn $D > D_\beta$ ausfällt. Dabei wird D_β so bestimmt, daß die Wahrscheinlichkeit des Ereignisses $D > D_\beta$ höchstens β beträgt.

Smirnoff hat bewiesen, daß die Wahrscheinlichkeit des Ereignisses

$$D > \lambda (g^{-1} + h^{-1})^{\frac{1}{2}}$$

für große n asymptotisch gleich der Summe der unendlichen Reihe

$$2e^{-2\lambda^2} - 2e^{-2^2 \cdot 2\lambda^2} + 2e^{-3^2 \cdot 2\lambda^2} - \cdots \tag{1}$$

ist[1]. Bestimmt man also λ so, daß die Summe dieser Reihe 2β beträgt, so wird man für große n

$$D_\beta = \lambda \left(\frac{1}{g} + \frac{1}{h} \right)^{\frac{1}{2}} \tag{2}$$

setzen können. Die Reihe (1) konvergiert sehr rasch und kann für praktische Zwecke durch ihr erstes Glied ersetzt werden; man bleibt dabei noch auf der sicheren Seite. So erhält man die recht brauchbare Näherung

$$\lambda \sim \sqrt{-\tfrac{1}{2} \ln \beta}\,, \tag{3}$$

[1] N. Smirnoff, Estimation of the discrepancy between empirical distributions for two samples, Bull. Math. Univ. Moskau 2 (1939) S. 1.

die man nur in (2) einzusetzen braucht um eine gute Näherung für D_β zu erhalten.

Ein besonderer Vorzug von SMIRNOFFs Test ist, daß jede Abweichung zwischen den Verteilungsfunktionen der x und y durch den Test mit beliebig großer Wahrscheinlichkeit aufgedeckt wird, sobald nur n genügend groß ist. Man wird den Test also dann verwenden, wenn es sich darum handelt, die völlige Übereinstimmung der Verteilungsfunktionen $F(t)$ und $G(t)$ der x und der y in ihrem ganzen Verlauf zu prüfen, und wenn man zu dieser Prüfung ein sehr großes Beobachtungsmaterial zur Verfügung hat.

Handelt es sich aber nur darum, festzustellen, ob die x im Durchschnitt größer als die y sind oder nicht, so wird man mächtigere Tests verwenden, die schon bei kleineren n zu einer Entscheidung führen können. Von dieser Art sind WILCOXONs Test und der X-Test, die jetzt erörtert werden sollen.

§ 63. WILCOXONs Test

A. Die Testvorschrift

Die beobachteten x_i und y_k seien nach steigender Größe angeordnet. Läßt man die Indizes weg, so erhält man eine Folge von Buchstaben x und y wie

$$y\,y\,x\,y\,x\,y\,y\,x\,x\,. \tag{1}$$

Wenn in dieser Folge ein x später kommt als ein y, so spricht man von einer *Inversion*. Die eben angeschriebene Folge enthält 15 Inversionen, denn das erste x bildet mit zwei vorangehenden y zwei Inversionen, das zweite x bildet drei und die letzten beiden x je fünf Inversionen.

WILCOXONs *Test schreibt nun vor, die Nullhypothese zu verwerfen, sobald die Anzahl der Inversionen U eine Schranke U_β übersteigt.* Die Schranke U_β wird so gewählt, daß unter der Nullhypothese die Anzahl der Permutationen mit $U > U_\beta$ höchstens $\beta n!$ beträgt. Der Test ist zunächst einseitig formuliert.

Für kleine Anzahlen g und h bestimmt man die Schranke U_β durch explizite Auszählung der Folgen mit vielen Inversionen. Zur Erleichterung der Auszählung läßt man, wie in (1), alle Indizes der x und y weg. Die Anzahl der möglichen Folgen ist dann nicht $n!$, sondern nur

$$\binom{n}{g} = \frac{n!}{g!\,h!}\,.$$

Bei der Auszählung fängt man mit der Folge

$$y\,y\,\ldots\,y\,y\,x\,x\,\ldots\,x\,x \tag{2}$$

an, die gh Inversionen hat, schreibt darunter die Folge

(3) $$y\,y \ldots y\,x\,y\,x \ldots x\,x$$

mit $gh-1$ Inversionen, usw. bis man mehr als $\beta\binom{n}{g}$ Folgen aufgeschrieben hat. Die Inversionenzahl der zuletzt aufgeschriebenen Folge ist dann U_β. Das folgende Beispiel möge das Verfahren erläutern.

$$g = h = 5, \quad \beta = 2\tfrac{1}{2}\%$$

$$\beta \cdot \binom{n}{g} = \frac{1}{40} \cdot 252 = 6{,}3.$$

1. $y\,y\,y\,y\,y\,x\,x\,x\,x\,x$
2. $y\,y\,y\,y\,x\,y\,x\,x\,x\,x$
3. $y\,y\,y\,x\,y\,y\,x\,x\,x\,x$
4. $y\,y\,y\,y\,x\,x\,y\,x\,x\,x$
5. $y\,y\,x\,y\,y\,y\,x\,x\,x\,x$
6. $y\,y\,y\,x\,y\,x\,y\,x\,x\,x$
7. $y\,y\,y\,y\,x\,x\,x\,y\,x\,x$

Die zuletzt angeschriebene Folge hat 22 Inversionen, also ist $U = 22$. Es gibt in diesem Falle nur vier Folgen mit mehr als 22 Inversionen, nämlich die Folgen 1 bis 4. Die Irrtumswahrscheinlichkeit des Testes ist somit $4/252 = 1{,}6\%$, liegt also beträchtlich unter dem zulässigen Niveau.

Auch an anderen Beispielen zeigt sich dieselbe Erscheinung. Es gibt meistens eine ganze Reihe von Anordnungen mit derselben Inversionenzahl. In unserem Beispiel haben die Anordnungen 5, 6 und 7 je 22 Inversionen. Würde man sie alle drei in den Verwerfungsbereich hineinnehmen, so würde die Irrtumswahrscheinlichkeit β überschritten werden. Nimmt man aber keine der drei Anordnungen in den Verwerfungsbereich hinein, so wird der Test unnötig schwach.

Für große g und h wird die Berechnung der exakten Schranke U_β sehr mühsam. Wir werden aber sehen, daß man für große g und h die Verteilung von U durch eine Normalverteilung approximieren kann.

Bei zweiseitiger Anwendung von Wilcoxons Test wird die Nullhypothese nicht nur verworfen, wenn die Anzahl der Inversionen die Schranke U_β übersteigt, sondern auch, wenn die Anzahl $gh-U$ der Nichtinversionen die gleiche Schranke übersteigt. Die Irrtumswahrscheinlichkeit wird dann verdoppelt.

Statt Inversionen zu zählen, kann man auch die x_i und y_k nach aufsteigender Größe numerieren. Wenn die kleinste der x_i dabei die Rangnummer r_1 erhält, so macht sie mit den $r_1 - 1$ vorangehenden y_k

genau $r_1 - 1$ Inversionen. Wenn die nächst größere x_j die Rangnummer r_2 erhält, so macht sie mit den y_k $r_2 - 2$ Inversionen, usw. Insgesamt erhält man also

$$(4) \quad U = (r_1 - 1) + (r_2 - 2) + \cdots + (r_g - g) = \sum r_i - \tfrac{1}{2} g(g+1)$$

Inversionen. Statt U kann man also auch $\sum r_i$, die Summe der Rangnummern der x_i, als Testgröße nehmen.

Wir untersuchen nun die Verteilung von U etwas genauer. Dabei legen wir zunächst wieder die Nullhypothese zugrunde, die besagt, daß die x und y alle dieselbe (stetige) Verteilungsfunktion haben und unabhängig sind.

B. Mittelwert und Streuung von U

Für jedes Paar von Beobachtungen x_i, y_k definieren wir eine Funktion z_{ik}, die nur die Werte 0 oder 1 annimmt, und zwar:

$$z_{ik} = 1, \text{ wenn } x_i > y_k, \text{ sonst } = 0.$$

Dann ist offenbar

$$(5) \qquad U = \sum z_{ik}.$$

Unter der Nullhypothese sind die Werte 0 und 1 für jedes z_{ik} gleich wahrscheinlich. Der Mittelwert von z_{ik} ist also $\frac{1}{2}$. Aus (5) erhält man nun sofort den Mittelwert von U:

$$(6) \qquad \hat{U} = \tfrac{1}{2} g h.$$

Statt (5) können wir jetzt schreiben

$$(7) \qquad U - \hat{U} = \sum (z_{ik} - \tfrac{1}{2}).$$

Um die Streuung σ von U zu finden, quadrieren wir (7) und bilden den Mittelwert:

$$(8) \qquad \sigma^2 = \mathcal{E}(U - \hat{U})^2 = \sum \mathcal{E}\,(z_{ik} - \tfrac{1}{2})(z_{jh} - \tfrac{1}{2}).$$

Die Glieder mit $i \neq j$ und $k \neq h$ sind Null, weil z_{ik} und z_{jh} unabhängig sind und den Mittelwert $\frac{1}{2}$ haben. Die Glieder mit $i = j$ und $k = h$ sind alle gleich $\frac{1}{4}$. Die Produkte $(z_{ik} - \frac{1}{2})(z_{jh} - \frac{1}{2})$ mit $i = j$ und $k \neq h$ sind $-\frac{1}{4}$, wenn x_i zwischen y_k und y_h liegt, sonst $+\frac{1}{4}$. Der Mittelwert eines solchen Produktes ist also

$$-\frac{1}{4} \cdot \frac{1}{3} + \frac{1}{4} \cdot \frac{2}{3} = \frac{1}{12}.$$

Dasselbe gilt für $k = h$ und $i \neq j$. Somit erhält man aus (8)

$$(9) \quad \sigma^2 = \frac{1}{4} g h + \frac{1}{12} g h (h-1) + \frac{1}{12} h g (g-1) = \frac{1}{12} g h (g + h + 1).$$

C. Asymptotische Verteilung von U für $g \to \infty$ und $h \to \infty$

MANN und WHITNEY[1] haben nicht nur Mittelwert und Varianz, sondern auch die höheren Momente von U in bezug auf den Mittelwert asymptotisch für große g und h bestimmt. Die Momente ungerader Ordnung sind Null, da die Verteilung von U in bezug auf den Mittelwert $\frac{1}{2}gh$ symmetrisch ist. Die Momente gerader Ordnung sind, wenn $u = U - \frac{1}{2}gh$ gesetzt wird,

$$(10) \qquad \overline{u^{2r}} = 1 \cdot 3 \cdot 5 \ldots (2r-1) \cdot (gh)^r (g+h+1)^r 12^{-r} + \cdots,$$

wobei die Glieder $+\cdots$ von kleinerer Größenordnung sind als das Hauptglied. Aus (10) folgt, wenn man durch

$$\sigma^{2r} = (\mathcal{E} u^2)^r = (gh)^r (g+h+1)^r 12^{-r}$$

dividiert und g und h nach ∞ gehen läßt

$$(11) \qquad \lim \mathcal{E} (\sigma^{-1} u)^{2r} = 1 \cdot 3 \cdot 5 \ldots (2r-1).$$

Daraus folgt nach dem „zweiten Grenzwertsatz" (§ 24F), daß $\sigma^{-1}u$ für $g \to \infty$ und $h \to \infty$ asymptotisch normal verteilt ist mit Mittelwert Null und Streuung 1, oder:

Wenn g und h beide gegen ∞ gehen, ist U asymptotisch normal verteilt mit Mittelwert $\frac{1}{2}gh$ und Streuung σ.

Die hier zum Beweis der asymptotischen Normalität angewandte *Momentenmethode* kann auch in vielen anderen Fällen zu Beweisen der asymptotischen Normalität von Testgrößen verwendet werden, z.B. auf die Größe U auch dann, wenn die x und y nicht die gleiche Verteilung[2] haben.

D. Asymptotische Verteilung von U für $h \to \infty$

Wenn nur h ins Unendliche wächst, während g fest bleibt, muß man eine andere Methode anwenden, um die asymptotische Verteilung von U zu finden. Der Gedankengang wird am leichtesten klar werden, wenn wir zunächst $g = 2$ annehmen.

Es seien x_1, x_2 und $y_1, \ldots, y_h$ unabhängige Veränderliche. Ihre gemeinsame Verteilungsfunktion sei $F(t) = t$, d.h. alle Größen x_i und y_k seien gleichverteilt zwischen Null und Eins. Die Anzahl der Inversionen, die x_1 bzw. x_2 mit den vorangehenden y_k macht, sei u_1 bzw. u_2. Die Gesamtzahl der Inversionen ist $U = u_1 + u_2$.

---

[1] H. B. MANN and D. R. WHITNEY, On a test whether one of two random variables is stochastically larger than the other, Annals of Math. Stat. 18 (1947) S. 50.

[2] Siehe E. L. LEHMANN, Consistency and unbiasedness of nonparametric tests, Ann. of Math. Stat. 22 p. 167, Theorem 3.2 und die dort zitierte Literatur, sowie W. HOEFFDING, A combinatorial central limit theorem, Ann. of Math. Stat. 22, p. 558.

Wir halten zunächst x_1 und x_2 fest. Für feste x_1 ist die Wahrscheinlichkeit, daß ein y kleiner als x_1 ausfällt, $F(x_1)=x_1$. Die Häufigkeit dieser y ist

$$v_1 = \frac{u_1}{h}, \tag{12}$$

denn von den h Größen $y_1, \ldots, y_h$ sind u_1 kleiner als x_1. Für große h liegt die Häufigkeit höchstwahrscheinlich nahe bei der Wahrscheinlichkeit, also liegt v_1 nahe bei x_1.

Aus demselben Grunde liegt v_2 nahe bei x_2. Also liegt

$$v_1 + v_2 = \frac{u_1 + u_2}{h} = \frac{U}{h} \tag{13}$$

nach Wahrscheinlichkeit nahe bei $x_1 + x_2$.

Das Problem ist, die Verteilungsfunktion von U, also die Wahrscheinlichkeit des Ereignisses $U < u$ zu berechnen. Statt $U < u$ kann man auch

$$v_1 + v_2 = \frac{U}{h} < \frac{u}{h} = t \tag{14}$$

schreiben. Wir haben also die Wahrscheinlichkeit des Ereignisses $v_1 + v_2 < t$ zu berechnen.

Da $v_1 + v_2$ nach Wahrscheinlichkeit nahe bei $x_1 + x_2$ liegt, berechnen wir zunächst die Wahrscheinlichkeit des Ereignisses $x_1 + x_2 < t$. Die Wahrscheinlichkeitsdichte des Paares (x_1, x_2) ist 1, denn x_1 und x_2

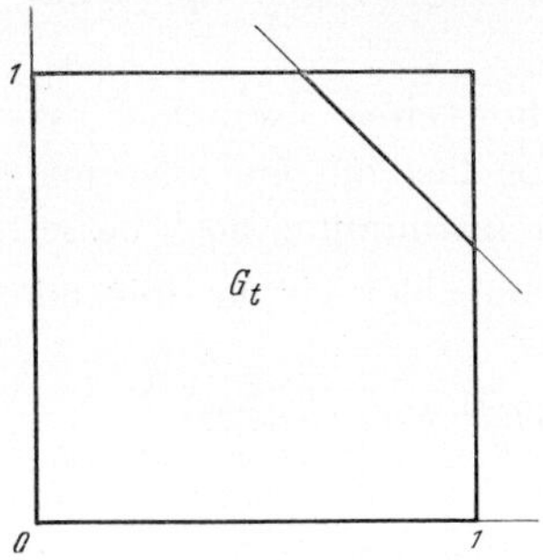

Fig. 30

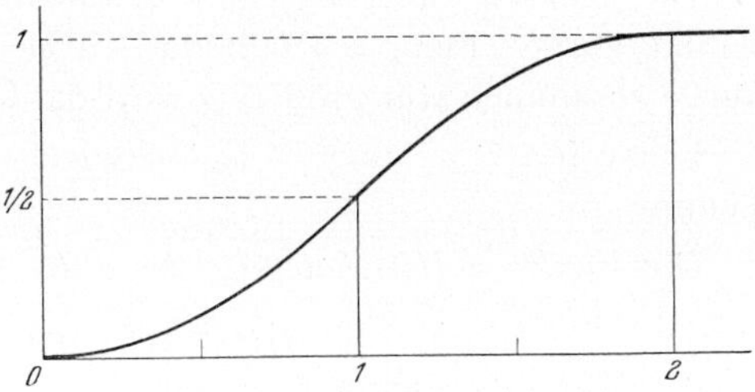

Fig. 31

sind gleichverteilt zwischen 0 und 1. Die gesuchte Wahrscheinlichkeit ist also gleich dem Flächeninhalt des Gebietes G_t:

$$0 < x_1 < 1, \quad 0 < x_2 < 1, \quad x_1 + x_2 < t.$$

In Fig. 30 ist das Gebiet G_t angegeben: es wird vom Einheitsquadrat durch die Gerade $x_1 + x_2 = t$ abgeschnitten. Der Flächeninhalt ist

$$H(t) = \begin{cases} \frac{1}{2} t^2 & (t \leq 1) \\ 1 - \frac{1}{2}(2-t)^2 & (t \geq 1). \end{cases} \tag{15}$$

Die Funktion ist in Fig. 31 dargestellt. Die Kurve ist aus zwei Parabelbogen zusammengesetzt. Für die zugehörige Wahrscheinlichkeitsdichte siehe § 25, Fig. 16.

Genau so erhält man für $g = 3$ den Rauminhalt eines Gebietes, das vom Einheitswürfel durch eine Ebene $x_1 + x_2 + x_3 = t$ abgeschnitten wird (Fig. 32).

Die Rechnung ergibt

$$H(t) = \begin{cases} \frac{1}{6} t^3 & (t \leqq 1) \\ \frac{1}{6} t^3 - \frac{1}{2}(t-1)^3 & (1 \leqq t \leqq 2) \\ 1 - \frac{1}{6}(3-t)^3 & (2 \leqq t \leqq 3). \end{cases} \tag{16}$$

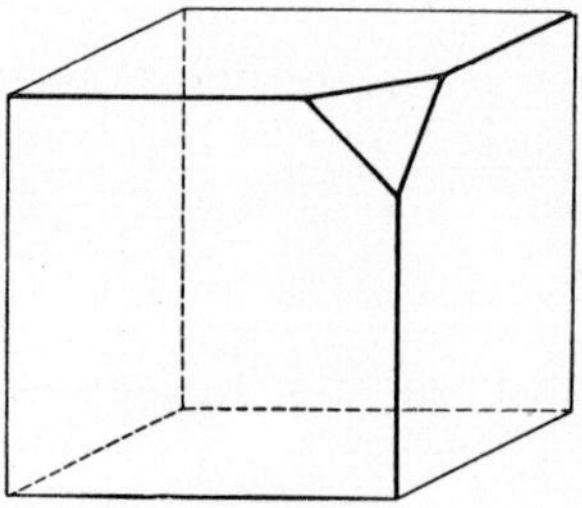

Fig. 32

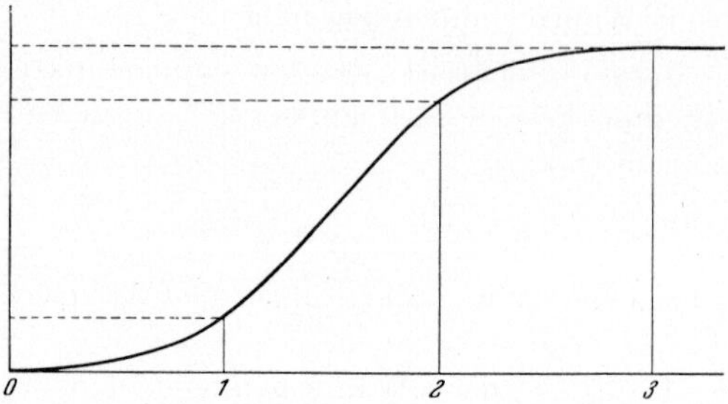

Fig. 33

Die Funktion ist in Fig. 33 dargestellt. Für die zugehörige Wahrscheinlichkeitsdichte siehe § 25, Fig. 17.

Die Kurven für $g = 2$ und 3 ähneln schon einer normalen Verteilungskurve. Für $g = 4$ fällt die Kurve schon fast mit einer Normalkurve zusammen; für größere g wird die Übereinstimmung noch besser.

Um von $x_1 + x_2$ auf $v_1 + v_2$ überzugehen, brauchen wir das folgende Lemma:

Die Funktion $H(t)$ hat für jedes g die folgende Eigenschaft:

$$H(t + \varepsilon) - H(t) \leqq \varepsilon. \tag{17}$$

Beweis. Die linke Seite von (17) ist das g-fache Integral

$$I = \int \ldots \int d x_1 \ldots d x_g, \tag{18}$$

integriert über den Bereich

$$t \leqq x_1 + x_2 + \cdots + x_g < t + \varepsilon, \tag{19}$$

$$0 < x_i < 1 \qquad (i = 1, 2, \ldots, g). \tag{20}$$

Führt man die Integration nach x_g bei konstanten $x_1, \ldots, x_{g-1}$ zuerst aus, so hat man über eine Strecke von höchstens der Länge ε

zu integrieren, denn die Ungleichungen (19) definieren eine Strecke von der Länge ε und durch (20) kann diese Strecke nur verkleinert werden. Integriert man nun nach $x_1, \ldots, x_{g-1}$ über den Einheitswürfel des $(g-1)$-dimensionalen Raumes, so erhält man höchstens ε. Damit ist (17) bewiesen.

Auf Grund dieses Lemmas können wir nun, da die Verteilungsfunktion $H(t)$ von x_1+x_2 bekannt ist, die Verteilungsfunktion von v_1+v_2 nach oben und nach unten abschätzen.

Ein ε sei gegeben. Wir wollen zeigen, daß die Wahrscheinlichkeit des Ereignisses $v_1+v_2<t$ sich für genügend große h nur um höchstens 2ε von $H(t)$ unterscheidet.

Wir wissen schon, daß v_1+v_2 sich nach Wahrscheinlichkeit nur beliebig wenig von x_1+x_2 unterscheidet. Daraus folgt: die Wahrscheinlichkeit, daß x_1+x_2 sich von v_1+v_2 um mehr als ε unterscheidet, wird für große h kleiner als ε. Wenn nun $v_1+v_2<t$ ist, so ist entweder $x_1+x_2<t+\varepsilon$, oder x_1+x_2 unterscheidet sich von v_1+v_2 um mehr als ε. Das Ereignis $v_1+v_2<t$ ist also enthalten in der Vereinigungsmenge der Ereignisse $x_1+x_2<t+\varepsilon$ und $(x_1+x_2)-(v_1+v_2)>\varepsilon$. Daraus folgt:

$$\mathcal{P}(v_1+v_2<t) \leqq \mathcal{P}(x_1+x_2<t+\varepsilon)+\varepsilon = H(t+\varepsilon)+\varepsilon \leqq H(t)+2\varepsilon.$$

Ebenso findet man

$$\mathcal{P}(v_1+v_2<t) \geqq \mathcal{P}(x_1+x_2<t-\varepsilon)-\varepsilon = H(t-\varepsilon)-\varepsilon \geqq H(t)-2\varepsilon.$$

Also unterscheidet sich $\mathcal{P}(v_1+v_2<t)$ von $H(t)$ um höchstens 2ε, wie behauptet wurde.

Dieselben Überlegungen kann man nicht nur für $g=2$, sondern für beliebige g anstellen. Man erhält das folgende Ergebnis:

Für festes g und $h\to\infty$ hat die Größe U asymptotisch die Verteilungsfunktion einer Summe von g unabhängigen, zwischen 0 und h gleichverteilten Größen.

Der Mittelwert dieser Summenverteilung ist $\frac{1}{2}gh$, stimmt also mit dem exakten Mittelwert von U überein. Ihre Streuung ist

$$\sqrt{\frac{1}{12}gh^2},$$

während die exakte Streuung von U

$$\sigma_U = \sqrt{\frac{1}{12}gh(g+h+1)}$$

beträgt. Für $g \geq 4$ kann man die Summenverteilung recht genau durch eine Normalverteilung approximieren. Die von MANN und WHITNEY für große g und h gefundene Normalverteilung ist daher nicht nur für große g *und* h brauchbar, sondern auch für mäßige g und große h, sofern nur $g > 3$ ist.

Durchgerechnete Beispiele zeigen, daß auch h nicht sehr groß zu sein braucht. Fig. 34 zeigt einen Ausschnitt aus der exakten Ver-

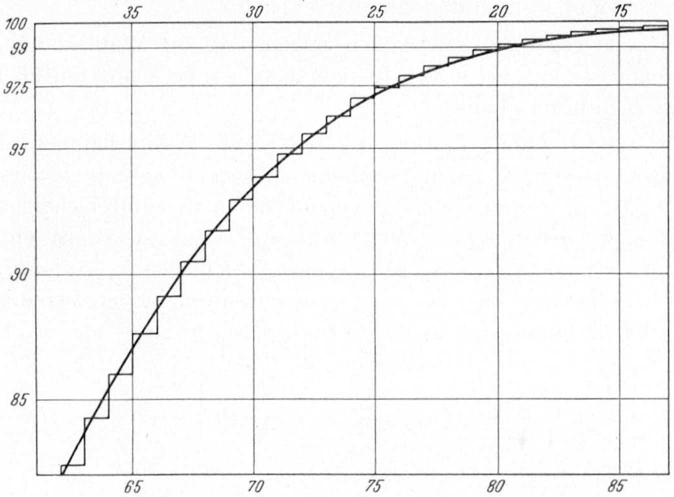

Fig. 34. WILCOXONs Test. Exakte und asymptotische Verteilung von U

teilung von U (Treppenkurve) für $g = h = 10$ und den entsprechenden Ausschnitt aus der Normalverteilung. Die Übereinstimmung ist, gerade in der Gegend zwischen 95% und 99%, die für die praktische Anwendung am wichtigsten ist, sehr befriedigend. Überhalb 99% liegt die Treppenkurve sogar über der Normalkurve, d.h. bei der Anwendung der Normalverteilung bleibt man auf der sicheren Seite.

Das Ergebnis dieser Untersuchung kann man so formulieren: *Für $g > 3$ und $g + h \geq 20$ ist die Normalverteilung für* WILCOXONs *Test genügend genau. Für kleinere g und h muß man die exakte Verteilung benutzen.*

E. Tafel für kleine *g* und *h*

Die Tafel 10 am Schluß des Buches gibt die *Testwahrscheinlichkeiten* $p(u)$ für WILCOXONs Test für alle g und h, die der Bedingung

$$g \leq h \leq 10$$

genügen. Die Testwahrscheinlichkeit $p(u)$ ist die Wahrscheinlichkeit des Ereignisses $U \leq u$ unter der Nullhypothese. Hat man im Experiment die Inversionszahl u gefunden und ist $p(u) \leqq \beta$, so wird die Nullhypothese auf dem Niveau β verworfen. Bei zweiseitiger Anwendung ersetzt man auch noch u durch $gh - u$ und wendet dieselbe Vorschrift an. Bei einseitiger Anwendung ist die Irrtumswahrscheinlichkeit $\leqq \beta$, bei zweiseitiger Anwendung $\leqq 2\beta$.

Die Tafel wurde berechnet aus einer Tafel von H. R. VAN DER VAART, veröffentlicht vom Mathematisch Centrum Amsterdam (Rapport S 32).

§ 64. Die Macht von WILCOXONs Test

Unter der Macht eines Testes zur Prüfung der Hypothese H_0 in bezug auf die alternative Hypothese H' verstehen wir wie in § 60 die Wahrscheinlichkeit, daß H_0 auf Grund des Testes verworfen wird, wenn H' richtig ist. Die Nullhypothese H_0 ist in unserem Fall die Hypothese, daß die x_i und y_k alle dieselbe Verteilungsfunktion $F(t)$ haben. Wir legen also jetzt die alternative Hypothese H' zugrunde, die besagt, daß die x_i die Verteilungsfunktion $F(t)$ und die y_k eine bestimmte, von $F(t)$ verschiedene Verteilungsfunktion $G(t)$ haben.

A. Mittelwert und Streuung von U unter der Hypothese H'

Wir setzen wieder

$$U = \sum z_{ik} \tag{1}$$

mit $z_{ik} = 1$, wenn $x_i > y_k$, sonst $= 0$, und bestimmen Mittelwert und Streuung von U nach derselben Methode wie in § 63 B. Das Ergebnis ist[1]

$$\mathcal{E} U = g h p, \tag{2}$$

$$\sigma_U^2 = g h [(g-1) r^2 + (h-1) s^2 + p q] \tag{3}$$

mit

$$p = \int G(t)\, dF(t), \tag{4}$$

$$q = 1 - p = \int F(t)\, dG(t), \tag{5}$$

$$r^2 = \int [F(t) - q]^2\, dG(t), \tag{6}$$

$$s^2 = \int [G(t) - p]^2\, dF(t), \tag{7}$$

wobei alle Integrale von $-\infty$ bis $+\infty$ zu erstrecken sind.

Nehmen wir etwa an, die x_i seien normal verteilt mit Mittelwert $\mu > 0$ und Streuung Eins, und die y_i ebenfalls normal mit Mittelwert 0 und Streuung 1.

[1] Siehe D. VAN DANTZIG, Consistency and power of WILCOXONs test, Proc. Kon. Ned. Akad. Amsterdam (Section of Sciences) A 54, p. 1.

Dann ist also

$$F(t) = \Phi(t-\mu)$$
$$G(t) = \Phi(t)$$

$$p = \int_{-\infty}^{\infty} \Phi(t)\, d\Phi(t-\mu) = \int_{-\infty}^{\infty} \Phi(x+\mu)\, d\Phi(x)$$

$$= \frac{1}{2\pi}\int_{-\infty}^{\infty} e^{-\frac{1}{2}x^2} dx \int_{-\infty}^{x+\mu} e^{-\frac{1}{2}y^2} dy = \frac{1}{2\pi}\iint e^{-\frac{1}{2}(x^2+y^2)}\, dx\, dy$$

integriert über das Gebiet $y < x + \mu$. Um das Integral zu berechnen, führen wir durch eine orthogonale Transformation neue Veränderliche t und u ein:

$$x + y = t\sqrt{2}$$
$$-x + y = u\sqrt{2}.$$

So erhält man

$$p = \frac{1}{2\pi}\iint e^{-\frac{1}{2}(t^2+u^2)}\, dt\, du,$$

integriert über das Gebiet $u\sqrt{2} < \mu$. Integriert man zuerst nach t, dann nach u, so erhält man

(8) $$p = \Phi\left(\frac{\mu}{\sqrt{2}}\right).$$

Sodann wird

(9) $$r^2 = \int [\Phi(t-\mu) - q]^2\, d\Phi(t),$$

(10) $$s^2 = \int [\Phi(t+\mu) - p]^2\, d\Phi(t).$$

Durch die Substitution $t = -t'$ kann man (9) auf (10) zurückführen. Also ist $r^2 = s^2$. Ferner: Ersetzt man μ durch $-\mu$, so geht p in q und s^2 in r^2, also in sich selbst über, d.h. s^2 ist eine gerade Funktion von μ. Man könnte das Integral s^2 weiter umformen, aber es hat nicht viel Sinn, weil man doch nicht zu einem expliziten Ausdruck durch bekannte Funktionen gelangt. Wir begnügen uns daher mit der Bemerkung, daß p, r^2 und s^2 als Funktionen von μ beschränkt sind (r^2 und s^2 streben sogar gegen Null, wenn μ gegen $+\infty$ oder $-\infty$ strebt) und daß sie sich für kleine μ in Potenzreihen nach μ entwickeln lassen, die so anfangen:

(11) $$p = \frac{1}{2} + \frac{\mu}{2\sqrt{\pi}} + \cdots,$$

(12) $$r^2 = s^2 = \frac{1}{12} + \cdots.$$

Dabei sind nur die Glieder mit μ^0 und μ^1 aufgeschrieben.

Unser Ziel ist, die Macht des einseitigen Testes von WILCOXON, also die Wahrscheinlichkeit, daß $U > U_\beta$ ausfällt, als Funktion von μ zu berechnen. Wir nennen diese Funktion $P(\mu)$. Insbesondere ist es uns darum zu tun, die Macht von WILCOXONs Test mit der von STUDENTs Test zu vergleichen. Wir wissen ja aus § 60, daß STUDENTs Test unter der Annahme normaler Verteilungen mit gleicher Streuung von x und y unter allen genau zum Niveau β gehörigen einseitigen Tests der mächtigste ist. Dabei wird, da es sich um einseitige Tests handelt, $\mu > 0$ vorausgesetzt.

Wir können etwa $g \leq h$ annehmen. Wir werden zunächst zwei Fälle betrachten:

Erster Fall: g und h groß von derselben Größenordnung.

Zweiter Fall: g groß und h groß gegen g.

In beiden Fällen sind für unsere Untersuchung nur die Werte von μ von Bedeutung, die klein von der Größenordnung $g^{-\frac{1}{2}}$ sind. Wird nämlich μ groß gegen $g^{-\frac{1}{2}}$, so wird die gesuchte Machtfunktion sowohl für WILCOXONs als für STUDENTs Test ganz nahe bei 1 liegen, wodurch der ganze Vergleich uninteressant wird. Das beweist man so.

Wir setzen $U - \frac{1}{2}gh = V$ und $U_\beta - \frac{1}{2}gh = V_\beta$. Der Mittelwert von V ist $(p - \frac{1}{2})gh$, also von der Größenordnung $\mu g h$. Wenn also μ groß gegen $g^{-\frac{1}{2}}$ ist, so ist der Mittelwert von V groß gegen $h\sqrt{g}$. Die Streuung von V ist nach (3) von der Größenordnung $h\sqrt{g}$, und die Schranke V_β hat ebenfalls die Größenordnung $h\sqrt{g}$. Die Wahrscheinlichkeit, daß V die Schranke V_β überschreitet, liegt also nahe bei 1. STUDENTs Test ist mindestens so mächtig wie WILCOXONs Test, also liegt die Macht von STUDENTs Test ebenfalls nahe bei 1.

Wir setzen also von jetzt an voraus, daß μ höchstens die Größenordnung $g^{-\frac{1}{2}}$ hat. Dann können wir in (11) und (12) die Glieder von der Größenordnung μ^2 oder g^{-1} vernachlässigen und uns auf die angeschriebenen Glieder beschränken. Setzt man diese in (2) und (3) ein, so erhält man

$$\mathcal{E}U \sim \frac{1}{2} g h \left(1 + \frac{\mu}{2\sqrt{\pi}}\right), \tag{13}$$

$$\sigma_U^2 \sim \frac{1}{12} g h (g + h). \tag{14}$$

B. Erster Fall: *g* und *h* von gleicher Größenordnung

Um die Gedanken festzulegen, nehmen wir an, daß g und h so nach ∞ gehen, daß der Quotient g/h konstant bleibt. Für diesen Fall hat LEHMANN[1] bewiesen, daß U asymptotisch normal verteilt ist mit Mittelwert ghp und Streuung σ_U. Die Wahrscheinlichkeit $P(\mu)$ für

[1] Siehe zweite Fußnote in § 63 C.

$U > U_\beta$ ist also asymptotisch gleich der Wahrscheinlichkeit, daß eine normal verteilte Größe mit Mittelwert ghp und Streuung σ_U die Schranke U_β überschreitet:

$$P(\mu) \sim \Phi\left(\frac{g h p - U_\beta}{\sigma_U}\right). \tag{15}$$

Setzt man rechts (11) und (14) ein, so erhält man

$$P(\mu) \sim \Phi(b\mu - c), \tag{16}$$

wobei

$$b = \left(\frac{3}{\pi} \frac{g h}{g + h}\right)^{\frac{1}{2}}, \tag{17}$$

während die Konstante c von U_β abhängt. Nun war U_β so bestimmt, daß die Wahrscheinlichkeit für $U > U_\beta$ für $\mu = 0$ höchstens β und asymptotisch genau β beträgt. Also muß (16) für $\mu = 0$ den Wert β ergeben:

$$\Phi(-c) = \beta. \tag{18}$$

Durch (16), (17) und (18) ist die asymptotische Machtfunktion des Testes gegeben.

C. Vergleich mit STUDENTs Test

STUDENTs Test für den Vergleich zweier Mittel (§ 29) benutzt die Testgröße

$$t = \frac{D}{S} = \frac{\bar{x} - \bar{y}}{S} \tag{19}$$

mit

$$\bar{x} = \frac{1}{g}(x_1 + \cdots + x_g), \tag{20}$$

$$\bar{y} = \frac{1}{h}(y_1 + \cdots + y_h), \tag{21}$$

$$S^2 = \left(\frac{1}{g} + \frac{1}{h}\right)\left(\frac{\sum(x - \bar{x})^2 + \sum(y - \bar{y})^2}{g + h - 2}\right). \tag{22}$$

In (19) hat der Zähler D den Mittelwert μ, während S^2 den Mittelwert

$$\sigma_D^2 = \left(\frac{1}{g} + \frac{1}{h}\right)\sigma^2 \tag{23}$$

hat. Der Zähler D ist normal verteilt, wobei die Streuung von derselben Größenordnung ist wie der Mittelwert μ. Beim Nenner S ist die Streuung aber von kleinerer Größenordnung als der Mittelwert. Daraus folgt leicht, daß man asymptotisch dieselbe Verteilungsfunktion erhält, wenn man den Nenner einfach durch seinen Mittelwert σ_D

ersetzt. Das heißt also, die Verteilungsfunktion von t ist asymptotisch die gleiche wie die von

$$t' = \frac{\bar{x} - \bar{y}}{\sigma_D}.$$

Diese Größe ist aber normal verteilt mit Mittelwert μ/σ_D und Streuung Eins. Die Wahrscheinlichkeit, daß $t' > c$ ausfällt, ist also

$$\Phi\left(\frac{\mu}{\sigma_D} - c\right). \tag{24}$$

Für $\mu = 0$ muß wieder $\Phi(-c) = \beta$ werden; die Konstante c ist also genau dieselbe wie früher. Setzt man in (24) für σ_D den Wert aus (23) ein, so erhält man für die Machtfunktion von STUDENTs Test

$$P'(\mu) \sim \Phi(b'\mu - c) \tag{25}$$

mit

$$b' = \left(\frac{g\,h}{g + h}\right)^{\frac{1}{2}}. \tag{26}$$

Der Vergleich von (16) mit (25) zeigt, daß die Machtfunktionen $P(\mu)$ und $P'(\mu)$ sich asymptotisch für große g und h nur um einen Faktor $\sqrt{\frac{3}{\pi}}$ im Koeffizienten von μ unterscheiden. Anders ausgedrückt: vergleicht man WILCOXONs Test für Anzahlen g und h mit STUDENTs Test für Anzahlen g' und h' und setzt

$$g' \sim \frac{3}{\pi}\,g \quad \text{und} \quad h' \sim \frac{3}{\pi}\,h, \tag{27}$$

so werden die Power-Funktionen $P(\mu)$ und $P'(\mu)$ asymptotisch gleich. Man drückt das auch so aus: *Die asymptotische Effizienz von* WILCOXONs *Test ist* $\frac{3}{\pi}$. Damit ist gemeint: bei STUDENTs Test, der die größtmögliche Macht hat, kommt man mit im Verhältnis $\frac{3}{\pi}$ verkleinerten Anzahlen g und h aus und erhält asymptotisch dieselbe Machtfunktion wie bei WILCOXONs Test mit den ursprünglichen Anzahlen.

Da $\frac{3}{\pi}$ ungefähr gleich $\frac{21}{22}$ ist, so kann man auch sagen: WILCOXONs Test, angewandt auf 22 Beobachtungen, ist ungefähr gleich mächtig wie STUDENTs Test mit 21 Beobachtungen. Der Verlust an Macht beim Übergang zu WILCOXON- Test ist somit sehr klein.

Der große Vorteil von WILCOXONs Test ist natürlich, daß er auch bei nicht normalen Verteilungen angewandt werden kann. Dazu kommt, daß er viel weniger Rechnung erfordert als STUDENTs Test. Diese beiden Vorteile werden für große g und h mit einem ganz geringfügigen Verlust an Macht erkauft.

D. Zweiter Fall: *h* groß gegen *g*

Jetzt sei h groß gegen g. Halten wir zunächst g fest, so können wir die Methode von § 63 D anwenden. Wir nehmen zunächst wieder $g=2$ an und halten x_1 und x_2 fest. Die Wahrscheinlichkeit, daß ein y kleiner als x_1 ausfällt, ist $G(x_1)$. Die Häufigkeit der y kleiner als x_1 ist wie in (12) § 63

$$v_1 = \frac{u_1}{h}.$$

Da die Häufigkeit höchstwahrscheinlich nahe bei der Wahrscheinlichkeit liegt, liegt v_1 nahe bei $G(x_1)$ und ebenso v_2 nahe bei $G(x_2)$, also

$$v_1 + v_2 = \frac{u_1 + u_2}{h} = \frac{U}{h}$$

nahe bei

$$G(x_1) + G(x_2).$$

Die Wahrscheinlichkeit des Ereignisses $U < u$ oder

$$\frac{U}{h} < \frac{u}{h} = t \tag{28}$$

ist somit asymptotisch gleich der Wahrscheinlichkeit des Ereignisses

$$G(x_1) + G(x_2) < t. \tag{29}$$

Die Verteilungsfunktion von U/h ist also asymptotisch diejenige einer Summe von 2 oder allgemeiner von g unabhängigen Größen, deren jede wie $G(x_1)$ verteilt ist, wobei x_1 die Verteilungsfunktion $F(t)$ hat. Die Verteilungsfunktion von $G(x_1)$ ist die Wahrscheinlichkeit des Ereignisses $G(x_1) < t$ oder, wenn G^{-1} die Umkehrfunktion von G ist, des Ereignisses $x_1 < G^{-1}(t)$, d.h. sie ist gleich

$$K(t) = F\big(G^{-1}(t)\big). \tag{30}$$

Nimmt man wieder an, daß die x_i und y_k normal verteilt sind mit Streuung 1 und Mittelwert μ für die x und 0 für die y, so wird

$$F(t) = \Phi(t-\mu), \qquad G(t) = \Phi(t),$$

also, wenn Ψ wieder die Umkehrfunktion der normalen Verteilungsfunktion Φ bedeutet,

$$K(t) = \Phi[\Psi(t) - \mu].$$

Unter der Nullhypothese $F = G$ (oder $\mu = 0$) wird $K(t) = t$, d.h. $G(x_1)$ ist gleichverteilt zwischen Null und Eins. Für kleine μ, oder allgemein wenn F nicht stark von G abweicht, weicht $K(t)$ nicht stark von einer Gleichverteilung ab. Auf jeden Fall liegt $G(x_1)$ zwischen Null und Eins; die Verteilung ist also beschränkt und sämtliche Momente sind beschränkt.

Nun betrachten wir die Verteilung der Summe $G(x_1)+G(x_2)$, oder im allgemeinen Fall die der Summe

$$G(x_1)+\cdots+G(x_g).$$

Nach dem zentralen Grenzwertsatz (§ 24D) ist die Summe für große g asymptotisch gleichverteilt. Dabei braucht g nicht einmal sehr groß zu sein: schon für mäßig große g ist die Näherung sehr gut. Im Falle einer Gleichverteilung ist die Näherung bereits für $g=4$ ausgezeichnet. Weicht $K(t)$ etwas von der Gleichverteilung ab, so wird die Näherung nicht viel schlechter. Also weicht die Verteilung von

$$v_1+\cdots+v_g=\frac{u_1+\cdots+u_g}{h}=\frac{U}{h}$$

nicht viel von einer Normalverteilung ab, sofern nur $g \geqq 4$ ist.

Um eine theoretisch richtige asymptotische Aussage zu erhalten, müßte man g gegen Unendlich gehen lassen. Dabei kommt es nicht darauf an, ob man h/g beschränkt bleiben läßt oder ebenfalls gegen Unendlich gehen läßt, denn in beiden Fällen erhält man asymptotisch eine Normalverteilung für U. In der Praxis genügt es bereits, g und $h \geqq 4$ und $g+h \geqq 20$ anzunehmen, sofern μ nicht allzu groß wird.

E. Weitere Fälle

Für kleine g (etwa $g=2$) und große h kann man dieselbe Methode anwenden, nur kann man dann die Verteilung von $G(x_1)+G(x_2)$ nicht durch eine Normalverteilung ersetzen, sondern man muß sie nach § 4B, Satz III wirklich ausrechnen. Für $g=2$ und $h \to \infty$ wurden bei $\beta=0{,}05$ unter Annahme von Normalverteilungen für die x und y mit Mittelwerten $\mu=1{,}5$ für die x und 0 für die y folgende Werte für die Machtfunktionen von WILCOXONs und STUDENTs Test gefunden[1]:

$$P(\mu)=0{,}64; \quad P'(\mu)=0{,}68. \tag{31}$$

Für große g und h kann man $P(\mu)$ und $P'(\mu)$ nach den Formeln (16) und (25) berechnen, wobei man b und b' nach (17) und (26) und c nach (18) bestimmt. Setzt man wieder $\beta=0{,}05$ und wählt $b\mu=2{,}03$, so erhält man $b'\mu=2{,}08$ und

$$P(\mu)=0{,}64; \quad P'(\mu)=0{,}67, \tag{32}$$

also fast dasselbe wie (31).

Ein weiterer Fall, der sich leicht numerisch auswerten läßt[2], ist $g=h=3$ und $\beta=0{,}05$. WILCOXONs Test besteht in diesem Fall einfach

---

[1] B. L. v. D. WAERDEN, Proc. Kon. Ned. Akad. Amsterdam, Series A, Bd. 55, p. 456 (1952).

[2] Siehe p. 452 der eben zitierten Note.

darin, daß man die Hypothese H_0 verwirft, wenn x_1, x_2, x_3 und y_1, y_2, y_3 in einer Reihenfolge

$$y\,y\,y\,x\,x\,x$$

erscheinen. Die Irrtumswahrscheinlichkeit ist genau $\beta = \frac{1}{20}$. Für $\mu = 2$ findet man für die Machtfunktionen von WILCOXONs und STUDENTs Test

$$P(\mu) = 0{,}62; \quad P'(\mu) = 0{,}65, \tag{33}$$

also eine ähnliche kleine Differenz wie vorhin.

Für kleine g und h hat WILCOXONs Test aber einen anderen Nachteil, der seine Machtfunktion unter Umständen empfindlich herabdrückt. Es weisen nämlich manchmal viele Permutationen dieselbe Inversionenzahl auf. In § 63 A haben wir darauf schon hingewiesen und ein Beispiel gegeben. Die Beispiele lassen sich beliebig vermehren.

Nehmen wir etwa $g = 4$, $h = 6$ und $\beta = 0{,}05$. WILCOXONs Test gestattet die Verwerfung der Nullhypothese in den folgenden Fällen mit 21 oder mehr Inversionen:

1. $y\,y\,y\,y\,y\,y\,x\,x\,x\,x$
2. $y\,y\,y\,y\,y\,x\,y\,x\,x\,x$
3. $y\,y\,y\,y\,x\,y\,y\,x\,x\,x$
4. $y\,y\,y\,y\,y\,x\,x\,y\,x\,x$
5. $y\,y\,y\,x\,y\,y\,y\,x\,x\,x$
6. $y\,y\,y\,y\,x\,y\,x\,y\,x\,x$
7. $y\,y\,y\,y\,y\,x\,x\,x\,y\,x$

Auf dem 5%-Niveau könnte man insgesamt 5% von 210, das ist 10 Anordnungen verwerfen. Nimmt man aber noch die Anordnungen mit 20 Inversionen hinzu, so erhält man 12 Anordnungen; das ist zu viel. Also hat WILCOXONs Test auf dem 5%-Niveau keine größere Macht als auf dem $3\frac{1}{3}$%-Niveau, während STUDENTs Test natürlich auf dem 5%-Niveau erheblich mächtiger ist als auf dem $3\frac{1}{3}$%-Niveau.

Ebenso findet man im gleichen Fall $g = 4$, $h = 6$, daß WILCOXONs Test auf dem $2\frac{1}{2}$%-Niveau nicht mächtiger ist als auf dem 2%-Niveau, oder zweiseitig auf dem 5%-Niveau nicht mächtiger als auf dem 4%-Niveau, usw.

Man könnte die Macht des Testes vergrößern, indem man in Zweifelsfällen aus einem geeignet zusammengesetzten Stoß Spielkarten eine Karte zieht und die Hypothese H_0 dann verwirft, wenn eine schwarze Farbe zum Vorschein kommt. Besser ist aber, einen mächtigeren Test zu benutzen, nämlich den X-Test, den wir jetzt behandeln werden.

§ 65. Der X-Test

A. Heuristische Herleitung

Wir betrachten wieder den Fall $g=2$ und $h\to\infty$. Es seien also $x_1, x_2, y_1, \ldots, y_h$ die beobachteten Größen. Die Anzahlen der y kleiner als x_1 oder kleiner als x_2 seien wieder u_1 und u_2, die Häufigkeiten v_1 und v_2, also

(1) $$v_1=\frac{u_1}{h}, \qquad v_2=\frac{u_2}{h}.$$

Die Anzahl der Inversionen ist

(2) $$U=u_1+u_2.$$

WILCOXONs Test bestand darin, die Nullhypothese zu verwerfen, wenn $u_1+u_2>U_\beta$ oder

(3) $$v_1+v_2>b \quad \text{mit} \quad b=\frac{U_\beta}{h}$$

wird. Die Wahrscheinlichkeit dieses Ereignisses ist asymptotisch die gleiche wie die des Ereignisses

(4) $$G(x_1)+G(x_2)>b$$

(vgl. § 64D).

Wir nehmen zunächst eine Normalverteilung der y mit Mittelwert Null und Streuung Eins an, setzen also

(5) $$G(t)=\Phi(t).$$

Dann kann man statt (4) schreiben

(6) $$\Phi(x_1)+\Phi(x_2)>b.$$

Sind x_1 und x_2 ebenfalls normal verteilt mit Mittelwert $\mu\geqq 0$ und Streuung 1, so besteht der mächtigste Test der Nullhypothese $\mu=0$ darin, daß man diese Hypothese verwirft, sobald

(7) $$x_1+x_2>c$$

ausfällt, wobei die Konstante c so zu wählen ist, daß die Wahrscheinlichkeit des Ereignisses (7) unter der Hypothese $\mu=0$ genau β beträgt. Das führt auf die Bedingung

(8) $$\Phi\left(\frac{c}{\sqrt{2}}\right)=1-\beta$$

oder

(9) $$c=\sqrt{2}\cdot\Psi(1-\beta).$$

Der Test (7) hat asymptotisch die gleiche Macht wie STUDENTs Test. Das sieht man unmittelbar, wenn man die Macht des Testes (7) berechnet und mit der in § 64C asymptotisch ausgewerteten Macht von STUDENTs Test vergleicht.

Der Unterschied in der asymptotischen Macht zwischen WILCOXONs und STUDENTs Test hat also darin seinen Grund, daß in (6) links $\Phi(x_1)+\Phi(x_2)$, dagegen in (7) links x_1+x_2 steht. Das letzte ergibt einen etwas besseren Test.

Es ist aber sehr leicht, den Test (3) so zu modifizieren, daß die Substitution $v_i=G(x_i)=\Phi(x_i)$, die von (3) zu (6) führte, statt dessen zu (7) führt. Man braucht nur v_i durch $\Psi(v_i)$ zu ersetzen, wo Ψ die Umkehrfunktion von Φ ist.

Man erhält so den folgenden modifizierten Test. Die Nullhypothese wird verworfen, sobald die Summe

$$S=\Psi(v_1)+\Psi(v_2)=\Psi\left(\frac{u_1}{h}\right)+\Psi\left(\frac{u_2}{h}\right) \tag{10}$$

eine passend gewählte Schranke c übersteigt. Setzt man nämlich in (10)

$$v_i=\Phi(x_i) \tag{11}$$

ein, so geht die Summe S in x_1+x_2 über und man erhält den Test (7).

Für beliebige g hätte man statt (10) die Summe

$$S=\Psi\left(\frac{u_1}{h}\right)+\Psi\left(\frac{u_2}{h}\right)+\cdots+\Psi\left(\frac{u_g}{h}\right) \tag{12}$$

zu betrachten. Der so erhaltene Test hat aber noch einen Nachteil. Die Glieder der Summe (12) können gleich $-\infty$ (für $u_i=0$) oder gleich $+\infty$ (für $u_i=h$) werden, was die Berechnung der Summe unmöglich macht. Um hier Abhilfe zu schaffen, ordnet man die x_i und damit auch die u_i nach aufsteigender Größe und ersetzt die u_i durch

$$r_1=u_1+1,\ r_2=u_2+2,\ \ldots,\ r_g=u_g+g \tag{13}$$

und den Nenner h durch

$$n+1=g+h+1.$$

So erhält man den endgültigen Ausdruck

$$X=\Psi\left(\frac{r_1}{n+1}\right)+\Psi\left(\frac{r_2}{n+1}\right)+\cdots+\Psi\left(\frac{r_g}{n+1}\right). \tag{14}$$

Die durch (13) definierten $r_1,\ldots,r_g$ bedeuten einfach die Rangnummern von $x_1,\ldots,x_g$ in der nach aufsteigender Größe geordneten Reihe der x_i und y_k. Die Rangnummern gehen von 1 bis $n=g+h$; die Glieder in (14) können also nie $\pm\infty$ werden.

Sieht man von dem Fall ab, daß in (12) einige u_i nahe bei 0 oder h liegen (ein Fall, der für sehr große h sowieso sehr unwahrscheinlich ist), so verhält sich die Summe (14) asymptotisch für $h \to \infty$ genau so wie die Summe (12). Die obige heuristische Herleitung, die zunächst zur Summe S und zum Test $S > c$ führte, führt also auch zur besser brauchbaren Summe X und zum folgenden Test:

B. Der X-Test

Die $g+h=n$ Größen $x_1, \ldots, x_g$ und $y_1, \ldots, y_h$ mögen nach aufsteigender Größe geordnet werden. Die Rangnummern der x_i seien r_i oder einfach r, die Rangnummern der y_k seien s_k oder s. Dann bilde man die Summen

$$X = \sum_r \Psi\left(\frac{r}{n+1}\right), \tag{15}$$

$$Y = \sum_s \Psi\left(\frac{s}{n+1}\right). \tag{16}$$

Die Funktion $\Psi(t)$ ist endlich für $0 < t < 1$ und hat die Eigenschaft

$$\Psi(1-t) = -\Psi(t). \tag{17}$$

Daher ist die Summe $X+Y$ immer Null:

$$X+Y = \Psi\left(\frac{1}{n+1}\right) + \Psi\left(\frac{2}{n+1}\right) + \cdots + \Psi\left(\frac{n}{n+1}\right) = 0. \tag{18}$$

Bei Vertauschung der Rollen der x und y geht X in $Y = -X$ über. Kehrt man dann auch noch die Rangordnung um (d.h. ordnet man nach absteigender statt nach aufsteigender Größe), so geht $-X$ wieder in X über.

Die Schranke X_β möge so bestimmt werden, daß das Ereignis

$$X > X_\beta \tag{19}$$

eine Wahrscheinlichkeit $\leq \beta$ hat unter der Annahme, daß alle $n!$ Rangordnungen der x_i und y_k gleichwahrscheinlich sind. Diese Annahme ist eine Folge der *Nullhypothese* H_0, die besagt, daß die x und y unabhängig sind und alle die gleiche Verteilungsfunktion $F(x)$ besitzen. Vorläufig nehmen wir an, daß diese Verteilungsfunktion stetig ist, was zur Folge hat, daß wir mit Ereignissen wie $x_i = y_k$ nicht zu rechnen brauchen.

Der *einseitige X-Test* schreibt nun vor, die Nullhypothese zu verwerfen, sobald die Summe X die Schranke X_β übersteigt. Er wird dann angewandt, wenn man sich dafür interessiert, ob die x im allgemeinen größer sind als die y oder nicht. Die Irrtumswahrscheinlichkeit dieses Testes ist höchstens β.

Der *zweiseitige X-Test* schreibt vor, die Nullhypothese zu verwerfen, wenn X oder Y die Schranke X_β übersteigt. Wird $X > X_\beta$, so nimmt man an, daß die x im allgemeinen größer sind als die y. Wird $Y > X_\beta$, so nimmt man im Gegenteil an, daß die y im allgemeinen größer sind als die x. Die Irrtumswahrscheinlichkeit des zweiseitigen Testes ist höchstens 2β.

C. Die Berechnung von X_β

Für kleine g und h kann die Schranke X_β durch Auszählung von gleichmöglichen Fällen exakt berechnet werden. Als Beispiel möge wieder der Fall $g=4$, $h=6$ gewählt werden. Wir nehmen

$$\beta = \frac{1}{40} = 2{,}5\,\%, \qquad \text{also} \qquad 2\beta = \frac{1}{20} = 5\,\%.$$

Die Anzahl der Anordnungen wie $x\,y\,y \ldots x$ ist 210. Ein Vierzigstel davon ist 5. Wir haben also die 5 Anordnungen mit den größten X-Werten auszusondern.

Wir machen nun zunächst eine Tafel der Ψ-Teilwerte, auf zwei Dezimalstellen abgerundet:

$$\Psi\left(\frac{1}{11}\right) = -1{,}34 \qquad \Psi\left(\frac{6}{11}\right) = 0{,}11$$

$$\Psi\left(\frac{2}{11}\right) = -0{,}91 \qquad \Psi\left(\frac{7}{11}\right) = 0{,}35$$

$$\Psi\left(\frac{3}{11}\right) = -0{,}60 \qquad \Psi\left(\frac{8}{11}\right) = 0{,}60$$

$$\Psi\left(\frac{4}{11}\right) = -0{,}35 \qquad \Psi\left(\frac{9}{11}\right) = 0{,}91$$

$$\Psi\left(\frac{5}{11}\right) = -0{,}11 \qquad \Psi\left(\frac{10}{11}\right) = 1{,}34.$$

Jetzt kann für jede Anordnung wie $y\,y\,y\,y\,x\,y\,y\,x\,x\,x$ der X-Wert nach (15) berechnet werden. Die sechs Anordnungen mit den größten X-Werten sind:

1.	$y\,y\,y\,y\,y\,y\,x\,x\,x\,x$	$X = 3{,}31$
2.	$y\,y\,y\,y\,y\,x\,y\,x\,x\,x$	$X = 2{,}96$
3.	$y\,y\,y\,y\,x\,y\,y\,x\,x\,x$	$X = 2{,}74$
4.	$y\,y\,y\,y\,y\,x\,x\,y\,x\,x$	$X = 2{,}71$
5.	$y\,y\,y\,x\,y\,y\,y\,x\,x\,x$	$X = 2{,}50$
6.	$y\,y\,y\,y\,x\,y\,x\,y\,x\,x$	$X = 2{,}49.$

Wählen wir $X_\beta = 2{,}49$, so haben nur fünf Anordnungen einen größeren X-Wert. *Dabei ist vorausgesetzt, daß bei der praktischen An-*

wendung des X-Testes immer nur zwei Dezimalstellen mitgenommen werden und daß die Nullhypothese erst dann verworfen wird, wenn das berechnete X tatsächlich größer als X_β ausfällt.

Um eine Kontrolle zu haben, wird man gut daran tun, neben X immer auch Y zu berechnen. Die Summe $X+Y$ muß (auch bei den abgerundeten Ψ-Teilwerten) exakt Null ergeben.

Die hier angegebene Auszählung aller möglichen Fälle ist praktisch nur für $g+h \leq 20$ durchführbar. Für größere g und h ist man auf asymptotische Schätzungen angewiesen.

D. Mittelwert und Streuung von X

Wir bezeichnen die Ψ-Teilwerte mit $a_1, \ldots, a_n$:

$$a_i = \Psi\left(\frac{i}{n+1}\right). \tag{20}$$

Die Testgröße X ist nach (15) eine Summe

$$X = \sum a_r = a_{r_1} + a_{r_2} + \cdots + a_{r_g}, \tag{21}$$

wobei $r_1, \ldots, r_g$ eine Variation von g aus den n möglichen Indizes $i = 1, 2, \ldots, n$ bilden. Unter der Nullhypothese sind alle Variationen gleichwahrscheinlich.

Jeder einzelne Summand a_r in (21) nimmt die Werte $a_1, \ldots, a_n$ mit gleichen Wahrscheinlichkeiten an. Also ist der Erwartungswert jedes einzelnen Gliedes von (21) Null und somit auch

$$\mathcal{E}X = 0. \tag{22}$$

Um die Varianz von X zu berechnen, bestimmen wir zunächst den Mittelwert von a_r^2. Da a_r^2 die Werte $a_1^2, \ldots, a_n^2$ mit gleichen Wahrscheinlichkeiten annimmt, ist

$$\mathcal{E}\, a_r^2 = \frac{1}{n}(a_1^2 + \cdots + a_n^2) = Q. \tag{23}$$

Sodann bestimmen wir den Mittelwert eines Produktes $a_{r_1} a_{r_2}$. Dieses Produkt nimmt alle Werte $a_i a_k$ mit $i \neq k$ mit gleichen Wahrscheinlichkeiten an. Also ist

$$\left\{\begin{aligned} \mathcal{E}(a_{r_1} a_{r_2}) &= \frac{1}{n(n-1)} \sum_{i \neq k} a_i a_k \\ &= \frac{1}{n(n-1)} \left[\left(\sum a_i\right)\left(\sum a_k\right) - \sum a_i^2\right] \\ &= -\frac{1}{n(n-1)} \sum a_i^2 = -\frac{Q}{n-1}. \end{aligned}\right. \tag{24}$$

Erhebt man nun (21) ins Quadrat und bildet den Mittelwert, so erhält man

$$\begin{aligned}\mathcal{E}X^2 &= g\,\mathcal{E}a_r^2 + g(g-1)\,\mathcal{E}a_{r_1}a_{r_2}\\ &= g\,Q - \frac{g(g-1)}{n-1}\,Q\\ &= \frac{g(n-g)}{n-1}\,Q\end{aligned}$$

oder

(25) $$\sigma_X^2 = \frac{g\,h}{n-1}\,Q.$$

Dabei ist Q nach (23) durch

$$Q = \frac{1}{n}\sum_1^n \Psi^2\left(\frac{i}{n+1}\right)$$

definiert.

Durch (22) und (25) sind Mittelwert und Streuung von X bekannt. Die Größe Q ist in Tafel 12 tabuliert[1].

E. Die asymptotische Verteilung von X

Es seien $x_1, \ldots, x_g$ und $y_1, \ldots, y_h$ unabhängige Größen mit derselben Verteilungsfunktion und es sei zunächst h groß gegen g. Ob g groß ist oder nicht, darauf kommt es nicht an. Dann gilt der Satz: *X ist asymptotisch normal verteilt mit Mittelwert Null und Streuung σ_X.* Der Beweis ist gar nicht schwer; er findet sich in meiner Arbeit über den X-Test in Math. Ann. 126, S. 94 (1953).

Der eben zitierte Satz besagt, daß es zu jedem ε eine Schranke M gibt, so daß für $h/g > M$ die Verteilungsfunktion von X sich um weniger als ε von einer Normalverteilung unterscheidet. Das gleiche gilt für $g/h > M$. Wir haben also nur noch den Fall zu betrachten, daß g/h und h/g beide $\leq M$ bleiben, dabei aber $n = g + h$ über alle Schranken wächst. In diesem Fall gilt der Satz von der asymptotischen Normalverteilung ebenfalls, aber er ist viel schwerer zu beweisen. G. E. Noether hat in seinem Referat meiner oben zitierten Annalenarbeit (Math. Reviews 15, p. 46) bemerkt, daß der Beweis auf Grund eines Satzes von Wald und Wolfowitz geführt werden kann, der seinerseits mit der in § 63 C angedeuteten Momentenmethode bewiesen werden kann. D. J. Stoker hat in seiner Amsterdamer Dissertation von 1955 „Oor 'n klas van toetsingsgroothede vir die probleem van twee steekproewe" den Beweis vollständig ausgeführt.

[1] Tafel 12 stimmt überein mit Tafel 5 bei van der Waerden und Nievergelt, Tafeln zum Vergleich zweier Stichproben. Dort ist auch erklärt, wie die Tafel berechnet wurde.

Mithin ist X für $n \to \infty$ asymptotisch normal verteilt, unabhängig davon, ob g und h einzeln gegen ∞ gehen. Darin verhält sich X also anders als die Inversionszahl U.

Auf Grund dieser Sätze sind Tafeln für den X-Test berechnet worden[1], und zwar folgendermaßen. Für kleine n (d.h. für kleine g und h) hat man die Schranke X_β durch Aufzählung der möglichen Fälle exakt bestimmt. Für große n wurde die asymptotische Normalverteilung benutzt. Die Näherung konnte durch besondere Berücksichtigung der Glieder a_1 und a_n, die in der Summe (21) vorkommen können, erheblich verbessert werden.

F. Die Behandlung gleicher x und y

Wir haben bisher angenommen, daß die x und y stetige Verteilungsfunktionen haben und daraus gefolgert, daß man mit dem Fall $x_i = y_k$ nicht zu rechnen braucht. In der Praxis sind aber die x_i und y_k immer abgerundete Zahlen, die also diskrete Verteilungen haben und bei denen der Fall $x_i = y_k$ sehr wohl vorkommen kann. Es fragt sich nun, wie man in einem solchen Fall die Rangnummern r_i und s_k zu bestimmen hat, die man zur Berechnung von X und Y nach (15) und (16) braucht. Dieselbe Frage stellt sich auch bei WILCOXONs Test.

Verschiedene Verfahren sind vorgeschlagen worden. Man kann mit einer Münze werfen, ob man x_i oder y_k als größer gelten lassen soll. Man kann auch den gleichen Größen $x_i = y_k$, die eigentlich die Rangnummern r und $r+1$ erhalten sollten, beiden die mittlere Rangnummer $r+\frac{1}{2}$ zuerteilen. Das beste Verfahren scheint aber das folgende zu sein.

Wir betrachten gleich den allgemeinsten Fall, der sich ergeben kann, nämlich, daß $c = a + b$ gleiche Größen $x_1, \ldots, x_a$ und $y_1, \ldots, y_b$ sich um die Rangnummern $r, r+1, \ldots, r+c-1$ streiten. Wir verteilen nun die c verfügbaren Rangnummern in allen $c!$ möglichen Weisen auf die Größen $x_1, \ldots, x_a, y_1, \ldots, y_b$, berechnen jedesmal X und nehmen das arithmetische Mittel aus allen diesen X-Werten.

Für die praktische Rechnung kann man das Verfahren vereinfachen. Man braucht nicht $c!$ Glieder zu addieren, sondern nur c Glieder. Man bilde nämlich mit den c verfügbaren Rangnummern $r, r+1, \ldots, r+c-1$ die Summe

$$S_c = \Psi\left(\frac{r}{n+1}\right) + \Psi\left(\frac{r+1}{n+1}\right) + \cdots + \Psi\left(\frac{r+c-1}{n+1}\right) \tag{26}$$

und nimmt als Beiträge zu den Summen X und Y die Bruchteile

$$\frac{a}{a+b} S_c \quad \text{und} \quad \frac{b}{a+b} S_c. \tag{27}$$

---

[1] B. L. VAN DER WAERDEN und E. NIEVERGELT, Tafeln zum Vergleich zweier Stichproben mittels X-Test und Zeichentest. Springer-Verlag 1956.

Wenn an einer anderen Stelle noch einmal $a'+b'=c'$ Größen x_i und y_k einander gleich sind, so bilde man ähnliche Ausdrücke auch dort, usw. Die Summe aller so berechneten Beiträge ergibt X bzw. Y.

Die Verteilungsfunktion von X wird durch diese Modifikation nur wenig beeinflußt. Die Streuung von X wird etwas kleiner, die Irrtumswahrscheinlichkeit des Testes vermutlich auch. Man bleibt also, wenn man die Schranke X_β unverändert beibehält, auf der sicheren Seite.

G. Vergleich mit STUDENTs Test

Wir nehmen nun an, daß die x_i und y_k normal verteilt sind mit Streuung Eins und Mittelwert $\mu \geqq 0$ für die x und 0 für die y. Weiter nehmen wir an, daß g fest bleibt und h gegen Unendlich geht. Unter diesen Annahmen wollen wir die Macht des X-Testes asymptotisch auswerten und mit der von STUDENTs Test vergleichen.

Die Machtfunktion $P(\mu)$ des X-Testes ist die Wahrscheinlichkeit des Ereignisses

$$\Psi\left(\frac{r_1}{n+1}\right)+\Psi\left(\frac{r_2}{n+1}\right)+\cdots+\Psi\left(\frac{r_g}{n+1}\right)>X_\beta. \tag{28}$$

Da alle Rangordnungen der Größen $x_1, \ldots, x_g$ gleichwahrscheinlich sind, können wir $x_1<x_2<\cdots<x_g$ annehmen. Dann gilt wieder (13) und man kann statt (28) schreiben

$$\Psi\left(\frac{u_1+1}{n+1}\right)+\Psi\left(\frac{u_2+2}{n+1}\right)+\cdots+\Psi\left(\frac{u_g+g}{n+1}\right)>X_\beta. \tag{29}$$

Setzt man hier nach (1)

$$u_i = h\,v_i$$

und $n=g+h$ ein, so erhält man

$$\Psi\left(\frac{hv_1+1}{h+g+1}\right)+\Psi\left(\frac{hv_2+2}{h+g+1}\right)+\cdots+\Psi\left(\frac{hv_g+g}{h+g+1}\right)>X_\beta. \tag{30}$$

Wir ersetzen nun wie in § 64D die Häufigkeiten v_i durch die Wahrscheinlichkeiten, in deren Nähe sie liegen. Der Ausdruck

$$\Psi\left(\frac{hv_i+i}{h+g+1}\right)$$

geht dadurch in

$$\Psi\left(\frac{h\Phi(x_i)+i}{h+g+1}\right)$$

über. Werden in Zähler und Nenner noch die Glieder vernachlässigt, die klein gegen h sind, so erhält man

$$\Psi[\Phi(x_i)] = x_i$$

und (30) geht über in

$$x_1 + x_2 + \cdots + x_g > X_\beta. \tag{31}$$

Schließlich ersetzen wir X_β durch seinen asymptotischen Ausdruck für $h \to \infty$ und erhalten

$$x_1 + x_2 + \cdots + x_g > \sqrt{g} \cdot \Psi(1-\beta). \tag{32}$$

Das Ergebnis ist die Verallgemeinerung auf beliebige g des Testes (7). Daß wir auf diesen Test zurückkommen, ist nicht verwunderlich, denn unter A sind wir gerade von (7) ausgegangen und sind auf den X-Test gekommen. Wir haben einfach denselben Weg in umgekehrter Richtung durchlaufen.

Aus den hier angedeuteten Überlegungen ergibt sich, daß der X-Test asymptotisch für $h \to \infty$ dieselbe Machtfunktion hat wie der Test (32). Dieser hat, wie wir schon gesehen haben, unter allen Tests zur Prüfung der Nullhypothese auf dem Niveau β die größte Macht.

Die Macht des Testes (32) ist leicht auszurechnen. Man findet

$$P'(\mu) = \Phi(b'\mu - c) \tag{33}$$

mit

$$b' = \sqrt{g} \quad \text{und} \quad c = \Psi(1-\beta). \tag{34}$$

Der X-Test hat also asymptotisch (33) als Machtfunktion. In § 64 C haben wir gesehen, daß auch STUDENTs Test asymptotisch die gleiche Machtfunktion (33) hat. *Also ist der X-Test für feste g und $h \to \infty$ asymptotisch gleich mächtig wie* STUDENTs *Test.*

Ich habe hier nur den Gedankengang des Beweises andeuten wollen. Eine genaue Ausführung findet man in meiner bereits zitierten Annalenarbeit (Math. Ann. 126, p. 103, § 5).

Ich vermute, daß dasselbe Ergebnis auch dann gilt, wenn g und h beide ins Unendliche gehen.

H. Nicht normale Verteilungen

Der große Vorteil der Rangtests ist, daß sie von der Voraussetzung der Normalverteilung, die bei STUDENTs Test immer gemacht werden muß, völlig unabhängig sind. Die Irrtumswahrscheinlichkeit ist bei ihnen immer höchstens β, unabhängig von der Wahl der stetigen Verteilung $F(x)$. Bei STUDENTs Test kann die Irrtumswahrscheinlichkeit sehr wohl größer als β werden, wenn die Verteilung der x oder der y nicht normal ist.

Nun ist zwar unter geeigneten Voraussetzungen über $F(x)$ bei großem g und h diese Erhöhung der Irrtumswahrscheinlichkeit bei

STUDENTs Test nicht sehr bedeutend. Das Mittel $\bar{x}$ aus den unabhängigen Größen $x_1, \ldots, x_g$ ist nämlich bei genügend großem g annähernd normal verteilt, ebenso das Mittel $\bar{y}$ bei genügend großem h und folglich auch die Differenz $D = \bar{x} - \bar{y}$. Der Nenner S in STUDENTs Test kann für große $n = g + h$ annähernd durch die wahre Streuung σ_D von D ersetzt werden. Der Quotient D/S hat also eine annähernd normale Verteilung mit einer Streuung, die sich für $g + h \to \infty$ der Eins nähert. Die Irrtumswahrscheinlichkeit des Testes ist also, wenn die x und y die gleiche nicht allzu wilde Verteilungsfunktion $F(t)$ haben und g und h groß sind, annähernd gleich dem normalen Wert β.

Dafür hat aber STUDENTs Test bei nicht normalen Verteilungen einen anderen Nachteil gegenüber den Rangtests, nämlich seine geringere Macht. In § 6 meiner erwähnten Annalenarbeit (Math. Ann. 126, p. 106) habe ich den Fall betrachtet, daß die Verteilungen F und G der x und y so beschaffen sind, daß sie durch eine eineindeutige Transformation

$$x' = \tau(x), \quad y' = \tau(y) \tag{35}$$

beide in normale Verteilungen mit gleichen Streuungen, aber verschiedenen Mittelwerten übergehen. Die Macht des X-Testes ebenso wie jedes anderen Rangtestes bleibt bei dieser Transformation natürlich ungeändert. Die Machtfunktion von STUDENTs Test kann aber durch die Transformation (35) ganz erheblich verkleinert werden. Die Verkleinerung findet insbesondere dann statt, wenn die Streuungen σ_x und σ_y durch die Transformation (35) stärker vergrößert werden als die Differenz der Mittelwerte $\hat{x} - \hat{y}$.

In einer weiteren Note (Proc. Kon. Akad. Amsterdam A 56, p. 311) habe ich einen anderen Fall betrachtet, nämlich den, in welchem $x_1, \ldots, x_4$ gleichverteilt sind zwischen 0 und 1 und $y_1, \ldots, y_6$ gleichverteilt zwischen 0 und $1 + \mu$. Dabei ergab sich, daß die Machtfunktionen der Rangtests für $\mu \to \infty$ gegen Eins streben, die von STUDENTs Test aber nicht.

Auch praktische Fälle sind mir begegnet, in denen die Hypothese der Normalverteilung mit gleichen Streuungen für die x und für die y offensichtlich nicht erfüllt war und in denen der X-Test zum Verwerfen der Nullhypothese führte, während STUDENTs Test auf dem gleichen Niveau nicht zu einer Entscheidung genügte.

Beispiel 45. In einem Industriebetrieb wurden Wartezeiten gemessen, die sehr weit streuten. Die Zahlenwerte habe ich leider vergessen; sie mögen daher so angenommen werden wie in den früher erwähnten Tafeln von VAN DER WAERDEN und NIEVERGELT:

$$x_1 = 11, \quad x_2 = 34, \quad x_3 = 13, \quad x_4 = 18.$$

Nach einer Reorganisation erhielt man kürzere Zeiten, die auch viel weniger streuten, etwa:

$$y_1 = 8, \quad y_2 = 10, \quad y_3 = 7, \quad y_4 = 6.$$

Ob STUDENTs Test angewandt werden darf, ist sehr fraglich, denn es sieht so aus, als ob die Verteilungen nicht normal und die Streuungen ganz ungleich sind; auch sind g und h nicht sehr groß. Wendet man trotzdem STUDENTs Test an, so führt er (zweiseitig auf dem 5%-Niveau) nicht zu einer Entscheidung: der Quotient t beträgt nur 2,1 und die Schranke (nach Tafel 7) 2,4.

WILCOXONs Test führt sofort zur Verwerfung der Nullhypothese. Die Anzahl der Inversionen ist 16, da alle x größer sind als alle y. Um Tafel 10 anzuwenden, muß man die Bezeichnungen x und y vertauschen; die Anzahl der Inversionen wird dann Null. Unter 4;4 bei $u=0$ findet man die Testwahrscheinlichkeit 1,43%. Da sie kleiner als 2,5% ist, ist die Nullhypothese auf dem 2,5%-Niveau (einseitig) oder auf dem 5%-Niveau (zweiseitig) zu verwerfen.

Zur Anwendung des X-Testes hat man die x und y nach zunehmender Größe zu ordnen (wobei die x die Rangnummern 5, 8, 6 und 7 erhalten) und

$$X = \Psi(\tfrac{5}{9}) + \Psi(\tfrac{8}{9}) + \Psi(\tfrac{6}{9}) + \Psi(\tfrac{7}{9})$$
$$= 0{,}14 + 1{,}22 + 0{,}43 + 0{,}76 = 2{,}55$$

zu bilden. Man kann dabei Tafel 2 dieses Buches oder bequemer Tafel 2 von VAN DER WAERDEN-NIEVERGELT benutzen. Die 5%-Schranke (zweiseitig) bei $n=8$ und $g-h=0$ beträgt 2,40 (Tafel 11). Die Nullhypothese ist also auch nach dem X-Test zu verwerfen.

Dreizehntes Kapitel
Korrelation

In diesem Kapitel werden nur die Kap. 1 bis 6 als bekannt vorausgesetzt.

§ 66. Kovarianz und Korrelationskoeffizient

A. Der wahre Korrelationskoeffizient ϱ

Wenn x und y zwei abhängige zufällige Größen sind, so ist die Varianz von $\lambda x+y$ nicht die Summe der Varianzen von λx und y, sondern es kommt noch ein lineares Glied dazu:

$$\mathcal{E}(\lambda x+y-\lambda\hat{x}-\hat{y})^2=\lambda^2\mathcal{E}(x-\hat{x})^2+2\lambda\mathcal{E}(x-\hat{x})(y-\hat{y})+\mathcal{E}(y-\hat{y})^2. \tag{1}$$

Der Koeffizient von 2λ in (1) heißt die *Kovarianz* von x und y. Dividiert man die Kovarianz durch das Produkt der Streuungen $\sigma_x\sigma_y$, die als von Null verschieden angenommen werden, so erhält man den *wahren Korrelationskoeffizienten* ϱ:

$$\varrho=\frac{\mathcal{E}(x-\hat{x})(y-\hat{y})}{\sigma_x\sigma_y}. \tag{2}$$

Mittels (2) kann man (1) so schreiben:

$$\sigma^2_{\lambda x+y}=\lambda^2\sigma_x^2+2\lambda\varrho\sigma_x\sigma_y+\sigma_y^2. \tag{3}$$

Der Korrelationskoeffizient hängt sehr eng mit dem *Regressionskoeffizienten* γ zusammen, der so definiert wird. Man setzt

$$y=\gamma x+z \tag{4}$$

und bestimmt γ so, daß die Varianz von z möglichst klein wird. Die Varianz von $z=y-\gamma x$ erhält man aus (3), indem man λ durch $-\gamma$ ersetzt:

$$\sigma_z^2=\gamma^2\sigma_x^2-2\gamma\,\varrho\,\sigma_x\sigma_y+\sigma_y^2. \tag{5}$$

Das Minimum des Polynoms (5) wird für

$$\gamma=\varrho\frac{\sigma_y}{\sigma_x} \tag{6}$$

angenommen. Die Formel (6) zeigt, wie der Regressionskoeffizient γ mit dem Korrelationskoeffizienten ϱ zusammenhängt.

Der Wert des Minimums ist

$$\sigma_z^2=\varrho^2\sigma_y^2-2\varrho^2\sigma_y^2+\sigma_y^2=(1-\varrho^2)\,\sigma_y^2. \tag{7}$$

Aus (7) folgt unmittelbar

$$1-\varrho^2\geqq 0.$$

Der Korrelationskoeffizient ϱ liegt also stets zwischen -1 und $+1$.

Wird einer der Extremwerte $\varrho=\pm 1$ angenommen, so folgt aus (7) $\sigma_z=0$. Nach dem letzten Satz von § 3 ist das nur möglich, wenn z nach Wahrscheinlichkeit konstant ist, d.h. wenn y mit 100% Wahrscheinlichkeit gleich einer linearen Funktion von x ist:

$$y=\gamma x+\alpha. \tag{8}$$

Der Korrelationskoeffizient ϱ ist ein Maß für die (lineare) Abhängigkeit zwischen x und y. Im Fall der Unabhängigkeit ist $\varrho=0$. Im Fall der exakten linearen Abhängigkeit (8) ist $\varrho=\pm 1$, und zwar ist das Vorzeichen von ϱ nach (6) immer gleich dem Vorzeichen des Regressionskoeffizienten γ.

Eine Deutung des Korrelationskoeffizienten ergibt sich aus der Analyse der Varianz von y. Aus der Formel (4) sieht man, daß y sich als Summe von zwei zufälligen Größen γx und z darstellt, von denen die eine (γx) zu x proportional ist, während die andere (z) zu x keine Korrelation aufweist. Die Kovarianz von x und z ist nämlich Null. Die Varianz von y ist also die Summe der Varianzen von γx und z:

$$\sigma_y^2=\gamma^2\sigma_x^2+\sigma_z^2. \tag{9}$$

Setzt man hier die Werte von γ und σ_z^2 nach (6) und (7) ein, so findet man für das erste Glied rechts in (9) den Wert $\varrho^2\sigma_y^2$, für das zweite den Wert $(1-\varrho^2)\sigma_y^2$. Die Summe ist σ_y^2, wie es sein soll. *Also bedeutet ϱ^2 den prozentualen Anteil der Varianz von y, der von dem Glied γx in (4) herrührt.*

B. Der empirische Korrelationskoeffizient r

Hat man n Wertepaare $(x_1, y_1), \ldots, (x_n, y_n)$ beobachtet und nimmt man an, daß die Variablenpaare (x_i, y_i) unabhängig sind und alle dieselbe zweidimensionale Verteilung haben, so hat man als Schätzung für die Varianz $\sigma^2_{\lambda x+y}$ die *empirische Varianz*

$$\text{(10)} \quad \begin{cases} s^2_{\lambda x+y} = \dfrac{1}{n-1} \sum (\lambda x_i + y_i - \lambda \bar{x} - \bar{y})^2 \\ \quad = \lambda^2 \dfrac{\sum (x-\bar{x})^2}{n-1} + 2\lambda \dfrac{\sum (x-\bar{x})(y-\bar{y})}{n-1} + \dfrac{\sum (y-\bar{y})^2}{n-1}. \end{cases}$$

Daher hat man als Schätzung für die Kovarianz $\mathcal{E}(x-\hat{x})(y-\hat{y})$ die *empirische Kovarianz*

$$\text{(11)} \quad \frac{1}{n-1} \sum (x-\bar{x})(y-\bar{y}).$$

Dabei sind $\bar{x}$ und $\bar{y}$ wie immer die empirischen Mittel

$$\text{(12)} \quad \bar{x} = \frac{1}{n} \sum x \qquad \bar{y} = \frac{1}{n} \sum y.$$

Die Schätzung (11) hat keinen Bias, weil die Schätzung (10) keinen Bias hat.

Um eine Schätzung für ϱ zu erhalten, dividiert man (11) durch $s_x s_y$. So erhält man den *empirischen Korrelationskoeffizienten*

$$\text{(13)} \quad r = \frac{\sum (x-\bar{x})(y-\bar{y})}{(n-1)\, s_x s_y} = \frac{\sum (x-\bar{x})(y-\bar{y})}{\sqrt{\sum (x-\bar{x})^2 \cdot \sum (y-\bar{y})^2}}.$$

Die gleichen Überlegungen, die oben für den wahren Korrelationskoeffizienten ϱ angestellt wurden, kann man auch für r anstellen. Man kann $\lambda = -c$ so bestimmen, daß das Polynom (10) möglichst klein wird. Für das Minimum erhält man

$$\text{(14)} \quad c = r \frac{s_x}{s_y} = \frac{\sum (x-\bar{x})(y-\bar{y})}{\sum (x-\bar{x})^2}$$

und

$$\text{(15)} \quad s^2_{y-cx} = (1-r^2)\, s^2_y.$$

Da (15) immer positiv oder Null ist, so folgt: *r liegt immer zwischen -1 und $+1$.* Ist $r = \pm 1$, so folgt aus (15), daß die $y_i - c x_i$ alle den gleichen Wert a haben, d.h. daß die Beobachtungspunkte (x_i, y_i) alle auf einer Geraden

$$y = cx + a$$

liegen.

Aber auch wenn die Punkte nicht auf einer Geraden liegen, kann man durch den Schwerpunkt $(\bar{x}, \bar{y})$ eine Gerade mit der Steigung (14) legen. Diese Gerade ist die in § 33 schon eingeführte *empirische Regressionslinie*

$$y - \bar{y} = c(x - \bar{x}). \tag{16}$$

Sie wurde in § 33 dadurch definiert, daß die Quadratsumme der in der y-Richtung gemessenen Entfernungen der Punkte (x_i, y_i) von ihr zum Minimum gemacht wurde. Die Steigung c dieser Linie ist der *empirische Regressionskoeffizient.* Er hängt durch die Formel (14) mit dem empirischen Korrelationskoeffizienten zusammen.

Der Zähler von (13) kann in verschiedenen Weisen berechnet werden, die sich gegenseitig kontrollieren:

$$\begin{aligned}\sum(x-\bar{x})(y-\bar{y}) &= \sum(x-\bar{x})\,y = \sum x(y-\bar{y})\\ &= \sum xy - n\bar{x}\bar{y}\\ &= \sum(x-a)(y-b) - n(\bar{x}-a)(\bar{y}-b).\end{aligned}$$

Dasselbe gilt, wie früher schon bemerkt, für den Nenner.

Durchmesser	Anzahl der Austrittstellen				
	$x=0$	1	2	3	4
$y = 10$	3				
15	7	3			
20		6			
25		1			
30			4		
35			5		
40			1	3	
45				4	
50				3	3
55					4
60					3

Beispiel 46. Tammes[1] hat bei verschiedenen Pollenarten einen Zusammenhang zwischen der Pollengröße und der Anzahl der vorgebildeten Austrittstellen des Pollenschlauches gefunden. Als Beispiel soll hier Fuchsia Globosa genommen werden. Die Pollen haben 0 bis 4 Austrittstellen, die in einer Äquatorebene angeordnet sind. Je 10 Pollen mit 0, 1, 2, 3 oder 4 Austrittsstellen wurden gemessen, die Durchmesser auf Vielfache von 5 μ abgerundet. In der nebenstehenden Korrelationstafel sind die Anzahlen der Pollen angegeben.

Ein selten schöner Fall einer linearen Regression! Man findet

$$\begin{aligned}\bar{x} &= 2 & \sum(x-\bar{x})^2 &= 100\\ \bar{y} &= 33{,}2 & \sum(x-\bar{x})(y-\bar{y}) &= 1090\\ & & \sum(y-\bar{y})^2 &= 12588.\end{aligned}$$

Der empirische Regressionskoeffizient ist

$$c = \frac{1090}{100} = 10{,}9.$$

Die Gleichung der Regressionslinie lautet

$$y - \bar{y} = c(x - \bar{x})$$

oder

$$y = 10{,}9x + 11{,}4.$$

---

[1] P. M. L. Tammes, On the origin of number and arrangement of the places of exit on the surface of pollen-grains. Diss. Groningen 1930.

Einen Korrelationskoeffizienten im eigentlichen Sinn kann man nur dann bilden, wenn die Paare (x, y) rein zufällig ausgewählt sind. In unserem Fall sind die x-Werte nicht mit den Häufigkeiten genommen, wie der Zufall sie ergab, sondern es wurden für jeden x-Wert 10 Pollen genommen. Berechnet man trotzdem r nach (13), so findet man eine sehr hohe Korrelation:

$$r = \frac{1090}{\sqrt{100 \cdot 12588}} = 0{,}97.$$

§ 67. Der Korrelationskoeffizient als Merkmal für Abhängigkeit

Da r eine Schätzung für ϱ ist und da $\varrho = 0$ im Fall der Unabhängigkeit, so wird man, wenn r beträchtlich von Null verschieden ist, den Schluß ziehen können, daß $\varrho \neq 0$ und die Größen x und y voneinander abhängig sind.

Um zu entscheiden wie groß r sein muß, damit man diesen Schluß zuversichtlich ziehen kann, haben wir die folgende Frage zu beantworten: Wenn x und y in Wahrheit unabhängig sind, also $\varrho = 0$ ist, wie weit kann sich dann der empirische Korrelationskoeffizient r von Null entfernen?

Wir nehmen x und y als unabhängig und normal verteilt an. Indem man x durch $a(x - \hat{x})$ und y durch $b(y - \hat{y})$ ersetzt, kann man erreichen, daß beide Größen den Mittelwert 0 und die Streuung 1 haben. Die Wahrscheinlichkeitsdichte des Paares (x, y) ist also

$$f(x, y) = f(x)\, f(y) = (2\pi)^{-1} \exp\left(-\tfrac{1}{2} x^2 - \tfrac{1}{2} y^2\right). \tag{1}$$

Da die einzelnen Paare $(x_1, y_1), \ldots, (x_n, y_n)$ als voneinander unabhängig angenommen wurden, so ist die Wahrscheinlichkeitsdichte des ganzen Systems $(x_1, y_1, \ldots, x_n, y_n)$ das Produkt

$$f(x_1, y_1) \ldots f(x_n, y_n) = (2\pi)^{-n} \exp\left(-\tfrac{1}{2} \sum x_i^2 - \tfrac{1}{2} \sum y_i^2\right). \tag{2}$$

Die Frage ist nun: Was ist die Verteilungsfunktion von r?

Wir untersuchen gleich eine etwas umfassendere Frage, nämlich: Was ist die simultane Verteilung der fünf zufälligen Größen $\bar{x}, \bar{y}, s_1^2, s_2^2$ und r, d.h. was ist die Wahrscheinlichkeit, daß jede von diesen zwischen gegebenen Schranken liegt?

Zunächst ist es leicht, durch eine orthogonale Transformation $\bar{x}$ und $\bar{y}$ abzuseparieren. Die Größen $x_1, \ldots, x_n$ mögen orthogonal in $u_1, \ldots, u_n$ transformiert werden, so daß u_1 proportional zum Mittel $\bar{x}$ wird:

$$\left\{\begin{array}{l} u_1 = n^{-\frac{1}{2}} x_1 + n^{-\frac{1}{2}} x_2 + \cdots + n^{-\frac{1}{2}} x_n = \bar{x}\sqrt{n} \\ u_2 = a_{21} x_1 + a_{22} x_2 + \cdots + a_{2n} x_n \\ \ldots\ldots\ldots\ldots\ldots\ldots \end{array}\right. \tag{3}$$

Für $y_1, \ldots, y_n$ setzen wir eine orthogonale Transformation mit denselben Koeffizienten an:

$$(4)\qquad \begin{cases} v_1 = n^{-\frac{1}{2}} y_1 + n^{-\frac{1}{2}} y_2 + \cdots + n^{-\frac{1}{2}} y_n = \bar{y}\sqrt{n} \\ v_2 = a_{21} y_1 + a_{22} y_2 + \cdots + a_{2n} y_n \\ \dots\dots\dots\dots\dots\dots \end{cases}$$

Dann ist $\sum x_i^2 = \sum u_i^2$ und $\sum y_i^2 = \sum v_i^2$. Aber auch die Summen $x_i + y_i$ erleiden dieselbe Transformation, z. B.

$$u_2 + v_2 = a_{21}(x_1 + y_1) + a_{22}(x_2 + y_2) + \cdots + a_{2n}(x_n + y_n).$$

Daraus folgt

$$\sum (x_i + y_i)^2 = \sum (u_i + v_i)^2.$$

Subtrahiert man davon $\sum x^2 = \sum u^2$ und $\sum y^2 = \sum v^2$ und dividiert durch 2, so ergibt sich

$$(5)\qquad \sum x y = \sum u v.$$

Damit erhält man

$$(6)\qquad \begin{cases} r^2 = \dfrac{(\sum x y - n \bar{x} \bar{y})^2}{(\sum x^2 - n \bar{x}^2)(\sum y^2 - n \bar{y}^2)} = \dfrac{(\sum u v - u_1 v_1)^2}{(\sum u^2 - u_1^2)(\sum v^2 - v_1^2)} \\ \quad = \dfrac{(u_2 v_2 + \cdots + u_n v_n)^2}{(u_2^2 + \cdots + u_n^2)(v_2^2 + \cdots + v_n^2)} \end{cases}$$

und

$$(7)\qquad (n-1)\, s_x^2 = \sum x^2 - n \bar{x}^2 = \sum u^2 - u_1^2 = u_2^2 + \cdots + u_n^2,$$

$$(8)\qquad (n-1)\, s_y^2 = \sum y^2 - n \bar{y}^2 = \sum v^2 - v_1^2 = v_2^2 + \cdots + v_n^2.$$

Die Größen u_1 und v_1 sind voneinander und von den übrigen $u_2, v_2, \ldots, u_n, v_n$ unabhängig. *Also sind $\bar{x}$ und $\bar{y}$ untereinander und von s_x^2, s_y^2 und r unabhängig.*

Selbstverständlich sind $\bar{x}$ und $\bar{y}$ normal verteilt mit Streuung $n^{-\frac{1}{2}}$. Wir haben uns also nur noch mit s_x^2, s_y^2 und r zu befassen, die durch (6), (7), (8) als Funktionen von $u_2, v_2, \ldots, u_n, v_n$ gegeben sind. Wir haben die Wahrscheinlichkeit des Ereignisses

$$(9)\qquad s_x^2 < a, \quad s_y^2 < b, \quad r < c$$

zu berechnen. Diese Wahrscheinlichkeit ist gleich dem Integral

$$(10)\qquad W = (2\pi)^{-n+1} \int \cdots \int \exp\left(-\tfrac{1}{2}\sum_2^n u^2 - \tfrac{1}{2}\sum_2^n v^2\right) d u_2\, d v_2 \ldots d u_n\, d v_n,$$

integriert über das durch (9) definierte Gebiet G.

Wir können in (10) zuerst nach $v_2, \ldots, v_n$, dann nach $u_2, \ldots, u_n$ integrieren. Bei der innern Integration nach $v_2, \ldots, v_n$ sind die u als konstant zu betrachten. Wir führen nun bei konstanten u eine orthogonale Transformation der v durch:

$$(11) \qquad \begin{cases} w_2 = b_{22} v_2 + \cdots + b_{2n} v_n \\ \cdot\ \cdot\ \cdot\ \cdot\ \cdot\ \cdot\ \cdot\ \cdot\ \cdot\ \cdot\ \cdot\ \cdot \\ w_n = b_{n2} v_2 + \cdots + b_{nn} v_n, \end{cases}$$

und zwar bestimmen wir die Koeffizienten der ersten Zeile so:

$$(12) \qquad b_{2i} = (u_2^2 + \cdots + u_n^2)^{-\frac{1}{2}} u_i \qquad (i = 2, \ldots, n).$$

Die Summe der Quadrate der Koeffizienten b_{2i} ist Eins. Also ist es nach § 13 möglich, die Koeffizienten der übrigen Zeilen so zu bestimmen, daß die ganze Transformation orthogonal wird. Daher wird das innere Integral

$$(13) \qquad \begin{cases} I = \int \cdots \int \exp\left(-\frac{1}{2} \sum_2^n v_i^2\right) d v_2 \ldots d v_n \\ \quad = \int \cdots \int \exp\left(-\frac{1}{2} \sum_2^n w_i^2\right) d w_2 \ldots d w_n. \end{cases}$$

Wegen (12) wird

$$w_2 = \sum_2^n b_{2i} v_i = (u_2^2 + \cdots + u_n^2)^{-\frac{1}{2}} (u_2 v_2 + \cdots + u_n v_n),$$

also

$$(14) \qquad r = (v_2^2 + \cdots + v_n^2)^{-\frac{1}{2}} w_2 = (w_2^2 + \cdots + w_n^2)^{-\frac{1}{2}} w_2.$$

Setzt man

$$(15) \qquad w_3^2 + \cdots + w_n^2 = \zeta^2,$$

so sieht man aus (8) und (14), daß r und s_y^2 nur von w_2 und ζ^2 abhängen:

$$(16) \qquad (n-1)\, s_y^2 = w_2^2 + w_3^2 + \cdots + w_n^2 = w_2^2 + \zeta^2,$$

$$(17) \qquad r = (w_2^2 + \zeta^2)^{-\frac{1}{2}} w_2.$$

Um das Integral (13) auszuwerten, führen wir statt $w_3, \ldots, w_n$ Polarkoordinaten $\zeta, \varphi_1, \ldots, \varphi_{n-3}$ ein. Da die Winkel $\varphi_1, \ldots, \varphi_{n-3}$ in den Integrationsgrenzen (9) gar nicht vorkommen, kann die Integration nach diesen Winkeln ohne weiteres ausgeführt werden und man erhält, wenn statt w_2 einfach w geschrieben wird, für das innere Integral (13)

$$(18) \qquad I = C \iint e^{-\frac{1}{2} w^2 - \frac{1}{2} \zeta^2} \zeta^{n-3}\, d w\, d \zeta,$$

integriert über das Gebiet

$$(19)\qquad \begin{cases} \zeta \geqq 0 \\ w^2 + \zeta^2 = (n-1)\, s_y^2 < (n-1)\, b \\ (w^2+\zeta^2)^{-\frac{1}{2}}\, w = r < c. \end{cases}$$

Das Integral I hängt von den u_i nicht ab. In (10) kann der Faktor I also vor das Integral gebracht werden. So ergibt sich

$$(20)\qquad W = (2\pi)^{-n+1}\, I \int \cdots \int \exp\Bigl(-\tfrac{1}{2}\sum_2^n u_i^2\Bigr)\, d u_2 \ldots d u_n,$$

wobei das Integral über das Gebiet

$$(21)\qquad \sum_2^n u_i^2 = (n-1)\, s_x^2 < (n-1)\, a$$

zu erstrecken ist. Führt man auch hier Polarkoordinaten $\chi, \varphi_1', \ldots, \varphi_{n-2}'$ ein, so kann man die Integration nach den Winkeln wieder ausführen und erhält schließlich

$$(22)\qquad \begin{cases} W = C' I \int e^{-\frac{1}{2}\chi^2} \chi^{n-2}\, d\chi \\ \quad = \alpha \iiint e^{-\frac{1}{2}\chi^2} \chi^{n-2}\, d\chi \cdot e^{-\frac{1}{2}\zeta^2} \zeta^{n-3}\, d\zeta \cdot e^{-\frac{1}{2}w^2}\, dw, \end{cases}$$

erstreckt über das Gebiet

$$(23)\qquad \begin{cases} \chi^2 < (n-1)\, a, \quad \chi \geqq 0, \\ w^2 + \zeta^2 < (n-1)\, b, \quad \zeta \geqq 0, \\ (w^2+\zeta^2)^{-\frac{1}{2}}\, w < c. \end{cases}$$

Das Ergebnis gilt selbstverständlich nicht nur für ein Gebiet der speziellen Form (9), sondern für irgendein Gebiet G im (s_x^2, s_y^2, r)-Raum. Das transformierte Gebiet im Raum der neuen Variablen χ, ζ, w, die durch

$$(24)\qquad \chi^2 = (n-1)\, s_x^2/\sigma_x^2, \quad \chi \geqq 0,$$

$$(25)\qquad w^2 + \zeta^2 = (n-1)\, s_y^2/\sigma_y^2, \quad z \geqq 0,$$

$$(26)\qquad w = (w^2+\zeta^2)^{\frac{1}{2}}\, r = (n-1)^{\frac{1}{2}}\, r\, s_y/\sigma_y$$

definiert sind, sei G'. Die Nenner σ_x^2, σ_y^2 und σ_y sind hinzugefügt, damit die Formeln auch dann gelten, wenn σ_x und σ_y nicht zu 1 normiert sind. Dann ist die Wahrscheinlichkeit des Gebietes G

$$(27)\qquad \mathcal{P}G = W = \alpha \iiint e^{-\frac{1}{2}\chi^2} \chi^{n-2}\, d\chi \cdot e^{-\frac{1}{2}\zeta^2} \zeta^{n-3}\, d\zeta \cdot e^{-\frac{1}{2}w^2}\, dw,$$

wobei das Integral über das transformierte Gebiet G' zu erstrecken ist. Die Konstante α ist natürlich so zu bestimmen, daß das Integral über den ganzen Raum $\chi \geqq 0$, $\zeta \geqq 0$ den Wert 1 ergibt.

Das Ergebnis kann auch so formuliert werden:

$\chi^2 = u$, $\zeta^2 = v$ und w sind unabhängige Größen mit Wahrscheinlichkeitsdichten

$$(28) \qquad f(u) = \alpha_1 e^{-\frac{1}{2}u} u^{\frac{n-3}{2}}; \quad \alpha_1 = \Gamma\left(\frac{n-1}{2}\right) 2^{-\frac{n-1}{2}},$$

$$(29) \qquad g(v) = \alpha_2 e^{-\frac{1}{2}v} v^{\frac{n-4}{2}}; \quad \alpha_2 = \Gamma\left(\frac{n-2}{2}\right) 2^{-\frac{n-2}{2}},$$

$$(30) \qquad h(w) = (2\pi)^{-\frac{1}{2}} e^{-\frac{1}{2}w^2}.$$

Die Größen χ^2 und ζ^2 haben demnach χ^2-Verteilungen mit $n-1$ und $n-2$ Freiheitsgraden. Die Größe w ist normal verteilt mit Mittelwert 0 *und Streuung* 1.

Die Verteilung des empirischen Korrelationskoeffizienten r ist nun leicht herzuleiten. Wir rechnen aus (26) zunächst ζ aus:

$$\zeta = \frac{w}{r}\sqrt{1-r^2}$$

und bilden dann

$$(31) \qquad t = \frac{w}{\zeta}\sqrt{n-2} = \frac{r}{1-r^2}\sqrt{n-2}.$$

Da w eine Normalverteilung und ζ^2 eine χ^2-Verteilung mit $n-2$ Freiheitsgraden hat, so hat t nach § 28 eine *t-Verteilung mit $n-2$ Freiheitsgraden.* Aus den Schranken für t auf den üblichen Niveaus (5%, 2% und 1%) erhält man mittels (31) ohne weiteres Schranken für den Korrelationskoeffizienten r. Diese sind in Tafel 13 am Schluß des Buches tabuliert.

Die Tafel 13 wird folgendermaßen angewandt: *Findet man in einem praktischen Fall einen Wert r, dessen absoluter Betrag die Schranke r_β der Tafel überschreitet, so nimmt man an, daß die Größen x und y voneinander abhängig sind.*

Über die Irrtumswahrscheinlichkeit dieses Testes kann man folgendes sagen.

Es gibt Fälle, in denen x und y abhängig sind. In diesen Fällen irrt man sich nicht, wenn man x und y auf Grund des Testes für abhängig erklärt.

Es gibt zweitens Fälle, in denen x und y unabhängig und annähernd normal verteilt sind. In diesen Fällen ist die Irrtumswahrscheinlichkeit des Testes 2β, denn so war der Test gerade eingerichtet.

Es gibt drittens Fälle, in denen x und y unabhängig, aber nicht annähernd normal verteilt sind. In diesen Fällen kann die Irrtumswahrscheinlichkeit des Testes etwas größer als 2β sein. Die Abweichung von 2β ist aber, wenn endliche Streuungen σ_x und σ_y angenommen werden und n genügend groß ist, nicht sehr bedeutend. Es kommt nämlich bei den zufälligen Schwankungen in r hauptsächlich auf den Zähler

$$\sum (x - \bar{x})(y - \bar{y}) \tag{32}$$

an. Für große n kann man $\bar{x}$ und $\bar{y}$ annähernd durch $\hat{x}$ und $\hat{y}$ ersetzen; dann erhält man also statt (32)

$$\sum (x - \hat{x})(y - \hat{y}).$$

Das ist eine Summe von vielen unabhängigen Gliedern, von denen jedes Einzelne eine Streuung $\sigma_x \sigma_y$ hat. Die Summe ist also nach dem Zentralen Grenzwertsatz (§ 24D) annähernd normal verteilt mit Mittelwert Null und Streuung $n^{\frac{1}{2}} \sigma_x \sigma_y$. Der Nenner von r ist $(n-1) s_x s_y$, also annähernd gleich $n \sigma_x \sigma_y$. Somit ist r für $n \to \infty$ asymptotisch normal verteilt mit Mittelwert Null und Streuung $n^{-\frac{1}{2}}$, gleichgültig ob die x und y normal verteilt sind oder nicht. Die Irrtumswahrscheinlichkeit strebt also für $n \to \infty$ gegen 2β. Für endliche, nicht allzu kleine n ist die Abweichung von 2β nicht sehr bedeutend.

Beispiel 47 (aus R. A. Fisher, Statistical Methods for Research Workers, 11th ed., Ex. 27). Für die 20 Jahre 1885 bis 1904 wurde zwischen der Weizenernte in Ostengland und dem Regenfall im Herbst eine negative Korrelation $-0{,}63$ gefunden. Aus der Tafel findet man 0,56 als Schranke für r auf dem 1%-Niveau. Der Zusammenhang zwischen Regen und Weizenernte in Ostengland erscheint also gesichert.

§ 68. Bereinigte Korrelationskoeffizienten

A. Begriff der Bereinigung

Es kann vorkommen, daß die Korrelation zwischen zwei Größen x und y ganz oder zum Teil davon herrührt, daß x und y beide eine beträchtliche Korrelation mit einer dritten Größe z aufweisen. Man kann sich dann die Frage stellen, welche Korrelation zwischen x und y noch übrig bleibt, wenn die Abhängigkeit von z dadurch eliminiert wird, daß x und y durch solche Größen

$$x' = x - \lambda z \quad \text{und} \quad y' = y - \mu z$$

ersetzt werden, die zu z keine Korrelation mehr aufweisen. Dabei soll „keine Korrelation" bedeuten, daß der Korrelationskoeffizient Null ist.

Zunächst stellen wir die Frage für den *wahren* Korrelationskoeffizienten ϱ_{xy}. Nehmen wir $\hat{x} = \hat{y} = \hat{z} = 0$ an, so ist

$$\varrho_{xy} = \frac{\mathcal{E} x y}{\sigma_x \sigma_y}. \tag{1}$$

Die Faktoren λ und μ müssen so gewählt werden, daß

$$\mathcal{E}x'z = \mathcal{E}(xz - \lambda z^2) = 0$$

$$\mathcal{E}y'z = \mathcal{E}(yz - \mu z^2) = 0$$

wird. Das gibt

(2) $$\lambda = \frac{\mathcal{E}xz}{\mathcal{E}z^2} = \frac{\varrho_{xz}\sigma_x\sigma_z}{\sigma_z^2} = \varrho_{xz}\frac{\sigma_x}{\sigma_z},$$

(3) $$\mu = \frac{\mathcal{E}yz}{\mathcal{E}z^2} = \frac{\varrho_{yz}\varrho_y\varrho_z}{\sigma_z^2} = \varrho_{yz}\frac{\sigma_y}{\sigma_z}.$$

Der „bereinigte Korrelationskoeffizient" $\varrho_{xy|z}$ ist demnach

(4) $$\varrho_{xy|z} = \varrho_{x'y'} = \frac{\mathcal{E}(x-\lambda z)(y-\mu z)}{\sigma_{x-\lambda z}\sigma_{y-\mu z}}.$$

Der Zähler hat den Wert

$$\mathcal{E}xy - \lambda\mathcal{E}zy - \mu\mathcal{E}xz + \lambda\mu\mathcal{E}zz$$
$$= \varrho_{xy}\sigma_x\sigma_y - \lambda\varrho_{yz}\sigma_y\sigma_z - \mu\varrho_{xz}\sigma_x\sigma_z + \lambda\mu\sigma_z^2.$$

Setzt man hier für λ und μ ihre Werte aus (2) und (3) ein, so erhält man

(5) $$\mathcal{E}(x-\lambda z)(y-\mu z) = (\varrho_{xy} - \varrho_{xz}\varrho_{yz})\sigma_x\sigma_y.$$

Ebenso berechnet man

(6) $$\sigma_{x-\lambda z}^2 = \mathcal{E}(x-\lambda z)^2 = (1-\varrho_{xz}^2)\sigma_x^2,$$

(7) $$\sigma_{y-\mu z}^2 = \mathcal{E}(y-\mu z)^2 = (1-\varrho_{yz}^2)\sigma_y^2.$$

Setzt man das alles in (4) ein, so erhält man

(8) $$\varrho_{xy|z} = \frac{\varrho_{xy} - \varrho_{xz}\varrho_{yz}}{\sqrt{1-\varrho_{xz}^2}\sqrt{1-\varrho_{yz}^2}}.$$

Um eine Schätzung für $\varrho_{xy|z}$ zu erhalten, ersetzt man die wahren Korrelationskoeffizienten ϱ durch die empirischen r und erhält

(9) $$r_{xy|z} = \frac{r_{xy} - r_{xz}r_{yz}}{\sqrt{1-r_{xz}^2}\sqrt{1-r_{yz}^2}}.$$

Man kann (9) auch ähnlich herleiten wie (8), indem man die Frage stellt: Welche Linearkombinationen $x'' = x - az$ und $y'' = y - bz$ haben mit z die empirische Korrelation Null? Die empirische Korrelation zwischen x'' und y'' wird dann gerade durch (9) gegeben.

Aus dieser Deutung des Ausdrucks (9) folgt, daß $r_{xy|z}$ sich nicht ändert, wenn x durch $x - \lambda z$ und y durch $y - \mu z$ ersetzt wird, wobei λ und μ zunächst ganz beliebig sind. Denn die Linearkombinationen

$x'' = x - az$ und $y'' = y - bz$, die keine empirische Korrelation mit z aufweisen, sind immer dieselben, gleichgültig ob man von x und y oder von $x' = x - \lambda z$ und $y' = y - \mu z$ ausgeht. Daher können wir bei der Diskussion der Eigenschaften der Größe $r_{xy|z}$ immer x und y durch solche x' und y' ersetzen, die keine wahre Korrelation mit z aufweisen, d.h. wir können von vornherein $\varrho_{xz} = \varrho_{yz} = 0$ annehmen.

B. Verteilungsfunktion von $r_{xy|z}$

Wir fragen nun wie im vorigen Paragraphen: Wie groß muß der bereinigte empirische Korrelationskoeffizient $r_{xy|z}$ sein, damit man auf eine wirklich vorhandene Abhängigkeit zwischen den bereinigten $x - \lambda z$ und $y - \mu z$ schließen kann? Oder anders gewendet: Welche Werte von $r_{xy|z}$ sind rein zufällig zu erwarten, wenn $x - \lambda z$ und $y - \mu z$ in Wahrheit unabhängig sind?

Nach der oben gemachten Bemerkung können wir dabei $\lambda = \mu = 0$, also $\varrho_{xz} = \varrho_{yz} = 0$ annehmen. Wir gehen noch darüber hinaus und nehmen x, y, z als unabhängig und normal verteilt an. Werden ihre Streuungen zu Eins normiert, so ist die Wahrscheinlichkeitsdichte

$$f(x, y, z) = (2\pi)^{-\frac{3}{2}} e^{-\frac{1}{2}(x^2+y^2+z^2)}. \tag{10}$$

Unter diesen Voraussetzungen haben wir die Verteilungsfunktion $H(c)$ der Größe $r_{xy|z}$ zu bestimmen. Sie ist gleich dem $3n$-fachen Integral

$$\left\{\begin{aligned} H(c) &= \mathcal{P}(r_{xy|z} < c) \\ &= \int\!\!\int\!\!\int \cdots \int\!\!\int\!\!\int f(x_1, y_1, z_1) \ldots f(x_n, y_n, z_n)\, dx_1 dy_1 \ldots dz_n, \end{aligned}\right. \tag{11}$$

integriert über das Gebiet $r_{xy|z} < c$.

Wie in § 66 separieren wir die Mittel $\bar{x}, \bar{y}$ und $\bar{z}$ durch eine orthogonale Transformation ab, d.h. wir führen statt der x_i, y_j und z_k solche u_i, v_j und w_k ein, daß u_1, v_1 und w_1 proportional zu $\bar{x}, \bar{y}$ und $\bar{z}$ sind. Die Transformationskoeffizienten sind für die v_j und w_k dieselben wie für die u_i. Setzt man zur Abkürzung

$$[uv] = u_2 v_2 + \cdots + u_n v_n \tag{12}$$

und analog für $[uw]$ und $[vw]$, so wird

$$r_{xy} = \frac{[uv]}{\sqrt{[uu] \cdot [vv]}}, \quad r_{xz} = \frac{[uw]}{\sqrt{[uu] \cdot [ww]}}, \quad r_{yz} = \frac{[vw]}{\sqrt{[vv] \cdot [ww]}}. \tag{13}$$

Das transformierte Integral sieht genau so aus wie das ursprüngliche (11), nur mit u, v, w statt x, y, z. Da u_1, v_1, w_1 in der Definition des Gebietes $r_{xv|z} < c$ nicht vorkommen, kann man die Integrationen nach

u_1, v_1 und w_1 ausführen und erhält

(14) $$H(c) = (2\pi)^{\frac{-3n-3}{2}} \iiint \cdots \iiint e^{-\frac{1}{2}([uu]+[vv]+[ww])}\, du_2\, dv_2 \ldots dw_n,$$

integriert über das Gebiet $r_{xy|z} < c$.

Wir führen zunächst die Integration nach $u_2, \ldots, u_n, v_2, \ldots, v_n$ aus und erhalten als inneres Integral, das nachher noch nach $w_2, \ldots, w_n$ integriert werden muß:

(15) $$I = \iint \cdots \iint e^{-\frac{1}{2}[uu]-\frac{1}{2}[vv]}\, du_2 \ldots du_n\, dv_2 \ldots dv_n.$$

Nun führen wir, wie in § 67, bei konstanten w eine orthogonale Transformation der u und v aus:

(16) $$u_i' = \sum a_{ik} u_k, \quad v_i' = \sum a_{ik} v_k,$$

und zwar so, daß insbesondere

(17) $$u_2' = \frac{[uw]}{\sqrt{[ww]}}, \quad v_2' = \frac{[vw]}{\sqrt{[ww]}}$$

und daher

$$r_{xz} = \frac{u_2'}{\sqrt{[uu]}} = \frac{u_2'}{\sqrt{[u'u']}},$$

$$r_{yz} = \frac{v_2'}{\sqrt{[vv]}} = \frac{v_2'}{\sqrt{[v'v']}},$$

$$r_{xy} = \frac{[uv]}{\sqrt{[uu]\cdot[vv]}} = \frac{[u'v']}{\sqrt{[u'u']\cdot[v'v']}}$$

wird. Das Integral (15) geht dabei in

(18) $$I = \iint \cdots \iint e^{-\frac{1}{2}[u'u']-\frac{1}{2}[v'v']}\, du_2' \ldots du_n'\, dv_2' \ldots dv_n'$$

über. Das Integrationsgebiet ist nach wie vor (bei konstanten w) durch $r_{xy|z} < c$ gegeben. Dabei ist

(19) $$r_{xy|z} = \frac{[u'v'] - u_2'v_2'}{\sqrt{[u'u'] - u_2'^2}\cdot\sqrt{[v'v'] - v_2'^2}} = \frac{u_3'v_3' + \cdots + u_n'v_n'}{\sqrt{u_3'^2 + \cdots + u_n'^2}\cdot\sqrt{v_n'^2 + \cdots + v_n'^2}}.$$

Da u_2' und v_2' in der Definition des Integrationsgebietes nicht vorkommen, kann man die Integration nach u_2' und v_2' ausführen und erhält

(20) $$I = \int \cdots \int e^{-\frac{1}{2}(u_3'^2+\cdots+u_n'^2+v_3'^2+\cdots+v_n'^2)}\, du_3' \ldots du_n'\, dv_3' \ldots dv_n',$$

integriert über $r_{xy|z} < c$.

Man sieht, daß das Integral I von $w_1, \ldots, w_n$ gar nicht abhängt. Man kann also I als Faktor vor das Integral (14) bringen und die Integration nach $w_2, \ldots, w_n$ ausführen. So erhält man, wenn statt $u_3', \ldots$ einfach $u_3, \ldots$ geschrieben wird,

(21) $$H(c) = (2\pi)^{-n+2} \int \cdots \int e^{-\frac{1}{2}(u_3^2+\cdots+v_3^2+\cdots+v_n^2)}\, du_3 \ldots dv_n,$$

integriert über das Gebiet $r < c$, wobei r nach (19) durch

$$r = \frac{u_3 v_3 + \cdots + u_n v_n}{\sqrt{u_3^2 + \cdots + u_n^2}\sqrt{v_3^2 + \cdots + v_n^2}} \tag{22}$$

definiert ist.

Jetzt vergleichen wir das Integral (21) mit dem früher berechneten Integral (10) § 67. Statt der früheren $u_2, \ldots, u_n$ und $v_2, \ldots, v_n$ haben wir jetzt $u_3, \ldots, u_n$ und $v_3, \ldots, v_n$, also $2(n-2)$ statt $2(n-1)$ Veränderliche. Früher war das Integrationsgebiet durch die Ungleichungen

$$s_x^2 < a, \quad s_y^2 < b, \quad r < c$$

definiert. Läßt man aber a und b nach ∞ gehen, so erhält man genau das Gebiet $r < c$. Also ist das jetzige Integral ein Spezialfall des früheren und man erhält den Satz:

Die Verteilungsfunktion des bereinigten Korrelationskoeffizienten $r_{xy|z}$ ist die gleiche wie die des gewöhnlichen Korrelationskoeffizienten r von zwei unabhängigen, normal verteilten Variablenreihen $x_1, \ldots, x_{n-1}$ und $y_1, \ldots, y_{n-1}$, nur mit der Variablenzahl $n-1$ statt n. Dieses gilt, um es noch einmal zu sagen, unter der Hypothese, daß $x - \lambda z$, $y - \mu z$ und z unabhängige, normal verteilte Größen sind. Auf die Unabhängigkeit kommt es an, auf die Normalverteilung nicht so sehr.

Zur Beurteilung der Abhängigkeit der bereinigten Größen $x - \lambda z$ und $y - \mu z$ kann man demnach die Tafel 13 mit $n-1$ statt n verwenden.

C. Geometrische Darstellung

Die Ergebnisse dieses und des vorigen Paragraphen kann man auch geometrisch herleiten.

Nehmen wir etwa $n = 4$ an und deuten (u_2, u_3, u_4), (v_2, v_3, v_4) und (w_2, w_3, w_4) als Komponenten von drei Vektoren $\mathfrak{u}$, $\mathfrak{v}$ und $\mathfrak{w}$ im dreidimensionalen Raum. Dann ist $[uu]$ das Quadrat der Länge von $\mathfrak{u}$, ebenso $[uv]$ das skalare Produkt von $\mathfrak{u}$ und $\mathfrak{v}$ und r_{xy} der Kosinus des Winkels φ zwischen $\mathfrak{u}$ und $\mathfrak{v}$. Der Ansatz der Wahrscheinlichkeitsdichte der Größen u_i und v_j:

$$(2\pi)^{-(n-1)} e^{-\frac{1}{2}[uu] - \frac{1}{2}[vv]}$$

bedeutet, daß alle sechs Vektorkomponenten u_i und v_j unabhängig voneinander normal verteilt sind. Dasselbe gilt, wenn man noch die w_k hinzunimmt.

Dieses Verteilungsgesetz ist invariant bei orthogonalen Transformationen. Man kann also, statt alle sechs Vektorkomponenten u_i und v_j unabhängig voneinander zu wählen, zunächst die u_i wählen, dann die eine Komponente v' von $\mathfrak{v}$ parallel $\mathfrak{u}$ und die zwei Komponenten von $\mathfrak{v}$ senkrecht $\mathfrak{u}$, alle nach dem normalen Verteilungsgesetz. Die Parallelkomponente v' hat eine Normalverteilung mit Streuung 1 und die

Quadratsumme der senkrechten Komponenten hat eine χ^2-Verteilung mit zwei Freiheitsgraden. Nennen wir diese Quadratsumme v''^2. Der Quotient v'/v'' ist der Kotangens des Winkels φ (Fig. 35), also

$$\frac{v'}{v''} = \frac{\cos\varphi}{\sin\varphi} = \frac{r}{\sqrt{1-r^2}}\,.$$

Diese Betrachtung erklärt, warum die Größe

$$t = \frac{r}{\sqrt{1-r^2}}\sqrt{n-1}$$

eine t-Verteilung mit $n-1$ Freiheitsgraden hat.

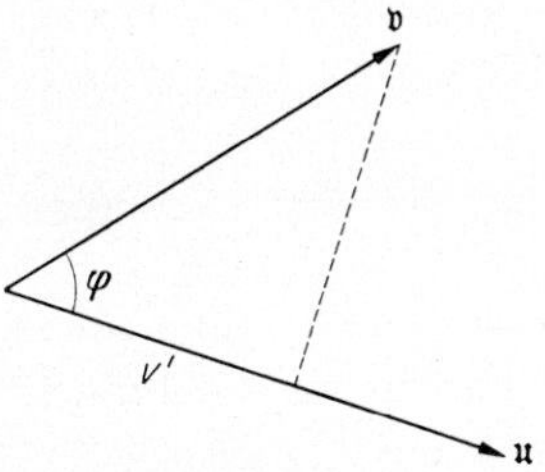

Fig. 35

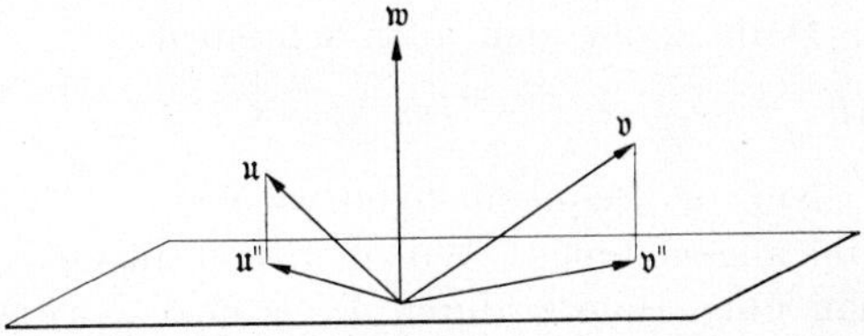

Fig. 36

Nimmt man nun noch den Vektor $\mathfrak{w}$ hinzu (Fig. 36), so werden bei der Bereinigung des Korrelationskoeffizienten r_{xy} zunächst die Vektoren $\mathfrak{u}$ und $\mathfrak{v}$ durch neue Vektoren $\mathfrak{u}''=\mathfrak{u}-a\mathfrak{w}$ und $\mathfrak{v}''=\mathfrak{v}-b\mathfrak{w}$ ersetzt, die senkrecht zu $\mathfrak{w}$ sind. Man kann zunächst den Vektor $\mathfrak{w}$ wählen und dann die Komponenten der Vektoren $\mathfrak{u}$ und $\mathfrak{v}$ parallel und senkrecht zu $\mathfrak{w}$. Die senkrechten Komponenten definieren die Vektoren $\mathfrak{u}''$ und $\mathfrak{v}''$; der Kosinus des Winkels zwischen ihnen ist der bereinigte Korrelationskoeffizient $r_{xy|z}$. Da nun diese Vektoren in der zu $\mathfrak{w}$ senkrechten Ebene nach demselben Wahrscheinlichkeitsgesetz verteilt sind wie die ursprünglichen Vektoren $\mathfrak{u}$ und $\mathfrak{v}$, nur für $n-2$ statt $n-1$ Dimensionen, so ist es erklärlich, daß $r_{xy|z}$ dieselbe Verteilungsfunktion besitzt wie ein gewöhnlicher Korrelationskoeffizient r, nur mit $n-1$ statt n.

§ 69. Verteilung des Koeffizienten r bei abhängigen Variablen

A. Normalverteilung eines Größenpaares

Bisher haben wir immer angenommen, daß die Variablen x und y in Wahrheit unabhängig sind und daß r nur zufällig von Null verschieden ist. Bedeutend schwieriger wird die Sache, wenn x und y abhängig sind. Um dann etwas über die Verteilung von r aussagen zu können, muß man eine Annahme über die Verteilung von x und y zugrunde legen.

Die einfachste Annahme ist diese: x sei normal verteilt und y sei gleich $\lambda x + z$, wobei z ebenfalls normal verteilt und von x unabhängig sei. Ist die Varianz von x gleich g^{-1} und die von z gleich h^{-1}, so wird die Wahrscheinlichkeitsdichte des Paares (x, z)

$$(1) \qquad \frac{\sqrt{g h}}{2\pi} e^{-\frac{1}{2}(g x^2 + h z^2)},$$

also die Wahrscheinlichkeitsdichte des Paares (x, y)

$$(2) \qquad \begin{cases} f(x, y) = \dfrac{\sqrt{g h}}{2\pi} e^{-\frac{1}{2}[g x^2 + h(y - \lambda x)^2]} \\ \qquad\quad = \dfrac{\sqrt{g h}}{2} e^{-\frac{1}{2}[(g + h\lambda^2) x^2 - 2\lambda h x y + h y^2]}. \end{cases}$$

Dafür kann man auch schreiben

$$(3) \qquad f(x, y) = C e^{-\frac{1}{2}(a x^2 - 2 b x y + h y^2)}.$$

Nur aus Bequemlichkeit wurden die Mittelwerte von x und y gleich Null angenommen. Will man den allgemeinen Fall haben, so braucht man nur x und y durch $x - \hat{x}$ und $y - \hat{y}$ zu ersetzen.

Eine Verteilung der Form (3) mit einer negativen quadratischen Form im Exponenten nennt man eine *Normalverteilung des Größenpaares* (x, y). Solche Verteilungen sind in der Biologie sehr häufig annähernd verwirklicht, namentlich dann, wenn man an einem nicht selektierten Material die Vererbung gewisser Körpermaße untersucht.

Jede Verteilung der Form (3) kann auf die Form (2) gebracht werden, d.h. man kann y als Summe eines linearen Gliedes λx und einer von x unabhängigen Größe z auffassen. Da x und y in (3) dieselbe Rolle spielen, kann man natürlich auch umgekehrt x als Summe eines linearen Gliedes μy und einer von y unabhängigen Größe z' auffassen. Von dem konkreten Problem, das man vor sich hat, wird es abhängen, ob man lieber x oder y als unabhängige Variable auffaßt.

Durch eine Maßstabänderung von x und y kann man immer $a = h = 1$ erreichen. Dann wird $\lambda = b$ und $g = 1 - b^2$. Die Wahrscheinlichkeitsdichte (3) nimmt dann also die einfache Form

$$(4) \qquad f(x, y) = \frac{1}{2\pi} \sqrt{1 - b^2}\, e^{-\frac{1}{2}(x^2 - 2 b x y + y^2)}$$

an, die wir im folgenden zugrunde legen werden.

Die Varianz von x war

$$(5) \qquad \sigma_x^2 = g^{-1} = (1 - b^2)^{-1}.$$

Die Varianz von y hat natürlich den gleichen Wert

$$(6) \qquad \sigma_y^2 = (1 - b^2)^{-1}.$$

Die Kovarianz von x und y kann man so berechnen:

$$(7)\qquad \begin{cases} \mathcal{E}\,x\,y = \mathcal{E}\,x(\lambda\,x + z) = \lambda\,\mathcal{E}\,x^2 + \mathcal{E}\,x\,z \\ \qquad = b\,\mathcal{E}\,x^2 + 0 = b\,(1 - b^2)^{-1}. \end{cases}$$

Somit ist der wahre Korrelationskoeffizient

$$(8)\qquad \varrho = \frac{\mathcal{E}\,x\,y}{\sigma_x\,\sigma_y} = b\,.$$

Demnach hätten wir in (4) statt b auch ϱ schreiben können:

$$(9)\qquad f(x, y) = \frac{1}{2\pi}\sqrt{1 - \varrho^2}\; e^{-\frac{1}{2}(x^2 - \varrho\,x\,y + y^2)}.$$

B. Asymptotische Verteilung von r für große n

Es seien (x_1, y_1), (x_2, y_2), ..., (x_n, y_n) unabhängige Größenpaare, von denen jedes nach (9) verteilt ist. Die Wahrscheinlichkeitsdichte des ganzen Systems $(x_1, y_1, \ldots, x_n, y_n)$ ist dann

$$(10)\qquad f(x_1, y_1) \ldots f(x_n, y_n) = (2\pi)^{-n}\,(1 - \varrho^2)^{\frac{n}{2}}\; e^{-\frac{1}{2}\Sigma(x_k^2 - \varrho\,x_k\,y_k + y_k^2)}.$$

Unter diesen Voraussetzungen ist die Verteilung des Korrelationskoeffizienten r für $n \to \infty$ asymptotisch eine Normalverteilung. Der Mittelwert ist asymptotisch gleich ϱ und die Streuung ist asymptotisch gleich

$$(11)\qquad \sigma = \frac{1 - \varrho^2}{\sqrt{n - 1}}\,.$$

Der Beweis ist sehr einfach. Wir können zunächst wie in § 67 durch eine orthogonale Transformation statt der x_k und y_k neue Veränderliche u_k und v_k einführen, so daß $u_1 = \bar{x}\sqrt{n}$, $v_1 = \bar{y}\sqrt{n}$ und

$$(12)\qquad r = (u_2\,v_2 + \cdots + u_n\,v_n)\,(u_2^2 + \cdots + u_n^2)^{-\frac{1}{2}}\,(v_2^2 + \cdots + v_n^2)^{-\frac{1}{2}}$$

wird. Die Wahrscheinlichkeitsdichte der u_k und v_k sieht genau so aus wie die der x_k und y_k:

$$(13)\qquad f(u_1, v_1) \ldots f(u_n, v_n) = (2\pi)^{-n}\,(1 - \varrho^2)^{\frac{n}{2}}\; e^{-\frac{1}{2}(u_k^2 - \varrho\,u_k\,v_k + v_k^2)}.$$

Die Mittelwerte von u_k^2, v_k^2 und $u_k v_k$ sind

$$\mathcal{E}\,u_k^2 = \sigma_x^2 = g^{-1}$$
$$\mathcal{E}\,v_k^2 = \sigma_y^2 = g^{-1}$$
$$\mathcal{E}\,u_k\,v_k = \varrho\,\sigma_x\,\sigma_y = \varrho\,g^{-1}.$$

Also können wir setzen

$$(14)\qquad \begin{cases} u_k^2 = g^{-1}(1 + p_k) \\ v_k^2 = g^{-1}(1 + q_k) \\ u_k\,v_k = g^{-1}(\varrho + r_k)\,. \end{cases}$$

Setzt man das in (12) ein, so erhält man

$$r = (m\varrho + \sum r_k)\,(m + \sum p_k)^{-\frac{1}{2}}\,(m + \sum q_k)^{-\frac{1}{2}}, \tag{15}$$

wobei $m = n - 1$ gesetzt ist. Dabei sind $\sum r_k$, $\sum p_k$ und $\sum q_k$ Summen von je m Gliedern, von denen jedes einzelne den Mittelwert 0 und eine Streuung von der Größenordnung 1 hat. Die Summen sind nach Wahrscheinlichkeit nur von der Größenordnung $m^{\frac{1}{2}}$, also klein gegen m. Daher kann man (15) entwickeln und die höheren Potenzen vernachlässigen:

$$\begin{aligned} r &= (\varrho + m^{-1}\sum r_k)\,(1 + m^{-1}\sum p_k)^{-\frac{1}{2}}\,(1 + m^{-1}\sum q_k)^{-\frac{1}{2}} \\ &= \varrho + m^{-1}\sum r_k - \tfrac{1}{2}\varrho\, m^{-1}\sum p_k - \tfrac{1}{2}\varrho\, m^{-1}\sum q_k + \cdots. \end{aligned}$$

So erhält man die asymptotische Formel

$$r - \varrho \sim \sum \frac{r_k - \frac{1}{2}\varrho\, p_k - \frac{1}{2}\varrho\, q_k}{n-1}. \tag{16}$$

Rechts steht eine Summe von vielen unabhängigen Gliedern, von denen jedes einzelne nur eine beschränkte Streuung hat. Nach dem Zentralen Grenzwertsatz (§ 24D) ist die Summe asymptotisch normal verteilt. Der Mittelwert ist Null und die Varianz ist die Summe der Varianzen der einzelnen Glieder. Rechnet man diese aus, so findet man für die Streuung die Formel (11).

Bei der praktischen Anwendung dieser Ergebnisse stellen sich verschiedene Schwierigkeiten ein. Zunächst kennt man ϱ nicht und kann daher σ auch nicht berechnen. Vielfach ersetzt man in (11) auf der rechten Seite ϱ durch r und erhält so die folgende Schätzung für σ:

$$s = \frac{1 - r^2}{\sqrt{n-1}}. \tag{17}$$

Diese Schätzung ist aber nur dann zuverlässig, wenn n sehr groß ist und ϱ^2 nicht zu nahe bei 1 liegt. Ist n nur mäßig groß oder liegt ϱ^2 nahe bei 1 (was man daran merkt, daß r^2 nahe bei 1 liegt), so kann s beträchtlich von σ abweichen. Außerdem weicht dann der Erwartungswert von r von ϱ ab, d.h. die Schätzung r hat einen Bias. Das sieht man sehr leicht, indem man in der Näherung (16) ein paar Glieder mehr ausrechnet. Man findet dann

$$\mathcal{E} r = \varrho - \frac{\varrho}{2}\,\frac{1 - \varrho^2}{n-1} + \cdots. \tag{18}$$

Zu alledem kommt noch hinzu, daß für mäßige n die exakte Verteilung von r erheblich von der Normalverteilung abweichen kann, insbesondere dann, wenn ϱ nahe bei Eins liegt. Man kann also nicht ohne weiteres die Normalverteilung dazu benutzen, Vertrauensgrenzen für ϱ bei gegebenem r zu berechnen, sondern man muß die exakte Verteilungsfunktion von r oder zumindest eine bessere Näherung benutzen.

C. Exakte Verteilung von s_x^2, s_y^2 und r

Die Wahrscheinlichkeitsdichte der drei Größen s_x^2, s_y^2 und r kann folgendermaßen erhalten werden. Wir führen zunächst für die geschätzten Varianzen und Kovarianz die folgende Bezeichnung ein:

$$s_{xx} = s_x^2, \qquad s_{yy} = s_y^2, \qquad s_{xy} = r\, s_x\, s_y. \tag{19}$$

Wir setzen wieder $y = \lambda x + z = \varrho x + z$, wobei z unabhängig von x ist, und bilden ebenso die geschätzten Varianzen und Kovarianz

$$s_{xx} = s_x^2, \qquad s_{xz} = r'\, s_x\, s_z, \qquad s_{zz} = s_z^2, \tag{20}$$

wobei r' die empirische Korrelation zwischen x und z ist.

Die Größen (19) lassen sich leicht durch die Größen (20) ausdrücken:

$$\begin{cases} s_{xx} = s_{xx} \\ s_{xy} = \varrho\, s_{xx} + s_{xz}\, w \\ s_{yy} = \varrho^2 s_{xx} + 2\varrho\, s_{xz} + s_{zz}. \end{cases} \tag{21}$$

Statt der drei Größen (20) kann man auch die in § 67 eingeführten Größen χ, w, ζ als unabhängige Variablen einführen. Die Wahrscheinlichkeitsdichte dieses Tripels ist nach (22) § 67

$$f_0(\chi, w, \zeta) = \alpha\, e^{-\frac{1}{2}\chi^2 - \frac{1}{2}\zeta^2 - \frac{1}{2}w^2}\, \chi^{n-2} \zeta^{n-3}, \tag{22}$$

wobei α eine Konstante ist.

Die Größen (20) drücken sich folgendermaßen durch χ, w, ζ aus:

$$\begin{cases} (n-1)\, s_{xx} = \sigma_x^2 \chi^2 \\ (n-1)\, s_{xz} = \sigma_x \sigma_z \chi, \\ (n-1)\, s_{zz} = \sigma_z^2 (w^2 + \zeta^2). \end{cases} \tag{23}$$

Dabei ist nach (5) $\sigma_x^2 = g^{-1} = (1-\varrho^2)^{-1}$ und $\sigma_z = 1$.

Jetzt kann man die Wahrscheinlichkeitsdichte (22) von χ, w, ζ zunächst nach (23) auf s_{xx}, s_{xz} und s_{zz} umrechnen, sodann nach (21) auf s_{xx}, s_{xy} und s_{yy}, schließlich nach (19) auf s_x, s_y und r. So findet man *die Wahrscheinlichkeitsdichte der drei Größen* s_x, s_y *und* r:

$$\begin{cases} f(s_x, s_y, r) = \dfrac{1}{\pi\, \Gamma(n-2)} (1-\varrho^2)^{\frac{n-1}{2}}\, e^{-\frac{n-1}{1-\varrho^2}\frac{1}{2}(s_x^2 - 2\varrho r s_x s_y + s_y^2)} \times \\ \times\, s_x^{n-2} s_y^{n-2} (1-r^2)^{\frac{n-4}{2}}. \end{cases} \tag{24}$$

Dieses Ergebnis rührt von R. A. Fisher her (Biometrika 10, S. 507, 1915).

D. Die Hilfsgröße z von R. A. Fisher

Durch Integration nach s_x und s_y erhält man aus (24) ohne weiteres die Wahrscheinlichkeitsdichte von r:

$$(25)\quad f(r) = \frac{1}{\pi\,\Gamma(n-2)}\,(1-\varrho^2)^{\frac{n-1}{2}}\,(1-r^2)^{\frac{n-4}{4}}\,\frac{d^{n-2}}{d(\varrho r)^{n-2}}\,\frac{\arcsin \varrho r}{(1-\varrho^2 r^2)^{\frac{1}{2}}}\,.$$

Für die Ausrechnung siehe M. G. Kendall, Advanced Theory of Statistics I 14.14 oder die eben zitierte Arbeit von R. A. Fisher in Biometrika 10.

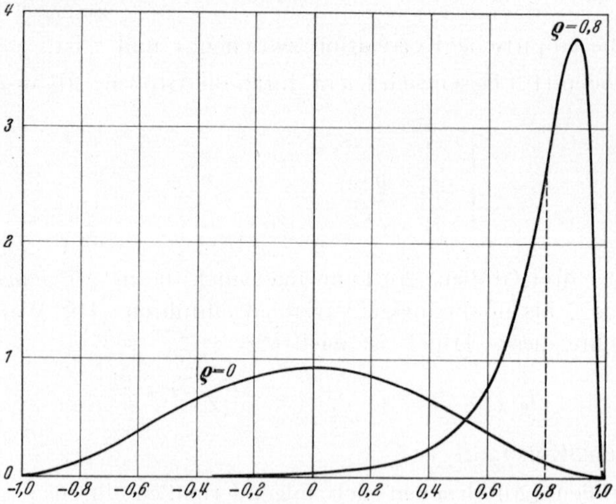

Fig. 37. Wahrscheinlichkeitsdichte von r für $\varrho = 0$ und $\varrho = 0{,}8$

Sehr praktisch ist eine von R. A. Fisher angegebene Transformation, welche die Verteilung (25) annähernd in eine Normalverteilung transformiert. Sie heißt

$$(26)\qquad z = \frac{1}{2}\ln\frac{1+r}{1-r}\,.$$

Die Größe z ist in sehr guter Näherung normal verteilt mit der von ϱ unabhängigen Streuung

$$(27)\qquad \sigma_z = (n-3)^{-\frac{1}{2}}$$

und dem Mittelwert

$$(28)\qquad \mathcal{E}z = \frac{1}{2}\ln\frac{1+\varrho}{1-\varrho} + \frac{\varrho}{2(n-1)}\,.$$

Das Korrekturglied rechts in (28) ist immer klein im Vergleich zur Streuung σ_z und kann daher vernachlässigt werden. Es spielt nur dann eine Rolle, wenn man viele Korrelationskoeffizienten beobachtet hat und aus den z-Werten das Mittel bilden will.

Wie sehr durch die Einführung von z statt r die Normalität verbessert wird, sieht man aus Fig. 37 und 38, die aus R. A. FISHERs Mathematical Methods for Research Workers (11th ed., Fig. 8, p. 200) entnommen sind.

Mit Hilfe von z kann man die folgenden Probleme lösen.

1. Zu prüfen, ob eine beobachtete Korrelation mit einem theoretisch angenommenen Wert von ϱ übereinstimmt.

2. Vertrauensgrenzen für ϱ aufzustellen, wenn man r beobachtet hat.

3. Zu prüfen, ob zwei beobachtete Korrelationskoeffizienten r_1 und r_2 zum gleichen ϱ gehören können oder nicht.

4. Wenn angenommen wird, daß mehrere beobachtete $r_1, r_2, \ldots$ zum gleichen ϱ gehören, eine möglichst gute Schätzung für ϱ zu finden.

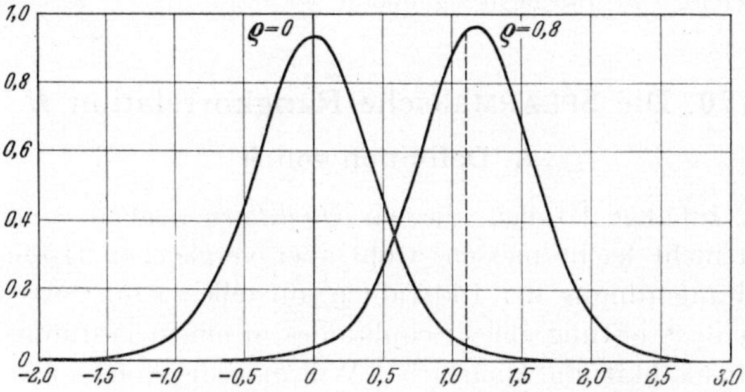

Fig. 38. Wahrscheinlichkeitsdichte von z für $\varrho = 0$ und $\varrho = 0{,}8$

Beispiel 48. In einer Stichprobe von 25 Paaren wurde eine Korrelation 0,60 gefunden. Zwischen welchen Vertrauensgrenzen wird die wahre Korrelation ϱ vermutlich liegen, wenn Normalverteilung angenommen wird?

Aus Formel (26) findet man $z = 0{,}693$. Die Streuung von z ist nach (27)

$$\sigma_z = 22^{-\frac{1}{2}} = 0{,}2132.$$

Die Vertrauensgrenzen für z auf dem 5%-Niveau sind also

$$z_1 = 0{,}693 - 1{,}96\sigma_z = 0{,}275$$
$$z_2 = 0{,}693 + 1{,}96\sigma_z = 1{,}111.$$

Aus z findet man r durch Auflösung von (26):

$$r = \frac{e^{2z} - 1}{e^{2z} + 1}.$$

Die Vertrauensgrenzen für r auf dem 5%-Niveau sind also

$$r_1 = 0{,}268 \quad \text{und} \quad r_2 = 0{,}804.$$

Beispiel 49. Aus einer Stichprobe von 20 Paaren findet man eine Korrelation $r_1 = 0{,}6$ und aus einer von 25 Paaren findet man $r_2 = 0{,}8$. Ist der Unterschied signifikant?

Man findet:

$$z_1 = 0,693$$

$$z_2 = 1,099$$

$$d = z_2 - z_1 = 0,406.$$

Die Varianzen sind

$$\sigma_1^2 = \frac{1}{17} = 0,0588$$

$$\sigma_2^2 = \frac{1}{22} = 0,0455$$

$$\sigma_d^2 = \sigma_1^2 + \sigma_2^2 = 0,1043.$$

Das Verhältnis von d zu σ_d ist

$$\frac{d}{\sigma_d} = \frac{0,406}{0,323} = 1,26.$$

Die Differenz d ist also nicht signifikant.

§ 70. Die SPEARMANsche Rangkorrelation *R*

A. Definition von *R*

Es gibt zufällige Größen, die wir *Qualitäten* nennen wollen, deren Werte sich nicht leicht messen, wohl aber vergleichen lassen, so daß man eine Rangordnung der Individuen aufstellen kann. Als Beispiele nennen wir die Leistung eines Schulkindes in einem bestimmten Lehrfach, die Musikalität, die Haarfarbe. Will man die Abhängigkeit zweier solcher Qualitäten prüfen, so kann man aus den Rangnummern einer Reihe von unabhängigen Individuen einen Korrelationskoeffizienten bilden, die *Rangkorrelation*.

Wie üblich erteilen wir die Rangnummern nach abnehmender Qualität: Nr. 1 ist der beste von der Klasse, usw.

Von den Rangnummern $1, 2, \ldots, n$ der n Individuen in bezug auf die beiden zu vergleichenden Qualitäten ziehen wir zunächst $\frac{n+1}{2}$ ab, damit das arithmetische Mittel Null wird, sodann verdoppeln wir sie, damit sie ganzzahlig werden und bezeichnen sie mit ξ für die eine, mit η für die andere Qualität. Die so definierte Rangnummer ξ oder η eines Individuums ist gleich $k-l$, wenn das Individuum von k anderen in bezug auf die fragliche Eigenschaft übertroffen wird und l andere übertrifft.

Die Summe der Quadrate der Rangnummern ξ oder η ist

$$Q = \sum \xi^2 = \sum \eta^2 = (n-1)^2 + (n-3)^2 + \cdots + (-n+1)^2 = \frac{n(n-1)(n+1)}{3}.$$

Die Rangkorrelation R wird dann nach SPEARMAN durch

$$R = \frac{\sum \xi \eta}{Q} \tag{1}$$

definiert. Sie wurde von SPEARMAN in psychologischen Untersuchungen verwendet[1]. Gewöhnlich bezeichnet man sie mit ϱ, aber dieser Buchstabe hat bei uns eine andere Bedeutung.

Die Extremwerte von R sind wieder $+1$ und -1, und zwar wird der Wert $+1$ dann angenommen, wenn die beiden Reihenfolgen vollständig übereinstimmen, der Wert -1 dann, wenn sie gerade entgegengesetzt sind.

Eine bequeme Art, R zu berechnen, ist die folgende. Man verwendet gewöhnliche Rangnummern von 1 bis n und bildet für jedes Individuum die Differenz d der Rangnummern. Dann ist

$$R = 1 - \frac{2\sum d^2}{Q} = 1 - \frac{6\sum d^2}{n(n-1)(n+1)}. \tag{2}$$

Sind die beiden Qualitäten unabhängige zufällige Größen, so sind auch die Rangnummern η von den ξ unabhängig, also ist der Mittelwert eines jeden Gliedes im Zähler von (1) Null und somit $\mathcal{E}R = 0$. Ist also R beträchtlich von Null verschieden, so wird man auf Abhängigkeit schließen. Um dieses „beträchtlich" zu präzisieren, müssen wir untersuchen, wie weit sich R im Fall der Unabhängigkeit rein zufällig vom Nullwert entfernen kann, m.a.W. wir müssen die Verteilungsfunktion von R im Fall zweier unabhängiger Qualitäten untersuchen.

B. Die Verteilung von *R* bei unabhängigen Größen

Wenn die beiden Qualitäten unabhängig sind, so ist die Reihenfolge der η von der Reihenfolge der ξ unabhängig. Die η bilden eine Permutation der ξ, und bei gegebener Reihenfolge der ξ sind alle diese Permutationen gleich wahrscheinlich. Zu jeder solchen Permutation gehört ein bestimmter Wert von R. Somit ist die gesuchte Verteilungsfunktion eine ganz bestimmte, von allen Annahmen über die Verteilungsfunktionen der Größen x und y unabhängige Treppenfunktion, die man mit der nötigen Geduld für kleine n leicht ausrechnen kann. Für $n=5$ z.B. hat man für alle 120 Permutationen der η den Wert von R auszurechnen. Bis $n=8$ ist die Rechnung wirklich ausgeführt worden; die Ergebnisse sind in M. G. KENDALL, Rank Correlation Methods (London 1948), Appendix Table 2 wiedergegeben. Für größere n wird die Rechnung zu mühsam.

[1] C. SPEARMAN, The proof and measurement of association between two things. Amer. J. Psychol. 15, p. 88 (1904).

Im Fall der Unabhängigkeit ist der Mittelwert von R Null. Wir berechnen nun die Streuung σ. Aus (1) folgt

$$Q^2 R^2 = (\sum \xi_i \eta_i)(\sum \xi_k \eta_k) = \sum_i \sum_k \xi_i \xi_k \eta_i \eta_k$$

$$Q^2 \sigma^2 = Q^2 \mathcal{E} R^2 = \sum_i \sum_k \mathcal{E}\, \xi_i \xi_k \cdot \mathcal{E} \eta_i \eta_k .$$

Die Summe enthält n Glieder mit $i = k$, die natürlich, da kein Index von einem anderen ausgezeichnet ist, alle denselben Wert haben, und ebenso $n(n-1)$ gleiche Glieder mit $i \neq k$. Somit wird

(3) $$Q^2 \sigma^2 = n\, \mathcal{E}\, \xi_1^2 \cdot \mathcal{E} \eta_1^2 + n(n-1)\, \mathcal{E}\, \xi_1 \xi_2 \cdot \mathcal{E} \eta_1 \eta_2 .$$

Wegen $\sum \xi_i = 0$ ist

$$0 = \mathcal{E}(\xi_1 \sum \xi_i) = \mathcal{E}\, \xi_1^2 + (n-1)\, \mathcal{E}\, \xi_1 \xi_2 ,$$

also

(4) $$\mathcal{E}\, \xi_1 \xi_2 = \frac{-1}{n-1} \mathcal{E}\, \xi_1^2$$

und ebenso

(5) $$\mathcal{E} \eta_1 \eta_2 = \frac{-1}{n-1} \mathcal{E} \eta_1^2 .$$

Weiter ist

(6) $$\sum \xi_i^2 = Q .$$

Bildet man in (6) auf beiden Seiten den Mittelwert, so erhält man

$$n\, \mathcal{E}\, \xi_1^2 = Q .$$

Dasselbe gilt natürlich für η_1. So erhält man

(7) $$\mathcal{E} \xi_1^2 = \mathcal{E} \eta_1^2 = \frac{Q}{n} .$$

und nach (4) und (5) weiter

(8) $$\mathcal{E}\, \xi_1 \xi_2 = \mathcal{E} \eta_1 \eta_2 = \frac{-Q}{n(n-1)}$$

Setzt man (7) und (8) in (3) ein, so erhält man

$$Q^2 \sigma^2 = \frac{Q^2}{n} + \frac{Q^2}{n(n-1)} = \frac{Q^2}{n-1}$$

oder nach Kürzung mit Q^2

(9) $$\sigma^2 = \frac{1}{n-1} .$$

Mit derselben Methode kann man auch das vierte Moment der Verteilung von R, d.h. den Erwartungswert von R^4 berechnen. Man findet

(10) $$\mathcal{E} R^4 = \frac{3}{(n-1)^2} \cdot \frac{25 n^3 - 38 n^2 - 35 n + 72}{25 n (n^2 - 1)} .$$

C. Vergleich mit der Normalverteilung

Wenn in (10) die letzten zwei Glieder $-35n+72$ durch $-25n+38$ ersetzt werden, was nur sehr wenig ausmacht, so kann man durch n^2-1 kürzen und erhält

(11) $$R^4 \sim 3(n-1)^{-2}\left(1-\frac{38}{25n}\right).$$

Vergleicht man das mit dem vierten Moment einer Normalverteilung mit Mittelwert Null und Varianz $(n-1)^{-1}$

(12) $$\mu_4 = 3(n-1)^{-2},$$

so sieht man, daß (10) asymptotisch gleich (12), aber etwas kleiner ist. Das bedeutet, daß die stark von Null abweichenden Werte von R, die am meisten zum Mittelwert von R^4 beitragen, eine etwas kleinere Wahrscheinlichkeit haben als sie nach der Normalverteilung mit der gleichen Streuung haben würden.

Berechnet man die höheren Momente $\mathcal{E}R^{2k}$, so zeigt sich, daß sie nach Multiplikation mit $(n-1)^k$ alle für $n\to\infty$ zu den entsprechenden Momenten der Normalverteilung mit Mittelwert Null und Streuung Eins, nämlich zu

(13) $$\frac{(2k)!}{2^k k!}$$

konvergieren[1]. Daraus folgt nach dem „zweiten Grenzwertsatz“ (§ 24F), daß die Verteilungsfunktion von $R\sqrt{n-1}$ für $n\to\infty$ zur Normalverteilung mit Mittelwert 0 und Streuung 1 konvergiert, d.h.: *R ist asymptotisch normal verteilt mit Mittelwert Null und Streuung* $\sigma=(n-1)^{-\frac{1}{2}}$.

Wenn man bei der Beurteilung der Unabhängigkeit so tut, als ob R normal verteilt wäre, so bleibt man auf der sicheren Seite, denn wir haben eben gesehen, daß die großen Werte von R in Wirklichkeit eine kleinere Wahrscheinlichkeit haben als nach der Normalverteilung. Man erhält somit den folgenden einfachen Test für Abhängigkeit:

Wenn die Rangkorrelation R (oder beim zweiseitigen Test der Betrag $|R|$) größer als

(14) $$R_\beta = \frac{\Psi(1-\beta)}{\sqrt{n-1}}$$

ausfällt, so ist die Hypothese der Unabhängigkeit zu verwerfen.

Die Irrtumswahrscheinlichkeit des einseitigen Testes ist $<\beta$, des zweiseitigen Testes $<2\beta$.

[1] Vgl. M. G. KENDALL, Rank Correlation Methods S. 61.

D. Vergleich mit STUDENTs Verteilung

KENDALL hat bemerkt, daß eine Verteilung mit Wahrscheinlichkeitsdichte

$$f(R) = B\left(\tfrac{1}{2}, \tfrac{1}{2}n - 1\right)^{-1} (1 - R^2)^{\frac{1}{2}n-2} \tag{15}$$

die Verteilung von R noch etwas besser approximiert als die Normalverteilung. Dabei ist $B(p, q)$ die in § 12E erklärte Betafunktion. Diese Verteilung hat die Momente

$$\mu_2' = (n-1)^{-1}$$

$$\mu_4' = 3(n^2 - 1)^{-1}.$$

Die Varianz μ_2' ist also genau richtig. Für das vierte Moment μ_4' kann man auch schreiben

$$\mu_4' = 3(n-1)^{-2}\left(1 - \frac{2}{n+1}\right). \tag{16}$$

Vergleicht man das mit (11), so sieht man, daß μ_4' etwas kleiner ist als (11). Die Näherung ist also keine Näherung nach der sichern, sondern nach der unsichern Seite.

Führt man in (15) die neue Veränderliche

$$t = R\sqrt{\frac{n-2}{1-R^2}} \tag{17}$$

ein, so erhält man genau eine t-Verteilung mit $n-2$ Freiheitsgraden. Das bedeutet praktisch: *Hat man eine Rangkorrelation R gefunden, so kann man t nach* (17) *berechnen und* STUDENTs *Test anwenden.* Allerdings wird dabei die Irrtumswahrscheinlichkeit etwas größer als β oder 2β. Einfacher und sicherer ist die Anwendung der Schranke (14), die auf der Normalverteilung beruht.

Was hier durch Betrachtung der zweiten und vierten Momente plausibel gemacht wurde, kann man im Fall $n = 8$, wo die exakte Verteilung bekannt ist, direkt nachprüfen. Man findet für die Schranken die folgenden Werte:

Niveau	$2\beta=1\%$	$2\beta=2\%$	$2\beta=5\%$
Exakte Schranken	0,86 (0,7%)	0,82 (1,5%)	0,72 (4,6%)
Normalverteilung	0,97 (0,04%)	0,88 (0,7%)	0,74 (3,6%)
STUDENTs Test	0,83 (1,1%)	0,79 (2,2%)	0,71 (5,8%)

Die zu diesen Schranken gehörigen Irrtumswahrscheinlichkeiten sind jeweils in Klammern angegeben. Wie man sieht, sind die Irrtumswahrscheinlichkeiten bei STUDENTs Test systematisch zu groß. Andererseits sind bei der Normalverteilung die Irrtumswahrscheinlichkeiten unnötig klein. Man könnte als Schranke etwa das arithmetische Mittel zwischen den beiden aus der Normalverteilung und aus STUDENTs Test gewonnenen Schranken wählen; dann würde man vermutlich immer noch auf der sichern Seite bleiben.

Für sehr große n macht es keinen Unterschied, ob man die Normalverteilung oder STUDENTs Test benutzt.

E. Der Fall der Abhängigkeit

Wir wollen nun untersuchen, welche Beziehung im Fall abhängiger Größen zwischen dem wahren Korrelationskoeffizienten ϱ und der Rangkorrelation R besteht.

Wir nehmen an, daß den beiden Qualitäten normal verteilte zufällige Größen x und y zugrunde liegen, deren Wahrscheinlichkeitsdichte

$$(18) \qquad f(x, y) = \frac{1}{2\pi}(1-\varrho^2)^{\frac{1}{2}} e^{-\frac{1}{2}(x^2-2\varrho x y+y^2)}$$

ist. Für n unabhängige Paare (x_i, y_i) ist dann die Wahrscheinlichkeitsdichte

$$(19) \qquad f(x_1, y_1)\ldots f(x_n, y_n) = (2\pi)^{-n}(1-\varrho^2)^{\frac{n}{2}} e^{-\frac{1}{2}\Sigma(x_i^2-2\varrho x_i y_i+y_i^2)}.$$

Nach (1) ist

$$(20) \qquad Q R = \sum \xi_i \eta_i.$$

Dabei ist ξ_i die Anzahl der x_k, die größer als x_i sind, vermindert um die Anzahl der x_k, die kleiner als x_i sind.

Wir definieren nun eine zufällige Größe x_{ik}, die den Wert $+1$ hat für $x_i < x_k$, den Wert 0 für $x_i = x_k$ und den Wert -1 für $x_i > x_k$. Analog bilden wir y_{ik}. Dann ist

$$\xi_i = \sum_k x_{ik}, \qquad \eta_i = \sum_k y_{ik}.$$

Setzt man das in (20) ein, so erhält man

$$(21) \qquad Q R = \sum_i \sum_k \sum_l (x_{ik} y_{il}).$$

Wir bilden nun auf beiden Seiten den Mittelwert

$$(22) \qquad Q \hat{R} = \sum_i \sum_k \sum_l \mathcal{E}(x_{ik} y_{il}).$$

Die Glieder mit $i=k$ oder $i=l$ in dieser Summe sind Null. Die Summe enthält $n(n-1)(n-2)$ Glieder mit $k \neq l$, die alle den gleichen Wert haben, und ebenso $n(n-1)$ gleiche Glieder mit $k=l$. Somit ist

$$Q \hat{R} = n(n-1)(n-2)\,\mathcal{E}(x_{12} y_{13}) + n(n-1)\,\mathcal{E}(x_{12} y_{12})$$

oder nach Division durch $Q=\frac{1}{3}n(n-1)(n+1)$

(23) $$\hat{R}=3\,\frac{n-2}{n+1}\,\mathcal{E}(x_{12}y_{13})+\frac{3}{n+1}\,\mathcal{E}(x_{12}y_{12}).$$

Wir haben jetzt nur noch die Mittelwerte von $x_{12}y_{12}$ und $x_{12}y_{13}$ auszurechnen. Die Größe $x_{12}y_{12}$ hat den Wert 1, wenn $x_1<x_2$ und $y_1<y_2$ oder $x_1>x_2$ und $y_1>y_2$ ist, dagegen -1, wenn $x_1<x_2$ und $y_1>y_2$ oder $x_1>x_2$ und $y_1<y_2$. Die Wahrscheinlichkeit, daß $x_1<x_2$ und $y_1<y_2$ ist, ist gleich dem Integral der Wahrscheinlichkeitsdichte $f(x_1,y_1)\,f(x_2,y_2)$ über das Gebiet $x_1<x_2$, $y_1<y_2$:

$$W_1=(2\pi)^{-2}(1-\varrho^2)\underset{\substack{x_1<x_2\\ y_1<y_2}}{\iiiint} e^{-\frac{1}{2}(x_1^2-\varrho x_1y_1+y_1^2)}\,e^{-\frac{1}{2}(x_2^2-\varrho x_2y_2+y_2^2)}\,dx_1\,dy_1\,dx_2\,dy_2.$$

Das Integral hat genau die Gestalt des in § 14C allgemein berechneten Integrals

(24) $$I=\sqrt{2\pi}^{\,-n}\sqrt{g}\underset{\substack{(ux)>0\\ (vx)>0}}{\int\cdots\int} e^{-\frac{1}{2}G}\,dx^1\ldots dx^n$$

mit

(25) $$G=\sum g_{ik}x^ix^k=x_1^2-2\varrho\,x_1y_1+y_1^2+x_2^2-2\varrho\,x_2y_2+y_2^2.$$

Um den Anschluß an die damaligen Bezeichnungen zu gewinnen, muß man etwa

$$\begin{array}{llll} x^1=x_1, & x^2=y_1, & x^3=x_2, & x^4=y_2\\ u_1=-1, & u_2=0, & u_3=+1, & u_4=0\\ v_1=0, & v_2=-1, & v_3=0, & v_4=+1 \end{array}$$

setzen. Die zu G kontragrediente Form heißt

(26) $$\sum g^{ik}u_iu_k=\frac{u_1^2+2\varrho\,u_1u_2+u_2^2}{1-\varrho^2}+\frac{u_3^2+2\varrho\,u_3u_4+u_4^2}{1-\varrho^2}.$$

Daraus erhält man die Werte der Invarianten

$$(uu)=\sum g^{ik}u_iu_k=\frac{1}{1-\varrho^2}+\frac{1}{1-\varrho^2}=\frac{2}{1-\varrho^2}$$

$$(uv)=\sum g^{ik}u_iv_k=\frac{\varrho}{1-\varrho^2}+\frac{\varrho}{1-\varrho^2}=\frac{2\varrho}{1-\varrho^2}$$

$$(vv)=\sum g^{ik}v_iv_k=\frac{1}{1-\varrho^2}+\frac{1}{1-\varrho^2}=\frac{2}{1-\varrho^2}.$$

Das Integral $W_1=I$ wird somit

(27) $$W_1=\frac{1}{2\pi}\arccos\frac{-(uv)}{\sqrt{(uu)}\sqrt{(vv)}}=\frac{1}{2\pi}\arccos(-\varrho).$$

Genau so groß ist auch die Wahrscheinlichkeit W_2, daß $x_1 > x_2$ und $y_1 > y_2$ ist. Die Wahrscheinlichkeit W_3 für $x_1 > x_2$ und $y_1 < y_2$ erhält man, indem man die v_i mit (-1) multipliziert:

(28) $$W_3 = \frac{1}{2\pi} \arc \cos \varrho .$$

Ebenso groß ist auch die Wahrscheinlichkeit W_4, daß $x_1 < x_2$ und $y_1 > y_2$ ist. Somit wird unser Mittelwert

(29) $$\begin{cases} \mathcal{E}\, x_{12} y_{12} = (W_1 + W_2) \cdot 1 + (W_3 + W_4) \cdot (-1) = 2W_1 - 2W_3 \\ \quad = \frac{1}{\pi} \arc \cos(-\varrho) - \frac{1}{\pi} \arc \cos \varrho \\ \quad = \frac{1}{\pi}\left(\frac{\pi}{2} + \arc \sin \varrho\right) - \frac{1}{\pi}\left(\frac{\pi}{2} - \arc \sin \varrho\right) \\ \quad = \frac{2}{\pi} \arc \sin \varrho . \end{cases}$$

Genau so berechnet man den Mittelwert der Größe $x_{12} y_{13}$. Sie hat den Wert 1, wenn $x_1 < x_2$ und $y_1 < y_3$ oder $x_1 > x_2$ und $y_1 > y_3$ ist. Die Wahrscheinlichkeit des ersteren Ereignisses ist

$$W_5 = (2\pi)^{-3} (1 - \varrho^2)^{\frac{3}{2}} \underset{\substack{x_1 < x_2 \\ y_1 < y_3}}{\int\!\!\int\!\!\int\!\!\int\!\!\int\!\!\int} e^{-\frac{1}{2}G}\, d x_1\, d y_1\, d x_2\, d y_2\, d x_3\, d y_3$$

mit

$$G = (x_1^2 - 2\varrho\, x_1 y_1 + y_1^2) + (x_2^2 - 2\varrho\, x_2 y_2 + y_2^2) + (x_3^2 - 2\varrho\, x_3 y_3 + y_3^2)$$

$$g^{ik} u_i u_k = \frac{u_1^2 + 2\varrho\, u_1 u_2 + u_2^2}{1 - \varrho^2} + \frac{u_3^2 + 2\varrho\, u_3 u_4 + u_4^2}{1 - \varrho^2} + \frac{u_5^2 + 2\varrho\, u_5 u_6 + u_6^2}{1 - \varrho^2} .$$

Die Invarianten sind

$$(u\,u) = \frac{2}{1 - \varrho^2}, \qquad (u\,v) = \frac{\varrho}{1 - \varrho^2}, \qquad (v\,v) = \frac{2}{1 - \varrho^2} .$$

Also wird

(30) $$W_5 = \frac{1}{2\pi} \arc \cos \frac{-(u v)}{\sqrt{(u u)}\sqrt{(v v)}} = \frac{1}{2\pi} \arc \cos \frac{-\varrho}{2} .$$

Ebenso groß ist auch die Wahrscheinlichkeit W_6, daß $x_1 < x_2$ und $y_1 < y_3$ ist. Die Wahrscheinlichkeiten W_7 und W_8 der beiden übrigen möglichen Fälle sind

$$W_7 = W_8 = \frac{1}{2\pi} \arc \cos \frac{\varrho}{2} .$$

Somit wird

$$\mathcal{E}(x_{12} y_{13}) = (W_5 + W_6) \cdot 1 + (W_7 + W_8) \cdot -1 = \frac{2}{\pi} \arc \sin \frac{\varrho}{2} .$$

Setzt man (29) und (30) in (23) ein, so erhält man

$$\hat{R} = \frac{6}{\pi}\frac{n-2}{n+1}\arcsin\frac{\varrho}{2} + \frac{6}{\pi(n+1)}\arcsin\varrho. \tag{31}$$

Für große n ergibt (31)

$$\hat{R} \sim \frac{6}{\pi}\arcsin\frac{\varrho}{2}. \tag{32}$$

Für nicht große n ist $\hat{R}$ etwas kleiner, denn man hat

$$2\arcsin\frac{\varrho}{2} < \arcsin\varrho < 3\arcsin\frac{\varrho}{2},$$

also

$$\frac{6}{\pi}\frac{n}{n+1}\arcsin\frac{\varrho}{2} < \hat{R} < \frac{6}{\pi}\arcsin\frac{\varrho}{2}.$$

Der Unterschied zwischen $\frac{n}{n+1}$ und 1 ist ganz geringfügig; daher kann man die Näherung (32) auch für mäßig große n verwenden. Löst man sie nach ϱ auf, so erhält man

$$\varrho \sim 2\sin\frac{\pi}{6}\hat{R}. \tag{33}$$

Das bedeutet: *Für große n kann man $2\sin\frac{\pi}{6}R$ als Schätzung für den wahren Korrelationskoeffizienten ϱ benutzen.*

Das alles gilt nur unter der Voraussetzung der simultanen Normalverteilung von x und y. Ist diese Voraussetzung nicht erfüllt, so kann man immer noch R als Schätzung für eine „wahre Rangkorrelation" P auffassen, die so definiert wird. Es seien $F(x)$ und $G(y)$ die Verteilungsfunktionen der Größen x und y. Sie mögen stetig sein. Nun setze man[1]

$$\xi = F(x), \quad \eta = G(y).$$

Die Größen ξ und η sind dann gleichverteilt zwischen 0 und 1. Ihre Varianzen sind also

$$\sigma_\xi^2 = \sigma_\eta^2 = \frac{1}{12}.$$

Nun bilde man den wahren Korrelationskoeffizienten von ξ und η

$$\mathsf{P} = 12\,\mathcal{E}(\xi - \tfrac{1}{2})(\eta - \tfrac{1}{2}). \tag{34}$$

Sind x und y simultan normal verteilt, so besteht zwischen ϱ und P die zu (33) analoge Beziehung

$$\varrho = 2\sin\frac{\pi}{6}\mathsf{P}. \tag{35}$$

[1] Siehe M. G. Kendall, Rank correlation methods 9.7 und 10.6. Kendall nennt ξ und η „grades".

Diese Relation wurde von KARL PEARSON gefunden: siehe Draper's Company Research Memoirs, Biometric Series IV, Cambridge 1907, p. 13.

Beispiel 50 (KARL PEARSON, Biometrika 13, p. 304). In einer Prüfung von 27 Kandidaten für den Nachrichtendienst wurden in Rechnen (Arithmetic) Noten von 1 bis 300 gegeben und in den andern vier Fächern (Orthography, Handwriting, Geography and English Composition) Noten von 1 bis 200. Die Noten wurden addiert und die Kandidaten wurden nach ihrer Gesamtnote geordnet. In der folgenden Tafel geben wir zuerst die Rangnummern und Gesamtnoten für alle Fächer zusammen, sodann die Rangnummern und Noten für Rechnen.

Insgesamt		Rechnen		Insgesamt		Rechnen	
Rang	Note	Rang	Note	Rang	Note	Rang	Note
1	907	1	230	15	580	13	131
2	764	9	158	16	561	15	128
3	748	2	228	17	560	18	116
4	746	10	154	18	532	22	82
5	724	8	162	19	529	16	125
6	718	5	182	20	526	17	122
7	710	14	129	21	515	19	114
8	703	7	164	22	484	21	93
9	677	3	187	23	463	25	61
10	665	4	186	24	444	26	38
11	645	11	151	25	386	27	37
12	643	6	167	26	369	23	63
13	634	20	103	27	288	24	62
14	628	12	146				

Für die Rangkorrelation fand PEARSON

$$R = 0{,}8834.$$

Daraus ergab sich gemäß der obigen Formel (33) eine Schätzung r' für den wahren Korrelationskoeffizienten, nämlich

$$r' = 2 \sin \frac{\pi}{6} R = 0{,}893.$$

Der direkt aus den Noten berechnete Korrelationskoeffizient war

$$r = 0{,}896.$$

PEARSON bemerkt mit Recht: The agreement between r and r' in this case is excellent.

§ 71. Die KENDALLsche Rangkorrelation T

Ein mit R verwandter Rangkorrelationskoeffizient τ, den wir lieber T nennen wollen, wurde von GREINER und ESSCHER eingeführt und von KENDALL wiederentdeckt. Für eine eingehende Untersuchung der Eigenschaften von T verweisen wir auf das bereits mehrfach zitierte Büchlein von M. G. KENDALL, Rank Correlation Methods. Hier sollen nur einige Hauptpunkte berührt werden.

A. Definition von T

Es seien wieder n Individuen in zwei Weisen geordnet. Für jedes Paar von Individuen (i, k) schreiben wir einen Beitrag $+1$ auf, wenn sie in beiden Rangordnungen in der gleichen Reihenfolge vorkommen, sonst -1. In der Bezeichnung von § 70E ist der Beitrag des Paares (i, k) das Produkt $x_{ik} y_{ik}$. Die Summe S der Beiträge aller Paare:

$$S = \sum x_{ik} y_{ik} \tag{1}$$

beträgt höchstens

$$\binom{n}{2} = \frac{1}{2} n(n-1).$$

Setzt man also

$$T = \frac{S}{\frac{1}{2} n(n-1)}, \tag{2}$$

so nimmt T nur Werte zwischen -1 und $+1$ an, und zwar wird $T = +1$ genau dann, wenn die beiden Rangordnungen übereinstimmen, und $T = -1$, wenn sie entgegengesetzt sind.

Wenn die Rangnummern der ersten Anordnung aufsteigend von 1 bis n geordnet werden und die Rangnummern der zweiten Anordnung darunter geschrieben werden:

$$\begin{array}{llll} \xi_1 = 1, & \xi_2 = 2, & \ldots, & \xi_n = n \\ \eta_1 \quad , & \eta_2 \quad , & \ldots, & \eta_n, \end{array}$$

so kann man S folgendermaßen berechnen: man zählt, wieviele η_k größer als η_1 rechts von η_1 stehen; sodann zählt man, wieviele η_k größer als η_2 rechts von η_2 stehen, usw. Die Summe aller dieser Anzahlen sei P. Dann ist S eine Summe von P Beiträgen $+1$ und $\binom{n}{2} - P$ Beiträgen -1, also

$$S = 2P - \tfrac{1}{2} n(n-1), \tag{3}$$

$$T = \frac{2P}{\frac{1}{2} n(n-1)} - 1. \tag{4}$$

B. Verteilung von T

Der Erwartungswert von T ist offenbar Null, wenn die Größen x und y unabhängig sind. Sind sie abhängig und normal verteilt mit Korrelation ϱ, so ist der Erwartungswert von S

$$\mathcal{E} S = \mathcal{E} \sum x_{ik} y_{ik} = \frac{n(n-1)}{2} \mathcal{E} x_{12} y_{12}$$

$$= \frac{n(n-1)}{2} \frac{2}{\pi} \arc \sin \varrho \qquad \text{nach § 70 Formel (29)},$$

also

$$\mathcal{E}\,T = \frac{2}{\pi} \arcsin \varrho . \tag{5}$$

Man kann also, wenn x und y simultan normal verteilt sind,

$$r'' = \sin\left(\frac{\pi}{2}\,T\right) \tag{6}$$

als Schätzung für ϱ benutzen.

Wir kehren nun zum Fall der unabhängigen Größen zurück und berechnen aus (1) die Varianz von S:

$$\sigma_S^2 = \mathcal{E}\,S^2 = \mathcal{E}\,(\sum x_{ij}\,y_{ij})^2.$$

Die Rechnung ist bei KENDALL 5.6 vollständig ausgeführt. Wir vermerken daher nur das Ergebnis:

$$\sigma_S^2 = \frac{n\,(n-1)\,(2n+5)}{18}. \tag{7}$$

Wegen (2) folgt daraus

$$\sigma_T^2 = \frac{2\,(2n+5)}{9n\,(n-1)}. \tag{8}$$

Berechnet man in derselben Weise auch die höheren Momente $\mathcal{E}\,T^4$, $\mathcal{E}\,T^6, \ldots$ (die ungeraden Momente sind Null, da die Werte T und $-T$ immer die gleiche Wahrscheinlichkeit haben), so sieht man, daß sie für $n \to \infty$ asymptotisch gleich den Momenten der Normalverteilung mit Streuung σ_T:

$$\mu_{2r} = \frac{(2r)!}{2^r\,r!}\,\sigma_T^{2r} \tag{9}$$

sind. Daraus folgt: *T ist asymptotisch normal verteilt mit Mittelwert Null und Varianz* (8).

Die asymptotische Normalität gilt sogar für abhängige Größen mit beliebiger Verteilungsfunktion, sofern $\mathcal{E}\,T$ nicht zu nahe bei $+1$ oder -1 liegt. Für den Beweis siehe KENDALL, Rank correlation methods 5.21.

Bei abhängigen Variablen ist der Satz von der asymptotischen Normalität praktisch nicht sehr nützlich, weil für mäßig große n die Verteilung beträchtlich schief sein kann und außerdem ihre Streuung nicht bekannt ist. Bei unabhängigen Variablen aber ist die Streuung nach (8) bekannt und die Normalkurve bereits für $n = 8$ eine gute Approximation. Man kann also T sehr gut als Testgröße zur Prüfung der Unabhängigkeit benutzen. Für $n \leq 10$ ist die exakte Verteilung von T bekannt (KENDALL, Appendix Table 1) und für $n > 10$ kann man die normale Näherung benutzen, d.h. man kann die Hypothese der Unabhängigkeit verwerfen, sobald T selbst oder beim zweiseitigen Test der Betrag $|T|$ die Schranke

$$T_\beta = \sigma_T \Psi(1-\beta) \tag{10}$$

überschreitet. Die Irrtumswahrscheinlichkeit ist beim einseitigen Test β, beim zweiseitigen Test 2β.

C. Vergleich von *R* und *T*

Entwickelt man die unter Annahme der Normalverteilung berechneten Erwartungswerte $\hat{R}$ und $\hat{T}$ in Potenzreihen nach ϱ, so erhält man

$$\hat{R} = \frac{3}{\pi}\left(\frac{n}{n+1}\varrho + \frac{1}{24}\frac{n+6}{n+1}\varrho^3 + \cdots\right), \tag{11}$$

$$\hat{T} = \frac{2}{\pi}\left(\varrho + \frac{1}{6}\varrho^3 + \cdots\right). \tag{12}$$

Daraus ergibt sich, daß für große n und kleine ϱ das Verhältnis der Erwartungswerte ungefähr 3:2 ist. Vergleicht man andererseits die Streuungen für $\varrho = 0$, nämlich

$$\sigma_R = (n-1)^{-\frac{1}{2}}, \tag{13}$$

$$\sigma_T = \left[\frac{2(2n+5)}{9n(n-1)}\right]^{\frac{1}{2}} = \frac{2}{3}\left(1 + \frac{5}{2n}\right)^{\frac{1}{2}}(n-1)^{-\frac{1}{2}}, \tag{14}$$

so findet man für große n wieder dasselbe Verhältnis 3:2. Man kann daraus versuchsweise den Schluß ziehen, daß R sich zu T ungefähr wie 3:2 verhält, wenn beide nicht allzu nahe bei $+1$ oder -1 liegen. Der Schluß wird bestätigt durch ein Ergebnis von H. E. DANIELS, das besagt, daß der Korrelationskoeffizient von R und T für $n \to \infty$ gegen 1 strebt und schon für mäßig große n sehr nahe bei 1 liegt (KENDALL, Rank correlation methods 5.14).

Ist es nun besser, R oder T als Testgröße für Unabhängigkeit zu wählen? Der einseitige R-Test verwirft die Unabhängigkeitshypothese dann, wenn $R > R_\beta$ wird, ebenso der T-Test, wenn $T > T_\beta$ wird. Wir wollen untersuchen, welcher von diesen beiden Testen eine größere Macht (im Sinne von § 59) hat. Unter der Macht eines Testes versteht man die Wahrscheinlichkeit, daß der Test zu einer Entscheidung, d.h. in diesem Fall zum Verwerfen der Unabhängigkeitshypothese führt, wenn die Größen x und y in der Tat abhängig sind.

Um die Frage zu beantworten, müssen wir zunächst eine Annahme über die Verteilung der Größen x und y machen. Wir nehmen wieder an, daß x und y simultan normal verteilt sind. Ihre Wahrscheinlichkeitsdichte kann dann nach § 69 als

$$f(x, y) = \frac{1}{2\pi}(1-\varrho^2)^{\frac{1}{2}} e^{-\frac{1}{2}(x^2-\varrho x y + y^2)} \tag{15}$$

angesetzt werden. Die Macht eines jeden Testes ist eine Funktion von ϱ.

Wir nehmen zunächst an, daß n so groß ist, daß jede der beiden Größen R und T fast normal verteilt ist. Die Schranken R_β und T_β sind dann nach der Normalverteilung zu bestimmen:

$$R_\beta = \sigma_R \cdot \Psi(1-\beta) = (n-1)^{-\frac{1}{2}} \Psi(1-\beta), \tag{16}$$

$$T_\beta = \sigma_T \cdot \Psi(1-\beta) = \frac{2}{3}\left(1+\frac{5}{2n}\right)^{\frac{1}{2}} (n-1)^{-\frac{1}{2}} \Psi(1-\beta). \tag{17}$$

In (16) und (17) sind σ_R und σ_T selbstverständlich für $\varrho = 0$ berechnet. Ist ϱ von Null verschieden, so ändern sich σ_R und σ_T, aber die Änderung ist nur von der Größenordnung ϱ^2 und soll zunächst vernachlässigt werden. Wir rechnen also sowohl für R als für T mit einer Normalverteilung, wobei die Mittelwerte durch (11) und (12) und die Streuungen durch (13) und (14) gegeben werden. Die Macht des R-Testes, oder die Wahrscheinlichkeit des Ereignisses $R > R_\beta$ ist dann

$$M_R(\varrho) = 1 - \Phi\left(\frac{R_\beta - \hat{R}}{\sigma_R}\right) = \Phi\left(\frac{\hat{R} - R_\beta}{\sigma_R}\right) \tag{18}$$

und die Macht des T-Testes ist ebenso

$$M_T(\varrho) = \Phi\left(\frac{\hat{T} - T_\beta}{\sigma_T}\right). \tag{19}$$

Wenn ϱ groß gegen $(n-1)^{-\frac{1}{2}}$ ist, so sind $\hat{R}$ und $\hat{T}$ beide groß gegen σ_R bzw. σ_T und die Ausdrücke (18) und (19) werden beide praktisch gleich Eins. Man kann also annehmen, daß ϱ^2 nur von der Größenordnung n^{-1} ist. Vernachlässigt man nun in (18) und (19) alle Glieder von der Größenordnung n^{-1} und kleiner, so erhält man für $M_R(\varrho)$ und $M_T(\varrho)$ genau dieselbe Funktion $M(\varrho)$, nämlich

$$M(\varrho) = \Phi\left\{\frac{3}{\pi}\varrho(n-1)^{\frac{1}{2}} - \Psi(1-\beta)\right\}. \tag{20}$$

In dieser Näherung haben beide Tests also dieselbe Machtfunktion. Ihr Verlauf ist in Fig. 39 durch die ausgezogene, mit $M(\varrho)$ bezeichnete Kurve dargestellt.

Jetzt wollen wir die Näherung schrittweise verfeinern. Zunächst halten wir an der Normalverteilung fest, nehmen aber in (11) und (12) auch noch die Glieder von der Größenordnung ϱ^3 und in (17) das Glied $\frac{5}{2n}$ mit. Die Rechnung ergibt praktisch dasselbe: die beiden Kurven für $M_R(\varrho)$ und $M_T(\varrho)$ fallen nach wie vor fast zusammen.

Wie wir gesehen haben, ist die Normalverteilung für T eine gute Näherung, für R aber nicht. Die wahre Verteilungsfunktion für R strebt bei den großen positiven R-Werten schneller nach 1 und bei den negativen R-Werten schneller nach Null als die normale. Wenn man das berücksichtigt, aber die Schranke R_β zunächst ungeändert

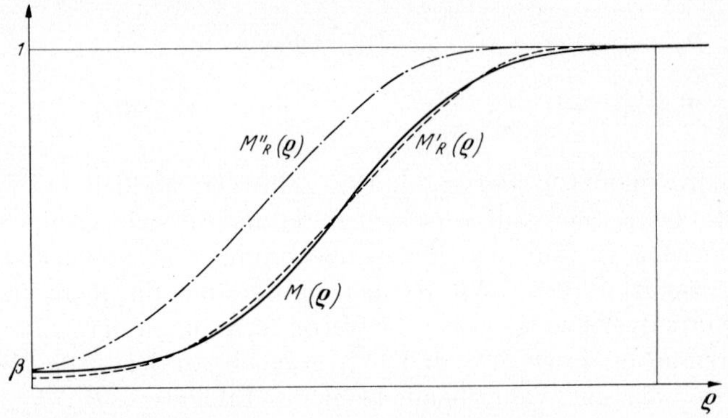

Fig. 39. Machtfunktionen des R- und T-Testes. Die ausgezogene Kurve gilt für R und T in erster Näherung, die gestrichelte für T, die strichpunktierte für R in verbesserter Näherung

läßt, so ergibt sich für $M_R(\varrho)$ eine Kurve von der Gestalt der in Fig. 39 mit M'_R bezeichneten gestrichelten Kurve, die zunächst für kleine ϱ unter der ausgezogenen Kurve verläuft, dann darüber bis zum Punkt $M = \frac{1}{2}$, dann wieder darunter und schließlich für große ϱ wieder darüber. Die Figur ist nur qualitativ richtig: die Unterschiede zwischen den Kurven sind etwas übertrieben.

Für große ϱ müßte man auch noch die Schiefe der Verteilungskurven für R und T berücksichtigen. Sie bewirkt eine Verringerung der Machtfunktionen $M_R(\varrho)$ und $M_T(\varrho)$ in der Nähe von $\varrho = 1$, und zwar eine etwas stärkere Verringerung für M_R als für M_T. Diese Verringerung macht aber nicht viel aus; in der Figur ist sie nicht angegeben.

Entscheidend ist jedoch die letzte Korrektur, die wir noch zu berücksichtigen haben, nämlich die der Schranke R_β. Wie wir gesehen haben, sind die nach der Normalverteilung berechneten Schranken für T ungefähr richtig, da T annähernd normal verteilt ist, aber für R erheblich zu groß. Für $n = 8$ erhielten wir auf dem 1%-Niveau nach der Normalverteilung die Schranke $R_\beta = 0{,}97$, während die exakte Schranke 0,86 beträgt. Man hat nun die Wahl: entweder läßt man, um sicher zu gehen, die Schranke R_β ungeändert; dann bleibt die Macht des R-Testes auch ungeändert, aber die Irrtumswahrscheinlichkeit des Testes wird beträchtlich kleiner als β. Oder man verkleinert R_β so, daß die Irrtumswahrscheinlichkeit gerade noch $\leq \beta$ bleibt; dann aber wird die gestrichelte Kurve um ein beträchtliches Stück nach links verschoben und man erhält eine größere Machtfunktion $M''_R(\varrho)$, die in der Figur durch die strichpunktierte Kurve dargestellt ist. Also:

Der R-Test hat bei ungefähr gleicher Macht eine kleinere Irrtumswahrscheinlichkeit, oder bei gleicher Irrtumswahrscheinlichkeit eine größere Macht als der T-Test.

Dazu kommt, daß die Berechnung von R weniger Rechenarbeit erfordert als die von T. Mir scheint also, daß der alte SPEARMANsche Korrelationskoeffizient R theoretisch und praktisch seinem jüngeren Konkurrenten T vorzuziehen ist.

XIV. Tafeln

(S. 332 bis S. 350)

Tafel 1. Normale Verteilungsfunktion $\Phi(t) = \frac{1}{\sqrt{2\pi}} \int_{-\infty}^{t} e^{-\frac{1}{2}x^2} dx$

t	0	1	2	3	4	5	6	7	8	9
−0,0	,5000	,4960	,4920	4880	4840	4801	,4761	,4721	,4681	,4641
−0,1	,4602	,4562	,4522	,4483	,4443	,4404	,4364	,4325	,4286	,4247
−0,2	,4207	,4168	,4129	,4090	,4052	,4013	,3974	,3936	,3897	,3859
−0,3	,3821	,3783	,3745	,3707	,3669	,3632	,3594	,3557	,3520	,3483
−0,4	,3446	,3409	,3372	,3336	,3300	,3264	,3228	,3192	,3156	,3121
−0,5	,3085	,3050	,3015	,2981	,2946	,2912	,2877	,2843	,2810	,2776
−0,6	,2743	,2709	,2676	,2643	,2611	,2578	,2546	,2514	,2483	,2451
−0,7	,2420	,2389	,2358	,2327	,2297	,2266	,2236	,2206	,2177	,2148
−0,8	,2119	,2090	,2061	,2033	,2005	,1977	,1949	,1922	,1894	,1867
−0,9	,1841	,1814	,1788	,1762	,1736	,1711	,1685	,1660	,1635	,1611
−1,0	,1587	,1562	,1539	,1515	,1492	,1469	,1446	,1423	,1401	,1379
−1,1	,1357	,1335	,1314	,1292	,1271	,1251	,1230	,1210	,1190	,1170
−1,2	,1151	,1131	,1112	,1093	,1075	,1056	,1038	,1020	,1003	,0985
−1,3	,0968	,0951	,0934	,0918	,0901	,0885	,0869	,0853	,0838	,0823
−1,4	,0808	,0793	,0778	,0764	,0749	,0735	,0721	,0708	,0694	,0681
−1,5	,0668	,0655	,0643	,0630	,0618	,0606	,0594	,0582	,0571	,0559
−1,6	,0548	,0537	,0526	,0516	,0505	,0495	,0485	,0475	,0465	,0455
−1,7	,0446	,0436	,0427	,0418	,0409	,0401	,0392	,0384	,0375	,0367
−1,8	,0359	,0351	,0344	,0336	,0329	,0322	,0314	,0307	,0301	,0294
−1,9	,0288	,0281	,0274	,0268	,0262	,0256	,0250	,0244	,0239	,0233
−2,0	,0228	,0222	,0217	,0212	,0207	,0202	,0197	,0192	,0188	,0183
−2,1	,0179	,0174	,0170	,0166	,0162	,0158	,0154	,0150	,0146	,0143
−2,2	,0139	,0136	,0132	,0129	,0125	,0122	,0119	,0116	,0113	,0110
−2,3	,0107	,0104	,0102	,0099	,0096	,0094	,0091	,0089	,0087	,0084
−2,4	,0082	,0080	,0078	,0075	,0073	,0071	,0069	,0068	,0066	,0064
−2,5	,0062	,0060	,0059	,0057	,0055	,0054	,0052	,0051	,0049	,0048
−2,6	,0047	,0045	,0044	,0043	,0041	,0040	,0039	,0038	,0037	,0036
−2,7	,0035	,0034	,0033	,0032	,0031	,0030	,0029	,0028	,0027	,0026
−2,8	,0026	,0025	,0024	,0023	,0023	,0022	,0021	,0021	,0020	,0019
−2,9	,0019	,0018	,0018	,0017	,0016	,0016	,0015	,0015	,0014	,0014

$t =$ −3,0	−3,1	−3,2	−3,3	−3,4	−3,5	−3,6	−3,7	−3,8	−3,9
$\Phi(t) =$,0013	,0010	,0007	,0005	,0003	,0002	,0002	,0001	,0001	,0000

Tafel 1 (Fortsetzung). $\Phi(t)$

t	0	1	2	3	4	5	6	7	8	9
0,0	,5000	,5040	,5080	,5120	,5160	,5199	,5239	,5279	,5319	,5359
0,1	,5398	,5438	,5478	,5517	,5557	,5596	,5636	,5675	,5714	,5753
0,2	,5793	,5832	,5871	,5910	,5948	,5987	,6026	,6064	,6103	,6141
0,3	,6179	,6217	,6255	,6293	,6331	,6368	,6406	,6443	,6480	,6517
0,4	,6554	,6591	,6628	,6664	,6700	,6736	,6772	,6808	,6844	,6879
0,5	,6915	,6950	,6985	,7019	,7054	,7088	,7123	,7157	,7190	,7224
0,6	,7257	,7291	,7324	,7357	,7389	,7422	,7454	,7486	,7517	,7549
0,7	,7580	,7611	,7642	,7673	,7703	,7734	,7764	,7794	,7823	,7852
0,8	,7881	,7910	,7939	,7967	,7995	,8023	,8051	,8078	,8106	,8133
0,9	,8159	,8186	,8212	,8238	,8264	,8289	,8315	,8340	,8365	,8389
1,0	,8413	,8438	,8461	,8485	,8508	,8531	,8554	,8577	,8599	,8621
1,1	,8643	,8665	,8686	,8708	,8729	,8749	,8770	,8790	,8810	,8830
1,2	,8849	,8869	,8888	,8907	,8925	,8944	,8962	,8980	,8997	,9015
1,3	,9032	,9049	,9066	,9082	,9099	,9115	,9131	,9147	,9162	,9177
1,4	,9192	,9207	,9222	,9236	,9251	,9265	,9279	,9292	,9306	,9319
1,5	,9332	,9345	,9357	,9370	,9382	,9394	,9406	,9418	,9429	,9441
1,6	,9452	,9463	,9474	,9484	,9495	,9505	,9515	,9525	,9535	,9545
1,7	,9554	,9564	,9573	,9582	,9591	,9599	,9608	,9616	,9625	,9633
1,8	,9641	,9649	,9656	,9664	,9671	,9678	,9686	,9693	,9699	,9706
1,9	,9713	,9719	,9726	,9732	,9738	,9744	,9750	,9756	,9761	,9767
2,0	,9772	,9778	,9783	,9788	,9793	,9798	,9803	,9808	,9812	,9817
2,1	,9821	,9826	,9830	,9834	,9838	,9842	,9846	,9850	,9854	,9857
2,2	,9861	,9864	,9868	,9871	,9875	,9878	,9881	,9884	,9887	,9890
2,3	,9893	,9896	,9898	,9901	,9904	,9906	,9909	,9911	,9913	,9916
2,4	,9918	,9920	,9922	,9925	,9927	,9929	,9931	,9932	,9934	,9936
2,5	,9938	,9940	,9941	,9943	,9945	,9946	,9948	,9949	,9951	,9952
2,6	,9953	,9955	,9956	,9957	,9959	,9960	,9961	,9962	,9963	,9964
2,7	,9965	,9966	,9967	,9968	,9969	,9970	,9971	,9972	,9973	,9974
2,8	,9974	,9975	,9976	,9977	,9977	,9978	,9979	,9979	,9980	,9981
2,9	,9981	,9982	,9982	,9983	,9984	,9984	,9985	,9985	,9986	,9986

$t =$ 3,0	3,1	3,2	3,3	3,4	3,5	3,6	3,7	3,8	3,9
$\Phi(t) =$,9987	,9990	,9993	,9995	,9997	,9998	,9998	,9999	,9999	1,0000

Tafel 2. Umkehrfunktion $\Psi(x)$

X→ ↓	0	1	2	3	4	5	6	7	8	9
0,00	−∞	−3,09	−2,88	−2,75	−2,65	−2,58	−2,51	−2,46	−2,41	−2,37
0,01	−2,33	−2,29	−2,26	−2,23	−2,20	−2,17	−2,14	−2,12	−2,10	−2,07
0,02	−2,05	−2,03	−2,01	−2,00	−1,98	−1,96	−1,94	−1,93	−1,91	−1,90
0,03	−1,88	−1,87	−1,85	−1,84	−1,83	−1,81	−1,80	−1,79	−1,77	−1,76
0,04	−1,75	−1,74	−1,73	−1,72	−1,71	−1,70	−1,68	−1,67	−1,66	−1,65
0,05	−1,64	−1,64	−1,63	−1,62	−1,61	−1,60	−1,59	−1,58	−1,57	−1,56
0,06	−1,55	−1,55	−1,54	−1,53	−1,52	−1,51	−1,51	−1,50	−1,49	−1,48
0,07	−1,48	−1,47	−1,46	−1,45	−1,45	−1,44	−1,43	−1,43	−1,42	−1,41
0,08	−1,41	−1,40	−1,39	−1,39	−1,38	−1,37	−1,37	−1,36	−1,35	−1,35
0,09	−1,34	−1,33	−1,33	−1,32	−1,32	−1,31	−1,30	−1,30	−1,29	−1,29
0,10	−1,28	−1,28	−1,27	−1,26	−1,26	−1,25	−1,25	−1,24	−1,24	−1,23
0,11	−1,23	−1,22	−1,22	−1,21	−1,21	−1,20	−1,20	−1,19	−1,19	−1,18
0,12	−1,18	−1,17	−1,17	−1,16	−1,16	−1,15	−1,15	−1,14	−1,14	−1,13
0,13	−1,13	−1,12	−1,12	−1,11	−1,11	−1,10	−1,10	−1,09	−1,09	−1,09
0,14	−1,08	−1,08	−1,07	−1,07	−1,06	−1,06	−1,05	−1,05	−1,05	−1,04
0,15	−1,04	−1,03	−1,03	−1,02	−1,02	−1,02	−1,01	−1,01	−1,00	−1,00
0,16	−0,99	−0,99	−0,99	−0,98	−0,98	−0,97	−0,97	−0,97	−0,96	−0,96
0,17	−0,95	−0,95	−0,95	−0,94	−0,94	−0,93	−0,93	−0,93	−0,92	−0,92
0,18	−0,92	−0,91	−0,91	−0,90	−0,90	−0,90	−0,89	−0,89	−0,89	−0,88
0,19	−0,88	−0,87	−0,87	−0,87	−0,86	−0,86	−0,86	−0,85	−0,85	−0,85
0,20	−0,84	−0,84	−0,83	−0,83	−0,83	−0,82	−0,82	−0,82	−0,81	−0,81
0,21	−0,81	−0,80	−0,80	−0,80	−0,79	−0,79	−0,79	−0,78	−0,78	−0,78
0,22	−0,77	−0,77	−0,77	−0,76	−0,76	−0,76	−0,75	−0,75	−0,75	−0,74
0,23	−0,74	−0,74	−0,73	−0,73	−0,73	−0,72	−0,72	−0,72	−0,71	−0,71
0,24	−0,71	−0,70	−0,70	−0,70	−0,69	−0,69	−0,69	−0,68	−0,68	−0,68
0,25	−0,67	−0,67	−0,67	−0,67	−0,66	−0,66	−0,66	−0,65	−0,65	−0,65
0,26	−0,64	−0,64	−0,64	−0,63	−0,63	−0,63	−0,63	−0,62	−0,62	−0,62
0,27	−0,61	−0,61	−0,61	−0,60	−0,60	−0,60	−0,59	−0,59	−0,59	−0,59
0,28	−0,58	−0,58	−0,58	−0,57	−0,57	−0,57	−0,57	−0,56	−0,56	−0,56
0,29	−0,55	−0,55	−0,55	−0,54	−0,54	−0,54	−0,54	−0,53	−0,53	−0,53
0,30	−0,52	−0,52	−0,52	−0,52	−0,51	−0,51	−0,51	−0,50	−0,50	−0,50
0,31	−0,50	−0,49	−0,49	−0,49	−0,48	−0,48	−0,48	−0,48	−0,47	−0,47
0,32	−0,47	−0,46	−0,46	−0,46	−0,46	−0,45	−0,45	−0,45	−0,45	−0,44
0,33	−0,44	−0,44	−0,43	−0,43	−0,43	−0,43	−0,42	−0,42	−0,42	−0,42
0,34	−0,41	−0,41	−0,41	−0,40	−0,40	−0,40	−0,40	−0,39	−0,39	−0,39
0,35	−0,39	−0,38	−0,38	−0,38	−0,37	−0,37	−0,37	−0,37	−0,36	−0,36
0,36	−0,36	−0,36	−0,35	−0,35	−0,35	−0,35	−0,34	−0,34	−0,34	−0,33
0,37	−0,33	−0,33	−0,33	−0,32	−0,32	−0,32	−0,32	−0,31	−0,31	−0,31
0,38	−0,31	−0,30	−0,30	−0,30	−0,30	−0,29	−0,29	−0,29	−0,28	−0,28
0,39	−0,28	−0,28	−0,27	−0,27	−0,27	−0,27	−0,26	−0,26	−0,26	−0,26
0,40	−0,25	−0,25	−0,25	−0,25	−0,24	−0,24	−0,24	−0,24	−0,23	−0,23
0,41	−0,23	−0,23	−0,22	−0,22	−0,22	−0,21	−0,21	−0,21	−0,21	−0,20
0,42	−0,20	−0,20	−0,20	−0,19	−0,19	−0,19	−0,19	−0,18	−0,18	−0,18
0,43	−0,18	−0,17	−0,17	−0,17	−0,17	−0,16	−0,16	−0,16	−0,16	−0,15
0,44	−0,15	−0,15	−0,15	−0,14	−0,14	−0,14	−0,14	−0,13	−0,13	−0,13
0,45	−0,13	−0,12	−0,12	−0,12	−0,12	−0,11	−0,11	−0,11	−0,11	−0,10
0,46	−0,10	−0,10	−0,10	−0,09	−0,09	−0,09	−0,09	−0,08	−0,08	−0,08
0,47	−0,08	−0,07	−0,07	−0,07	−0,07	−0,06	−0,06	−0,06	−0,06	−0,05
0,48	−0,05	−0,05	−0,05	−0,04	−0,04	−0,04	−0,04	−0,03	−0,03	−0,03
0,49	−0,03	−0,02	−0,02	−0,02	−0,02	−0,01	−0,01	−0,01	−0,01	−0,00

Tafel 2 (Fortsetzung). $\Psi(x)$

$X\rightarrow$ $\downarrow$	0	1	2	3	4	5	6	7	8	9
0,50	0,00	0,00	0,01	0,01	0,01	0,01	0,02	0,02	0,02	0,02
0,51	0,03	0,03	0,03	0,03	0,04	0,04	0,04	0,04	0,05	0,05
0,52	0,05	0,05	0,06	0,06	0,06	0,06	0,07	0,07	0,07	0,07
0,53	0,08	0,08	0,08	0,08	0,09	0,09	0,09	0,09	0,10	0,10
0,54	0,10	0,10	0,11	0,11	0,11	0,11	0,12	0,12	0,12	0,12
0,55	0,13	0,13	0,13	0,13	0,14	0,14	0,14	0,14	0,15	0,15
0,56	0,15	0,15	0,16	0,16	0,16	0,16	0,17	0,17	0,17	0,17
0,57	0,18	0,18	0,18	0,18	0,19	0,19	0,19	0,19	0,20	0,20
0,58	0,20	0,20	0,21	0,21	0,21	0,21	0,22	0,22	0,22	0,23
0,59	0,23	0,23	0,23	0,24	0,24	0,24	0,24	0,25	0,25	0,25
0,60	0,25	0,26	0,26	0,26	0,26	0,27	0,27	0,27	0,27	0,28
0,61	0,28	0,28	0,28	0,29	0,29	0,29	0,30	0,30	0,30	0,30
0,62	0,31	0,31	0,31	0,31	0,32	0,32	0,32	0,32	0,33	0,33
0,63	0,33	0,33	0,34	0,34	0,34	0,35	0,35	0,35	0,35	0,36
0,64	0,36	0,36	0,36	0,37	0,37	0,37	0,37	0,38	0,38	0,38
0,65	0,39	0,39	0,39	0,39	0,40	0,40	0,40	0,40	0,41	0,41
0,66	0,41	0,42	0,42	0,42	0,42	0,43	0,43	0,43	0,43	0,44
0,67	0,44	0,44	0,45	0,45	0,45	0,45	0,46	0,46	0,46	0,46
0,68	0,47	0,47	0,47	0,48	0,48	0,48	0,48	0,49	0,49	0,49
0,69	0,50	0,50	0,50	0,50	0,51	0,51	0,51	0,52	0,52	0,52
0,70	0,52	0,53	0,53	0,53	0,54	0,54	0,54	0,54	0,55	0,55
0,71	0,55	0,56	0,56	0,56	0,57	0,57	0,57	0,57	0,58	0,58
0,72	0,58	0,59	0,59	0,59	0,59	0,60	0,60	0,60	0,61	0,61
0,73	0,61	0,62	0,62	0,62	0,63	0,63	0,63	0,63	0,64	0,64
0,74	0,64	0,65	0,65	0,65	0,66	0,66	0,66	0,67	0,67	0,67
0,75	0,67	0,68	0,68	0,68	0,69	0,69	0,69	0,70	0,70	0,70
0,76	0,71	0,71	0,71	0,72	0,72	0,72	0,73	0,73	0,73	0,74
0,77	0,74	0,74	0,75	0,75	0,75	0,76	0,76	0,76	0,77	0,77
0,78	0,77	0,78	0,78	0,78	0,79	0,79	0,79	0,80	0,80	0,80
0,79	0,81	0,81	0,81	0,82	0,82	0,82	0,83	0,83	0,83	0,84
0,80	0,84	0,85	0,85	0,85	0,86	0,86	0,86	0,87	0,87	0,87
0,81	0,88	0,88	0,89	0,89	0,89	0,90	0,90	0,90	0,91	0,91
0,82	0,92	0,92	0,92	0,93	0,93	0,93	0,94	0,94	0,95	0,95
0,83	0,95	0,96	0,96	0,97	0,97	0,97	0,98	0,98	0,99	0,99
0,84	0,99	1,00	1,00	1,01	1,01	1,02	1,02	1,02	1,03	1,03
0,85	1,04	1,04	1,05	1,05	1,05	1,06	1,06	1,07	1,07	1,08
0,86	1,08	1,09	1,09	1,09	1,10	1,10	1,11	1,11	1,12	1,12
0,87	1,13	1,13	1,14	1,14	1,15	1,15	1,16	1,16	1,17	1,17
0,88	1,18	1,18	1,19	1,19	1,20	1,20	1,21	1,21	1,22	1,22
0,89	1,23	1,23	1,24	1,24	1,25	1,25	1,26	1,26	1,27	1,28
0,90	1,28	1,29	1,29	1,30	1,30	1,31	1,32	1,32	1,33	1,33
0,91	1,34	1,35	1,35	1,36	1,37	1,37	1,38	1,39	1,39	1,40
0,92	1,41	1,41	1,42	1,43	1,43	1,44	1,45	1,45	1,46	1,47
0,93	1,48	1,48	1,49	1,50	1,51	1,51	1,52	1,53	1,54	1,55
0,94	1,55	1,56	1,57	1,58	1,59	1,60	1,61	1,62	1,63	1,64
0,95	1,64	1,65	1,66	1,67	1,68	1,70	1,71	1,72	1,73	1,74
0,96	1,75	1,76	1,77	1,79	1,80	1,81	1,83	1,84	1,85	1,87
0,97	1,88	1,90	1,91	1,93	1,94	1,96	1,98	2,00	2,01	2,03
0,98	2,05	2,07	2,10	2,12	2,14	2,17	2,20	2,23	2,26	2,29
0,99	2,33	2,37	2,41	2,46	2,51	2,58	2,65	2,75	2,88	3,09

Tafel 3. Der Faktor g bei der normalen Verteilung und die Schranke g^2 für χ^2 bei einem Freiheitsgrad

Irrtumswahrscheinlichkeit		g	g^2
einseitig	zweiseitig	Normalverteilung	Schranke für χ^2
5%	10%	1,64	2,71
2,5%	5%	1,96	3,84
1%	2%	2,33	5,02
0,5%	1%	2,58	6,63
0,1%	0,2%	3,09	9,55
0,05%	0,1%	3,29	10,83

Tafel 4. Test von SMIRNOFF. Exakte und asymptotische einseitige Schranken für die maximale Differenz zwischen wahrer und empirischer Verteilung

n	5% Irrtumswahrscheinlichkeit			1% Irrtumswahrscheinlichkeit		
	exakt	asymptotisch	Quotient	exakt	asymptotisch	Quotient
5	0,5094	0,5473	1,074	0,6271	0,6786	1,082
8	0,4096	0,4327	1,056	0,5065	0,5365	1,059
10	0,3687	0,3870	1,050	0,4566	0,4799	1,051
20	0,2647	0,2737	1,034	0,3285	0,3393	1,033
40	0,1891	0,1935	1,023	0,2350	0,2399	1,021
50	0,1696	0,1731	1,021	0,2107	0,2146	1,019

Für größere n verwende man die asymptotische Schranke

$$\bar{\varepsilon}_\beta = \sqrt{\frac{-\ln\beta}{2n}} \quad \text{(Irrtumswahrscheinlichkeit } \beta),$$

die immer auf der sicheren Seite bleibt. Nach der Tafel kann man die asymptotische Schranke sogar um $\frac{1}{6n}$ erniedrigen und bleibt immer noch auf der sicheren Seite.

Tafel 4 aus: Z. W. BIRNBAUM und F. H. TINGEY, One-sided confidence contours for probability distribution functions, Ann. Math. Statist. 22, p. 595 (1951).

Tafel 5. Test von KOLMOGOROFF. Exakte und asymptotische zweiseitige Schranken für die maximale Abweichung zwischen wahrer und empirischer Verteilung

n	5% Irrtumswahrscheinlichkeit			1% Irrtumswahrscheinlichkeit		
	exakt	asymptotisch	Quotient	exakt	asymptotisch	Quotient
5	0,5633	0,6074	1,078	0,6685	0,7279	1,089
10	0,4087	0,4295	1,051	0,4864	0,5147	1,058
15	0,3375	0,3507	1,039	0,4042	0,4202	1,040
20	0,2939	0,3037	1,033	0,3524	0,3639	1,033
25	0,2639	0,2716	1,029	0,3165	0,3255	1,028
30	0,2417	0,2480	1,026	0,2898	0,2972	1,025
40	0,2101	0,2147	1,022	0,2521	0,2574	1,021
50	0,1884	0,1921	1,019	0,2260	0,2302	1,018
60	0,1723	0,1753	1,018	0,2067	0,2101	1,016
70	0,1597	0,1623	1,016	0,1917	0,1945	1,015
80	0,1496	0,1518	1,015	0,1795	0,1820	1,014
90	0,1412	0,1432	1,014			
100	0,1340	0,1358	1,013			

Für größere n verwendet man die asymptotischen Schranken

$$\bar{\varepsilon}_{0,05} = 1{,}36\, n^{-\frac{1}{2}} \quad \text{und} \quad \bar{\varepsilon}_{0,01} = 1{,}63\, n^{-\frac{1}{2}},$$

die immer auf der sicheren Seite liegen. Nach der Tafel kann man die asymptotischen Schranken sogar um $\frac{1}{6n}$ erniedrigen und bleibt immer noch auf der sicheren Seite.

Tafel 5 aus: Z. W. BIRNBAUM, Numerical tabulation of the distribution of KOLMOGOROV's statistic, J. Amer. Statist. Assoc. 47, p. 431 (1952).

Tafel 6. Schranken für χ^2 bei f Freiheitsgraden

f	5%	1%	0,1%	f	5%	1%	0,1%
1	3,84	6,63	10,8	41	56,9	65,0	74,7
2	5,99	9,21	13,8	42	58,1	66,2	76,1
3	7,81	11,3	16,3	43	59,3	67,5	77,4
4	9,49	13,3	18,5	44	60,5	68,7	78,7
5	11,1	15,1	20,5	45	61,7	70,0	80,1
6	12,6	16,8	22,5	46	62,8	71,2	81,4
7	14,1	18,5	24,3	47	64,0	72,4	82,7
8	15,5	20,1	26,1	48	65,2	73,7	84,0
9	16,9	21,7	27,9	49	66,3	74,9	85,4
10	18,3	23,2	29,6	50	67,5	76,2	86,7
11	19,7	24,7	31,3	51	68,7	77,4	88,0
12	21,0	26,2	32,9	52	69,8	78,6	89,3
13	22,4	27,7	34,5	53	71,0	79,8	90,6
14	23,7	29,1	36,1	54	72,2	81,1	91,9
15	25,0	30,6	37,7	55	73,3	82,3	93,2
16	26,3	32,0	39,3	56	74,5	83,5	94,5
17	27,6	33,4	40,8	57	75,6	84,7	95,8
18	28,9	34,8	42,3	58	76,8	86,0	97,0
19	30,1	36,2	43,8	59	77,9	87,2	98,3
20	31,4	37,6	45,3	60	79,1	88,4	99,6
21	32,7	38,9	46,8	61	80,2	89,6	100,9
22	33,9	40,3	48,3	62	81,4	90,8	102,2
23	35,2	41,6	49,7	63	82,5	92,0	103,4
24	36,4	43,0	51,2	64	83,7	93,2	104,7
25	37,7	44,3	52,6	65	84,8	94,4	106,0
26	38,9	45,6	54,1	66	86,0	95,6	107,3
27	40,1	47,0	55,5	67	87,1	96,8	108,5
28	41,3	48,3	56,9	68	88,3	98,0	109,8
29	42,6	49,6	58,3	69	89,4	99,2	111,1
30	43,8	50,9	59,7	70	90,5	100,4	112,3
31	45,0	52,2	61,1	71	91,7	101,6	113,6
32	46,2	53,5	62,5	72	92,8	102,8	114,8
33	47,4	54,8	63,9	73	93,9	104,0	116,1
34	48,6	56,1	65,2	74	95,1	105,2	117,3
35	49,8	57,3	66,6	75	96,2	106,4	118,6
36	51,0	58,6	68,0	76	97,4	107,6	119,9
37	52,2	59,9	69,3	77	98,5	108,8	121,1
38	53,4	61,2	70,7	78	99,6	110,0	122,3
39	54,6	62,4	72,1	79	100,7	111,1	123,6
40	55,8	63,7	73,4	80	101,9	112,3	124,8

Tafel 6 und 7 aus: A. Hald, Statistical Tables and Formulas, John Wiley and Sons, New York 1952. In der letzten Spalte von Tafel 7 sind drei Werte nach E. S. Pearson and H. O. Hartley, Biometrika Tables for Statisticians I, Table 12 berichtigt.

Tafel 6 (Fortsetzung).
Schranken für χ^2

f	5%	1%	0,1%
81	103,0	113,5	126,1
82	104,1	114,7	127,3
83	105,3	115,9	128,6
84	106,4	117,1	129,8
85	107,5	118,2	131,0
86	108,6	119,4	132,3
87	109,8	120,6	133,5
88	110,9	121,8	134,7
89	112,0	122,9	136,0
90	113,1	124,1	137,2
91	114,3	125,3	138,4
92	115,4	126,5	139,7
93	116,5	127,6	140,9
94	117,6	128,8	142,1
95	118,8	130,0	143,3
96	119,9	131,1	144,6
97	121,0	132,3	145,8
98	122,1	133,5	147,0
99	123,2	134,6	148,2
100	124,3	135,8	149,4

Für größere f ist die Schranke für χ^2 bei Irrtumswahrscheinlichkeit β

$$\chi^2_\beta = \tfrac{1}{2}\left[\sqrt{2f-1} + \Psi(1-\beta)\right]^2.$$

Tafel 7. STUDENTs Test: Schranken für t bei f Freiheitsgraden

f ↓	zweiseitig			
	5%	2%	1%	0,1%
1	12,71	31,82	63,66	636,6
2	4,303	6,965	9,925	31,60
3	3,182	4,541	5,841	12,92
4	2,776	3,747	4,604	8,610
5	2,571	3,365	4,032	6,869
6	2,447	3,143	3,707	5,959
7	2,365	2,998	3,499	5,408
8	2,306	2,896	3,355	5,041
9	2,262	2,821	3,250	4,781
10	2,228	2,764	3,169	4,587
11	2,201	2,718	3,106	4,437
12	2,179	2,681	3,055	4,318
13	2,160	2,650	3,012	4,221
14	2,145	2,624	2,977	4,140
15	2,131	2,602	2,947	4,073
16	2,120	2,583	2,921	4,015
17	2,110	2,567	2,898	3,965
18	2,101	2,552	2,878	3,922
19	2,093	2,539	2,861	3,883
20	2,086	2,528	2,845	3,850
21	2,080	2,518	2,831	3,819
22	2,074	2,508	2,819	3,792
23	2,069	2,500	2,807	3,767
24	2,064	2,492	2,797	3,745
25	2,060	2,485	2,787	3,725
26	2,056	2,479	2,779	3,707
27	2,052	2,473	2,771	3,690
28	2,048	2,467	2,763	3,674
29	2,045	2,462	2,756	3,659
30	2,042	2,457	2,750	3,646
40	2,021	2,423	2,704	3,551
50	2,009	2,403	2,678	3,495
60	2,000	2,390	2,660	3,460
80	1,990	2,374	2,639	3,415
100	1,984	2,365	2,626	3,389
200	1,972	2,345	2,601	3,339
500	1,965	2,334	2,586	3,310
∞	1,960	2,326	2,576	3,291
↑ f	2,5%	1%	0,5%	0,05%
	einseitig			

Lineare Interpolation in Tafel 7 ergibt nur 2 Dezimalstellen zuverlässig.

Tafel 8A. Schranke für $F = s_1^2/s_2^2$ bei 5 % Irrtumswahrscheinlichkeit. Freiheitsgrade im Zähler f_1, im Nenner f_2

$f_2 \downarrow$	f_1 = Freiheitsgrade Zähler														
	1	2	3	4	5	6	7	8	9	10	11	12	13	14	15
1	161	200	216	225	230	234	237	239	241	242	243	244	245	245	246
2	18,5	19,0	19,2	19,2	19,3	19,3	19,4	19,4	19,4	19,4	19,4	19,4	19,4	19,4	19,4
3	10,1	9,55	9,28	9,12	9,01	8,94	8,89	8,85	8,81	8,79	8,76	8,74	8,73	8,71	8,70
4	7,71	6,94	6,59	6,39	6,26	6,16	6,09	6,04	6,00	5,96	5,94	5,91	5,89	5,87	5,86
5	6,61	5,79	5,41	5,19	5,05	4,95	4,88	4,82	4,77	4,74	4,70	4,68	4,66	4,64	4,62
6	5,99	5,14	4,76	4,53	4,39	4,28	4,21	4,15	4,10	4,06	4,03	4,00	3,98	3,96	3,94
7	5,59	4,74	4,35	4,12	3,97	3,87	3,79	3,73	3,68	3,64	3,60	3,57	3,55	3,53	3,51
8	5,32	4,46	4,07	3,84	3,69	3,58	3,50	3,44	3,39	3,35	3,31	3,28	3,26	3,24	3,22
9	5,12	4,26	3,86	3,63	3,48	3,37	3,29	3,23	3,18	3,14	3,10	3,07	3,05	3,03	3,01
10	4,96	4,10	3,71	3,48	3,33	3,22	3,14	3,07	3,02	2,98	2,94	2,91	2,89	2,86	2,85
11	4,84	3,98	3,59	3,36	3,20	3,09	3,01	2,95	2,90	2,85	2,82	2,79	2,76	2,74	2,72
12	4,75	3,89	3,49	3,26	3,11	3,00	2,91	2,85	2,80	2,75	2,72	2,69	2,66	2,64	2,62
13	4,67	3,81	3,41	3,18	3,03	2,92	2,83	2,77	2,71	2,67	2,63	2,60	2,58	2,55	2,53
14	4,60	3,74	3,34	3,11	2,96	2,85	2,76	2,70	2,65	2,60	2,57	2,53	2,51	2,48	2,46
15	4,54	3,68	3,29	3,06	2,90	2,79	2,71	2,64	2,59	2,54	2,51	2,48	2,45	2,42	2,40
16	4,49	3,63	3,24	3,01	2,85	2,74	2,66	2,59	2,54	2,49	2,46	2,42	2,40	2,37	2,35
17	4,45	3,59	3,20	2,96	2,81	2,70	2,61	2,55	2,49	2,45	2,41	2,38	2,35	2,33	2,31
18	4,41	3,55	3,16	2,93	2,77	2,66	2,58	2,51	2,46	2,41	2,37	2,34	2,31	2,29	2,27
19	4,38	3,52	3,13	2,90	2,74	2,63	2,54	2,48	2,42	2,38	2,34	2,31	2,28	2,26	2,23
20	4,35	3,49	3,10	2,87	2,71	2,60	2,51	2,45	2,39	2,35	2,31	2,28	2,25	2,22	2,20
21	4,32	3,47	3,07	2,84	2,68	2,57	2,49	2,42	2,37	2,32	2,28	2,25	2,22	2,20	2,18
22	4,30	3,44	3,05	2,82	2,66	2,55	2,46	2,40	2,34	2,30	2,26	2,23	2,20	2,17	2,15
23	4,28	3,42	3,03	2,80	2,64	2,53	2,44	2,37	2,32	2,27	2,23	2,20	2,18	2,15	2,13
24	4,26	3,40	3,01	2,78	2,62	2,51	2,42	2,36	2,30	2,25	2,21	2,18	2,15	2,13	2,11
25	4,24	3,39	2,99	2,76	2,60	2,49	2,40	2,34	2,28	2,24	2,20	2,16	2,14	2,11	2,09
26	4,23	3,37	2,98	2,74	2,59	2,47	2,39	2,32	2,27	2,22	2,18	2,15	2,12	2,09	2,07
27	4,21	3,35	2,96	2,73	2,57	2,46	2,37	2,31	2,25	2,20	2,17	2,13	2,10	2,08	2,06
28	4,20	3,34	2,95	2,71	2,56	2,45	2,36	2,29	2,24	2,19	2,15	2,12	2,09	2,06	2,04
29	4,18	3,33	2,93	2,70	2,55	2,43	2,35	2,28	2,22	2,18	2,14	2,10	2,08	2,05	2,03
30	4,17	3,32	2,92	2,69	2,53	2,42	2,33	2,27	2,21	2,16	2,13	2,09	2,06	2,04	2,01
32	4,15	3,29	2,90	2,67	2,51	2,40	2,31	2,24	2,19	2,14	2,10	2,07	2,04	2,01	1,99
34	4,13	3,28	2,88	2,65	2,49	2,38	2,29	2,23	2,17	2,12	2,08	2,05	2,02	1,99	1,97
36	4,11	3,26	2,87	2,63	2,48	2,36	2,28	2,21	2,15	2,11	2,07	2,03	2,00	1,98	1,95
38	4,10	3,24	2,85	2,62	2,46	2,35	2,26	2,19	2,14	2,09	2,05	2,02	1,99	1,96	1,94
40	4,08	3,23	2,84	2,61	2,45	2,34	2,25	2,18	2,12	2,08	2,04	2,00	1,97	1,95	1,92
42	4,07	3,22	2,83	2,59	2,44	2,32	2,24	2,17	2,11	2,06	2,03	1,99	1,96	1,93	1,91
44	4,06	3,21	2,82	2,58	2,43	2,31	2,23	2,16	2,10	2,05	2,01	1,98	1,95	1,92	1,90
46	4,05	3,20	2,81	2,57	2,42	2,30	2,22	2,15	2,09	2,04	2,00	1,97	1,94	1,91	1,89
48	4,04	3,19	2,80	2,57	2,41	2,29	2,21	2,14	2,08	2,03	1,99	1,96	1,93	1,90	1,88
50	4,03	3,18	2,79	2,56	2,40	2,29	2,20	2,13	2,07	2,03	1,99	1,95	1,92	1,89	1,87
60	4,00	3,15	2,76	2,53	2,37	2,25	2,17	2,10	2,04	1,99	1,95	1,92	1,89	1,86	1,84
70	3,98	3,13	2,74	2,50	2,35	2,23	2,14	2,07	2,02	1,97	1,93	1,89	1,86	1,84	1,81
80	3,96	3,11	2,72	2,49	2,33	2,21	2,13	2,06	2,00	1,95	1,91	1,88	1,84	1,82	1,79
90	3,95	3,10	2,71	2,47	2,32	2,20	2,11	2,04	1,99	1,94	1,90	1,86	1,83	1,80	1,78
100	3,94	3,09	2,70	2,46	2,31	2,19	2,10	2,03	1,97	1,93	1,89	1,85	1,82	1,79	1,77
125	3,92	3,07	2,68	2,44	2,29	2,17	2,08	2,01	1,96	1,91	1,87	1,83	1,80	1,77	1,75
150	3,90	3,06	2,66	2,43	2,27	2,16	2,07	2,00	1,94	1,89	1,85	1,82	1,79	1,76	1,73
200	3,89	3,04	2,65	2,42	2,26	2,14	2,06	1,98	1,93	1,88	1,84	1,80	1,77	1,74	1,72
300	3,87	3,03	2,63	2,40	2,24	2,13	2,04	1,97	1,91	1,86	1,82	1,78	1,75	1,72	1,70
500	3,86	3,01	2,62	2,39	2,23	2,12	2,03	1,96	1,90	1,85	1,81	1,77	1,74	1,71	1,69
1000	3,85	3,00	2,61	2,38	2,22	2,11	2,02	1,95	1,89	1,84	1,80	1,76	1,73	1,70	1,68

Ist f_2 größer als 1000, so verwende man die Schranke für $f_2 = 1000$.

Tafel 8A (Fortsetzung). Schranken für F bei 5% Irrtumswahrscheinlichkeit. Freiheitsgrade im Zähler f_1, im Nenner f_2

f_2 ↓	f_1 = Freiheitsgrade Zähler														
	16	17	18	19	20	22	24	26	28	30	40	50	60	80	100
1	246	247	247	248	248	249	249	249	250	250	251	252	252	252	253
2	19,4	19,4	19,4	19,4	19,4	19,5	19,5	19,5	19,5	19,5	19,5	19,5	19,5	19,5	19,5
3	8,69	8,68	8,67	8,67	8,66	8,65	8,64	8,63	8,62	8,62	8,59	8,58	8,57	8,56	8,55
4	5,84	5,83	5,82	5,81	5,80	5,79	5,77	5,76	5,75	5,75	5,72	5,70	5,69	5,67	5,66
5	4,60	4,59	4,58	4,57	4,56	4,54	4,53	4,52	4,50	4,50	4,46	4,44	4,43	4,41	4,41
6	3,92	3,91	3,90	3,88	3,87	3,86	3,84	3,83	3,82	3,81	3,77	3,75	3,74	3,72	3,71
7	3,49	3,48	3,47	3,46	3,44	3,43	3,41	3,40	3,39	3,38	3,34	3,32	3,30	3,29	3,27
8	3,20	3,19	3,17	3,16	3,15	3,13	3,12	3,10	3,09	3,08	3,04	3,02	3,01	2,99	2,97
9	2,99	2,97	2,96	2,95	2,94	2,92	2,90	2,89	2,87	2,86	2,83	2,80	2,79	2,77	2,76
10	2,83	2,81	2,80	2,78	2,77	2,75	2,74	2,72	2,71	2,70	2,66	2,64	2,62	2,60	2,59
11	2,70	2,69	2,67	2,66	2,65	2,63	2,61	2,59	2,58	2,57	2,53	2,51	2,49	2,47	2,46
12	2,60	2,58	2,57	2,56	2,54	2,52	2,51	2,49	2,48	2,47	2,43	2,40	2,38	2,36	2,35
13	2,51	2,50	2,48	2,47	2,46	2,44	2,42	2,41	2,39	2,38	2,34	2,31	2,30	2,27	2,26
14	2,44	2,43	2,41	2,40	2,39	2,37	2,35	2,33	2,32	2,31	2,27	2,24	2,22	2,20	2,19
15	2,38	2,37	2,35	2,34	2,33	2,31	2,29	2,27	2,26	2,25	2,20	2,18	2,16	2,14	2,12
16	2,33	2,32	2,30	2,29	2,28	2,25	2,24	2,22	2,21	2,19	2,15	2,12	2,11	2,08	2,07
17	2,29	2,27	2,26	2,24	2,23	2,21	2,19	2,17	2,16	2,15	2,10	2,08	2,06	2,03	2,02
18	2,25	2,23	2,22	2,20	2,19	2,17	2,15	2,13	2,12	2,11	2,06	2,04	2,02	1,99	1,98
19	2,21	2,20	2,18	2,17	2,16	2,13	2,11	2,10	2,08	2,07	2,03	2,00	1,98	1,96	1,94
20	2,18	2,17	2,15	2,14	2,12	2,10	2,08	2,07	2,05	2,04	1,99	1,97	1,95	1,92	1,91
21	2,16	2,14	2,12	2,11	2,10	2,07	2,05	2,04	2,02	2,01	1,96	1,94	1,92	1,89	1,88
22	2,13	2,11	2,10	2,08	2,07	2,05	2,03	2,01	2,00	1,98	1,94	1,91	1,89	1,86	1,85
23	2,11	2,09	2,07	2,06	2,05	2,02	2,00	1,99	1,97	1,96	1,91	1,88	1,86	1,84	1,82
24	2,09	2,07	2,05	2,04	2,03	2,00	1,98	1,97	1,95	1,94	1,89	1,86	1,84	1,82	1,80
25	2,07	2,05	2,04	2,02	2,01	1,98	1,96	1,95	1,93	1,92	1,87	1,84	1,82	1,80	1,78
26	2,05	2,03	2,02	2,00	1,99	1,97	1,95	1,93	1,91	1,90	1,85	1,82	1,80	1,78	1,76
27	2,04	2,02	2,00	1,99	1,97	1,95	1,93	1,91	1,90	1,88	1,84	1,81	1,79	1,76	1,74
28	2,02	2,00	1,99	1,97	1,96	1,93	1,91	1,90	1,88	1,87	1,82	1,79	1,77	1,74	1,73
29	2,01	1,99	1,97	1,96	1,94	1,92	1,90	1,88	1,87	1,85	1,81	1,77	1,75	1,73	1,71
30	1,99	1,98	1,96	1,95	1,93	1,91	1,89	1,87	1,85	1,84	1,79	1,76	1,74	1,71	1,70
32	1,97	1,95	1,94	1,92	1,91	1,88	1,86	1,85	1,83	1,82	1,77	1,74	1,71	1,69	1,67
34	1,95	1,93	1,92	1,90	1,89	1,86	1,84	1,82	1,80	1,80	1,75	1,71	1,69	1,66	1,65
36	1,93	1,92	1,90	1,88	1,87	1,85	1,82	1,81	1,79	1,78	1,73	1,69	1,67	1,64	1,62
38	1,92	1,90	1,88	1,87	1,85	1,83	1,81	1,79	1,77	1,76	1,71	1,68	1,65	1,62	1,61
40	1,90	1,89	1,87	1,85	1,84	1,81	1,79	1,77	1,76	1,74	1,69	1,66	1,64	1,61	1,59
42	1,89	1,87	1,86	1,84	1,83	1,80	1,78	1,76	1,74	1,73	1,68	1,65	1,62	1,59	1,57
44	1,88	1,86	1,84	1,83	1,81	1,79	1,77	1,75	1,73	1,72	1,67	1,63	1,61	1,58	1,56
46	1,87	1,85	1,83	1,82	1,80	1,78	1,76	1,74	1,72	1,71	1,65	1,62	1,60	1,57	1,55
48	1,86	1,84	1,82	1,81	1,79	1,77	1,75	1,73	1,71	1,70	1,64	1,61	1,59	1,56	1,54
50	1,85	1,83	1,81	1,80	1,78	1,76	1,74	1,72	1,70	1,69	1,63	1,60	1,58	1,54	1,52
60	1,82	1,80	1,78	1,76	1,75	1,72	1,70	1,68	1,66	1,65	1,59	1,56	1,53	1,50	1,48
70	1,79	1,77	1,75	1,74	1,72	1,70	1,67	1,65	1,64	1,62	1,57	1,53	1,50	1,47	1,45
80	1,77	1,75	1,73	1,72	1,70	1,68	1,65	1,63	1,62	1,60	1,54	1,51	1,48	1,45	1,43
90	1,76	1,74	1,72	1,70	1,69	1,66	1,64	1,62	1,60	1,59	1,53	1,49	1,46	1,43	1,41
100	1,75	1,73	1,71	1,69	1,68	1,65	1,63	1,61	1,59	1,57	1,52	1,48	1,45	1,41	1,39
125	1,72	1,70	1,69	1,67	1,65	1,63	1,60	1,58	1,57	1,55	1,49	1,45	1,42	1,39	1,36
150	1,71	1,69	1,67	1,66	1,64	1,61	1,59	1,57	1,55	1,53	1,48	1,44	1,41	1,37	1,34
200	1,69	1,67	1,66	1,64	1,62	1,60	1,57	1,55	1,53	1,52	1,46	1,41	1,39	1,35	1,32
300	1,68	1,66	1,64	1,62	1,61	1,58	1,55	1,53	1,51	1,50	1,43	1,39	1,36	1,32	1,30
500	1,66	1,64	1,62	1,61	1,59	1,56	1,54	1,52	1,50	1,48	1,42	1,38	1,34	1,30	1,28
1000	1,65	1,63	1,61	1,60	1,58	1,55	1,53	1,51	1,49	1,47	1,41	1,36	1,33	1,29	1,26

Ist f_2 größer als 1000, so verwende man die Schranke für $f_2 = 1000$.

Tafel 8B. Schranke für $F = s_1^2/s_2^2$ bei 1% Irrtumswahrscheinlichkeit. Freiheitsgrade im Zähler f_1, im Nenner f_2

f_2 ↓	f_1 = Freiheitsgrade Zähler														
	1	2	3	4	5	6	7	8	9	10	11	12	13	14	15
2	98,5	99,0	99,2	99,2	99,3	99,3	99,4	99,4	99,4	99,4	99,4	99,4	99,4	99,4	99,4
3	34,1	30,8	29,5	28,7	28,2	27,9	27,7	27,5	27,3	27,2	27,1	27,1	27,0	26,9	26,9
4	21,2	18,0	16,7	16,0	15,5	15,2	15,0	14,8	14,7	14,5	14,4	14,4	14,3	14,2	14,2
5	16,3	13,3	12,1	11,4	11,0	10,7	10,5	10,3	10,2	10,1	9,96	9,89	9,82	9,77	9,72
6	13,7	10,9	9,78	9,15	8,75	8,47	8,26	8,10	7,98	7,87	7,79	7,72	7,66	7,60	7,56
7	12,2	9,55	8,45	7,85	7,46	7,19	6,99	6,84	6,72	6,62	6,54	6,47	6,41	6,36	6,31
8	11,3	8,65	7,59	7,01	6,63	6,37	6,18	6,03	5,91	5,81	5,73	5,67	5,61	5,56	5,52
9	10,6	8,02	6,99	6,42	6,06	5,80	5,61	5,47	5,35	5,26	5,18	5,11	5,05	5,00	4,96
10	10,0	7,56	6,55	5,99	5,64	5,39	5,20	5,06	4,94	4,85	4,77	4,71	4,65	4,60	4,56
11	9,65	7,21	6,22	5,67	5,32	5,07	4,89	4,74	4,63	4,54	4,46	4,40	4,34	4,29	4,25
12	9,33	6,93	5,95	5,41	5,06	4,82	4,64	4,50	4,39	4,30	4,22	4,16	4,10	4,05	4,01
13	9,07	6,70	5,74	5,21	4,86	4,62	4,44	4,30	4,19	4,10	4,02	3,96	3,91	3,86	3,82
14	8,86	6,51	5,56	5,04	4,69	4,46	4,28	4,14	4,03	3,94	3,86	3,80	3,75	3,70	3,66
15	8,68	6,36	5,42	4,89	4,56	4,32	4,14	4,00	3,89	3,80	3,73	3,67	3,61	3,56	3,52
16	8,53	6,23	5,29	4,77	4,44	4,20	4,03	3,89	3,78	3,69	3,62	3,55	3,50	3,45	3,41
17	8,40	6,11	5,18	4,67	4,34	4,10	3,93	3,79	3,68	3,59	3,52	3,46	3,40	3,35	3,31
18	8,29	6,01	5,09	4,58	4,25	4,01	3,84	3,71	3,60	3,51	3,43	3,37	3,32	3,27	3,23
19	8,18	5,93	5,01	4,50	4,17	3,94	3,77	3,63	3,52	3,43	3,36	3,30	3,24	3,19	3,15
20	8,10	5,85	4,94	4,43	4,10	3,87	3,70	3,56	3,46	3,37	3,29	3,23	3,18	3,13	3,09
21	8,02	5,78	4,87	4,37	4,04	3,81	3,64	3,51	3,40	3,31	3,24	3,17	3,12	3,07	3,03
22	7,95	5,72	4,82	4,31	3,99	3,76	3,59	3,45	3,35	3,26	3,18	3,12	3,07	3,02	2,98
23	7,88	5,66	4,76	4,26	3,94	3,71	3,54	3,41	3,30	3,21	3,14	3,07	3,02	2,97	2,93
24	7,82	5,61	4,72	4,22	3,90	3,67	3,50	3,36	3,26	3,17	3,09	3,03	2,98	2,93	2,89
25	7,77	5,57	4,68	4,18	3,86	3,63	3,46	3,32	3,22	3,13	3,06	2,99	2,94	2,89	2,85
26	7,72	5,53	4,64	4,14	3,82	3,59	3,42	3,29	3,18	3,09	3,02	2,96	2,90	2,86	2,82
27	7,68	5,49	4,60	4,11	3,78	3,56	3,39	3,26	3,15	3,06	2,99	2,93	2,87	2,82	2,78
28	7,64	5,45	4,57	4,07	3,75	3,53	3,36	3,23	3,12	3,03	2,96	2,90	2,84	2,79	2,75
29	7,60	5,42	4,54	4,04	3,73	3,50	3,33	3,20	3,09	3,00	2,93	2,87	2,81	2,77	2,73
30	7,56	5,39	4,51	4,02	3,70	3,47	3,30	3,17	3,07	2,98	2,91	2,84	2,79	2,74	2,70
32	7,50	5,34	4,46	3,97	3,65	3,43	3,26	3,13	3,02	2,93	2,86	2,80	2,74	2,70	2,66
34	7,44	5,29	4,42	3,93	3,61	3,39	3,22	3,09	2,98	2,89	2,82	2,76	2,70	2,66	2,62
36	7,40	5,25	4,38	3,89	3,57	3,35	3,18	3,05	2,95	2,86	2,79	2,72	2,67	2,62	2,58
38	7,35	5,21	4,34	3,86	3,54	3,32	3,15	3,02	2,92	2,83	2,75	2,69	2,64	2,59	2,55
40	7,31	5,18	4,31	3,83	3,51	3,29	3,12	2,99	2,89	2,80	2,73	2,66	2,61	2,56	2,52
42	7,28	5,15	4,29	3,80	3,49	3,27	3,10	2,97	2,86	2,78	2,70	2,64	2,59	2,54	2,50
44	7,25	5,12	4,26	3,78	3,47	3,24	3,08	2,95	2,84	2,75	2,68	2,62	2,56	2,52	2,47
46	7,22	5,10	4,24	3,76	3,44	3,22	3,06	2,93	2,82	2,73	2,66	2,60	2,54	2,50	2,45
48	7,19	5,08	4,22	3,74	3,43	3,20	3,04	2,91	2,80	2,72	2,64	2,58	2,53	2,48	2,44
50	7,17	5,06	4,20	3,72	3,41	3,19	3,02	2,89	2,79	2,70	2,63	2,56	2,51	2,46	2,42
55	7,12	5,01	4,16	3,68	3,37	3,15	2,98	2,85	2,75	2,66	2,59	2,53	2,47	2,42	2,38
60	7,08	4,98	4,13	3,65	3,34	3,12	2,95	2,82	2,72	2,63	2,56	2,50	2,44	2,39	2,35
70	7,01	4,92	4,08	3,60	3,29	3,07	2,91	2,78	2,67	2,59	2,51	2,45	2,40	2,35	2,31
80	6,96	4,88	4,04	3,56	3,26	3,04	2,87	2,74	2,64	2,55	2,48	2,42	2,36	2,31	2,27
90	6,93	4,85	4,01	3,54	3,23	3,01	2,84	2,72	2,61	2,52	2,45	2,39	2,33	2,29	2,24
100	6,90	4,82	3,98	3,51	3,21	2,99	2,82	2,69	2,59	2,50	2,43	2,37	2,31	2,26	2,22
125	6,84	4,78	3,94	3,47	3,17	2,95	2,79	2,66	2,55	2,47	2,39	2,33	2,28	2,23	2,19
150	6,81	4,75	3,92	3,45	3,14	2,92	2,76	2,63	2,53	2,44	2,37	2,31	2,25	2,20	2,16
200	6,76	4,71	3,88	3,41	3,11	2,89	2,73	2,60	2,50	2,41	2,34	2,27	2,22	2,17	2,13
300	6,72	4,68	3,85	3,38	3,08	2,86	2,70	2,57	2,47	2,38	2,31	2,24	2,19	2,14	2,10
500	6,69	4,65	3,82	3,36	3,05	2,84	2,68	2,55	2,44	2,36	2,28	2,22	2,17	2,12	2,07
1000	6,66	4,63	3,80	3,34	3,04	2,82	2,66	2,53	2,43	2,34	2,27	2,20	2,15	2,10	2,06

Ist $f_2 = 1$, so erhält man die Schranke für F, indem man die zweiseitige Schranke für t bei f_1 Freiheitsgraden ins Quadrat erhebt (Tafel 7).

Tafel 8B (Fortsetzung). Schranke für F bei 1% Irrtumswahrscheinlichkeit. Freiheitsgrade im Zähler f_1, im Nenner f_2

f_2 ↓	f_1 = Freiheitsgrade Zähler														
	16	17	18	19	20	22	24	26	28	30	40	50	60	80	100
2	99,4	99,4	99,4	99,4	99,4	99,5	99,5	99,5	99,5	99,5	99,5	99,5	99,5	99,5	99,5
3	26,8	26,8	26,8	26,7	26,7	26,6	26,6	26,6	26,5	26,5	26,4	26,4	26,3	26,3	26,2
4	14,2	14,1	14,1	14,0	14,0	14,0	13,9	13,9	13,9	13,8	13,7	13,7	13,7	13,6	13,6
5	9,68	9,64	9,61	9,58	9,55	9,51	9,47	9,43	9,40	9,38	9,29	9,24	9,20	9,16	9,13
6	7,52	7,48	7,45	7,42	7,40	7,35	7,31	7,28	7,25	7,23	7,14	7,09	7,06	7,01	6,99
7	6,27	6,24	6,21	6,18	6,16	6,11	6,07	6,04	6,02	5,99	5,91	5,86	5,82	5,78	5,75
8	5,48	5,44	5,41	5,38	5,36	5,32	5,28	5,25	5,22	5,20	5,12	5,07	5,03	4,99	4,96
9	4,92	4,89	4,86	4,83	4,81	4,77	4,73	4,70	4,67	4,65	4,57	4,52	4,48	4,44	4,42
10	4,52	4,49	4,46	4,43	4,41	4,36	4,33	4,30	4,27	4,25	4,17	4,12	4,08	4,04	4,01
11	4,21	4,18	4,15	4,12	4,10	4,06	4,02	3,99	3,96	3,94	3,86	3,81	3,78	3,73	3,71
12	3,97	3,94	3,91	3,88	3,86	3,82	3,78	3,75	3,72	3,70	3,62	3,57	3,54	3,49	3,47
13	3,78	3,75	3,72	3,69	3,66	3,62	3,59	3,56	3,53	3,51	3,43	3,38	3,34	3,30	3,27
14	3,62	3,59	3,56	3,53	3,51	3,46	3,43	3,40	3,37	3,35	3,27	3,22	3,18	3,14	3,11
15	3,49	3,45	3,42	3,40	3,37	3,33	3,29	3,26	3,24	3,21	3,13	3,08	3,05	3,00	2,98
16	3,37	3,34	3,31	3,28	3,26	3,22	3,18	3,15	3,12	3,10	3,02	2,97	2,93	2,89	2,86
17	3,27	3,24	3,21	3,18	3,16	3,12	3,08	3,05	3,03	3,00	2,92	2,87	2,83	2,79	2,76
18	3,19	3,16	3,13	3,10	3,08	3,03	3,00	2,97	2,94	2,92	2,84	2,78	2,75	2,70	2,68
19	3,12	3,08	3,05	3,03	3,00	2,96	2,92	2,89	2,87	2,84	2,76	2,71	2,67	2,63	2,60
20	3,05	3,02	2,99	2,96	2,94	2,90	2,86	2,83	2,80	2,78	2,69	2,64	2,61	2,56	2,54
21	2,99	2,96	2,93	2,90	2,88	2,84	2,80	2,77	2,74	2,72	2,64	2,58	2,55	2,50	2,48
22	2,94	2,91	2,88	2,85	2,83	2,78	2,75	2,72	2,69	2,67	2,58	2,53	2,50	2,45	2,42
23	2,89	2,86	2,83	2,80	2,78	2,74	2,70	2,67	2,64	2,62	2,54	2,48	2,45	2,40	2,37
24	2,85	2,82	2,79	2,76	2,74	2,70	2,66	2,63	2,60	2,58	2,49	2,44	2,40	2,36	2,33
25	2,81	2,78	2,75	2,72	2,70	2,66	2,62	2,59	2,56	2,54	2,45	2,40	2,36	2,32	2,29
26	2,78	2,74	2,72	2,69	2,66	2,62	2,58	2,55	2,53	2,50	2,42	2,36	2,33	2,28	2,25
27	2,75	2,71	2,68	2,66	2,63	2,59	2,55	2,52	2,49	2,47	2,38	2,33	2,29	2,25	2,22
28	2,72	2,68	2,65	2,63	2,60	2,56	2,52	2,49	2,46	2,44	2,35	2,30	2,26	2,22	2,19
29	2,69	2,66	2,63	2,60	2,57	2,53	2,49	2,46	2,44	2,41	2,33	2,27	2,23	2,19	2,16
30	2,66	2,63	2,60	2,57	2,55	2,51	2,47	2,44	2,41	2,39	2,30	2,25	2,21	2,16	2,13
32	2,62	2,58	2,55	2,53	2,50	2,46	2,42	2,39	2,36	2,34	2,25	2,20	2,16	2,11	2,08
34	2,58	2,55	2,51	2,49	2,46	2,42	2,38	2,35	2,32	2,30	2,21	2,16	2,12	2,07	2,04
36	2,54	2,51	2,48	2,45	2,43	2,38	2,35	2,32	2,29	2,26	2,17	2,12	2,08	2,03	2,00
38	2,51	2,48	2,45	2,42	2,40	2,35	2,32	2,28	2,26	2,23	2,14	2,09	2,05	2,00	1,97
40	2,48	2,45	2,42	2,39	2,37	2,33	2,29	2,26	2,23	2,20	2,11	2,06	2,02	1,97	1,94
42	2,46	2,43	2,40	2,37	2,34	2,30	2,26	2,23	2,20	2,18	2,09	2,03	1,99	1,94	1,91
44	2,44	2,40	2,37	2,35	2,32	2,28	2,24	2,21	2,18	2,15	2,06	2,01	1,97	1,92	1,89
46	2,42	2,38	2,35	2,33	2,30	2,26	2,22	2,19	2,16	2,13	2,04	1,99	1,95	1,90	1,86
48	2,40	2,37	2,33	2,31	2,28	2,24	2,20	2,17	2,14	2,12	2,02	1,97	1,93	1,88	1,84
50	2,38	2,35	2,32	2,29	2,27	2,22	2,18	2,15	2,12	2,10	2,01	1,95	1,91	1,86	1,82
55	2,34	2,31	2,28	2,25	2,23	2,18	2,15	2,11	2,08	2,06	1,97	1,91	1,87	1,81	1,78
60	2,31	2,28	2,25	2,22	2,20	2,15	2,12	2,08	2,05	2,03	1,94	1,88	1,84	1,78	1,75
70	2,27	2,23	2,20	2,18	2,15	2,11	2,07	2,03	2,01	1,98	1,89	1,83	1,78	1,73	1,70
80	2,23	2,20	2,17	2,14	2,12	2,07	2,03	2,00	1,97	1,94	1,85	1,79	1,75	1,69	1,66
90	2,21	2,17	2,14	2,11	2,09	2,04	2,00	1,97	1,94	1,92	1,82	1,76	1,72	1,66	1,62
100	2,19	2,15	2,12	2,09	2,07	2,02	1,98	1,94	1,92	1,89	1,80	1,73	1,69	1,63	1,60
125	2,15	2,11	2,08	2,05	2,03	1,98	1,94	1,91	1,88	1,85	1,76	1,69	1,65	1,59	1,55
150	2,12	2,09	2,06	2,03	2,00	1,96	1,92	1,88	1,85	1,83	1,73	1,66	1,62	1,56	1,52
200	2,09	2,06	2,02	2,00	1,97	1,93	1,89	1,85	1,82	1,79	1,69	1,63	1,58	1,52	1,48
300	2,06	2,03	1,99	1,97	1,94	1,89	1,85	1,82	1,79	1,76	1,66	1,59	1,55	1,48	1,44
500	2,04	2,00	1,97	1,94	1,92	1,87	1,83	1,79	1,76	1,74	1,63	1,56	1,52	1,45	1,41
1000	2,02	1,98	1,95	1,92	1,90	1,85	1,81	1,77	1,74	1,72	1,61	1,54	1,50	1,43	1,38

Ist f_2 größer als 1000, so verwende man die Schranke für $f_2 = 1000$.

Tafel 8C. Schranke für $F = s_1^2/s_2^2$ bei 0,1% Irrtumswahrscheinlichkeit. Freiheitsgrade im Zähler f_1, im Nenner f_2

f_2 ↓	f_1 = Freiheitsgrade Zähler														
	1	2	3	4	5	6	7	8	9	10	15	20	30	50	100
2	998	999	999	999	999	999	999	999	999	999	999	999	999	999	999
3	168	148	141	137	135	133	132	131	130	129	127	126	125	125	124
4	74,1	61,2	56,2	53,4	51,7	50,5	49,7	49,0	48,5	48,0	46,8	46,1	45,4	44,9	44,5
5	47,0	36,6	33,2	31,1	29,8	28,8	28,2	27,6	27,2	26,9	25,9	25,4	24,9	24,4	24,1
6	35,5	27,0	23,7	21,9	20,8	20,0	19,5	19,0	18,7	18,4	17,6	17,1	16,7	16,3	16,0
7	29,2	21,7	18,8	17,2	16,2	15,5	15,0	14,6	14,3	14,1	13,3	12,9	12,5	12,2	11,9
8	25,4	18,5	15,8	14,4	13,5	12,9	12,4	12,0	11,8	11,5	10,8	10,5	10,1	9,80	9,57
9	22,9	16,4	13,9	12,6	11,7	11,1	10,7	10,4	10,1	9,89	9,24	8,90	8,55	8,26	8,04
10	21,0	14,9	12,6	11,3	10,5	9,92	9,52	9,20	8,96	8,75	8,13	7,80	7,47	7,19	6,98
11	19,7	13,8	11,6	10,4	9,58	9,05	8,66	8,35	8,12	7,92	7,32	7,01	6,68	6,41	6,21
12	18,6	13,0	10,8	9,63	8,89	8,38	8,00	7,71	7,48	7,29	6,71	6,40	6,09	5,83	5,63
13	17,8	12,3	10,2	9,07	8,35	7,86	7,49	7,21	6,98	6,80	6,23	5,93	5,62	5,37	5,17
14	17,1	11,8	9,73	8,62	7,92	7,43	7,08	6,80	6,58	6,40	5,85	5,56	5,25	5,00	4,80
15	16,6	11,3	9,34	8,25	7,57	7,09	6,74	6,47	6,26	6,08	5,53	5,25	4,95	4,70	4,51
16	16,1	11,0	9,00	7,94	7,27	6,81	6,46	6,19	5,98	5,81	5,27	4,99	4,70	4,45	4,26
17	15,7	10,7	8,73	7,68	7,02	6,56	6,22	5,96	5,75	5,58	5,05	4,78	4,48	4,24	4,05
18	15,4	10,4	8,49	7,46	6,81	6,35	6,02	5,76	5,56	5,39	4,87	4,59	4,30	4,06	3,87
19	15,1	10,2	8,28	7,26	6,61	6,18	5,84	5,59	5,39	5,22	4,70	4,43	4,14	3,90	3,71
20	14,8	9,95	8,10	7,10	6,46	6,02	5,69	5,44	5,24	5,08	4,56	4,29	4,01	3,77	3,58
22	14,4	9,61	7,80	6,81	6,19	5,76	5,44	5,19	4,99	4,83	4,32	4,06	3,77	3,53	3,34
24	14,0	9,34	7,55	6,59	5,98	5,55	5,23	4,99	4,80	4,64	4,14	3,87	3,59	3,35	3,16
26	13,7	9,12	7,36	6,41	5,80	5,38	5,07	4,83	4,64	4,48	3,99	3,72	3,45	3,20	3,01
28	13,5	8,93	7,19	6,25	5,66	5,24	4,93	4,69	4,50	4,35	3,86	3,60	3,32	3,08	2,89
30	13,3	8,77	7,05	6,12	5,53	5,12	4,82	4,58	4,39	4,24	3,75	3,49	3,22	2,98	2,79
40	12,6	8,25	6,60	5,70	5,13	4,73	4,43	4,21	4,02	3,87	3,40	3,15	2,87	2,64	2,44
50	12,2	7,95	6,34	5,46	4,90	4,51	4,22	4,00	3,82	3,67	3,20	2,95	2,68	2,44	2,24
60	12,0	7,76	6,17	5,31	4,76	4,37	4,09	3,87	3,69	3,54	3,08	2,83	2,56	2,31	2,11
80	11,7	7,54	5,97	5,13	4,58	4,21	3,92	3,70	3,53	3,39	2,93	2,68	2,40	2,16	1,95
100	11,5	7,41	5,85	5,01	4,48	4,11	3,83	3,61	3,44	3,30	2,84	2,59	2,32	2,07	1,87
200	11,2	7,15	5,64	4,81	4,29	3,92	3,65	3,43	3,26	3,12	2,67	2,42	2,15	1,90	1,68
500	11,0	7,01	5,51	4,69	4,18	3,82	3,54	3,33	3,16	3,02	2,58	2,33	2,05	1,80	1,57
∞	10,8	6,91	5,42	4,62	4,10	3,74	3,47	3,27	3,10	2,96	2,51	2,27	1,99	1,73	1,49

Lineare Interpolation ergibt etwas zu große Schranken. Die Schranken für $f_2 = 1000$ liegen etwa in der Mitte zwischen den Schranken für 500 und ∞.

Tafeln 8A, B und C aus: A. Hald, Statistical Tables and Formulas, John Wiley and Sons, New York 1952.

Tafel 9. Schranken beim Zeichentest

Einseitig	2,5%		1%		0,5%		Einseitig	2,5%		1%		0,5%	
$n = 5$	0	5	0	5	0	5	$n = 53$	19	34	18	35	17	36
6	1	5	0	6	0	6	54	20	34	19	35	18	36
7	1	6	1	6	0	7	55	20	35	19	36	18	37
8	1	7	1	7	1	7	56	21	35	19	37	18	38
9	2	7	1	8	1	8	57	21	36	20	37	19	38
10	2	8	1	9	1	9	58	22	36	20	38	19	39
11	2	9	2	9	1	10	59	22	37	21	38	20	39
12	3	9	2	10	2	10	60	22	38	21	39	20	40
13	3	10	2	11	2	11	61	23	38	21	40	21	40
14	3	11	3	11	2	12	62	23	39	22	40	21	41
15	4	11	3	12	3	12	63	24	39	22	41	21	42
16	4	12	3	13	3	13	64	24	40	23	41	22	42
17	5	12	4	13	3	14	65	25	40	23	42	22	43
18	5	13	4	14	4	14	66	25	41	24	42	23	43
19	5	14	5	14	4	15	67	26	41	24	43	23	44
20	6	14	5	15	4	16	68	26	42	24	44	23	45
21	6	15	5	16	5	16	69	26	43	25	44	24	45
22	6	16	6	16	5	17	70	27	43	25	45	24	46
23	7	16	6	17	5	18	71	27	44	26	45	25	46
24	7	17	6	18	6	18	72	28	44	26	46	25	47
25	8	17	7	18	6	19	73	28	45	27	46	26	47
26	8	18	7	19	7	19	74	29	45	27	47	26	48
27	8	19	8	19	7	20	75	29	46	27	48	26	49
28	9	19	8	20	7	21	76	29	47	28	48	27	49
29	9	20	8	21	8	21	77	30	47	28	49	27	50
30	10	20	9	21	8	22	78	30	48	29	49	28	50
31	10	21	9	22	8	23	79	31	48	29	50	28	51
32	10	22	9	23	9	23	80	31	49	30	50	29	51
33	11	22	10	23	9	24	81	32	49	30	51	29	52
34	11	23	10	24	10	24	82	32	50	31	51	29	53
35	12	23	11	24	10	25	83	33	50	31	52	30	53
36	12	24	11	25	10	26	84	33	51	31	53	30	54
37	13	24	11	26	11	26	85	33	52	32	53	31	54
38	13	25	12	26	11	27	86	34	52	32	54	31	55
39	13	26	12	27	12	27	87	34	53	33	54	32	55
40	14	26	13	27	12	28	88	35	53	33	55	32	56
41	14	27	13	28	12	29	89	35	54	34	55	32	57
42	15	27	14	28	13	29	90	36	54	34	56	33	57
43	15	28	14	29	13	30	91	36	55	34	57	33	58
44	16	28	14	30	14	30	92	37	55	35	57	34	58
45	16	29	15	30	14	31	93	37	56	35	58	34	59
46	16	30	15	31	14	32	94	38	56	36	58	35	59
47	17	30	16	31	15	32	95	38	57	36	59	35	60
48	17	31	16	32	15	33	96	38	58	37	59	35	61
49	18	31	16	33	16	33	97	39	58	37	60	36	61
50	18	32	17	33	16	34	98	39	59	38	60	36	62
51	19	32	17	34	16	35	99	40	59	38	61	37	62
52	19	33	18	34	17	35	100	40	60	38	62	37	63
Zweiseitig	5%		2%		1%		Zweiseitig	5%		2%		1%	

Außerhalb der Schranken ist der Effekt gesichert.

Tafel 10. Testwahrscheinlichkeiten bei WILCOXONs Test

Die Anzahl der Inversionen (x nach y in der aufsteigend geordneten Reihe der x und y) ist eine zufällige Größe U, die im Einzelfall den Wert u annimmt. Ist $u > \frac{1}{2} g h$, so vertauscht man die Bezeichnungen x und y. Die *Testwahrscheinlichkeit* ist die Wahrscheinlichkeit des Ereignisses $U \leqq u$ unter der „Nullhypothese". *Ist sie* $\leqq \beta$, *so wird die Nullhypothese verworfen.* Beim einseitigen Test ist β, beim zweiseitigen Test 2β das Niveau. Die Tafel gibt die Testwahrscheinlichkeiten in Prozent, soweit sie 5% nicht überschreiten.

u ↓	Anzahlen g; h oder h; g der Größen x und y													
	2; 5	2; 6	2; 7	2; 8	2; 9	2; 10	3; 3	3; 4	3; 5	3; 6	3; 7	3; 8	3; 9	3; 10
0	4,76	3,57	2,78	2,22	1,82	1,52	5,00	2,86	1,79	1,19	0,83	0,61	0,45	0,35
1				4,44	3,64	3,03			3,57	2,38	1,67	1,21	0,91	0,70
2										4,76	3,33	2,42	1,82	1,40
3												4,24	3,18	2,45
4													5,00	3,85
u ↓	4; 4	4; 5	4; 6	4; 7	4; 8	4; 9	4; 10	5; 5	5; 6	5; 7	5; 8	5; 9	5; 10	6; 6
0	1,43	0,79	0,48	0,30	0,20	0,14	0,10	0,40	0,22	0,13	0,08	0,05	0,03	0,11
1	2,86	1,59	0,95	0,61	0,40	0,28	0,20	0,79	0,43	0,25	0,16	0,10	0,07	0,22
2		3,17	1,90	1,21	0,81	0,56	0,40	1,59	0,87	0,51	0,31	0,20	0,13	0,43
3			3,33	2,12	1,41	0,98	0,70	2,78	1,52	0,88	0,54	0,35	0,23	0,76
4				3,64	2,42	1,68	1,20	4,76	2,60	1,52	0,93	0,60	0,40	1,30
5					3,64	2,52	1,80		4,11	2,40	1,48	0,95	0,63	2,06
6						3,78	2,70			3,66	2,25	1,45	0,97	3,25
7							3,80				3,26	2,10	1,40	4,65
8											4,66	3,00	2,00	
9												4,15	2,76	
10													3,76	
11													4,96	

Tafel 10 (Fortsetzung). Testwahrscheinlichkeit bei Wilcoxons Test

u ↓	Anzahlen g; h oder h; g der Größen x und y													
	6; 7	6; 8	6; 9	6; 10	7; 7	7; 8	7; 9	7; 10	8; 8	8; 9	8; 10	9; 9	9; 10	10, 10
0	0,06	0,03	0,02	0,01	0,03	0,02	0,01	0,01	0,01	0,00				
1	0,12	0,07	0,04	0,02	0,06	0,03	0,02	0,01	0,02	0,01	0,00	0,00		
2	0,23	0,13	0,08	0,05	0,12	0,06	0,03	0,02	0,03	0,02	0,01	0,01	0,00	
3	0,41	0,23	0,14	0,09	0,20	0,11	0,06	0,04	0,05	0,03	0,02	0,01	0,01	0,00
4	0,70	0,40	0,24	0,15	0,35	0,19	0,10	0,06	0,09	0,05	0,03	0,02	0,01	0,01
5	1,11	0,63	0,38	0,24	0,55	0,30	0,17	0,10	0,15	0,08	0,04	0,04	0,02	0,01
6	1,75	1,00	0,60	0,37	0,87	0,47	0,26	0,15	0,23	0,12	0,07	0,06	0,03	0,02
7	2,56	1,47	0,88	0,55	1,31	0,70	0,39	0,23	0,35	0,19	0,10	0,09	0,05	0,02
8	3,67	2,13	1,28	0,80	1,89	1,03	0,58	0,34	0,52	0,28	0,15	0,14	0,07	0,04
9		2,96	1,80	1,12	2,65	1,45	0,82	0,48	0,74	0,39	0,22	0,20	0,10	0,05
10		4,06	2,48	1,56	3,64	2,00	1,15	0,68	1,03	0,56	0,31	0,28	0,15	0,08
11			3,32	2,10	4,87	2,70	1,56	0,93	1,41	0,76	0,43	0,39	0,21	0,10
12			4,40	2,80		3,61	2,09	1,25	1,90	1,03	0,58	0,53	0,28	0,14
13				3,63		4,69	2,74	1,65	2,49	1,37	0,78	0,71	0,38	0,19
14				4,67			3,56	2,15	3,25	1,80	1,03	0,94	0,51	0,26
15							4,54	2,77	4,15	2,32	1,33	1,22	0,66	0,34
16								3,51		2,96	1,71	1,57	0,86	0,45
17								4,39		3,72	2,17	2,00	1,10	0,57
18										4,64	2,73	2,52	1,40	0,73
19											3,38	3,13	1,75	0,93
20											4,16	3,85	2,17	1,16
21												4,70	2,67	1,44
22													3,26	1,77
23													3,94	2,16
24													4,74	2,62
25														3,15
26														3,76
27														4,46

Für größere g und h ist die Testwahrscheinlichkeit P genügend genau durch

$$P = \Phi\left(\frac{u + \frac{1}{2} - \frac{1}{2} g h}{\sqrt{\frac{1}{12} g h (g + h + 1)}}\right)$$

gegeben.

Tafel 10 ist verkürzt aus: H. R. van der Vaart, Gebruiksaanwijzing voor de toets van Wilcoxon, Mathematisch Centrum Amsterdam, Rapport S 32 (1952).

Tafel 11. Schranken für X beim X-Test

Einseitig 2,5%				Einseitig 1%				Einseitig 0,5%			
n	$g-h=$ 0 oder 1	$g-h=$ 2 oder 3	$g-h=$ 4 oder 5	n	$g-h=$ 0 oder 1	$g-h=$ 2 oder 3	$g-h=$ 4 oder 5	n	$g-h=$ 0 oder 1	$g-h=$ 2 oder 3	$g-h=$ 4 oder 5
6	∞	∞	∞	6	∞	∞	∞	6	∞	∞	∞
7	∞	∞	∞	7	∞	∞	∞	7	∞	∞	∞
8	2,40	2,30	∞	8	∞	∞	∞	8	∞	∞	∞
9	2,38	2,20	∞	9	2,80	∞	∞	9	∞	∞	∞
10	2,60	2,49	2,30	10	3,00	2,90	2,80	10	3,20	3,10	∞
11	2,72	2,58	2,40	11	3,20	3,00	2,90	11	3,40	3,40	∞
12	2,86	2,79	2,68	12	3,29	3,30	3,20	12	3,60	3,58	3,40
13	2,96	2,91	2,78	13	3,50	3,36	3,18	13	3,71	3,68	3,50
14	3,11	3,06	3,00	14	3,62	3,55	3,46	14	3,94	3,88	3,76
15	3,24	3,19	3,06	15	3,74	3,68	3,57	15	4,07	4,05	3,88
16	3,39	3,36	3,28	16	3,92	3,90	3,80	16	4,26	4,25	4,12
17	3,49	3,44	3,36	17	4,06	4,01	3,90	17	4,44	4,37	4,23
18	3,63	3,60	3,53	18	4,23	4,21	4,14	18	4,60	4,58	4,50
19	3,73	3,69	3,61	19	4,37	4,32	4,23	19	4,77	4,71	4,62
20	3,86	3,84	3,78	20	4,52	4,50	4,44	20	4,94	4,92	4,85
21	3,96	3,92	3,85	21	4,66	4,62	4,53	21	5,10	5,05	4,96
22	4,08	4,06	4,01	22	4,80	4,78	4,72	22	5,26	5,24	5,17
23	4,18	4,15	4,08	23	4,92	4,89	4,81	23	5,40	5,36	5,27
24	4,29	4,27	4,23	24	5,06	5,04	4,99	24	5,55	5,53	5,48
25	4,39	4,36	4,30	25	5,18	5,14	5,08	25	5,68	5,65	5,58
26	4,50	4,48	4,44	26	5,30	5,29	5,24	26	5,83	5,81	5,76
27	4,59	4,56	4,51	27	5,42	5,39	5,33	27	5,95	5,92	5,85
28	4,69	4,68	4,64	28	5,54	5,52	5,48	28	6,09	6,07	6,03
29	4,78	4,76	4,72	29	5,65	5,62	5,57	29	6,22	6,19	6,13
30	4,88	4,87	4,84	30	5,77	5,75	5,72	30	6,35	6,34	6,30
31	4,97	4,95	4,91	31	5,87	5,85	5,80	31	6,47	6,44	6,39
32	5,07	5,06	5,03	32	5,99	5,97	5,94	32	6,60	6,58	6,55
33	5,15	5,13	5,10	33	6,09	6,07	6,02	33	6,71	6,69	6,64
34	5,25	5,24	5,21	34	6,20	6,19	6,16	34	6,84	6,82	6,79
35	5,33	5,31	5,28	35	6,30	6,28	6,24	35	6,95	6,92	6,88
36	5,42	5,41	5,38	36	6,40	6,39	6,37	36	7,06	7,05	7,02
37	5,50	5,48	5,45	37	6,50	6,48	6,45	37	7,17	7,15	7,11
38	5,59	5,58	5,55	38	6,60	6,59	6,57	38	7,28	7,27	7,25
39	5,67	5,65	5,62	39	6,70	6,68	6,65	39	7,39	7,37	7,33
40	5,75	5,74	5,72	40	6,80	6,79	6,77	40	7,50	7,49	7,47
41	5,83	5,81	5,79	41	6,89	6,88	6,85	41	7,62	7,60	7,56
42	5,91	5,90	5,88	42	6,99	6,98	6,96	42	7,72	7,71	7,69
43	5,99	5,97	5,95	43	7,08	7,07	7,04	43	7,82	7,81	7,77
44	6,06	6,06	6,04	44	7,17	7,17	7,14	44	7,93	7,92	7,90
45	6,14	6,12	6,10	45	7,26	7,25	7,22	45	8,02	8,01	7,98
46	6,21	6,21	6,19	46	7,35	7,35	7,32	46	8,13	8,12	8,10
47	6,29	6,27	6,25	47	7,44	7,43	7,40	47	8,22	8,21	8,18
48	6,36	6,35	6,34	48	7,53	7,52	7,50	48	8,32	8,31	8,29
49	6,43	6,42	6,39	49	7,61	7,60	7,57	49	8,41	8,40	8,37
50	6,50	6,50	6,48	50	7,70	7,69	7,68	50	8,51	8,50	8,48
Zweiseitig 5%				Zweiseitig 2%				Zweiseitig 1%			

Außerhalb der Schranke ist der Effekt gesichert.

Tafel 12. Hilfstafel für den X-Test

$$Q = \frac{1}{n} \sum_{1}^{n} \Psi^2\left(\frac{r}{n+1}\right)$$

n	Q	n	Q	n	Q
1	0,000	51	0,872	101	0,923
2	0,186	52	0,874	102	0,924
3	0,303	53	0,876	103	0,924
4	0,386	54	0,877	104	0,925
5	0,449	55	0,879	105	0,926
6	0,497	56	0,880	106	0,926
7	0,537	57	0,882	107	0,927
8	0,570	58	0,884	108	0,927
9	0,598	59	0,885	109	0,928
10	0,622	60	0,887	110	0,928
11	0,642	61	0,888	111	0,929
12	0,661	62	0,889	112	0,929
13	0,677	63	0,891	113	0,930
14	0,692	64	0,892	114	0,930
15	0,705	65	0,893	115	0,931
16	0,716	66	0,894	116	0,931
17	0,727	67	0,895	117	0,932
18	0,737	68	0,897	118	0,932
19	0,746	69	0,898	119	0,932
20	0,755	70	0,899	120	0,933
21	0,763	71	0,900	121	0,933
22	0,770	72	0,901	122	0,934
23	0,777	73	0,902	123	0,934
24	0,783	74	0,903	124	0,935
25	0,789	75	0,904	125	0,935
26	0,794	76	0,905	126	0,935
27	0,799	77	0,906	127	0,936
28	0,804	78	0,907	128	0,936
29	0,809	79	0,908	129	0,937
30	0,813	80	0,908	130	0,937
31	0,817	81	0,909	131	0,937
32	0,821	82	0,910	132	0,938
33	0,825	83	0,911	133	0,938
34	0,829	84	0,912	134	0,938
35	0,833	85	0,913	135	0,939
36	0,836	86	0,913	136	0,939
37	0,839	87	0,914	137	0,939
38	0,842	88	0,915	138	0,940
39	0,845	89	0,916	139	0,940
40	0,848	90	0,916	140	0,940
41	0,850	91	0,917	141	0,941
42	0,853	92	0,918	142	0,941
43	0,855	93	0,918	143	0,941
44	0,858	94	0,919	144	0,942
45	0,860	95	0,920	145	0,942
46	0,862	96	0,920	146	0,942
47	0,864	97	0,921	147	0,943
48	0,866	98	0,922	148	0,943
49	0,868	99	0,922	149	0,943
50	0,870	100	0,923	150	0,944

Tafel 13. Schranken für den Korrelationskoeffizienten r

$f = n - 2$ für totale Korrelation; $f = n - k - 2$ für bereinigte Korrelation, wenn k Größen eliminiert sind.

$f \downarrow$	zweiseitig				$f \downarrow$	zweiseitig			
	5%	2%	1%	0,1%		5%	2%	1%	0,1%
1	0,997	1,000	1,000	1,000	16	0,468	0,543	0,590	0,708
2	0,950	0,980	0,990	0,999	17	0,456	0,529	0,575	0,693
3	0,878	0,934	0,959	0,991	18	0,444	0,516	0,561	0,679
4	0,811	0,882	0,917	0,974	19	0,433	0,503	0,549	0,665
5	0,754	0,833	0,875	0,951	20	0,423	0,492	0,537	0,652
6	0,707	0,789	0,834	0,925	25	0,381	0,445	0,487	0,597
7	0,666	0,750	0,798	0,898	30	0,349	0,409	0,449	0,554
8	0,632	0,715	0,765	0,872	35	0,325	0,381	0,418	0,519
9	0,602	0,685	0,735	0,847	40	0,304	0,358	0,393	0,490
10	0,576	0,658	0,708	0,823	45	0,288	0,338	0,372	0,465
11	0,553	0,634	0,684	0,801	50	0,273	0,322	0,354	0,443
12	0,532	0,612	0,661	0,780	60	0,250	0,295	0,325	0,408
13	0,514	0,592	0,641	0,760	70	0,232	0,274	0,302	0,380
14	0,497	0,574	0,623	0,742	80	0,217	0,257	0,283	0,357
15	0,482	0,558	0,606	0,725	90	0,205	0,242	0,267	0,338
					100	0,195	0,230	0,254	0,321
$\uparrow f$	2,5%	1%	0,5%	0,05%	$\uparrow f$	2,5%	1%	0,5%	0,05%
	einseitig					einseitig			

Für größere Werte von f berechne man

$$t = f^{\frac{1}{2}}(1 - r^2)^{-\frac{1}{2}} r$$

und verwende Tafel 7.

Tafel 13 aus: E. S. Pearson and H. O. Hartley, Biometrika Tables for Statisticians I, Cambridge Univ. Press 1954, Table 13 (p. 138).

Beispiele, nach Fachgebieten geordnet

Die Zahl hinter dem Stichwort gibt die Seite an

Wahrscheinlichkeitsrechnung

Fehlertheorie, Normalverteilungen und Verwandtes

Physik und Chemie

Astronomie, Geodäsie und Meteorologie

Biologie und Physiologie

Medizin und Hygiene

Bevölkerungs- und Wirtschaftsstatistik

Industrielle Anwendungen

Trefferstatistik beim Schießen

Korrelationsrechnung und experimentelle Psychologie

Übersetzung englischer Fachausdrücke

Accept, *nicht verwerfen*
Analysis of variance, *Varianzanalyse*
Asymptotically efficient, *effizient*
— normal, *asymptotisch normal*

Bias, *Bias, systematischer Fehler*
Binomial distribution, *Binomialverteilung*
Bio-assay, *Bio-Auswertung*
Bunch graph, *Büschelkarte*

Central limit theorem, *zentraler Grenzwertsatz*
Characteristic function, *charakteristische Funktion*
Chi-square, *Chiquadrat*, χ^2
Complete set, *vollständiges System*
Composite, *zusammengesetzt*
Conditional expectation, *bedingter Erwartungswert*
— probability, *bedingte Wahrscheinlichkeit*
Confidence limits, *Vertrauensgrenzen*
Consistent, *konsistent*
Continuous, *stetig*
Convergence in probability, *Konvergenz nach Wahrscheinlichkeit*
Correlation, *Korrelation*
— coefficient, *Korrelationskoeffizient*
Covariance, *Kovarianz*
Cramér-Rao inequality, *Ungleichung von* Fréchet
Critical region, *kritischer Bereich*
— value, *kritischer Wert*

Degrees of Freedom, *Freiheitsgrade*
Dependent, *abhängig*
Distribution, *Verteilung*
— free, *verteilungsfrei*
— function, *Verteilungsfunktion*
Dosis-mortality curve, *Wirkungskurve*

Efficient, *effizient*
Error first kind, *Fehler 1. Art*
— probability, *Irrtumswahrscheinlichkeit*

Error second kind, *Fehler 2. Art*
Estimable, *auswertbar*
Estimate, *Schätzung*
Event, *Ereignis*
Excess, *Exzeß*
Expectation value, *Erwartungswert, Mittelwert*

Fourfold table, *Vierfeldertafel*
Frequency, *Häufigkeit*

Gene, *Erbfaktor, Gen*

Hypergeometric distribution, *hypergeometrische Verteilung*
Hypothesis, simple, *Hypothese, einfache,*
— composite, — *zusammengesetzte*

Independent, *unabhängig*
Information, *Information*
— inequality, *Ungleichung von* Fréchet
Intraclass correlation, *Paarkorrelation*

Lag, *Verzögerung*
Level, *Niveau*
Likely, *plausibel*
Likelihood, *Likelihood*
— ratio, — *Quotient*
— — test, — *Ratio Test*
Logistic curve, *logistische Kurve*
Logit, *Logit*
Loss, *Verlust*

Maximum Likelihood, *Maximum Likelihood*
Mean of sample, *Mittel*
— — population, *Mittelwert*
Measurable, *meßbar*
Median, *Zentralwert*
Minimum variance estimate, *Minimalschätzung*
Moment, *Moment*
Most powerful, *möglichst mächtig*
— — unbiased test, *mächtigster biasfreier Test*

Normal distribution, *Normalverteilung*
Nullhypothesis, *Nullhypothese*

One-sided, *einseitig*
Order statistics, *Ranggrößen*
Order test, *Anordnungstest*

Partial correlation, *bereinigte Korrelation*
Poisson distribution, *Verteilung von* POISSON
Population mean, *Mittelwert*
Power, *Macht*
Powerful, *mächtig*
Probability, *Wahrscheinlichkeit*
— density, *Wahrscheinlichkeitsdichte*
Probable error, *wahrscheinlicher Fehler*
Probit, *Probit*

Random sample, *zufällige Stichprobe*
— variable, — *Größe*
Range, *Spannweite*
Rank correlation, *Rangkorrelation*
Rectangular, *rechteckig*
Region, *Bereich*
Regression, *Regression*
Regular, *regulär*
Reject, *verwerfen*

Sample, *Stichprobe*
Sample mean, *Mittel*
Sampling, *Stichprobenverfahren*
Score, *Beitrag*
Second limit theorem, *zweiter Grenzwertsatz*
Sign test, *Zeichentest*
Similar to sample space, *genau zum Niveau β gehörig*
Simple hypothesis, *einfache Hypothese*
Skewness, *Schiefe*
Standard deviation, *Streuung*
— error, *mittlerer Fehler, Standardfehler*
Step function, *Treppenfunktion*
Statistic, *(statistische) Größe*
Stochastic approximation, *stochastische Approximation*
Student's test, *Student's Test*
Sufficient estimate, *erschöpfende Schätzung*
— statistic, *erschöpfende Größe*
Superefficient, *supereffizient*

Tail, *Schwanz*
Test, *Test*
— statistic, *Testgröße*
Testing, *Prüfung*
Tie, *Bindung*
Trend, *Trend*
Two-sample problem, *Problem der zwei Stichproben*
Two-sided, *zweiseitig*

Unbiased, *biasfrei, ohne Bias*
Uniformly most powerful, *gleichmäßig der mächtigste*
Up and down, *auf und ab*

Variance, *Varianz*
— ratio test, — *Quotiententest*

Within classes, *innerhalb der Klassen*

Namen- und Sachverzeichnis